ДАНИЭЛА СТИЛ

СВАДЬБА

ИЗДАТЕЛЬСТВО

Москва
2002

УДК 821.111(73)
ББК 84(7США)
С80

Danielle Steel
THE WEDDING
2000

Перевод с английского Е.К. Денякиной

Серийное оформление А.А. Кудрявцева

Печатается с разрешения автора и литературных агентств
Janklow & Nesbit Associates и Permissions & Rights Ltd.

Подписано в печать с готовых диапозитивов 08.08.01.
Формат 84×108^1/$_{32}$. Печать высокая с ФПФ. Бумага
типографская. Усл. печ. л. 21,84. Доп. тираж 5000 экз.
Заказ 1419.

Стил Д.
С80   Свадьба: Роман / Д. Стил; Пер. с англ. Е.К. Денякиной. —
М.: ООО «Издательство АСТ», 2002. — 414, [2] с.

ISBN 5-17-005652-4.

Это — самый, пожалуй, захватывающий из романов суперзнаменитой Даниэлы Стил, книга, в которой вы найдете все, что любите в произведениях этой писательницы.

Интриги, скандалы, блеск и роскошь звездного Голливуда? Разумеется!..

Трогательная, забавная и увлекательная семейная сага? Конечно же!..

Однако прежде всего это — история любви. Любви сильной, независимой молодой женщины с «неженской» профессией адвоката и известного писателя, силой своего чувства возродившего ее к новой жизни.

Это — «Свадьба» Даниэлы Стил.

УДК 821.111(73)
ББК 84 (7США)

ISBN 5-17-005652-4

Глава 1

Поток машин полз по шоссе на Санта-Монику с черепашьей скоростью. Аллегра Стейнберг откинулась на спинку сиденья своего темно-синего «мерседеса» трехсотой модели. При такой скорости дорога, пожалуй, займет целую вечность. Она ехала домой, никаких особенно срочных дел у нее не было, но сидеть просто так, застряв в автомобильной пробке, всегда казалось ей на редкость бессмысленной тратой времени.

Аллегра со вздохом вытянула ноги, включила радио и улыбнулась: из приемника полилась мелодия последнего сингла Брэма Моррисона. Вот уже больше года Аллегра представляла интересы Моррисона как адвокат. Важных клиентов такого уровня у нее было несколько. Окончив Йельский университет четыре года назад, в свои двадцать девять Аллегра успела стать младшим партнером юридической фирмы «Фиш, Херцог и Фримен» — одной из наиболее солидных и известных в Лос-Анджелесе. Ей всегда хотелось работать адвокатом в шоу-бизнесе. Аллегра давно решила, что станет юристом. Лишь на младших курсах университета, после двух лет участия в труппе любительского театра в Нью-Хейвене она некоторое время подумывала о том, чтобы стать актрисой. Выбери она актерскую профессию, в семье никто бы не удивился, хотя это еще не значит, что родные пришли бы в восторг. Мать Аллегры, Блэр Скотт, поставила на телевидении по собственному сценарию один из наиболее известных сериалов за последние девять лет. Это была комедия, не лишенная, впрочем, серьезных моментов, а временами в нее вплеталась и драматическая правда жизни. Из девяти лет, что сериал шел на экране, семь лет он занимал верхнюю строку в рейтинге и за это время принес Блэр Скотт семь премий «Эмми». Отец Аллегры, **3**

Саймон Стейнберг, был крупным кинопродюсером, некоторые из его фильмов имели шумный успех. За годы работы он получил три премии «Оскар», а о его способности создавать фильмы, приносящие огромные кассовые сборы, ходили легенды. Но что куда важнее, Саймон Стейнберг принадлежал к породе людей, которые в Голливуде встречаются крайне редко — он был настоящим джентльменом, человеком милым и порядочным, словом, достойным во всех отношениях. Они с Блэр были одной из самых уважаемых супружеских пар в киноиндустрии — и самых нетипичных для Голливуда. Оба много работали, но много времени посвящали и семье, которой оба равно дорожили. Младшая сестра Аллегры, семнадцатилетняя Саманта, или Сэм, как ее все звали, еще заканчивала среднюю школу, но уже успела поработать фотомоделью. В отличие от Аллегры Сэм всерьез собиралась стать актрисой. Из всей семьи только Скотт, брат Аллегры, студент-первокурсник Стэнфордского университета, не имел никакого отношения к шоу-бизнесу. Он изучал медицину и мечтал только о том, чтобы стать врачом. Голливуд с его обманчивым блеском, похоже, совсем не привлекал Скотта Стейнберга.

К двадцати годам Скотт достаточно насмотрелся на изнанку шоу-бизнеса, чтобы испытывать к нему стойкое отвращение. Он даже считал, что Аллегра совершила глупость, связав свою жизнь с юридической стороной этого мира. Самого Скотта вовсе не привлекала перспектива всю жизнь волноваться из-за кассовых сборов, прибылей и рейтинга. Он избрал профессию хирурга-ортопеда со специализацией в области спортивной медицины — занятие полезное, конкретное и практическое. «Кто-то ломает ногу — врач ее лечит, все просто и без затей» — так рассуждал Скотт. На примере других членов семьи Скотт видел, каково общаться с избалованными, эксцентричными звездами рок-музыки, капризными, ненадежными актерами, бесчестными дельцами от теле- и кинобизнеса и инвесторами, мнящими себя этакими благородными рыцарями. Скотт не отрицал, что в профессиях его близких есть свои достоинства и все они преданы своей работе. Да, его мать явно получает от своего сериала огромное удовлетворение, отец снял несколько действительно классных фильмов, Сэм мечтает о карьере актрисы, а Аллегра с удовольствием занимается делами звезд.

Все так, но что до него, Скотта, то он лучше будет держаться от всего этого подальше.

Думая о брате и слушая песню Брэма, Аллегра улыбнулась. То, что в числе ее клиентов оказался Брэм Моррисон, произвело впечатление даже на Скотта. Еще бы, Брэм — настоящая знаменитость. Обычно Аллегра не распространялась о своих клиентах, но Брэм сам упомянул о ней, давая интервью Барбаре Уолтерс. Клиенткой Аллегры является и Кармен Коннорс, блондинка в стиле Мэрилин Монро, очередная секс-бомба. Двадцатитрехлетняя уроженка крошечного городка в штате Орегон и ревностная христианка, она начинала в качестве певички в клубе, но в последнее время снялась один за другим в двух фильмах и тогда выяснилось, что у нее актерский талант. В коллегии адвокатов Кармен порекомендовали фирму «Фиш, Херцог и Фримен», а один из старших партнеров познакомил ее с Аллегрой. Они хорошо поладили с самого начала, и с тех пор Аллегра с ней нянчилась — иногда в самом прямом смысле, но так уж повелось.

В отличие от Брэма, которому было под сорок и который выступал на сцене уже лет двадцать, Кармен была еще новичком в Голливуде, и всякого рода неприятности, казалось, преследовали ее по пятам. У нее то и дело возникали проблемы с влюбленными в нее мужчинами, которых, как заявляла Кармен, она едва знает, проблемы с не в меру навязчивыми поклонниками, рекламными агентами, парикмахерами, желтой прессой, папарацци, незадачливыми агентами. Кармен никогда толком не знала, как вести себя со всеми этими людьми, и частенько в отчаянии звонила Аллегре, случалось, даже и в два часа ночи. По ночам голливудскую красотку часто одолевали страхи: ей казалось, что кто-нибудь заберется в дом и нападет на нее. Аллегра лишь отчасти смогла ее избавить от страха при помощи охранного агентства, которое патрулировало дом актрисы с сумерек до рассвета, новейшей системы охранной сигнализации и пары сторожевых псов весьма жуткого вида. Кармен и сама боялась ротвейлеров, зато псы испугали бы любого бандита или другого непрошеного гостя, который посмел бы забраться в дом. Однако несмотря на все предпринятые меры, Кармен по-прежнему звонила своему юристу среди ночи — хотя бы только затем, чтобы поговорить о недоразумениях и трудностях, возникших на съемочной площадке, а иногда и просто ища утешения. Аллегра к этому скоро привыкла, хотя друзья не раз шутили, что она не только адвокат, но и нянька по совместительству. Ал-

5

чегра относилась к этой стороне дела философски, делая скидку на непредсказуемость знаменитостей. Она видела, что приходится терпеть ее родителям, общаясь со звездами, и уже ничему не удивлялась. Несмотря ни на что, ей нравилась сама юридическая деятельность, а особенно та ее часть, которая касалась шоу-бизнеса.

Дожидаясь, пока вереница машин сдвинется с места, Аллегра переключила приемник на другую радиостанцию. Машины наконец-то медленно поползли вперед. Она подумала о Брэндоне. Иногда, чтобы доехать до дома, возвращаясь от клиента, она тратила больше часа на какие-нибудь десять миль пути, но пришлось с этим смириться. Ей нравилось жить в Лос-Анджелесе, а на дорожные проблемы она большей частью просто не обращала внимания.

Стоял теплый январский день, Аллегра опустила верх машины, и в ее длинных белокурых волосах поблескивали последние лучи предзакатного солнца. Именно по такой южной, типичной для Калифорнии погоде она тосковала на протяжении семи долгих зим в Нью-Хейвене, пока училась в Йельском университете. Большинство ее друзей, окончив среднюю школу в Беверли-Хиллз, поехали учиться в ЛАКУ*, но Саймон Стейнберг хотел, чтобы его дочь училась в Гарварде. Аллегра предпочла Йельский университет, но у нее никогда не возникало искушения остаться по окончании учебы на востоке. Ее дом и вся жизнь — в Калифорнии.

Аллегра набрала скорость. У нее мелькнула мысль, не позвонить ли Брэндону в офис, но потом она решила подождать до дома. По дороге домой она иногда звонила из машины по делам, но разговаривать с Брэндоном предпочитала из дома, несколько минут отдохнув и немного расслабившись. Как и она сама, Брэндон бывал занят до самого конца рабочего дня, иногда к вечеру дел даже прибавлялось, например, при встрече с клиентом, которого ему предстояло защищать на следующий день в суде, или на совещании с другими поверенными или судьями. Брэндон работал судебным адвокатом и специализировался на преступлениях «белых воротничков», таких как взятки, растраты, вымогательства. «Настоящая юриспруденция», — с гордостью говорил он, бывало, о своей работе, про-

 * Калифорнийский университет в Лос-Анджелесе. — *Здесь и далее примеч. пер.*

тивопоставляя ее тому, чем занималась Аллегра. Но она и сама не отрицала, что его профессиональная деятельность была далека от ее собственной адвокатской практики как небо от земли. По характеру они с Брэндоном тоже сильно отличались друг от друга, он был серьезнее, более собранный, с более глубоким подходом к жизни. За два года, что Аллегра с ним встречалась, ее близкие не раз и не два обвиняли Брэндона Эдвардса в том, что у него нет чувства юмора. По их мнению, это было существенным недостатком, так как родные Аллегры были с избытком наделены чувством юмора.

Ей нравилось в Брэндоне многое: надежность, твердость, не последнюю роль играла и общность профессий. Ей нравилось даже то, что у него есть семья. Брэндон прожил десять лет с женщиной, на которой женился, еще учась на юридическом факультете. Он уехал учиться в Калифорнийский университет в Беркли, а Джоанна забеременела. По словам Брэндона, он был просто вынужден жениться и до сих пор испытывал негодование по этому поводу. Однако после десяти лет брака, имея двоих детей, они с Джоанной во многом были по-прежнему очень близки. Тем не менее Брэндон до сих пор нередко сетовал на свой скоропалительный брак, который он называл отвратительной ловушкой. После окончания юридического факультета Брэндон поступил работать в самую консервативную юридическую фирму Сан-Франциско. То, что почти сразу после их с Джоанной решения пожить врозь его перевели в лос-анджелесский офис фирмы, было чистой случайностью. Через три недели после переезда в Лос-Анджелес Брэндон познакомился с Аллегрой, вернее, их представил друг другу общий знакомый. С тех пор они встречались вот уже два года. Аллегра любила его и любила его детей. Джоанне не нравилось отпускать дочерей в Лос-Анджелес, поэтому, чтобы повидаться с ними, Брэндон обычно сам летал в Сан-Франциско. Всякий раз, когда была возможность, Аллегра отправлялась с ним. Правда, за эти два года Джоанна так и не смогла найти работу и продолжала твердить, что если начнет работать и перестанет сидеть дома с девочками, для них это будет слишком тяжелой травмой. То есть она всецело зависела от Брэндона. К тому же они до сих пор не разрешили спор из-за дома и квартиры в большом доме у озера Тахо. Время шло, а они так ничего и не решили, дело о разводе до сих пор не было заведено, договоренность по финансовым вопросам не достигнута. Аллегра иногда поддразнивала Брэндона тем, что он адвокат, а сам не может заставить собственную жену подписать контракт. Но торопить его не хотела. Сохранение нынешнего положения вещей означало, что до поры до времени их отношения тоже остаются на прежнем уровне — удобные, приятные, но не переходящие на следующую ступень, — и так могло продолжаться до тех пор, пока Брэндон не расставит все точки над i с Джоанной.

Думая о Брэндоне и гадая, захочется ли ему пойти в ресторан, Аллегра свернула на Беверли-Хиллз. Брэндон готовился к очередному судебному заседанию и, вероятнее всего, засидится в рабочем кабинете допоздна. Но она и сама нередко работала по ночам, правда, не потому, что готовилась к судебному процессу. Среди ее клиентов были актеры и актрисы, писатели, продюсеры, режиссеры, и ей приходилось заниматься всем, начиная от контрактов и кончая завещаниями, вести за них переговоры, решать финансовые вопросы при разводах. Аллегру больше всего интересовала юридическая сторона ее деятельности, но она лучше других адвокатов понимала, что имея дело со знаменитостью или, во всяком случае, с клиентом из шоу-бизнеса, поневоле приходится уходить с головой в его сложную, порой сумбурную, зачастую полную неразберихи жизнь. Иногда Аллегре казалось, что Брэндон этого не понимает. Как она ни пыталась что-то объяснить, индустрия развлечений оставалась для него неизведанной страной. По его словам, он предпочитал осуществлять свои функции юриста с «нормальными людьми» и для «нормальных людей», и лучше — в обстановке, которая ему знакома и понятна, например, в зале федерального суда. Он надеялся со временем занять пост федерального судьи, и в тридцать шесть лет подобные устремления казались вполне разумными.

Едва Аллегра свернула с шоссе, как зазвонил мобильник. Она надеялась услышать голос Брэндона, но это был не он. Звонила Элис, секретарша. Элис работала в фирме уже пятнадцать лет и для Аллегры стала чем-то вроде спасательного жилета. У нее была светлая голова, уйма здравого смысла и успокаивающая, почти материнская манера обращения с самыми капризными клиентами. Не спуская глаз с дороги, Аллегра переключила телефон на громкую связь и спросила:

8   — Привет, Элис, что стряслось?

— Только что звонила Кармен Коннорс. Я подумала, вам нужно об этом знать. Она страшно расстроена. Ее фотография появилась на обложке «Чаттера».

Так называлась одна из самых пакостных газетенок желтой прессы, которая вот уже несколько месяцев терзала Кармен, несмотря на все предупреждения и даже угрозы со стороны Аллегры. К сожалению, газетчики точно знают, насколько далеко можно зайти, чтобы не быть привлеченными к суду за клевету, и умеют не перейти черту.

— Ну, что на этот раз? — спросила Аллегра, хмурясь.

Она подъезжала к небольшому дому, который купила после окончания юридического колледжа — не без финансовой помощи родителей, конечно. Этот дом, точнее, уединенный коттедж, очень понравился Аллегре, а деньги родителям она собиралась со временем вернуть.

— Кажется, в статье говорится, что она участвовала в оргии с одним из своих врачей, пластическим хирургом, — сообщила Элис.

Бедняжка Кармен однажды сделала глупость, пойдя на свидание с упомянутым врачом. Они обедали в «Чейзене»* и, если верить словам Кармен, даже не занимались сексом, не говоря уже о какой-то оргии.

Поворачивая на подъездную аллею, Аллегра в досаде чертыхнулась.

— У вас есть экземпляр газеты?

— Нет, но я обязательно куплю по дороге. Хотите, я завезу вам газету?

— Не надо. Взгляну завтра. Я уже дома и сейчас же позвоню Кармен. Спасибо за сообщение. Что-нибудь еще?

— Звонила ваша мать, она интересовалась, сможете ли вы прийти к ним на обед в пятницу, и хотела убедиться, что в субботу вы будете на вручении премии «Золотой глобус». Блэр очень надеется увидеть вас на церемонии.

— Конечно, я буду. — Аллегра улыбнулась, останавливая машину у крыльца. — И мама об этом знает.

В этом году отец и мать Аллегры были выдвинуты на премию, и она ни за что не пропустила бы церемонию награждения. Аллегра пригласила и Брэндона, причем заранее, за месяц, еще до Рождества.

— Думаю, она просто хотела лишний раз удостовериться, что вы придете.

* Один из знаменитых ресторанов Лос-Анджелеса.

— Ей я тоже перезвоню. Это все?

— Теперь все.

Часы показывали пятнадцать минут седьмого. Аллегра ушла из офиса в половине шестого, что было для нее рано, но она взяла работу домой, и если они с Брэндоном не встретятся, у нее будет время ее сделать.

— До завтра, Элис, спокойной ночи.

Попрощавшись, Аллегра вынула из замка зажигания ключи, взяла портфель, заперла машину и поспешила к дверям. Дом выглядел темным и пустым; войдя в холл, Аллегра бросила портфель на кушетку, включила свет и прошла на кухню.

Из окна открывался впечатляющий вид на раскинувшийся внизу город. Уже стемнело, и далекие огни мерцали, как драгоценные камни. Аллегра достала из холодильника маленькую бутылку минеральной воды, открыла ее, отхлебнула из горлышка и принялась свободной рукой разбирать почту. Несколько счетов, письмо от школьной подруги Джессики Фарнсуорт, несколько каталогов, куча всякой рекламной чепухи и открытка от другой подруги, Нэнси Тауэрс, которая сейчас катается на лыжах в Санкт-Морице. Прихлебывая воду, Аллегра отодвинула почту в сторону и тут заметила теннисные туфли Брэндона, в которых он бегал по утрам. Дом всегда кажется более обжитым, когда Брэндон оставляет свои вещи. Он не отказался от своей квартиры в городе, но большую часть времени проводил здесь, с Аллегрой. Ему нравилось жить с ней, он не раз об этом говорил, но и не скрывал того факта, что еще не готов взять на себя определенные обязательства. Первый брак слишком ущемлял его интересы, оказался неудачным, и Брэндон боялся повторить свою ошибку. Вероятно, поэтому он и тянул так долго с разводом. Но Аллегра была вполне довольна тем, что у нее есть, о чем она и говорила своему психоаналитику и родителям. Ей всего двадцать девять, нет нужды спешить с замужеством.

Аллегра отбросила назад свои длинные светлые волосы, включила кнопку прослушивания сообщений на автоответчике и села на высокий табурет возле кухонной стойки. Ее кухня, отделанная белым мрамором и черным гранитом, сияла безупречной чистотой. Слушая сообщения, Аллегра с отсутствующим видом уставилась в пол, выложенный в шахматном порядке черной и белой плиткой. Как и следовало ожидать, первый звонок был от Кармен; казалось, она

10

плачет. Кармен пробормотала что-то несвязное о статье, о том, как это несправедливо и как расстроилась ее бабушка. Бабушка звонила ей сегодня днем из Портленда. Кармен не знала, решит ли Аллегра подавать в суд на этот раз, но хотела поговорить и просила перезвонить ей, как только у Аллегры выдастся свободная минутка. Похоже, Кармен даже в голову не приходило, что ее адвокат имеет право на свободное время и личную жизнь. Звезда нуждалась в ней для решения собственных проблем, ни о чем не задумываясь, что, впрочем, еще не делало ее плохим человеком.

Снова звонила мать, приглашая Аллегру на обед в пятницу и, в точности как говорила Элис, напоминая о предстоящей в этот уик-энд церемонии вручения премии «Золотой глобус». Слушая голос матери, Аллегра улыбнулась. Блэр была по-настоящему взволнована — вероятно, потому, что ее мужа тоже выдвинули на премию. Скотт приезжал из Стэнфорда, чтобы смотреть церемонию вместе с Сэм дома по телевизору, и Блэр надеялась, что Аллегра пойдет на торжество вместе с родителями.

Следующее сообщение было от тренера по теннису, от которого Аллегра пряталась уже несколько недель. Она начала брать уроки тенниса, но, посетив несколько занятий, все никак не могла выкроить время на следующее. Аллегра пометила в блокноте его имя, думая, что нужно будет по крайней мере позвонить и объяснить, что она не сможет продолжить занятия.

Затем шло сообщение от мужчины, с которым Аллегра познакомилась в отпуске. Он был привлекателен и работал в престижной студии, но играл не по правилам. Аллегра познакомилась с ним, когда была с Брэндоном. Назвав свое имя, он просил перезвонить. Слушая хрипловатый голос, Аллегра улыбнулась, но подумала, что об этом и речи быть не может. Она не собирается встречаться с кем бы то ни было, кроме Брэндона. Брэндон — третья большая любовь в ее жизни. Предыдущая продлилась почти четыре года, началась еще в юридическом колледже и продолжалась первые два года ее адвокатской практики в Лос-Анджелесе. Роджер тоже окончил Йельский университет, но другой факультет — режиссерский. Однако за четыре года он так и не созрел для серьезных отношений и в конце концов переехал в Лондон. Он звал с собой и Аллегру, но к тому времени она работала **11** у «Фриша, Херцога и Фримена» и у нее уже было множество клиентов. Конечно, она не могла бросить работу и поехать с Роджером в Лондон. Действительно, какой смысл отказываться от потрясающей работы и ехать на край света за человеком, который даже ничего не обещает, не желает говорить о будущем? Роджер жил сегодняшним днем. Он любил пространно рассуждать о карме, о свободе и об энергии «ци». Два года общения с психоаналитиком кое-чему научили Аллегру, и ей хватило ума не тащиться за ним в Лондон. Поэтому она осталась в Лос-Анджелесе, где через два месяца встретила Брэндона.

Предшественником Роджера был Том, женатый профессор Йельского университета. Аллегра сошлась с ним на старшем курсе, их бурный, страстный роман был основан исключительно на сексе. Она еще не встречала никого похожего на Тома, и их отношения закончились, только когда он взял творческий отпуск и отправился на целый год в путешествие пешком по Непалу. Он взял с собой жену и грудного младенца, их сына. Когда Том вернулся, его жена снова ждала ребенка, но к тому времени Аллегра уже встречалась с Роджером. Однако когда бы их пути ни пересекались, между ней и Томом всегда проскакивало нечто вроде мощного электрического разряда. Когда он уехал преподавать в Северо-Западный университет, Аллегра вздохнула с облегчением. Пусть Том испытывал к ней непреодолимое влечение, но он так и не смог реально представить их будущее. Когда он думал о будущем, то видел перед собой только Митру, свою жену, и их сына Евклида. Том отошел в прошлое, и доктор Грин, психоаналитик, редко заговаривала о нем, разве что когда хотела напомнить, что у Аллегры до сих пор не было с мужчиной отношений, предусматривающих какие-то обещания, касающиеся их общего будущего.

— Ну, не знаю, мне двадцать девять лет, должны же у меня быть связи с мужчинами, — не раз говорила Аллегра. — А выйти замуж мне никогда по-настоящему не хотелось.

— Дело не в этом, Аллегра, — возражала доктор Грин. Она была уроженкой Нью-Йорка, и ее большие темные карие глаза иногда преследовали Аллегру после сеансов. Аллегра ходила к психоаналитику вот уже четыре года с перерывами. Ее в целом устраивала собственная жизнь, вот только свободного времени постоянно не хватало и уж очень многого от нее ждали и в семье, и в фирме. — А на вас кто-нибудь когда-нибудь хотел жениться?

Доктор Грин упорно возвращалась к вопросу, который самой Аллегре казался бессмысленным.

— Какая разница, если я не хочу замуж? — защищалась она.

— Но почему? Почему вам не нужен мужчина, который хотел бы на вас жениться? В чем дело, Аллегра? — не унималась доктор Грин.

— Но это же просто глупо! Роджер женился бы на мне, если бы я поехала с ним в Лондон. Я сама не захотела, у меня слишком бурная жизнь здесь, в Лос-Анджелесе.

— Почему вы думаете, что он бы на вас женился? — Порой Аллегре казалось, что доктор Грин похожа на маленького хорька, который залезает во все уголки и все вынюхивает, вынюхивает. — Он когда-нибудь это говорил?

— Мы на эту тему не разговаривали.

— И вас это не удивляет, Аллегра?

— Какая разница? С тех пор прошло два года, — начинала раздражаться она. Аллегра терпеть не могла, когда доктор Грин принималась за свои бесконечные расспросы. — Какое это имеет значение сейчас? — Все равно она слишком молода и слишком занята своей карьерой, чтобы выходить замуж.

— А как насчет Брэндона?

Доктор Грин никогда не забывала о Брэндоне, но Аллегре почему-то не нравилось обсуждать его с психоаналитиком. Ей казалось, что доктор Грин не понимает его ситуации или не осознает, как сильно травмировал его вынужденный брак.

— Когда он подает на развод?

— Когда они решат финансовые и имущественные вопросы, — обычно отвечала Аллегра, рассуждая как адвокат.

— А почему бы им не отделить одно от другого и не заняться сначала разводом? Ведь потом можно сколько угодно заниматься разделом имущества.

— Зачем? Какой в этом смысл? Нам же не обязательно жениться.

— Верно, не обязательно, но хочет ли он жениться? А вы, Аллегра, хотите за него замуж? Вы когда-нибудь обсуждали этот вопрос?

— Нам незачем его обсуждать, мы прекрасно понимаем друг друга. Мы оба заняты, оба делаем карьеру, да и встречаемся только два года.

— Некоторые люди женятся и выходят замуж и после более короткого знакомства. Суть в другом. — Доктор Грин впилась в Аллегру взглядом своих проницательных карих глаз. — Не связались ли вы снова с мужчиной, который не хочет брать на себя обязательства?

— Конечно, нет! — Аллегра в который раз тщетно попыталась избегнуть пронизывающего, как луч лазера, взгляда. — Просто еще не время.

Обычно на этом месте доктор Грин кивала и ждала, что она скажет дальше.

За два года почти ничего не изменилось, только Аллегре было сначала двадцать семь, потом стало двадцать восемь, а теперь двадцать девять, в то время как раздельное проживание Брэндона с женой длилось уже два года. Его дочерям, Николь и Стефани, исполнилось одиннадцать и девять лет, а Джоанна до сих пор не преуспела в поисках работы. Как и Брэндон, Аллегра объясняла последнее обстоятельство отсутствием у нее образования. Незадолго до рождения старшей дочери Джоанна бросила колледж.

Кстати, следующей записью на автоответчике Аллегры была запись Николь. Девочка надеялась, что все в порядке и в выходные Аллегра приедет с ее папой в Сан-Франциско. Она соскучилась и мечтает, как они все трое будут кататься на коньках.

— И еще... мне очень понравился свитер, который вы прислали мне на Рождество... Я хотела написать письмо, да забыла, а мама говорит... — В трубке повисло смущенное молчание. Девочка пыталась собраться с мыслями. — В эти выходные я обязательно напишу вам письмо. До свидания. Всего хорошего... — Девочка ойкнула и, спохватившись, что не представилась, поспешно добавила: — Это Ники. Пока.

Все еще улыбаясь, Аллегра прослушала следующее сообщение — от Брэндона. Он предупреждал, что все еще в офисе и задержится допоздна. Его сообщение было последним.

Аллегра выключила автоответчик, допила минеральную воду, выбросила пустую бутылку в мусорное ведро и взяла телефон, чтобы позвонить Брэндону на работу.

Сидя с телефонной трубкой в руке на кухонном табурете, обхватив ногами его металлические ножки, она выглядела высокой, тонкой и очень красивой, но не сознавала это-

го. Аллегра так долго жила в окружении красивых

людей, что красота лица и тела не была для нее чем-то необычайным и интересовала ее куда меньше, чем духовный мир. О собственной же красоте она никогда не задумывалась и от этого только становилась естественнее, так как все ее внимание было сосредоточено на окружающих ее людях.

Брэндон снял трубку своей личной линии на втором гудке; по голосу чувствовалось, что он занят и недоволен тем, что ему помешали. Сразу ясно, что он работает.

— Брэндон Эдвардс слушает.

Аллегра улыбнулась. Ей нравился его голос — глубокий, низкий, сексуальный, — а еще больше нравилась его манера говорить. Высокий светловолосый Брэндон был всегда подтянут и аккуратен; одевался он, пожалуй, в несколько консервативной манере, но Аллегру это устраивало. Во всем его облике чувствовалась некая цельность и безупречность.

— Привет, я получила твое сообщение, — сказала Аллегра, не представляясь, но Брэндон узнал ее сразу же. — Как прошел день?

— Ужасно, и кажется, он никогда не кончится.

Голос Брэндона звучал по-прежнему устало. Аллегра не стала рассказывать о своих делах: Брэндона не интересовали клиенты фирмы, где она работала, и он всегда держался так, будто ее сфера деятельности — это не юриспруденция, а так, пустая забава.

— На следующей неделе начинается процесс, а я до сих пор не разобрался с некоторыми материалами следствия. Хорошо еще, если я выйду отсюда до полуночи.

— Хочешь, я привезу тебе что-нибудь перекусить? — заботливо предложила Аллегра. — Могу привезти пиццу.

— Не стоит, я лучше подожду до дома. Не хочу прерываться, к тому же у меня с собой есть бутерброд. На обратном пути что-нибудь куплю, если будет не слишком поздно и если я все еще буду тебе нужен.

В его голосе появилась теплота, и Аллегра улыбнулась.

— Ты мне всегда нужен. Приезжай когда угодно, я тоже взяла с собой работу. — В портфеле Аллегры лежали документы, касающиеся предстоящего турне Брэма Моррисона. — Мне есть чем заняться до твоего возвращения.

— Вот и хорошо, увидимся позже.

Вдруг Аллегра вспомнила:

— Подожди, Брэндон, сегодня звонила Ники. Наверное, она что-то перепутала, потому что ждет нашего приезда на выходные в Сан-Франциско. Но мы же собирались туда на следующей неделе, правда?

Аллегра имела в виду, что в предстоящий уик-энд Брэндон должен пойти вместе с ней на церемонию вручения «Золотого глобуса», а в следующие выходные они обещали детям приехать в Сан-Франциско.

— Честно говоря... наверное, я сам что-то сказал... Знаешь, все-таки имеет смысл съездить туда до начала процесса. Когда начнутся слушания, вряд ли я смогу куда-то вырваться даже ненадолго.

Казалось, Брэндон испытывает неловкость, пытаясь что-то объяснить. Повернувшись к окну, Аллегра с отсутствующим видом уставилась в темноту и нахмурилась.

— Но мы не можем ехать на этой неделе! И мама, и папа — оба выдвинуты на премию, трое из моих клиентов тоже, в том числе и Кармен Коннорс. Неужели ты забыл?

Не может быть, чтобы Брэндон передумал! Они обсуждали этот вопрос чуть ли не месяц, начав еще до Рождества.

— Нет, не забыл. Видишь ли... Вот что, Элли, сейчас мне некогда, если я буду тратить время на разговоры, то не выйду отсюда и до утра. Может, поговорим позже?

Его ответ не удовлетворил Аллегру, и чуть позже, набирая номер телефона матери, она все еще хмурилась.

Целую неделю Блэр, как обычно, была занята на съемках сериала и к вечеру, после долгих часов, проведенных на съемочной площадке, сильно уставала, но всегда была рада услышать голос старшей дочери. Они привыкли часто видеться, хотя теперь, когда Аллегра проводила много времени с Брэндоном, их встречи стали реже.

Блэр снова повторила приглашение на обед в пятницу вечером и сказала, что Скотт обещал приехать. Каждый приезд Скотта был важным событием для всей семьи, Блэр очень любила, когда ее дети собирались вместе. Аллегра тоже всегда была рада повидать брата.

— Он тоже пойдет на церемонию вручения «Золотого глобуса»?

— Нет, он собирается остаться дома с Сэм. Скотт говорит, церемонию награждения интереснее смотреть по телевизору: никакой толкотни, сидишь себе в кресле и видишь всех, кого хочешь, вместо того чтобы пытаться разобрать, за кем это помчалась толпа репортеров.

Аллегра рассмеялась:

— Что ж, возможно, он прав.

Она знала, что Сэм с радостью пошла бы с родителями, но Саймон и Блэр старались как можно реже выставлять младшую дочь на всеобщее обозрение и, уж конечно, не водить ее на торжества по случаю вручения «Золотого глобуса» или «Оскара». На церемонию явятся все репортеры и все голливудские старлетки до последней. Родители и на работу Саманты моделью согласились только потому, что, глядя на фотографии, публика не знала, кто на ней изображен. Сэм снималась под псевдонимом Саманта Скотт, взяв девичью фамилию матери. Хотя Блэр Скотт — сама знаменитость, ее фамилия довольно распространенная и не такая запоминающаяся, как Стейнберг. Кто такой Саймон Стейнберг, в Голливуде знают все, и его дочь, несомненно, привлекла бы внимание толп репортеров.

— Я обязательно буду, — заверила Аллегра.

Она уже не была так уверена, что Брэндон пойдет с ней, но не стала говорить об этом матери, однако не избежала ее вопроса. Ни для кого из них не было секретом, что ни Блэр, ни Саймон не жалуют Брэндона. Родителей Аллегры беспокоило, что Брэндон встречается с их дочерью уже два года, но до сих пор не развелся с женой.

— А его высочество принц Брэндон почтит нас своим присутствием? — спросила Блэр.

Аллегра надолго замолчала, думая, как поступить. С одной стороны, ей не хотелось возражать матери, с другой — не нравилось, что сказала Блэр и каким тоном.

— Я пока не знаю точно, — наконец тихо ответила она.

Матери ее слова сказали о многом. Аллегра всегда защищала Брэндона, но в разговоре с Блэр старалась напрасно.

— Он готовится к судебному процессу. Возможно, ему придется работать и в выходные.

Блэр не обязательно знать, что Брэндон скорее всего полетит в Сан-Франциско навестить детей.

— А тебе не кажется, что на один вечер он мог бы и вырваться? — скептически поинтересовалась мать. Ее тон подействовал на Аллегру, как скрип железа по стеклу.

— Ах, мама, оставь! Я уверена, что он сделает все от него зависящее и, если сможет, присоединится к нам. **17**

— Может, тебе стоило бы пригласить кого-то еще? Не очень-то приятно идти одной.

Мать очень раздражало, что всякий раз, когда у Брэндона бывали другие планы, или много работы, или просто не было настроения идти с Аллегрой, он ее просто бросал. Он всегда преследовал лишь собственные интересы. Аллегра обычно относилась к этому с пониманием и не сердилась, хотя Блэр не могла понять, почему она ему все прощает.

— Я могу пойти и одна, мне все равно, — небрежно ответила дочь и с гордостью за родителей добавила: — Главное, быть там и увидеть, как тебе и папе вручают премии.

— Не говори так, — суеверно испугалась Блэр, — еще сглазишь.

Но вряд ли кто-то мог бы сглазить Блэр Скотт или Саймона Стейнберга. Каждый из них уже несколько раз завоевывал престижную премию «Золотой глобус», а в последнее время стали поговаривать и о премии «Оскар», которая вручается в апреле. Вручение премии Киноакадемии — большое событие в Голливуде, и все Стейнберги ждали его с волнением и нетерпением.

— Ты победишь, мама, я знаю. Ты всегда побеждаешь, — убежденно сказала Аллегра.

Особенность премии «Золотой глобус» заключается в том, что ее присуждают как за работу на телевидении, так и в кино, а значит, это награда, которую могли завоевать оба Стейнберга — и Саймон, и Блэр — и завоевывали. Аллегра очень гордилась своими родителями.

— Ты мне льстишь. — Блэр улыбнулась. Она тоже гордилась дочерью. Аллегра — удивительная девушка, между ней и матерью существовала особая связь, особая духовная близость. — Так как насчет пятницы? Ты придешь на обед?

— Я тебе завтра скажу, когда буду знать точно.

Аллегре хотелось обсудить свои планы с Брэндоном и выяснить насчет поездки в Сан-Франциско. Если он останется в Лос-Анджелесе, то сможет пойти с ней на обед к родителям, но лучше отложить разговор до утра и обсудить все вопросы разом. Мать с дочерью еще несколько минут поговорили об отце, о Скотте и Сэм. Блэр собиралась ввести в сериал новое действующее лицо, и студия очень хорошо отнеслась к ее идее.

В свои пятьдесят четыре года Блэр была все еще красива и по-прежнему полна свежих идей. В последние девять лет она достигла невероятного успеха со своим сериалом под названием «Друзья-приятели». Однако в этом году рейтинг сериала пошатнулся, и все понимали, как кстати пришелся бы сейчас «Золотой глобус». Никогда еще Блэр так не хотела завоевать эту награду.

Аллегра унаследовала фигуру от матери, была высокой, стройной, похожей на манекенщицу. Волосы Блэр, от природы огненно-рыжие, почти без помощи химии давным-давно сменили цвет на более спокойный, пшеничный. В свое время она убрала морщины под глазами, позже улучшила контуры подбородка, но общую подтяжку лица не делала ни разу. На зависть всем подругам Блэр прекрасно сохранилась, и Аллегра, видя, как красиво стареет мать, смотрела в будущее с оптимизмом.

— Секрет в том, чтобы не переборщить, — бывало, говорила Блэр дочерям, когда заходила речь о пластической хирургии.

Но Аллегра, считая, что пытаться обмануть природу и скрыть возраст — пустая трата времени, заявляла, что никогда не ляжет под нож пластического хирурга.

— Посмотрим, что ты скажешь через несколько лет, — мудро замечала Блэр.

В молодости она была такой же бескомпромиссной, но в сорок три года все-таки сдалась. В результате сейчас, в свои пятьдесят четыре, Блэр выглядела максимум на сорок пять.

— Что толку, все равно все знают, сколько мне лет на самом деле, — притворно ворчала она.

В действительности Блэр вовсе не пыталась скрыть свой возраст, а всего лишь хотела оставаться привлекательной для Саймона. В свои шестьдесят он по-прежнему был красивым, обаятельным мужчиной. Блэр говорила, что если он изменился, то только в лучшую сторону и стал еще красивее, чем был, когда она выходила за него замуж.

В ответ Саймон обычно довольно усмехался и говорил:

— Не может быть, ты выдумываешь.

Аллегре очень нравилось проводить время с родителями: добрые, умные, счастливые, любящие друг друга, они умели сделать так, что рядом с ними всем было хорошо.

— Мне нужен такой мужчина, как папа, — сказала однажды Аллегра доктору Грин. Сказала и тут же испугалась, что психоаналитик начнет искать в ее словах фрейдистский подтекст.

На этот раз доктор Грин ее удивила:

— Судя по вашим рассказам о своих родителях, я бы сказала, что это правильное решение. Вы сможете привлечь такого мужчину?

— Разумеется, — небрежно ответила Аллегра, но обе знали, что она и сама в это не верит.

Пообещав матери позвонить насчет обеда сразу же, как только прояснятся планы, Аллегра повесила трубку. Некоторое время она раздумывала, не позвонить ли Николь, но потом решила, что Джоанне это не понравится. Поэтому достала из холодильника йогурт, съела несколько ложек и набрала номер Кармен.

Как всегда, когда в желтой прессе появлялась очередная статейка о ней, Кармен приходила в отчаяние. Но на этот раз статья была просто нелепа. Газетчики заявили, что она отправилась в Лас-Вегас со своим пластическим хирургом и участвовала там в оргии. Упомянутый хирург якобы вылепил ее заново — сделал новый нос, новый подбородок, силиконовую грудь и убрал жировые складки на животе.

— Как бы я могла все это сделать? — потрясенно восклицала Кармен. В некоторых вопросах она осталась на удивление наивной и всякий раз поражалась, до чего же людям нравится сочинять всякие небылицы о знаменитостях. Например, находилось немало желающих заявить, что они учились с ней в одном классе, дружили с ней с детства, путешествовали вместе с ней, а уж количество мужчин, утверждавших, что были ее любовниками, и вовсе исчислялось десятками. Более того, недавно о любовной связи с Кармен заявили даже две женщины, что довело ее до слез. Ей казалось страшно несправедливым, что люди ни за что ни про что рассказывают о ней всякие гадости.

«Такова цена успеха», — обычно говорила ей Аллегра. Порой ей с трудом верилось, что она лишь на шесть лет старше Кармен. Юная звезда во многом была такой наивной, так удивлялась, встретившись со злобой и подлостью, что рядом с ней Аллегра чувствовала себя умудренной опытом женщиной. Кармен до сих пор верила, что ее окружают сплошь друзья, все ее любят и никто не хочет причинить боль. Но по ночам ей, наоборот, начинало казаться, что у ее двери собралась половина Лос-Анджелеса и все стремятся ворваться к ней в дом, чтобы изнасиловать. В конце концов Аллегра наняла для Кармен экономку с проживанием и посоветовала актрисе не выключать на ночь свет в холле. Помимо всего прочего, Кармен до смерти боялась темноты.

— Послушай... — Аллегра попыталась развеять страхи Кармен по поводу статьи. — При всем желании ты не могла бы сделать все эти операции просто по возрасту.

— По-твоему, кто-нибудь до этого додумается? — жалобно сказала Кармен. — Мне всего лишь удалили родинку на лбу.

Вспоминая разговор с бабушкой, она снова захлюпала носом. Бабушка позвонила из Портленда только для того, чтобы сказать Кармен, что она их всех ужасно опозорила и Бог никогда ее не простит.

— Ну конечно, все поймут, что это выдумки. Ты читала статью на следующей странице?

— Нет, а что? — Разговаривая с Аллегрой, Кармен вытянулась на диване.

— Кажется, на следующей странице говорится, что какая-то женщина родила пятерых близнецов на Марсе. А еще через две страницы — что другая родила обезьяну от инопланетянина. Если они пишут такой бред, то кто станет слушать их байки, что ты сделала подтяжку лица в двадцать три года? Пошли ты их всех к черту, Кармен. Тебе нужно быть немножко потверже, не то они тебя с ума сведут.

— Они и так уже свели, — жалобно сказала Кармен.

Они проговорили около часа. Наконец Аллегра повесила трубку и пошла принимать душ, а когда вышла из ванной, собираясь сушить волосы, на подъездной аллее показалась машина Брэндона.

Аллегра встретила его у дверей в пушистом махровом халате, умытое лицо — совсем без макияжа, влажные волосы струились по спине. Она выглядела чистой, естественной и, на взгляд Брэндона, особенно сексуальной, в каком-то смысле такой была даже красивее, чем при полном параде.

— Вот это да!

Он поцеловал Аллегру, вошел в дом, и она закрыла за ним дверь. Часы показывали десять, и у Брэндона был усталый вид. Поставив дипломат на пол в прихожей, он обнял Аллегру и привлек к себе.

— Ради этого стоило задержаться на работе, — пробормотал Брэндон, целуя ее и просовывая руки под махровый халат. Под ним на Аллегре ничего не было.

— Ты проголодался? — спросила она между поцелуями.

— Умираю с голоду, — ответил он, говоря не о еде.

— И что бы ты хотел на ужин? — смеясь, спросила Аллегра, игриво обхватывая его одной ногой и стаскивая с него пиджак.

— Ну... пожалуй, ножку... а может, лучше грудку... — хрипло произнес Брэндон, снова целуя ее.

Через минуту они уже сидели на кровати; Брэндон, без пиджака, в расстегнутой рубашке, смотрел на нее взглядом, полным желания. У него был долгий день, и он выглядел усталым, но усталость, казалось, нисколько не охладила его пыл. Брэндон не хотел даже разговаривать, ему хотелось только одного: насладиться ее телом.

Аллегра помогла ему снять рубашку, затем он быстро стянул с себя брюки и трусы, и через несколько минут они оба были обнажены и занимались любовью при свете ночника, который Аллегра не стала выключать. Брэндон был в восторге от Аллегры. Спустя час они оба лежали обессиленные и удовлетворенные. Аллегра начала засыпать, но почувствовала, что Брэндон встает с кровати.

— Куда это ты собрался? — спросила она, переворачиваясь на живот и открывая глаза, чтобы полюбоваться на него во всем его мужском великолепии. Оба высокие, светловолосые, они идеально подходили друг другу и даже походили друг на друга внешне, так что их иногда принимали за брата и сестру.

— Уже поздно, — ответил Брэндон извиняющимся тоном, медленно собирая свою одежду, разбросанную по полу спальни.

— Ты уходишь домой?

Аллегра села в постели и посмотрела на него с удивлением. Брэндон казался смущенным. Они даже не поговорили. С тех пор как он приехал, они только и делали, что занимались любовью, а потом чуть не уснули. Аллегре не хотелось, чтобы он уходил.

— Я подумал... Мне так рано вставать утром, и я не хотел тебя будить.

Было видно, что Брэндон чувствует себя неловко, но ему не терпится уйти, как это часто бывало. Его стремительное бегство задело Аллегру.

— Ну и что, что тебе рано вставать? Я тоже встаю рано. Чистые рубашки твои здесь есть, почему бы тебе не поехать на работу прямо отсюда? Мне так нравится, когда мы спим вместе.

22

Аллегра знала, что Брэндону это тоже нравится, но знала и другое: что он любит возвращаться к себе домой. Ему нравится жить на своей собственной территории, в окружении своих вещей. За последние два года он не раз говорил ей, что любит просыпаться в своей постели, однако они очень редко занимались любовью в его квартире. Брэндон обычно приезжал к ней, но почти всегда потом возвращался к себе. Почему-то от этого у Аллегры порой возникало ощущение, будто ее использовали и выбросили за ненадобностью. После ухода Брэндона ей бывало особенно одиноко и тоскливо в собственном доме. По какой-то неведомой причине Аллегра чувствовала себя брошенной, как она призналась однажды своему психоаналитику. Но принуждать Брэндона, а тем более оказываться в положении просящей ей тоже не хотелось, и сейчас Аллегра решила не уговаривать Брэндона. Она просто не стала скрывать своего разочарования.

— Я бы хотела, чтобы ты остался, — тихо сказала Аллегра, но когда Брэндон в конце концов принял душ и вернулся в постель, она промолчала.

Брэндон же решил, что проще остаться на ночь, чем спорить.

Лежа с ним в постели, Аллегра улыбалась. Может, в их отношениях не все пока было гладко, оставались еще кое-какие нерешенные проблемы, например, его развод или это желание спать в одиночестве, но она любила его.

— Спасибо, что остался, — ласково сказала она, обнимая Брэндона. Он нежно погладил ее по щеке и поцеловал. А через несколько мгновений Аллегра услышала его храп.

Глава 2

На следующее утро Аллегра проснулась еще до звонка будильника, поставленного Брэндоном на шесть пятнадцать. Брэндон встал со звонком. Пока он умывался, чистил зубы и брился, Аллегра, не одеваясь, прошла на кухню, чтобы приготовить кофе.

23

В шесть сорок пять полностью одетый Брэндон уже сидел за кухонным столом. Аллегра поставила перед ним тарелку с двумя пончиками с черничной начинкой и чашку дымящегося кофе. Потом села напротив, все еще обнаженная.

— В вашем ресторане отличное обслуживание, — сказал Брэндон с довольным видом и, восхищенно оглядывая ее, добавил: — И мне очень нравятся костюмы официантов.

— Ты тоже отлично выглядишь.

На Брэндоне был безукоризненно сшитый темно-серый костюм. Он покупал себе одежду только от «Брукс бразерз», хотя Аллегра время от времени пыталась затащить его в бутик «Армани» на Родео-драйв, пытаясь убедить его одеваться менее официально. Но это было не в его духе, Брэндон олицетворял собой стиль Уолл-стрит.

— Я бы сказала, что для столь раннего часа ты выглядишь неправдоподобно хорошо. — Аллегра улыбнулась, подавив зевок, и налила себе кофе. Ей незачем появляться в офисе раньше половины десятого, так что торопиться было некуда. — Кстати, что ты делаешь сегодня вечером?

Аллегра была приглашена на премьеру, но сомневалась, что Брэндон, занятый по горло, сможет ее сопровождать. Кроме того, ей и самой не очень хотелось идти.

— У меня полно работы, хватит развлекаться. Я сказал коллегам, что готов остаться с ними до полуночи.

При мысли о том, какая прорва работы предстоит, Брэндон нахмурился. С подготовкой к судебному процессу всегда так, поэтому Аллегра искренне радовалась, что ей не приходится непосредственно заниматься тяжбами, в их фирме судебными делами занимался специальный отдел. Она лишь сотрудничала с ним и предоставляла необходимую информацию. Во многих отношениях ее собственная работа была намного проще — достаточно творческая, но в то же время не предъявлявшая тех жестких требований, какие предъявляет к Брэндону его работа в федеральном суде.

— Может, приедешь, когда закончишь с делами? — спросила Аллегра, стараясь говорить как можно равнодушнее. Ей нравилось, когда Брэндон приезжал к ней домой, а ему не всегда этого хотелось, и она не желала вызвать у него ощущение, что его к чему-то принуждают.

— Я бы рад, — с сожалением сказал он, — но, честное слово, не могу. Когда мы закончим с делами, я буду как выжатый лимон, да и дома надо хотя бы иногда бывать.

24

— Мои родители пригласили нас на обед в пятницу. — Аллегра на свой страх и риск приглашала Брэндона, зная, что в конце концов Блэр все равно уступит дочери, несмотря на свою неприязнь к нему.

— В пятницу вечером я собираюсь лететь в Сан-Франциско, к девочкам, — сообщил Брэндон как о само собой разумеющемся, невозмутимо приканчивая пончик. — Я же тебе говорил.

— Я не знала, что ты уже все решил, — удивилась Аллегра. — А как же «Золотой глобус»? — Она выжидательно смотрела на Брэндона. — Это очень важный вечер.

— Встретиться с дочерьми тоже важно, — твердо сказал Брэндон. — Я должен повидаться с ними до начала процесса.

— Но, Брэндон, я же еще больше месяца назад говорила тебе про «Золотой глобус»! Вручение премий — большое событие и для меня, и для моих родителей. Кстати, и Кармен Коннорс тоже выдвинута на премию. Не могу же я все бросить и помчаться в Сан-Франциско! — Аллегра пыталась говорить хладнокровно, хотя на душе у нее было скверно. Часы показывали лишь семь утра.

— Что ж, я пойму, если ты не сможешь поехать со мной. Я на это и не рассчитывал, — сказал Брэндон совершенно бесстрастно.

— Но я рассчитывала, что ты пойдешь со мной! — Несмотря на все старания, в голосе Аллегры все же послышалось раздражение. — Я хочу, чтобы ты там был.

— Аллегра, напрасно ты на меня рассчитывала. Я же тебе говорил, что не могу, и объяснил почему. Не вижу смысла обсуждать все это снова. Зачем переливать из пустого в порожнее?

— Но для меня это очень важно.

Аллегра глубоко вздохнула, подавляя обиду. Должен же быть какой-то выход.

— Послушай, может, сделаем так: ты останешься и пойдешь со мной на награждение, а в воскресенье мы на один день вместе слетаем в Сан-Франциско. Как тебе такой компромиссный вариант?

Радуясь, что нашла самое рациональное решение, Аллегра посмотрела на Брэндона с торжеством, но он покачал головой, допил кофе и встал.

— Прости, Аллегра, ничего не выйдет. Я не могу провести с ними всего один день.

— Почему?

Аллегра мысленно одернула себя. Не хватало еще расплакаться!

— Потому что им нужно больше времени, и не только поэтому. Честно говоря, мне самому нужно время, чтобы поговорить с Джоанной насчет квартиры в Скво. Кажется, она решила ее продать.

Аллегра все-таки не сдержалась:

— Но это же просто нелепо! Ты можешь поговорить с ней и по телефону! Черт возьми, Брэндон, последние два года ты только и делаешь, что разговариваешь с ней то насчет квартиры, то насчет дома, то насчет машины, то насчет собаки! Церемония награждения — большое событие для всех нас.

Речь идет о ее семье, но Брэндона это, по-видимому, не трогает. Он думает лишь о своей семье, то есть о двух дочерях и бывшей жене.

— Я не желаю уступать тебя Джоанне, — напрямик заявила Аллегра.

— Ты и не уступаешь. — Брэндон улыбнулся. Он не собирался скрывать, что не желает идти у нее на поводу. — А как насчет Стефани и Ники?

— Они все поймут, если ты им объяснишь.

— Вряд ли. К тому же этот вопрос не обсуждается.

Стоя возле стола, Брэндон смотрел на сидящую Аллегру сверху вниз. Она уставилась на него, все еще не веря, что он действительно собирается уехать в Сан-Франциско.

— Когда ты вернешься?

Аллегре не нравилось, что поведение Брэндона так задело ее. Она снова почувствовала себя брошенной, где-то внутри зародился леденящий страх, но она понимала, что не должна поддаваться. Брэндон едет в Сан-Франциско повидаться с детьми, и если он ее разочаровал или даже подвел, то не нарочно. Просто так вышло. И все же почему его решение так больно ее ранило?

Ответ как-то ускользал от нее, более того, она даже не могла решить, следует ли ей злиться из-за того, что Брэндон не идет с ней на церемонию награждения, или просто сожалеть об этом. Неужели это и вправду так важно? Вправе ли она вообще требовать этого от Брэндона? И

26

почему, когда дело касается ее желаний или потребностей, он своими поступками приводит ее в замешательство? Не потому ли, что доктор Грин права и Аллегра просто не желает смотреть правде в глаза? Отталкивает ее Брэндон или поступает сообразно с обстоятельствами? И почему она никогда не может ответить на все эти вопросы?

— Я вернусь как обычно, последним вечерним самолетом в воскресенье. Самолет прибывает в десять пятнадцать, к одиннадцати я буду уже здесь, — ответил Брэндон, желая ее умиротворить.

Аллегра вдруг с болью в сердце поняла, что ее-то здесь не будет.

— Брэндон, но в воскресенье после обеда я улетаю в Нью-Йорк и пробуду там всю неделю, до пятницы.

— Значит, ты все равно не могла бы лететь со мной в Сан-Франциско, — невозмутимо констатировал Брэндон.

— Если хочешь, я могла бы вылететь в Нью-Йорк оттуда — то есть мы могли бы вместе полететь в Сан-Франциско в воскресенье.

Брэндон взял кейс и мгновенно отмел ее план:

— Это нелепо, Элли, у тебя есть работа, у меня тоже. В конце концов, мы должны вести себя как взрослые люди.

Брэндон улыбнулся, и в этот момент оба поняли, что не увидятся почти десять дней, до следующего уик-энда.

— Раз мы так долго не увидимся, может, приедешь с работы ко мне, переночуешь?

Аллегре очень этого хотелось, но Брэндон, как обычно, не собирался отступать от первоначального плана. Он вообще редко менял свои планы.

— Я правда не могу, Элли. К тому времени когда мы покончим с делами, я совсем выдохнусь, от меня будет мало толку. А ехать сюда, чтобы просто плюхнуться в постель, нет смысла, верно?

В этом пункте они расходились.

— Нет, не верно. Ты не обязан меня развлекать. — Аллегра встала, приподнялась на цыпочки и поцеловала его.

Чмокнув ее в ответ, Брэндон равнодушно сказал:

— Увидимся на следующей неделе, детка. Я тебе позвоню сегодня вечером и завтра, перед тем как улететь в Сан-Франциско.

— А ты не хочешь перед отъездом пообедать у моих родителей в пятницу вечером? — на всякий случай спросила Аллегра, злясь на себя за то, что все-таки не выдержала и стала его упрашивать. Именно этого ей делать не стоило, но она не смогла с собой совладать. Уж очень хотелось побыть с Брэндоном.

— Боюсь, тогда я опоздаю на самолет, как в прошлый раз, и дети расстроятся.

— Дети? — Аллегра вскинула брови. Она мысленно приказала себе остановиться, но было поздно, слова уже слетели с языка. — Или Джоанна?

— Полно, Элли, будь хорошей девочкой. Ты же знаешь, что я ничего не могу изменить. Мне предстоит судебный процесс, тебе нужно лететь в Нью-Йорк, у меня дети в Сан-Франциско. У каждого из нас свои обязательства. Так займемся каждый своим делом, а когда закончим, тогда и встретимся спокойно.

В устах Брэндона все это звучало очень разумно, но все же его доводы почему-то вызывали у Аллегры внутренний протест — наверное, по той же причине, по которой она испытывала разочарование, когда Брэндон отказывался куда-то с ней пойти или когда возвращался от нее к себе домой. По крайней мере сегодня он остался ночевать у нее, подумала Аллегра, напоминая себе, что ей следует радоваться хотя бы этому и не пилить его из-за уик-энда.

— Я люблю тебя, — тихо сказала она.

Брэндон поцеловал ее в дверях, и Аллегра отступила в прихожую, чтобы никто не увидел ее голой.

— Я тебя тоже. — Брэндон улыбнулся. — Желаю приятной поездки в Нью-Йорк. Одевайся потеплее, «Таймс» прогнозирует на завтра снег.

— Великолепно, — пробурчала Аллегра.

Сев в машину, Брэндон оглянулся и помахал ей рукой. Провожая его взглядом, Аллегра чувствовала себя несчастной и жалкой. Она закрыла дверь, прошла в спальню и стала смотреть, как он дает задний ход по подъездной аллее. Аллегра не могла спокойно наблюдать, как Брэндон уезжает. Она чувствовала неладное, но не знала толком почему. Она пыталась разобраться в себе, понять, что беспокоит ее больше всего: то ли что Брэндон не захотел менять ради нее свои планы, то ли что он снова встретится с дочерьми, а значит, и с Джоанной, или сам факт, что ей придется идти на церемонию награждения одной да еще объяснять это родителям. Или ей просто не по себе от сознания, что они с Брэндоном увидятся только через десять дней?

28

Как бы то ни было, Аллегра чувствовала себя несчастной.

Она пошла в ванную и встала под душ. Долго простояла она так, думая о Брэндоне и спрашивая себя, изменится ли он когда-нибудь. Или ему всегда будет нравиться спать одному, он по-прежнему будет считать хлопотным заезжать к ней после работы и всю жизнь так и будет числиться мужем Джоанны?

Вода стекала по лицу, смешиваясь со слезами. Аллегра твердила себе, что глупо так расстраиваться, но ничего не могла с собой поделать.

Через полчаса, наконец выключив душ, Аллегра чувствовала себя не посвежевшей, а, наоборот, обессиленной. Брэндон к этому времени должен был быть уже в своем офисе. Как странно, что он в городе и пробудет там еще два дня, но они не увидятся. Он так и не смог понять ее чувства.

— Как вы думаете, почему? — всегда в таких случаях спрашивала доктор Грин.

— Откуда мне знать? — зачастую довольно резко отвечала Аллегра.

Но ее резкость не обескураживала доктора.

— Как вы думаете, может, это потому, что он недостаточно серьезно относится к вашим отношениям? Или вы для него не так важны, как он для вас? А может, он просто не способен на отношения такого уровня, какой нужен вам?

Всякий раз, когда доктор Грин принималась развивать эту тему, Аллегра начинала нервничать. Почему психоаналитик постоянно намекает, что мужчины в ее жизни всегда дают ей слишком мало? Почему она снова и снова возвращается к этому и пытается доказать, что подобные отношения вошли в привычку? Аллегру это очень раздражало.

Аллегра приготовила себе свежий кофе и стала одеваться. В половине девятого она была готова ехать на работу, но выезжать из дома было еще рано, и она могла себе позволить немного расслабиться, прежде чем с головой окунуться в бешеный ритм деловой жизни. Она посмотрела на часы и стала звонить матери. Блэр должна была уехать в студию еще в четыре часа утра, но Аллегра оставила сообщение на автоответчике, что придет на обед в пятницу и что будет одна. Когда мать прослушает сообщение, у нее найдется что сказать по этому поводу, особенно если она узнает, где Брэндон. Но по крайней мере до поры до времени Аллегре не придется выслушивать ее комментарии.

Затем Аллегра набрала номер в Беверли-Хиллз — чтобы заполучить его, половина женщин Америки охотно пожертвовали бы своей правой рукой. Алан Карр и Аллегра дружили с четырнадцати лет, недолгих полгода в выпускном классе средней школы, что называется, «встречались» и с тех пор по сей день остались лучшими друзьями. Алан снял трубку после второго гудка — как всегда, за исключением тех случаев, когда его не было дома или он бывал «занят». Услышав знакомый голос, который для всех, кроме нее, звучал неотразимо сексуально, Аллегра улыбнулась.

— Привет, Алан, не слишком радуйся, это всего лишь я.

Разговаривая с ним, Аллегра всегда улыбалась, такой уж он был человек.

— В такую рань? — с наигранным ужасом воскликнул Алан. Но Аллегра знала, что он встает спозаранку. После окончания съемок фильма в Бангкоке Алан был дома уже около трех недель. Аллегра знала и то, что у него недавно закончился роман с английской кинозвездой Фионой Харви — об этом ей рассказал агент Алана. — Что ты натворила ночью? Тебя арестовали и ты звонишь, чтобы я внес за тебя залог и вызволил из тюрьмы?

— Ты угадал. Я хочу, чтобы ты через двадцать минут заехал за мной в полицейский участок Беверли-Хиллз.

— Не дождешься. Всем адвокатам самое место — в тюрьме. Что до меня, можешь оставаться там навсегда.

Тридцатилетний Алан Карр обладал лицом и телом греческого бога, но кроме того, он был умным, интеллигентным и глубоко порядочным человеком. Из всех мужчин только его Аллегра решила пригласить на церемонию награждения. Подумать только, Алан Карр — запасной вариант! При этой мысли Аллегра чуть не расхохоталась. Да за одно свидание с ним большинство женщин Америки не пожалели бы жизни!

Сидя на высоком табурете, Аллегра болтала ногой, как ребенок. Стараясь не думать о Брэндоне и не расстраиваться, она напрямик спросила:

— Что ты делаешь в субботу вечером?

— Не твое дело, — ответил Алан, притворяясь, что страшно возмущен.

— У тебя назначено свидание?

— А что? Ты хочешь свести меня с очередной страхолюдиной из своих коллег? По-моему, последняя была страшна как смертный грех!

30

— Да ну тебя, трепач, в прошлый раз было не свидание, и ты это знаешь. Тебе нужен был специалист по перуанскому законодательству, она и есть такой специалист, и нечего болтать понапрасну. Кстати, я случайно узнала, что в тот вечер она совершенно бесплатно дала тебе совет стоимостью в три тысячи долларов, так что не скули.

— Кто здесь скулит? — чопорно возмутился Алан, притворяясь, будто шокирован ее языком.

— Ты. Кстати, ты так и не ответил на мой вопрос.

— Ах это... сегодня вечером у меня свидание с четырнадцатилетней девочкой, после которого меня, вероятно, посадят за совращение малолетних. А что?

— Мне нужна твоя помощь.

Аллегра могла рассказать Алану все без прикрас, не испытывая при этом смущения. Он стал ей кем-то вроде брата, и она любила его как родного брата.

— Ага. Что ж, ничего удивительного, тебе всегда нужна моя помощь. Кому на этот раз понадобился мой автограф?

— Никому, ни одной живой душе. Мне нужно твое тело.

— Да ну? Звучит интригующе! — За четырнадцать лет, прошедшие с их последней попытки завести роман, Алан не раз и не два говорил себе, что нужно попытаться еще раз, но Аллегра была ему как сестра, и он так и не смог на это решиться. Да, она прекрасна, умна, он хорошо ее знает, и она нравится ему больше любой другой женщины на этой планете, но, наверное, именно в этом и состоит проблема. — И что конкретно ты собираешься делать с этим старым, побитым и потрепанным телом?

— Боюсь, ничего хорошего. — Аллегра рассмеялась. — Шучу, на самом деле, все не так плохо. Думаю, тебе даже понравится. Мне нужен спутник, чтобы пойти на церемонию вручения «Золотого глобуса». На этот раз на премию выдвинуты и мама, и папа, а также трое моих клиентов, в том числе Кармен Коннорс. Мне обязательно нужно пойти на церемонию, но ужасно не хочется идти одной.

Аллегра, как всегда, была честна с Аланом, и это ему в ней тоже нравилось.

— А что случилось с твоим... как бишь его имя?

Алан прекрасно знал имя Эдвардса и не раз говорил Аллегре о своей к нему неприязни, считая Брэндона холодным и напыщенным. После того как Алан впервые

31

так сказал, Аллегра обиделась и не разговаривала с ним несколько недель. Но потом привыкла, потому что Алан никогда не упускал случая бросить камешек в огород Брэндона. Как ни странно, на этот раз он удержался.

— Ему нужно лететь в Сан-Франциско.

— Как мило с его стороны! Удачно выбрал время. Потрясный парень, Эл. И зачем он туда собрался? Повидаться с женой?

— Нет, дубина ты этакая, повидаться с детьми. С понедельника у него начинается судебный процесс.

— Что-то не улавливаю связи одного с другим, — холодно заметил Алан.

— Он недели две не сможет навещать девочек, вот и собрался слетать сейчас.

— А что, все рейсы из Сан-Франциско в Лос-Анджелес отменены? Почему его милые крошки не могут сами навестить папочку?

— Потому что мамочка не разрешает.

— Ясно, и в результате ты осталась с носом, как я понимаю?

— Вот именно, поэтому я тебе и позвонила. Поможешь мне? — с надеждой спросила Аллегра.

Пойти с Аланом было бы просто здорово. Он никогда не надоедал Аллегре, с ним всегда было хорошо, вместе они шутили, смеялись, веселились от души, как будто снова становились детьми.

— Это, конечно, будет большой жертвой с моей стороны, но если уж мне так необходимо пойти, так и быть, придется изменить планы, — сказал он со вздохом.

Аллегра рассмеялась:

— Ах ты трепач, спорим, нет у тебя никаких планов!

— Есть. Сказать по правде, я собирался пойти в боулинг-клуб.

— Ты? В боулинг-клуб? — Аллегра рассмеялась еще громче. — Не может быть! Да не пройдет и пяти минут, как вокруг тебя соберется толпа поклонниц!

— Если не веришь, я как-нибудь возьму тебя с собой.

— Ладно. Пойду с удовольствием.

Аллегра сияла. Как обычно, Алан выручил ее и сумел поднять настроение, ей не придется идти на церемонию награждения одной. Алан Карр — единственный друг, на

32 которого она всегда могла положиться.

— Во сколько за тобой заехать, Золушка?

По голосу Алана чувствовалось, что он тоже доволен. Ему всегда нравилось появляться на людях с Аллегрой.

— Церемония начинается довольно рано. Можешь заехать в шесть?

— Могу.

— Спасибо тебе, Алан, — искренне сказала Аллегра. — Я тебе очень признательна.

— Ради Бога, не вздумай меня благодарить! Ты заслуживаешь кавалера получше, скажу даже, что ты заслуживаешь, чтобы с тобой пошел тот оболтус — если уж тебе так хочется. Так что не благодари. Лучше думай о том, как мне повезло. Что тебе действительно необходимо, так это побольше нахальства. Как, скажи на милость, ты ухитрилась сделаться такой скромницей? Ты для него слишком умна. Эх, будь моя воля, я бы научил этого придурка уму-разуму. Он сам не понимает, как ему посчастливилось. В Сан-Франциско ему, видите ли, понадобилось...

Алан еще что-то пробормотал, и Аллегра снова расхохоталась. Теперь она чувствовала себя гораздо лучше.

— Ну все, Алан, мне пора на работу. Увидимся в субботу. И сделай милость, попытайся не напиваться, ладно?

— Не будь такой занудой! Неудивительно, что ты осталась без кавалера.

Аллегра и Алан добродушно подтрунивали друг над другом. Алан любил выпить, но никогда не напивался пьяным и тем более не скандалил. Им просто нравилось пикироваться друг с другом. После разговора с Аланом Аллегра снова почувствовала себя человеком и поехала на работу в приподнятом настроении, совсем не таком подавленном, какое было с утра. Заряд оптимизма сохранился у нее на весь день. Она встретилась с двумя агентами, занимающимися турне Брэма, уточнила с охранной фирмой некоторые вопросы, касающиеся безопасности дома Кармен, затем побеседовала с одной клиенткой по поводу доверительного фонда на имя ее детей и к середине дня с удивлением обнаружила, что за все это время ни разу не вспомнила о Брэндоне. Она все еще не могла спокойно думать о том, что Брэндон отказался пойти с ней на вручение «Золотого глобуса», но по крайней мере теперь она уже не так переживала по этому поводу. Если задуматься, она вела себя глупо. В конце концов, Брэндон име-

33

ет право повидаться с детьми. Может быть, он прав и им обоим действительно нужно больше думать о карьере, исполнять свой долг, а встречаться — когда на это останется время. Возможно, такая жизнь кажется не слишком романтичной, но сейчас для другой у них просто нет возможности. Пожалуй, все еще не так плохо, просто она действительно слишком требовательна, как иногда сетует Брэндон.

— Вы правда так думаете? — спросила доктор Грин ближе к вечеру того же дня, когда Аллегра пришла к ней на очередной прием.

— Честно говоря, сама не знаю, что я думаю, — призналась Аллегра. — Мне кажется, что я знаю, чего хочу, а когда я поговорю с Брэндоном, мне начинает казаться, что я веду себя неразумно и жду от него слишком многого. Но так ли это? Может, я его просто пугаю?

— Интересное предположение, — бесстрастно заметила доктор Грин. — Почему вам кажется, что вы его пугаете?

— Потому что он не готов вкладывать в отношения столько, сколько я от него жду, или столько, сколько я сама готова ему отдать.

— Думаете, вы готовы на большее? Почему? — оживилась доктор Грин.

— Мне кажется, я бы хотела жить с ним под одной крышей, а его такая перспектива, по-моему, здорово пугает.

— Почему вы так решили? — Доктор Грин стала подумывать, что Аллегра делает успехи.

— Мне так кажется, потому что он каждый раз торопится вернуться на ночь в свою квартиру. Он старается не оставаться в моем доме, когда есть возможность вернуться к себе.

— Все дело в территории? Он хочет, чтобы вы поехали с ним?

— Нет. — Аллегра медленно покачала головой. — По его словам, ему нужно пространство. Как-то раз он признался, что когда мы просыпаемся вместе, он чувствует себя женатым, а он уже был женат и весьма неудачно, чтобы повторять эксперимент еще раз.

— Ему либо придется над этим поработать, либо он останется один до конца дней. Выбор за ним, но что бы он ни выбрал, это повлияет на вашу совместную жизнь.

— Я знаю, но мне не хочется его торопить.

— Какая уж тут спешка, два года — достаточно большой срок, — заметила доктор Грин с оттенком неодобрения. — Ему пора принять какое-то решение и, возможно, что-то изменить. Если, конечно, вы не хотите и дальше сохранять статус-кво. — Она всегда давала Аллегре возможность выбора. — Но если вы хотите именно этого, то и жаловаться не на что, не так ли?

— Не знаю. Не думаю, — медленно сказала Аллегра, начиная нервничать. — Пожалуй, я хочу большего. Мне не нравится, когда он закрывается от меня в своем собственном мирке. Мне даже неприятно, когда он ездит без меня в Сан-Франциско. — Затем Аллегра сделала признание, от которого почувствовала себя дурочкой. — Иногда меня беспокоит его бывшая жена, я боюсь, как бы она не вернула его себе. Они до сих пор не разведены, и она во всем от него зависит. Мне кажется, отчасти поэтому Брэндон так боится брать на себя обязательства.

— Что ж, ему стоит наконец избавиться от своих страхов, как вы думаете?

— Наверное, — осторожно ответила Аллегра. — Но думаю, с моей стороны было бы ошибкой предъявлять ему ультиматум.

— А почему бы и нет? — В голосе психоаналитика послышался вызов.

— Потому что ему это не понравится.

— И что из этого? — Доктор Грин становилась все настойчивее — такой же настойчивой, какой, по ее мнению, Аллегре следовало быть с Брэндоном.

— Если я стану слишком на него давить, он может порвать со мной.

— И что дальше? — не унималась доктор Грин.

— Не знаю.

Аллегра казалась несколько испуганной. Она считала себя сильной женщиной, однако ни с Брэндоном, ни с его двумя предшественниками она, похоже, не смогла проявить достаточную твердость. Наверное, просто боялась — вот почему она столько времени ходила на прием к доктору Грин.

— Если ваши отношения с Брэндоном закончатся, это освободит вас для встречи с другим мужчиной, возможно, с человеком, который с большей охотой возьмет на себя обязательства. Неужели это так ужасно?

— Наверное, нет, — Аллегра несмело улыбнулась, — но все-таки страшновато.

— Конечно, но вы справитесь. Аллегра, сидеть и ждать до бесконечности, когда же Брэндон соизволит открыть створки своей раковины и подпустить вас ближе, для вас куда вреднее, чем немножко потерпеть ради встречи с человеком, который более открыт для вашей любви. По-моему, тут есть над чем подумать, как вы считаете? — Она всмотрелась в глаза Аллегры и улыбнулась со своей обычной теплотой. На этом сеанс закончился.

В каком-то смысле сеанс у психоаналитика напоминал визит к цыганке-предсказательнице. После сеанса Аллегра пыталась повторить в уме и осмыслить все, что сказала доктор Грин, но всякий раз Аллегре никак не удавалось восстановить в памяти, как она ни старалась, все подряд. Однако в целом эти беседы явно шли ей на пользу. За несколько лет доктор Грин вместе с Аллегрой проделала большую работу, анализируя ее склонность выбирать мужчин, которые или не хотят, или не способны ответить на ее любовь. Такой сценарий повторялся в ее жизни очень долго, и Аллегра не любила даже думать об этом, а тем более говорить.

После сеанса Аллегра вернулась в офис, закончила кое-какие дела и подготовилась к последней встрече, назначенной на этот день, — с новым клиентом, Мэлахи О'Донованом. Приятель другого ее клиента, знаменитого рок-певца Брэма Моррисона, О'Донован был не так знаменит, но все же достаточно известен. Он родился в Ливерпуле, но много лет назад женился на американке и принял американское гражданство. Его жену звали Рэйнбоу*, а дочерей — Берд** и Суоллоу***. Аллегра привыкла к их необычным именам. В мире рок-звезд ее вообще мало что уже могло удивить.

У О'Донована было довольно пестрое прошлое — наркотики, несколько арестов, не раз против него выдвигали обвинение, и даже дело доходило до суда. Он провел некоторое время в тюрьме и гораздо больше — в обществе адвокатов. Аллегра его очень заинтересовала. Поначалу он проявил к ней интерес и в сексуальном плане, но она оставила без внимания его намеки, придерживаясь строго делового стиля общения, и он в конце концов угомонился. Вскоре между ними состоялся очень интересный разговор. О'Донован пытался организовать

---

* Радуга (*англ.*).
** Птица (*англ.*).
*** Ласточка (*англ.*).

мировое турне, но столкнулся со множеством бюрократических препон, перед которыми терялся, и юридических сложностей, в которых просто не мог разобраться. Аллегра считала себя в состоянии ему помочь.

— Посмотрим, что можно сделать, Мэл. Я заберу твои бумаги от твоего нынешнего поверенного и свяжусь с тобой.

О'Донован пожал плечами и встал, собираясь уходить.

— Не трать время на моего бывшего адвоката, — посоветовал он и добавил с утрированным ирландским акцентом: — Он настоящая задница.

Аллегра дружелюбно улыбнулась:

— Но нам все равно понадобятся его записи. Как только что-нибудь узнаю, сразу позвоню.

О'Донован был доволен: молодец Моррисон, не зря направил его к этой Аллегре Стейнберг. Она оказалась очень толковой и деловой — перешла сразу к сути, без лишней болтовни. Вот это подход!

— Можешь звонить мне в любое время, когда тебе удобно, детка, — тихо сказал он, когда Рэйнбоу ушла вперед, к лифту. Аллегра сделала вид, что не услышала, и вернулась, чтобы запереть кабинет.

В конце концов получилось так, что в этот день она сама приехала домой поздно. Прочла несколько документов, уточнила некоторые пункты в одном из контрактов Брэма. Кроме того, Кармен недавно получила заманчивое предложение — сняться в фильме, который мог очень сильно повлиять на ее актерскую карьеру. Словом, Аллегре нравилась эта серьезная, ответственная работа, предъявляющая к ней большие требования.

Домой она вернулась в приподнятом настроении и только тогда, осознав, что за весь день Брэндон ни разу не позвонил, задумалась, не рассердился ли он на нее за утренний разговор.

Около девяти вечера Аллегра позвонила ему в офис. По голосу казалось, что Брэндон рад ее звонку. Он сказал, что уже тринадцать часов работает без перерыва и как раз собирался позвонить ей.

— Ты не голоден? — Аллегра уже жалела, что сердилась на него, и вопрос невольно прозвучал немного заискивающе. Но потом она вспомнила свой разговор с доктором Грин: она вправе ожидать большего.

37

— Нам приносят бутерброды, правда, мы иногда забываем их съесть.

— Постарайся вернуться домой не слишком поздно, тебе нужно поспать, — напомнила она.

Аллегра подумала, что было бы замечательно, если бы он приехал к ней, но не стала говорить об этом вслух, а Брэндон сказал лишь только, что ему пора возвращаться к работе.

— Я тебе позвоню завтра перед отъездом в Сан-Франциско.

— В это время я буду у родителей — поеду к ним с работы, не заезжая домой.

— В таком случае я, наверное, не буду звонить.

Аллегре захотелось затопать ногами. Ну почему он чуждается всего, что для нее важно, что ей дорого, особенно ее семьи? Наверное, всему виной его панический страх потерять свободу.

— Я позвоню из Сан-Франциско, когда ты вернешься домой.

— Как хочешь, — спокойно ответила Аллегра, радуясь, что сегодня днем у нее была возможность обсудить их отношения с Джейн Грин. После встреч с психоаналитиком все казалось гораздо проще и понятнее, и она воспринимала ситуацию не так драматично. В самом деле, все просто: Брэндон не может любить ее свободно и открыто, как она его. Но сможет ли он вообще когда-либо измениться? Ей хотелось выйти за него замуж — если, конечно, он когда-нибудь разведется и наконец позволит себе любить ее по-настоящему. Аллегра считала, что он по-своему ее любит, но понимала и то, что на него очень сильно давят воспоминания о неудачном браке с Джоанной.

— Как насчет «Золотого глобуса»? Нашла, с кем пойти? — неожиданно спросил Брэндон. Аллегру удивило, что он вообще заговорил об этом.

— Да, все очень удачно устроилось, — небрежно ответила Аллегра, не желая показывать, что она до сих пор переживает из-за его отказа. — Я пойду с Аланом.

— С Аланом Карром? — Брэндон был явно потрясен. Он ожидал, что Аллегра пойдет одна, точнее, с родителями. — А я думал, ты пойдешь с родителями или с братом.

Аллегра улыбнулась его наивности. Церемония вручения «Золотого глобуса» — одно из самых заметных

38

событий года и совсем не то мероприятие, на которое она могла бы пойти с младшим братом.

— Ну знаешь ли, для этого я уже несколько старовата. Но Алан — как раз тот спутник, который мне нужен. Он может смешить меня весь вечер и говорить непристойности о звездах, но они все его знают и любят.

— Я не ожидал, что ты так быстро найдешь мне замену, да еще такого красавчика. — В голосе Брэндона послышалась злая ревность, и Аллегра рассмеялась. Возможно, урок пойдет ему на пользу.

— Я с удовольствием пошла бы не с ним, а с тобой, — честно призналась она.

— Что ж, не забывай об этом. — По голосу чувствовалось, что Брэндон тоже улыбнулся. — Я воспринимаю это как комплимент, Элли. Всегда считал, что я и Алан Карр играем в разных лигах.

— Не стоит придавать моим словам большого значения, — поддразнила Аллегра.

Они проговорили еще несколько минут, но Брэндон так и не предложил приехать к ней переночевать и не пригласил ее к себе. Когда Аллегра повесила трубку, настроение у нее снова упало. Лежа в постели, она думала о своей жизни и своих отношениях с Брэндоном. Ей двадцать девять лет, и у нее есть любовник, которому больше нравится спать одному в собственной постели, чем быть с ней, и который отказался пойти с ней на очень важную для нее церемонию ради того, чтобы побыть со своими дочерьми и бывшей женой. Как ни приукрашивай правду, она все равно горька, все равно причиняет боль и заставляет ее чувствовать себя одинокой. Брэндон какой-то замкнутый и не слишком-то считается с интересами Аллегры.

Она вдруг словно наяву услышала голос психоаналитика: «Вы достойны лучшего» — и не могла вспомнить, то ли доктор Грин в самом деле произнесла эти слова, то ли они выражали суть того, что она подразумевала. Засыпая, Аллегра видела перед собой твердый взгляд карих глаз Джейн Грин.

— Я заслуживаю лучшего, лучшего... — тихо прошептала Аллегра. Но что это значит? Внезапно она отчетливо увидела перед собой смеющееся лицо Алана. Но над кем он смеется? Над ней? Над Брэндоном?..

Глава 3

Дом Стейнбергов в Бель-Эйр, большой и удобный, но отнюдь не роскошный, был одним из самых красивых в этой местности. Много лет назад, когда они переехали в него вскоре после рождения Скотта, Блэр сама его приводила в порядок. С тех пор обивка мебели много раз менялась, комнаты переделывались, что позволяло им всегда выглядеть свежо и современно — Блэр явно обладала способностями декоратора. Дети иногда шутили, что в их доме постоянно идет ремонт.

Но Блэр хотелось, чтобы дом всегда выглядел новым, и она часто использовала яркие, жизнерадостные цвета. Здесь царила атмосфера теплоты и непринужденной элегантности, это был дом, в котором людям нравилось бывать. С патио и из окон гостиной открывался великолепный вид. Блэр уже несколько месяцев говорила о том, что планирует сделать в кухне стеклянные стены, но пока была слишком занята, чтобы воплотить эту идею в жизнь.

Аллегра приехала к родителям прямо с работы. Как всегда, когда она попадала в родительский дом, ее сразу же окружала атмосфера теплоты и щедрости, присущей и семье, и, казалось, самому дому. Комната Аллегры была точно такой же, какой она оставила ее одиннадцать лет назад, уезжая на учебу в колледж. Затем здесь переклеили обои, сменили занавески на окнах и покрывало на кровати. Сейчас в ней преобладали нежно-персиковые тона. Аллегра по-прежнему иногда ночевала здесь, а порой и проводила выходные. Возвращение домой, в семью, всегда действовало на нее умиротворяюще. Ее комната находилась на том же этаже, что и комнаты родителей, точнее, их апартаменты, состоящие из спальни, двух гардеробных и двух рабочих кабинетов, которыми Саймон и Блэр пользовались, когда им нужно было поработать дома, что случалось нередко. На этом же этаже находились две комнаты для гостей. Выше размещались Сэм и Скотт, а между их комнатами — просторная гостиная. В общем пользовании брата и сестры имелись телевизор с огромным экраном — домашний кинотеатр, бильярдный стол и потрясающая суперсовременная стереосистема, подаренная им на Рождество отцом. О таком богатстве мечтал каждый подросток, и в доме всегда околачивалось не меньше полудюжины приятельниц Сэм, звучали разговоры об учебе в школе, о планах на будущее, о мальчиках.

В пятницу вечером, когда Аллегра приехала с работы, Сэм находилась в кухне. Аллегра не могла не заметить, как похорошела сестра за последний год. Она и раньше была хорошенькой, но в семнадцать с половиной лет вдруг превратилась в ослепительную красавицу. Как говорили коллеги Саймона, в Сэм уже сейчас чувствуется звезда, а Блэр, слыша такие слова, всегда хмурилась, считая, что для Сэм главное — учеба. Блэр не возражала против того, что ее младшая дочь время от времени работает фотомоделью, но перспектива, что она станет актрисой, не вызывала у нее никакого энтузиазма. Наблюдая жизнь актрис изо дня в день, Блэр понимала, как тяжело им приходится, и все больше склонялась к мысли, что Сэм лучше держаться подальше от этой профессии. Но девочка уже сама прекрасно во всем разбиралась. Саманта вращалась в кинематографической среде с самого рождения и сейчас не хотела быть никем, кроме актрисы. Сэм послала запросы сразу в несколько университетов: в ЛАКУ, Северо-Западный, Йельский и Нью-Йоркский, интересуясь специальностями, связанными с театром. Сэм со своими высокими баллами в школе имела хорошие шансы поступить в любой из этих университетов. Но в отличие от Аллегры, решавшей тот же вопрос десять лет назад, Сэм не хотела ехать на восток. Она предпочитала остаться в Лос-Анджелесе, возможно, даже жить дома. Из всех университетов она выбрала ЛАКУ и была туда уже зачислена.

Когда Аллегра вошла на кухню, Сэм сидела там и грызла яблоко. Ее длинные белокурые волосы ниспадали по спине золотистым водопадом. Большие зеленые глаза были такого же цвета, как у старшей сестры. Аллегре всегда доставляло удовольствие видеть младшую сестренку.

— Привет, малыш, как жизнь?

Она подошла к Сэм, обняла за плечи и чмокнула в щеку.

— Неплохо. На этой неделе я снималась у английского фотографа. Он классный, мне вообще нравятся иностранцы, они такие милые, обходительные. В ноябре снималась для «Лос-Анджелес таймс» у одного француза, он останавливался в Лос-Анджелесе по пути в Токио. А еще видела предварительный вариант папиного нового фильма.

Как многие подростки, Сэм перескакивала с одной темы на другую, но Аллегра легко ее понимала.

— И как тебе папин фильм?

Она подцепила с тарелки несколько ломтиков искусно нарезанной моркови и обняла Элли, их бессменную кухарку в течение вот уже двадцати лет. Та поздоровалась с Аллегрой и выпроводила обеих сестер из кухни.

— Нормально. Пока трудно сказать. Некоторые сцены еще смонтированы не там, где нужно, но все равно смотрится классно.

«Как и сама Сэм», — подумалось Аллегре. Младшая сестра побежала вверх по лестнице. Провожая ее взглядом, Аллегра улыбнулась своим мыслям. Казалось, Сэм вся состояла из одних ног, рук и длинных волос, она походила на юного жеребенка, радостно скачущего на лугу. Она выглядела совсем юной и в то же время, казалось, выросшей в одночасье. Было трудно поверить, что она выросла так быстро, но теперь Аллегра увидела в сестре почти взрослую женщину. Одиннадцать лет назад, когда она отправлялась в Йельский университет, Сэм была шестилетней девчушкой, и в каком-то смысле родные и теперь по-прежнему смотрели на нее как на ребенка.

— Аллегра, это ты? — окликнула мать. Спускаясь по лестнице, она перегнулась через перила и посмотрела вниз. Аллегре показалось, что Блэр выглядит ненамного старше своих дочерей. Волосы приглушенного рыжего оттенка, зачесанные наверх, мягко обрамляли лицо. Из прически торчали две ручки и карандаш. Блэр была в джинсах, черной водолазке и высоких кроссовках, которые купили для Сэм, но та отказалась их носить. С первого взгляда Блэр можно было принять за простенькую девушку, и только присмотревшись, человек замечал, как она прекрасна, и видел, что годы очень мягко, но все же наложили свой отпечаток на ее совершенные черты. Она была такой же высокой и стройной, как ее дочери.

— Как поживаешь, дорогая? — спросила Блэр, целуя Аллегру в щеку.

В это время зазвонил телефон, и она поспешила снять трубку. Это был Саймон. Он предупредил, что на работе возникли кое-какие проблемы и он задержится, но к обеду будет дома.

Все эти годы именно близость друг к другу, а еще сознание, что у них замечательный брак и надежные тылы, оберегали их от стрессов, которых так много бывает в Голливуде. Блэр редко об этом вспоминала, но до встречи с Саймоном в ее жизни царила полная неразбериха. Было время, когда она приходила в отчаяние, но, казалось, все изменилось к лучшему, как только они поженились. Именно тогда ее

42

карьера круто пошла вверх; у них скоро появились дети — они родились легко и были для родителей желанными. Блэр и Саймон любили своих детей, свой дом и друг друга. Им обоим было нечего больше желать, разве что еще детей. Когда родилась Сэм, младшая из троих, Блэр уже исполнилось тридцать семь, в те времена этот возраст считался довольно поздним для материнства, поэтому они с Саймоном решили на этом остановиться. Сейчас Блэр иногда жалела, что не завела еще хотя бы одного ребенка, но и те трое, что у них были, доставили им с Саймоном много радости, несмотря на случающиеся время от времени стычки с Самантой. Блэр понимала, что младшая дочь у них немного избалована, но при этом она оставалась хорошей девочкой. Сэм неплохо училась в школе, никогда не совершала по-настоящему серьезных проступков, а если иногда и спорила с матерью, то это казалось вполне естественным для ее возраста и среды.

Закончив разговор по телефону, Блэр поднялась на второй этаж. Увидев, что дверь в спальню Аллегры открыта, а сама Аллегра стоит у окна и смотрит во двор, Блэр зашла поговорить с дочерью.

— Дорогая, ты же знаешь, что можешь приезжать домой, когда тебе захочется, — мягко сказала Блэр. Ее удивила тоска во взгляде Аллегры, хотелось узнать, в чем дело, но она не стала вмешиваться в дела взрослой дочери. Отношения Аллегры с Брэндоном всегда беспокоили Блэр, она подозревала, что ее дочь не получает от него достаточно тепла. Брэндон казался таким отстраненным, независимым, казалось, его мало интересуют чувства и потребности Аллегры. На протяжении двух лет Блэр честно пыталась проникнуться симпатией к другу дочери, но ей это так и не удалось.

— Спасибо, мама.

Аллегра улыбнулась и легла, раскинув руки, на высокую кровать с пологом. Иногда она была счастлива просто побыть здесь, даже если ей удавалось вырваться всего на пару часов. Но иногда то, что родительский дом до сих пор имеет над ней большую власть, ее раздражало. Ей по-прежнему хотелось быть с родителями, и временами это пугало. Она слишком их любила и не смогла оборвать связи, которые другие женщины ее возраста оборвали давным-давно. В глубине души Блэр не очень понимала, зачем ей отрываться от родителей. Брэндон не раз жаловался, что она к ним слишком привязана, он считал это неестественным. Но у нее до сих пор сохраня-

43

лись прекрасные отношения с отцом и матерью, и они всегда поддерживали ее в трудные минуты. И что ей прикажете делать? Прекратить видеться с родителями только потому, что ей скоро исполнится тридцать?

— Где Брэндон? — поинтересовалась мать как бы невзначай. Она прослушала сообщение Аллегры на автоответчике и, признаться, испытала облегчение. Но конечно, не сказала об этом дочери. — Задержался на работе?

— Ему нужно навестить дочерей в Сан-Франциско, — ответила Аллегра, стараясь говорить так же непринужденно, как мать. Но обе знали, что это спокойствие и непринужденность лишь показные.

— К завтрашнему дню он, конечно же, вернется, — с улыбкой сказала Блэр. Ей было обидно за Аллегру, потому что этого Брэндона, казалось, никогда не было рядом в нужный момент. Но ответ дочери удивил и насторожил ее.

— Нет, не вернется. Он хочет провести с ними весь уик-энд. С понедельника у него начинается слушание дела в суде, и он не знает, когда сможет навестить их в следующий раз.

— Как, Брэндон не пойдет на церемонию награждения? — изумилась Блэр. «Как это понимать? — думала она. — Или это один из первых признаков приближающегося разрыва?» Не тая удивления, Блэр постаралась скрыть, что новость вселила в нее надежду.

— Нет, но это не важно, — солгала Аллегра, не желая говорить, как сильно Брэндон ее расстроил. Когда она признавалась матери в том, что у них с Брэндоном не все гладко, то начинала чувствовать себя очень уязвимой. У ее родителей никогда не было проблем друг с другом, их отношения были почти идеальными. — Я пойду с Аланом.

— Очень мило с его стороны, — сказала Блэр, поджимая губы.

Она устроилась в удобном мягком кресле возле кровати. Аллегра посмотрела на мать, понимая, что допрос еще не закончен. Почему Брэндон до сих пор не развелся? Почему он то и дело летает в Сан-Франциско к бывшей жене? Сознает ли он, что в ближайший день рождения его подруге исполнится тридцать? Аллегре и самой хотелось бы знать ответы на все эти вопросы.

— А тебя не беспокоит, что он уклоняется от участия в событиях, которые так важны для тебя?

44

Ясные голубые глаза матери проникали, казалось, в самую ее душу, но Аллегра попыталась не впустить их.

— Иногда беспокоит. Но, как говорит Брэндон, мы оба взрослые люди, у нас у обоих серьезная работа и определенные обязательства перед другими людьми. Иногда мы просто не можем быть вместе, и это надо понимать. Мама, не стоит делать из мухи слона. У Брэндона двое детей в другом городе, должен же он с ними видеться.

— А тебе не кажется, что время выбрано не очень удачно?

Слушая мать, Аллегра все больше злилась. Только этого ей не хватало сегодня вечером — защищать Брэндона! Она сама расстроилась из-за его поведения, и у нее не было ни малейшего желания оправдывать его перед матерью. Женщины обменялись взглядами, и в это время в дверях появился высокий темноволосый молодой человек.

— Ну и кого вы разбираете по косточкам на этот раз? Полагаю, Брэндона. А может, на горизонте появился кто-то еще?

Скотт только что приехал из аэропорта. Широко улыбаясь, Аллегра села на кровати, Скотт в два шага пересек комнату, сел с ней рядом и обнял сестру.

— Го-осподи, похоже, ты еще больше вырос! — воскликнула Аллегра. Мать наблюдала за дочерью и сыном с ласковой улыбкой. Скотт был копией своего отца, росту в нем сейчас было шесть футов пять дюймов, но, к счастью, он, кажется, перестал расти. В Стэнфорде он был членом баскетбольной команды.

— Какого же размера у тебя теперь нога? — поддразнила Аллегра. У нее самой была очень маленькая для ее роста ножка, Сэм носила девятый размер, а Скотт в последний раз, когда она его об этом спрашивала, — тринадцатый.

— Слава Богу, по-прежнему тринадцатый.

Скотт встал, подошел обнять мать, потом сел на пол, так, чтобы видеть обеих женщин.

— Где папа?

— Надеюсь, папа уже на пути домой. Он не так давно звонил из офиса. Сэм у себя наверху, обед будет через десять минут.

— Умираю с голоду.

Скотт отлично выглядел, и по глазам матери было ясно, что она очень гордится сыном. Скоттом гордилась вся семья, все верили, что он станет хорошим врачом. Молодой человек повернулся к матери:

— Ну и какая нас ждет сенсация? Ты, как обычно, победишь или в кои-то веки опозоришь нас?

— Наверняка опозорю. — Блэр рассмеялась, стараясь не задумываться всерьез о «Золотом глобусе». Несмотря на то что она много лет писала сценарии и выпускала на экран хиты, ожидание церемонии награждения всегда заставляло ее нервничать. — Думаю, на этот раз мы все будем гордиться папой.

Блэр не стала развивать свою мысль, а через минуту на подъездной аллее показался автомобиль Саймона. Аллегра и Скотт поспешили вниз встречать отца, Блэр вышла на лестницу и крикнула Саманте, чтобы та отлипла от телефона и спускалась обедать.

Обстановка за обедом была самая оживленная. Женщины обсуждали последние сплетни и новости, говорили о предстоящем награждении, а Саймон и Скотт, перекрывая женские голоса, пытались вести серьезный разговор. Сэм засыпала сестру вопросами о Кармен — какая она, как одевается, с кем встречается. Блэр замолчала и слегка откинулась на спинку стула, с улыбкой поглядывая на своих детей и мужа, которого любила все эти годы. Мужчины были высокими (отец — чуть ниже сына), темноволосыми и красивыми. С годами Саймон почти не изменился, седина лишь слегка посеребрила его густые волосы на висках, возле глаз появились лучики морщинок, но они лишь прибавили ему привлекательности. Он выглядел так же великолепно, как раньше, и облик мужа волновал Блэр, как много лет назад. Но в последнее время, когда Блэр задумывалась о происходящих с ней переменах, к этому приятному волнению порой примешивалась тревога. Казалось, Саймон совсем не меняется с годами, а если и меняется, то только в лучшую сторону. Но она чувствует себя иначе, больше, чем когда-либо, беспокоится о нем, о детях, о своей работе. Блэр пугало, что она стареет, что за последний год рейтинг ее сериала немного снизился, что Саманта вскоре окончит школу и поступит в университет. Что, если она все-таки решит учиться на востоке или останется в Лос-Анджелесе, но поселится в общежитии? Что будет делать Блэр, когда все дети разлетятся из гнезда? Что, если она станет никому не нужной... или сериал прекратит свое существование? Что станется с ней, когда все кончится? Вдруг их отношения с Саймоном когда-нибудь изменятся? Блэр понимала, что глупо заранее придумывать себе поводы для беспокойства, но ничего не могла с собой поделать.

46

Иногда она пыталась поговорить о своих страхах с Саймоном. Страхов этих вдруг стало очень много: ее беспокоило собственное тело, работа, сама жизнь. Блэр сознавала, что за последние год или два ее внешность стала меняться, сколько бы человек ни пытались убедить ее в обратном. Она старела и с болью в сердце сознавала, что меняется сильнее, чем Саймон. Ей казалось странным, что все произошло так быстро, что ей уже пятьдесят четыре, скоро будет пятьдесят пять, а там и до шестидесяти недалеко... Порой Блэр хотелось крикнуть: «Господи, не так быстро, останови время... подожди еще немного, я еще не готова!» Ей казалось странным, что Саймон этого не понимает. Вероятно, у мужчин все по-другому, им отпущено природой больше времени, их гормоны не так резко заявляют о себе, а внешность меняется постепенно, почти незаметно, к тому же у них всегда есть возможность обзавестись новой женой, вдвое моложе себя, и завести еще хоть десяток детей. Правда, когда Блэр напоминала Саймону, что он еще может стать отцом, а она матерью — не может, он всегда возражал, что не хочет больше детей, но пусть ему не нужны были новые дети, все же теоретически у него оставалась возможность их завести, и это ставило их в неравное положение. Когда Блэр попыталась поделиться этими мыслями с Саймоном, тот сказал, что она, наверное, просто переутомилась и потому ей лезет в голову всякая ерунда.

— Ради Бога, Блэр, мне совсем не хочется заводить еще детей! Я люблю тех, которые у нас есть, но если Сэм в ближайшее время не повзрослеет и не поселится отдельно, я, наверное, с ума сойду.

Хотя Саймон и сказал так, Блэр знала, что на самом деле он тоже не хочет, чтобы Сэм уезжала из дома. Младшая дочь, их малышка, всегда была его любимицей. Блэр спрашивала себя, почему Саймону гораздо легче, почему он не расстраивается из-за всего так сильно, как она, почему он меньше ее переживает из-за оценок Скотта или из-за того, что Аллегра все еще с Брэндоном, а тот за два года так и не удосужился развестись с женой.

Но за обеденным столом ни один из этих вопросов не возникал, речь шла совсем о других вещах. Саймон и Скотт говорили о баскетболе, о Стэнфорде, о возможной поездке в Китай. Потом все пятеро заговорили о предстоящем вручении «Золотого глобуса». Скотт стал подшучивать по поводу последнего приятеля Сэм. Он сказал, что парень туп как пробка, а Сэм принялась горячо за него заступаться, хотя и утверждала, что он ей не особенно нравится. Блэр объявила, что рейтинг их передачи недавно снова вырос после небольшого снижения в прошлом месяце, и рассказала, что следующим летом собирается перестроить кухню и изменить кое-что в саду.

— Разве это новость? — шутливо изумился Саймон, ласково глядя на жену. — Разве был хотя бы один год, когда ты ничего не перестраивала в доме? А в саду ты, по-моему, постоянно что-то выкорчевываешь и что-то сажаешь заново. Кстати, сад мне нравится такой как есть, зачем что-то менять?

— Я нашла великолепного английского садовника, и он обещает за два месяца все переделать по-новому. — Блэр усмехнулась. — Кухня — это совсем другое дело. Надеюсь, вам всем нравится «Джек ин зэ бокс»*? С мая до сентября мы будем питаться там.

В ответ раздался дружный стон. Саймон бросил многозначительный взгляд на своего единственного сына.

— Думаю, это как раз подходящее время для нашей поездки в Китай.

— Китай? Ты никуда не едешь! — Блэр выразительно посмотрела на мужа. — В этом году у нас все лето будут идти съемки, и я не желаю, чтобы меня снова оставили одну. — Каждое лето отец и сын вместе отправлялись в путешествие — обычно в какое-нибудь место, где Блэр при всем желании не могла до них добраться, например, в Ботсвану или на Самоа. — Если хочешь, разрешаю поехать на выходные в Акапулько.

Скотт рассмеялся. Шутливый спор со взаимным подтруниванием продолжался примерно до девяти часов. В начале десятого Аллегра первая встала из-за стола и сказала, что ей пора домой. Она взяла с собой кое-какую работу из офиса.

— Ты слишком много работаешь, — укорила ее мать.

В ответ Аллегра улыбнулась:

— А ты — нет? — Блэр работала, пожалуй, больше всех, кого знала Аллегра, и за это она уважала мать еще больше. — Увидимся завтра вечером, на награждении.

Все встали из-за стола.

— Не хочешь поехать вместе с нами? — спросила Блэр старшую дочь.

48 ———— * Ресторан быстрого обслуживания.

Та покачала головой:

— Алан обычно опаздывает. Куда бы он ни пошел, везде у него находится миллион друзей. После церемонии он наверняка захочет куда-нибудь пойти. Лучше встретимся на месте, а то мы тебя с ума сведем.

— Разве ты идешь не с Брэндоном, а с Аланом? — удивилась Саманта. Старшая сестра кивнула. — Как это получилось?

— Брэндону нужно навестить детей в Сан-Франциско, — сказала Аллегра как ни в чем не бывало. Казалось, что она уже раз сто всем все объяснила, и это стало надоедать.

— А ты уверена, что он не трахается со своей бывшей женой? — спросила Сэм напрямик.

У Аллегры дух захватило от такой бесцеремонности. Она тут же накинулась на младшую сестру:

— Неужели обязательно говорить мне всякие гадости? Последи за своим языком, Сэм!

— Да ладно тебе, не кипятись! — Сестры вдруг ощетинились друг на друга, как две кошки. — Похоже, я права, потому ты так и бесишься.

Видя, как расстроилась Аллегра, Скотт одернул младшую сестру:

— А ну-ка заткнись! Личная жизнь Аллегры не твое дело!

— Спасибо за поддержку, — прошептала Аллегра, целуя брата на прощание.

Она спрашивала себя, почему слова Саманты так сильно ее задели. Не потому ли, что подтвердили ее опасения? Нет, не может быть. Джоанна — плаксивая, вечно ноющая особа, к тому же толстуха. По словам Брэндона, его бывшая жена совсем потеряла привлекательность. Просто Аллегре очень неприятно, что приходится заступаться за Брэндона. Разумеется, вся семья считает, что ему положено быть с ней на церемонии награждения, да и она сама думает так же. Аллегра никому об этом не говорила, но в душе ее крепла обида на Брэндона.

На обратном пути Аллегра снова думала об этом, и когда она добралась до дома, ее злость на Брэндона вспыхнула с новой силой. Дома, сидя за столом, она тщетно пыталась сосредоточиться на работе, но потом перестала обманывать себя и решила позвонить Брэндону. Номер телефона отеля, в котором он останавливался в Сан-Франциско, она знала наизусть. Может, все-таки удастся уговорить его пойти на **49** церемонию? Но тогда придется объясняться с Аланом... Как ни крути, получается скверно, а если Алан разозлится, он так и скажет напрямик.

Набрав номер дрожащими пальцами, Аллегра, казалось, целую вечность ждала, пока портье соединит ее с Брэндоном. В конце концов ей сказали, что номер не отвечает. В десять вечера Брэндон должен был быть в отеле, и Аллегра попросила перезвонить еще раз — на случай, если произошла ошибка. Однако телефон снова не ответил. Наверное, он все еще у Джоанны, обсуждает предстоящий развод. Брэндон говорил, что, уложив девочек в постель, они иногда спорят с Джоанной часами. Но сейчас Аллегре невольно вспомнились слова Саманты, что Брэндон спит с бывшей женой. Аллегра не знала, на кого разозлилась больше — на сестру за ее бесцеремонность или на Брэндона за его поступок. Ей отнюдь не улыбалось вечно переживать из-за его отсутствия, впрочем, как и испытывать неловкость при высказывании девочки-подростка. У нее и без того забот достаточно.

Едва Аллегра повесила трубку, как телефон сразу же зазвонил. Аллегра улыбнулась: она нервничает по пустякам, это наверняка Брэндон, который только что вернулся в отель. Но звонила Кармен, и она плакала.

— Что случилось?

— Мне угрожают расправой, я получила письмо.

Рыдая, Кармен стала говорить, что хотела бы вернуться в Орегон. Это желание Аллегра могла понять, но при такой работе исчезнуть не так-то просто. У Кармен уже заключено несколько контрактов со студиями, кинозвезда не вольна распоряжаться своим временем.

Слушая клиентку, Аллегра все больше хмурилась.

— Постарайся успокоиться и выкладывай все по порядку. Кто тебе угрожал?

— Письмо пришло по почте. Сегодня утром я забыла просмотреть почту, а сейчас вернулась с обеда, распечатала письмо, а там... — Кармен снова захлебнулась рыданиями. — Там написано, что я сука и что такие, как я, не имеют права жить. Этот мерзавец пишет, что я его обманула, что я шлюха и что он до меня доберется.

«О Господи, — подумала Аллегра, — это уже серьезно». Маньяк, который воображает, что имеет право контролировать жизнь актрисы, что у него с ней какие-то особые отношения и она его обманула, может быть по-настоящему опасен, но Аллегра не хотела пугать Кармен еще больше.

— Ты не задумывалась о том, кто из твоих знакомых мог написать это письмо? Может, мужчина, с которым ты встречалась, разозлился из-за того, что ты порвала с ним отношения?

По крайней мере вопрос был не праздный, хотя Аллегра знала, что Кармен всегда отличалась осторожностью. Несмотря на истории, которые время от времени появлялись в желтой прессе, Кармен вела чуть ли не монашеский образ жизни.

— У меня девять месяцев не было ни с кем свидания, — жалобно сказала Кармен, — а двое мужчин, с которыми я когда-то встречалась, уже женились.

— Так я и предполагала. Ладно, давай постараемся рассуждать спокойно. — Аллегра заговорила терпеливым тоном, словно с ребенком. — Первым делом включи сигнализацию.

— Уже включила.

— Хорошо. Позвони охраннику, который дежурит у ворот, и расскажи ему о письме. Я позвоню в полицию и в ФБР, завтра мы встретимся и с теми, и с другими. Сегодня вечером они вряд ли окажутся полезными, но я на всякий случай позвоню не откладывая. Местная полиция может хотя бы организовать патрулирование, пусть машина проезжает мимо твоего дома каждые полчаса. А почему бы тебе не впустить одну из собак в дом на ночь, так будет спокойнее?

— Не могу... я их сама боюсь, — растерянно пробормотала Кармен.

Аллегра рассмеялась, что немного успокоило обеих.

— В том-то все и дело, эти псы напугают кого угодно. Не хочешь пускать в дом — по крайней мере спусти с цепи, пусть свободно бегают по двору. Скорее всего эти угрозы — ерунда, бред сумасшедшего, но принять меры предосторожности никогда не помешает.

— Ну почему они так поступают? — запричитала Кармен.

Она и раньше получала письма с угрозами, приводящими ее в ужас, но до сих пор никто не пытался на деле причинить ей вред. Это были лишь разговоры, и Аллегра знала, что рано или поздно нечто подобное происходит со всеми знаменитостями. Ее родители тоже в свое время получали письма с угрозами, а когда Сэм было одиннадцать, кто-то угрожал ее похитить. Тогда мать на полгода наняла для Сэм тело-

51

хранителя — дюжего молодца, который доводил все семейство до бешенства тем, что днем и ночью смотрел телевизор и забрызгал все ковры кофе. Однако если понадобится, Аллегра готова была нанять телохранителя для Кармен. Более того, у нее была мысль нанять кого-нибудь для охраны звезды во время церемонии вручения «Золотого глобуса». Среди известных Аллегре телохранителей ей особенно нравились двое — мужчина и женщина, работающие вместе.

— Кармен, этим занимаются всякие идиоты, которым хочется привлечь к себе внимание. Им кажется, что если они с тобой сблизятся, им перепадет немного от твоей славы. Постарайся не слишком расстраиваться из-за этих извращенцев. Кстати, на завтрашний вечер я хочу приставить к тебе одну пару, мужчину и женщину — они за тобой присмотрят. Никто и не догадается, что они тебя охраняют, со стороны все будет выглядеть так, будто ты и твой спутник находитесь в компании двух друзей, — ободряюще продолжала Аллегра. Ее клиенты много раз попадали в подобные ситуации, она уже знала, как с этим справляться, и научилась их успокаивать. Но Кармен все еще нервничала.

— Может, мне просто не ходить на церемонию? Вдруг во время вручения премии в меня кто-нибудь выстрелит? — Она снова заплакала, в промежутках между всхлипами причитая, что хочет вернуться в Портленд.

— Ерунда, никто не станет в тебя стрелять во время церемонии. Послушай, почему бы тебе не поехать вместе с нами? С кем ты идешь?

— С одним парнем по имени Майкл Гинесс, его подобрала для меня студия, я его никогда не видела, — в голосе Кармен послышалось отвращение, но Аллегра поспешила ее ободрить:

— Я его знаю, он неплохой парень.

Аллегра действительно его знала. Майкл Гинесс, молодой, очень красивый, подающий надежды актер был голубым, и, вероятно, на студии решили, что для его имиджа будет полезно, если его увидят с Кармен Коннорс. То обстоятельство, что он гей, держалось в строжайшем секрете.

— Я обо всем позабочусь, а ты успокойся и постарайся уснуть.

Аллегра знала, что Кармен, когда ей страшно или одиноко, иногда может просидеть всю ночь и, например, смотреть по телевизору старые фильмы.

52

— А ты с кем пойдешь? — небрежно спросила Кармен, почти не сомневаясь, что Аллегра идет с Брэндоном. Она видела Брэндона пару раз, и он показался ей респектабельным, но скучным. Ответ Аллегры ее удивил.

— Я иду со старым школьным приятелем, Аланом Карром, — рассеянно ответила Аллегра. Она в это время делала пометки в своем ежедневнике.

— Господи, не может быть! — поразилась Кармен. — С тем самым Аланом Карром? Ты шутишь! И ты училась с ним в одной школе?

Ее реакция, как, впрочем, и многих других, позабавила Аллегру, но она уже привыкла.

— С тем самым, единственным и неповторимым.

— Я видела все его фильмы.

— Я тоже, и должна сказать, некоторые из них просто дрянные. — Впрочем, среди его фильмов попадались и по-настоящему хорошие. — Я давно твержу Алану, что ему нужно сменить агента, но он такой упрямец.

— Бог мой, да он же потрясающий мужчина!

— Гораздо важнее, что он к тому же хороший человек. Думаю, он тебе понравится.

Аллегра задумалась, понравится ли Кармен Алану. Может, встретившись на церемонии вручения «Золотого глобуса», они найдут общий язык? Это было бы неплохо для всех четверых.

— Если хочешь, мы можем заехать за тобой и Майклом, а после церемонии все вместе отправимся куда-нибудь выпить.

— Отлично.

После разговора с Аллегрой Кармен заметно повеселела. Повесив трубку, Аллегра уставилась в окно, думая о том, какие странные шутки порой выкидывает жизнь. Кинозвезда, секс-символ Америки, девять месяцев не ходила на свидания и получает письма с угрозами от какого-то психа, который вообразил ее своей собственностью. Во всем этом, мягко говоря, есть что-то очень неправильное. И та же кинозвезда потрясена тем, что ее адвокат знакома с Аланом Карром. Поистине, все смешалось в этом мире.

Аллегра посмотрела на часы. Они проговорили больше часа, время близилось к полуночи. Аллегра немного побаивалась еще раз звонить Брэндону, но все же решилась. Наверное, он пытался ей перезвонить, пока она разговаривала с Кармен, да телефон был занят. Но когда она позвонила в отель, номер Брэндона снова не ответил. На этот раз Аллегра оставила у портье сообщение с просьбой перезвонить.

Около часа ночи, когда Аллегра ложилась спать, звонка от Брэндона так и не было. Звонить ему самой ей больше не хотелось, она и так уже чувствовала себя в глупом положении и изо всех сил старалась выкинуть из головы слова Сэм. Почему-то Аллегре не верилось, что он спит с женой. Ну чем можно заниматься в такой час в Сан-Франциско? Это небольшой сонный городок, там жизнь на улицах замирает уже часов в девять-десять вечера. Не пошел же Брэндон в ночной клуб. Наверное, он просто засиделся допоздна у жены, споря с ней насчет раздела имущества. Сэм не имела права говорить о нем такие вещи. Вспоминая стычку с сестрой, Аллегра все еще злилась. Ну почему все так настроены против Брэндона? И почему ей вечно приходится за него заступаться и оправдывать его поведение перед другими?

Телефон так и не зазвонил, и часов около двух Аллегра наконец заснула. Но в четыре часа утра ее разбудил телефонный звонок. Думая, что звонит Брэндон, она вскочила с кровати так быстро, что от резкого движения зашумело в ушах. Это была Кармен. Она услышала какой-то шум. Кармен говорила по телефону сбивчивым шепотом, от страха плохо соображая, так что Аллегра с трудом ее понимала. Битый час она успокаивала актрису, под конец даже стала подумывать, не проще ли самой приехать к ней. Однако Кармен наконец заявила, что уже успокоилась, и даже извинилась за звонок в такой час.

— Тебе нужно еще немного поспать, а то завтра на церемонии награждения ты будешь черт знает на кого похожа. А надо выглядеть хорошо, потому что тебе, наверное, предстоит получать премию. Так что марш в постель! — закончила Аллегра тоном старшей сестры.

— Слушаюсь.

Кармен рассмеялась, чувствуя себя маленькой девочкой. Аллегра выключила свет, снова легла и, обессиленная, быстро заснула. До восьми часов утра ничто больше не помешало ей спать, а в восемь ее разбудил звонок Брэндона.

— Надеюсь, ты уже встала? — спросил Брэндон.

Аллегра притворилась, что давно встала. При взгляде на часы она чуть громко не застонала. За всю ночь ей не удалось поспать и пяти часов.

— Да, и даже несколько раз, — ответила она, беря себя в руки. — У Кармен возникли проблемы.

54

— Этого только не хватало. Не понимаю, с какой стати ты занимаешься по ночам этой ерундой. Тебе нужно включать автоответчик или просто отключать телефон.

Поступать так было не в привычках Аллегры, да и работа не позволяла, но Брэндон никогда этого не понимал.

— Ничего страшного, я привыкла. Кармен получила письмо с угрозами. — Снова посмотрев на часы, которые теперь показывали пять минут девятого, Аллегра вспомнила, что должна сообщить об угрозах в полицию и ФБР. Утро обещало быть напряженным. — Где ты был ночью? — Аллегра старалась говорить без обвинительных ноток в голосе и не вспоминать слова младшей сестры.

— Встречался с друзьями. А что стряслось? Из-за чего ты мне звонила два раза?

— Ничего не стряслось. — Аллегра поймала себя на мысли, что почему-то оправдывается. — Я просто хотела узнать, как ты долетел, и пожелать спокойной ночи. Ты, кажется, собирался встретиться с детьми вчера вечером. — Если нет, то чего ради было лететь в Сан-Франциско в пятницу?

— Я собирался, но рейс задержали, я прилетел поздно, и пришлось отложить встречу до завтра. Поэтому я позвонил нескольким друзьям, с которыми мы когда-то вместе работали, мы встретились, посидели в баре, поговорили... — Временами Аллегра забывала, что Брэндон раньше жил в Сан-Франциско. — Я уж подумал, что что-то случилось, когда вернулся в отель и узнал, что ты звонила. Но было поздно, и я решил, что ты все равно спишь. Наверное, мне следует перенять манеру твоих клиентов звонить в любое время дня и ночи.

Брэндону очень не нравились эти ночные звонки, но большинство клиентов Аллегры звонили по ночам лишь по самой крайней необходимости.

— Похоже, ты неплохо провел время, — сказала она, стараясь скрыть разочарование в голосе.

— Да, мы очень неплохо посидели с друзьями. Иногда приятно снова побывать в Сан-Франциско. Я уже сто лет не бывал в здешних барах.

Аллегру подобное времяпрепровождение не привлекало, но Брэндону, наверное, действительно было интересно посидеть где-нибудь вечерком, пообщаться с друзьями. Тем более что при его работе это удавалось ему не часто.

— В девять я заезжаю за девочками. Я обещал им, что мы сходим в «Сосалито» и, может быть, еще в «Стинсон». Жалко, что тебя нет с нами, — добавил он уже мягче.

— Сегодня утром мне придется побывать в полиции и, возможно, в ФБР, поскольку письмо с угрозами пришло по почте. А вечером я иду на вручение «Золотого глобуса».

— Должно быть, это будет занимательно, — заметил Брэндон так безучастно, словно вопрос о том, что он тоже должен пойти, никогда и не обсуждался. — Кстати, как прошел вчерашний обед?

— Нормально, как обычно. Каждый был в своем репертуаре. Приехал Скотт, и это замечательно, он такой милый. Сэм стала слишком много о себе воображать, наверное, это возрастное и со временем пройдет, но пока я от этого не в восторге.

— Видишь ли, твоя мать позволяет ей делать все, что ей в голову взбредет. Если хочешь знать мое мнение, это верный способ избаловать ребенка, а она, между прочим, уже вышла из детского возраста. Странно, что твой отец не вмешивается в ее воспитание.

Не то чтобы Аллегра была решительно не согласна с Брэндоном, но ее покоробила его излишняя резкость. С какой легкостью он критикует ее младшую сестру! Сама она всегда тщательно следила за тем, чтобы не сказать что-нибудь нелестное о его детях.

— Отец в ней души не чает. В последнее время Сэм стали чаще снимать для журналов, наверное, это немного вскружило ей голову и она вообразила, что может говорить все, что угодно.

У Аллегры все еще не выходили из головы вчерашние высказывания Саманты, и сейчас она злилась вдвойне потому, что сестра заставила ее волноваться понапрасну. Странно, однако, что она приняла слова девчонки так близко к сердцу — наверное, только потому, что слишком расстроилась из-за Брэндона.

— Помяни мое слово, в один прекрасный день этот модельный бизнес еще доставит ей кучу неприятностей. Или какой-нибудь фотограф начнет к ней приставать, или подсунут наркотики, или еще что-нибудь. По-моему, вся эта богемная среда насквозь порочна, лучше бы твоей сестре держаться от нее подальше. И как только твои родители разрешают ей заниматься этими сомнительными делами!

56

В представлении Брэндона шоу-бизнес и все, что с ним связано, были чуть ли не порождением дьявола, и он это решительно не одобрял. Он не раз говорил, что своим родным дочерям никогда бы не позволил работать фотомоделями, актрисами или заниматься еще чем-то, что выставляло бы их на обозрение публики. Он никогда не скрывал от Аллегры, что считает творчество Стейнбергов в лучшем случае сомнительным, а в худшем — вообще темным делом, и это притом, что родители Аллегры преуспели в своей области, а она сама очень любила свою работу.

— Может, ты в чем-то и прав, — дипломатично ответила Аллегра.

Возможно, оттого, что они с Брэндоном слишком разные, или оттого, что он сейчас далеко, у нее возникло неприятное ощущение, будто он ее унизил. Даже после двух лет знакомства ей порой бывало трудно сказать, не ошиблась ли она в своем выборе. Казалось, Брэндон ей подходил, но иногда, как, например, сейчас, у нее возникало чувство, что они совершенно не знают друг друга.

— Мне пора ехать за девочками, — сказал Брэндон и примирительно добавил: — Я тебе позвоню вечером.

— Вечером я буду на вручении «Золотого глобуса», — мягко напомнила Аллегра.

— Ах да, совсем забыл. — Небрежный тон, каким это было сказано, вызвал у Аллегры острое желание швырнуть в него чем-нибудь тяжелым, жаль, он был далеко. — Тогда я позвоню завтра утром.

— Спасибо. — Аллегра не сдержалась и, злясь на себя за малодушие, все же добавила: — Жаль, что тебя там не будет.

— Ничего, думаю, ты не соскучишься. Полагаю, для мероприятия такого рода Алан Карр — куда более подходящий спутник, чем я, по крайней мере он знает, кто есть кто, а я нет. Только последи, чтобы он вел себя прилично, и предупреди, что ты занята, Элли. Чтобы без глупостей, — строго сказал Брэндон.

Аллегра улыбнулась, настроение у нее немного поднялось. У Брэндона самые добрые намерения, и он ее любит, просто он не понимает всю значимость для нее предстоящей церемонии. Такие события важны не только для нее самой и ее близких, они важны для ее работы.

— Я буду по тебе скучать. Кстати, я бы с большим удовольствием пошла с тобой, а не с Аланом.

— Обещаю, детка, что на будущий год постараюсь вырваться. — Похоже, Брэндон говорил всерьез.

— Надеюсь.

Хорошо бы Брэндон был сейчас с ней, в этой постели. По крайней мере здесь у нее никогда не возникало ощущения, будто между ними существует пропасть, скорее наоборот. В сексуальном плане они идеально подходили друг другу. Наверное, и все остальное в конце концов образуется. Нельзя забывать, что развод никогда не бывает легким делом.

— Желаю приятно провести время с девочками, дорогой. Передай им, что я по ним соскучилась.

— Обязательно передам. Я позвоню завтра. Сегодня специально посмотрю по телевизору новости, может, тебя покажут.

Аллегра рассмеялась. Уж ее-то он вряд ли увидит. Она не номинантка, не ведущая, для репортеров программы новостей она лишь одна из множества гостей и может лишь случайно попасть в кадр, если будут показывать ее родителей или Кармен. Но обычно операторы ловили в кадр только выдвинутых на премию и победителей. Сама она могла бы заинтересовать репортеров только как спутница Алана Карра, но даже это маловероятно, поскольку она не знаменитость.

Несмотря на то что Брэндон порой просто не понимал, в каком окружении она живет и работает, и даже притом, что он слишком тянул с разводом, он тем не менее оставался замечательным человеком. Аллегре казалось странным, как можно не видеть хорошее в этом замечательном человеке.

Она встала и прошла на кухню. Пока варился кофе, Аллегра успела позвонить сначала в полицию, затем в ФБР, потом в охранную фирму, которая занималась безопасностью дома Кармен. Договорившись со всеми встретиться в доме Кармен, Аллегра с удовлетворением отметила, что сделала все возможное, чтобы защитить свою клиентку. Затем она связалась по телефону с телохранителями — Биллом Фрэнком и Гейл Уотелз, бывшими сотрудниками полицейского управления Лос-Анджелеса. К счастью, оба оказались не заняты в этот вечер и согласились поработать на Кармен Коннорс, чему звезда очень обрадовалась. Затем Аллегра послала Гейл к Фреду Хейману за вечерним платьем. Подобрать наряд, под которым можно скрыть кобуру с пистолетом и прочее оружие, — задача не из легких, но портнихи Хеймана привыкли к самым необычным запросам клиенток.

В начале пятого Аллегра смогла ненадолго заскочить домой. Пока над Кармен колдовали визажист и парикмахер, ей как раз хватило времени, чтобы наскоро принять душ, уложить волосы и надеть платье от Ферре, которое она купила специально для этого дня. Длинное облегающее черное платье с накидкой из белой органзы, казалось бы, простое и неброское, отличалось изысканным покроем и очень шло Аллегре. К платью она надела серьги с бриллиантами и жемчугом — подарок отца ко дню ее двадцатипятилетия. Свои длинные светлые волосы она зачесала наверх и заколола на макушке, откуда они ниспадали мягкими локонами. Когда Алан Карр заехал за ней, она была уже готова и выглядела великолепно — чувственно и соблазнительно. Алан в новом смокинге от Армани тоже был неотразим. Во всем его облике чувствовался отменный вкус — от белоснежной рубашки с узким воротом, но без галстука, до темных волос, зачесанных назад. В жизни он выглядел даже лучше, чем на рекламных фотографиях.

При виде Аллегры Алан присвистнул.

— Потрясающе, — заметил он, не давая Аллегре сказать то же самое. Сбоку ее платья шел длинный разрез до бедра, открывающий ногу. Босоножки на высоких каблуках делали Аллегру еще выше и стройнее. — И как, спрашивается, я смогу вести себя прилично с такой очаровательной спутницей?

Алан сделал вид, что поражен ее красотой, Аллегра рассмеялась и поцеловала его в щеку. Вдыхая пьянящий аромат ее духов, Алан в который раз спросил себя, почему он ни разу так и не попытался возродить прежние отношения. А может, их время пришло и пора послать Брэндона Эдвардса к черту?

— Благодарю вас, сэр. То же самое можно сказать и о вас. — Несмотря на шутливый тон, во взгляде Аллегры светилось искреннее восхищение. — Серьезно, Алан, ты действительно хорош сегодня.

— А почему это тебя так удивляет? — с усмешкой спросил Алан. — Я ведь и обидеться могу.

— Прости, просто я иногда забываю, как ты красив. Я привыкла считать, что ты вроде Скотта — ну знаешь, этакий большой ребенок в вечно рваных джинсах и грязных кроссовках.

— Ты разбиваешь мне сердце! — шутливо ужаснулся Алан и, посерьезнев, добавил: — Мне правда нравится, как ты выглядишь.

Его голос вдруг зазвучал мягче, нежнее, в глазах появилось выражение, которого Аллегра не видела в них лет с пятнадцати и была не готова увидеть снова. Поэтому предпочла притвориться, будто ничего не заметила. Она отвернулась, чтобы взять со стула маленькую черную сумочку, перламутровая застежка которой была украшена искусственным бриллиантом.

— Ну что, едем? — спросил Алан.

В облике Аллегры все было безупречно, и они составляли блестящую пару. Аллегра сознавала, что появиться в обществе с Аланом Карром означает стать объектом неослабного любопытства со стороны жадных до сплетен газетчиков. Они непременно заинтересуются ее персоной и попытаются отыскать повод для новой волны слухов о личной жизни Алана Карра.

— Я обещала заехать за Кармен, — сказала Аллегра, направляясь к машине. — Надеюсь, ты не против?

На подъездной аллее их поджидал сверкающий лимузин — согласно текущему контракту со студией, Алан в течение года имел право пользоваться лимузином с водителем.

— Да нет, не против. Я не выдвинут на премию, так что торопиться мне особенно некуда. Послушай, а может, ну ее к черту, эту церемонию, махнем вдвоем куда-нибудь в другое место? Ты слишком хорошо выглядишь, жалко тратить такую красоту на всех этих зевак и папарацци.

— Ну-ну, Алан, будь хорошим мальчиком, — пожурила его Аллегра.

Он шутя поцеловал ее в шею.

— Видишь, как я хорошо себя веду? Даже не испортил даме прическу. У меня были хорошие учителя.

Алан помог Аллегре сесть в машину и сам сел рядом. Она улыбнулась и снова подумала, что он сегодня особенно красив.

— Знаешь, половина женщин Америки готовы пожертвовать правой рукой, а то и обеими, только за то, чтобы оказаться на моем месте. Мне здорово повезло, правда? — Аллегра усмехнулась так лукаво, что Алан рассмеялся, ему хватило такта принять смущенный вид.

— Не говори ерунды, Эл, это я счастливчик, ты сегодня сногсшибательна.

— Подожди, ты еще не видел Кармен. Вот кто настоящая красавица, просто умопомрачительная.

— Ерунда, ей с тобой не сравниться, — галантно **60** возразил Алан.

Но когда они подъехали к дому Кармен и актриса вышла к машине, оба были одинаково потрясены. По обе стороны от Кармен шли телохранители, которым предстояло охранять ее сегодня вечером. Билл был слишком мускулистым и массивным, чтобы элегантно смотреться в смокинге, Гейл же в платье с бронзовыми блестками, выгодно оттенявшем ее медно-рыжие волосы и подчеркивающем достоинства фигуры, выглядела обманчиво хрупкой. Жакет в тон платью совершенно скрывал от постороннего взгляда «вальтер» тридцать восьмого калибра и «дерринджер». Но Алана поразила не она, а Кармен, да так, что у него дух захватило. На Кармен было закрытое красное платье с длинными рукавами, но благодаря тому, что оно облегало тело, как перчатка, каждый дюйм ее великолепной фигуры был выставлен на всеобщее обозрение. Сбоку, как и на платье Аллегры, шел высокий разрез, открывающий знаменитые ноги Кармен Коннорс. Когда Кармен повернулась, оказалось, что спины у платья практически нет и глубокий, заканчивающийся ниже талии вырез позволяет любоваться гладкой молочно-белой кожей. Платиновые волосы звезды были собраны в строгий элегантный пучок, и отчасти поэтому она выглядела не только невероятно сексуально, но и весьма изысканно. Она немного напоминала молодую Грейс Келли, только Кармен была сексапильнее.

— Вот это да! — восхищенно выпалил Алан за себя и за Аллегру. — Вы фантастически выглядите.

— Вам нравится? — Кармен посмотрела на него немного по-детски, смущенно улыбнулась и вдруг покраснела, когда Аллегра представила ее Алану. — Для меня большая честь с вами познакомиться, — пробормотала она.

Пожимая звезде руку, Алан заверил, что, в свою очередь, давно мечтал познакомиться с Кармен Коннорс. Он много хорошего слышал о ней от Аллегры.

Кармен благодарно улыбнулась своему адвокату.

— Значит, она вас обманывала, потому что я иногда бываю ужасной занудой.

Все трое рассмеялись.

В лимузине двое телохранителей заняли места напротив по обеим сторонам от бара и телевизора. К счастью, размеры лимузина позволяли всем свободно разместиться в салоне.

— Такая уж у нас профессия, — сказал Алан, словно извиняясь.

61

Машина тронулась. Аллегра включила телевизор, чтобы посмотреть, кто прибывает на церемонию награждения. Когда лимузин подъезжал к дому Майкла Гинесса, на экране телевизора появились родители Аллегры. На Блэр было темно-зеленое бархатное платье; супруги Стейнберг улыбались репортерам, и Аллегра отметила, что мать прекрасно выглядит. Телекомментатор стал рассказывать о них зрителям. В это время лимузин остановился у дома Майкла Гинесса. Майкл уже ждал на улице, быстро подошел к лимузину, поздоровался со всеми и сел на переднее сиденье рядом с водителем. С Аланом они как-то снимались вместе в фильме, остальным Аллегре пришлось его представить. Она подумала про себя, что, наверное, Алан должен быть не ее спутником, а Кармен, но это породит такую волну слухов, что страшно представить, в какое неистовство придет желтая пресса. У отеля «Хилтон» их автомобиль оказался в длинном ряду таких же лимузинов, выстроившихся в очередь, чтобы исторгнуть из своего чрева блистательных пассажиров, словно маленькие блестящие приманки, выставленные для возбуждения акул в прибрежных водах. Вдоль улицы плотной шеренгой в четыре-пять человек выстроились сотни репортеров: кто держал наготове фотоаппарат, кто тянул руку с зажатым в ней микрофоном, и каждый старался улучить момент, чтобы сделать интересный снимок или записать несколько слов, сказанных важной персоной. Внутри царила еще большая толчея и суматоха. Репортерам были выделены отдельные участки, где они могли взять интервью у номинантов или просто актеров или актрис, которые нуждались в рекламе и согласились уделить им несколько минут. Поклонники сначала выстраивались вдоль стен, но по мере того как их ряды прибывали, просторный вестибюль отеля заполнялся все больше и в конце концов свободным от людей остался только узкий коридор, по которому участники торжества могли пройти в величественный банкетный зал. Здесь собрались, казалось, все большие и малые звезды и звездочки, каких только можно увидеть на экранах, о каких только можно услышать или прочесть. Собрание получилось блистательное: даже притом что поклонники остались за дверями, в зале царило лихорадочное возбуждение. Как только к парадному входу отеля подъезжал очередной лимузин и появлялись новые лица, неистовствующие поклонники поднимали шум, выкрикивая имена вновь прибывших. Сотни вспышек сливались в сплошное зарево, и толпы репортеров бросались к очередной знаменитости.

Кармен Коннорс пришла в ужас при виде неистовствующей толпы. Она присутствовала на прошлогодней церемонии вручения «Золотого глобуса», но в качестве гостьи, и понимала, что в этом году пресса будет гоняться за ней еще более рьяно, как за актрисой, выдвинутой на премию. Письмо с угрозами, полученное лишь вчера вечером, только усиливало ее страх перед толпой, телекамерами и навязчивым вниманием прессы.

— Как ты, в порядке? — спросила Аллегра с материнской заботой.

— Нормально, — пробормотала Кармен.

— Первыми выйдем мы с Биллом, — распорядилась Гейл, — затем Майкл и уж потом вы. Сначала мы будем держаться между вами и объективами камер, — спокойно объясняла она, одним своим голосом вселяя в Кармен ощущение уверенности.

— А мы с Аланом прикроем тебя с тыла, — заверила Аллегра. Она, конечно, понимала, что появление Алана вызовет огромный интерес. В какой-то степени это пойдет на пользу Кармен, так как частично отвлечет от нее внимание, но, с другой стороны, привлечет к ним еще больше репортеров. Избежать внимания прессы на подобном мероприятии абсолютно немыслимо. Их появления ждут сотни, даже тысячи людей.

— Мы будем все время рядом, Кармен. Тебе нужно только пройти в зал, а там с тобой все будет в порядке, — мягко пояснила Аллегра. — Кроме тебя, в зале множество других звезд, и внимание рассеется.

— Вы скоро к этому привыкнете. — Алан тронул Кармен за локоть. В этой актрисе была какая-то особенная прелесть, а еще больше его очаровывала ее ранимость — качество, с которым он не встречался уже много лет. Большинство его знакомых актрис были не то чтобы бесчувственными, но как бы покрытыми броней.

— Вряд ли я когда-нибудь к этому привыкну, — тихо сказала Кармен, поднимая на Алана огромные голубые глаза, и у него вдруг возникло шальное желание обнять ее. Но он знал, что от этого актриса еще больше растеряется.

— Все будет хорошо, — спокойно сказал Алан. — С вами ничего не случится. Я все время получаю такие письма, на них не стоит обращать внимания. Психи, которые их пишут, никогда не переходят от слов к делу.

63

Эта фраза, которую он произнес так уверенно, несколько расходилась с тем, что сегодня днем сказали Кармен фэбээ-эровцы. По их словам, большинству угроз, осуществленных на практике, предшествует своего рода объяснение в той или иной форме, например, нечто вроде письма, которое она получила по почте. Судя по письму, его автору казалось, будто Кармен его обманывает, что-то ему должна, хотя на самом деле она вообще не знакома с этим типом. Правда, фэбээров-цы тоже говорили, что большинство людей, рассылающих подобные письма, больные, с неадекватной реакцией, но в общем-то безобидные, и лишь изредка попадаются те, кто действительно готов исполнить свои угрозы. От этих можно ждать серьезных неприятностей. И полицейские, и люди из ФБР в один голос заявляли, что Кармен некоторое время нужно соблюдать предельную осторожность, держаться подальше от многолюдных сборищ, мест, где ее появление широко разрекламировано. К сожалению, ей не следовало появляться на сегодняшнем торжестве, но, с другой стороны, присутствовать на церемонии вручения «Золотого глобуса» — часть ее работы, и Кармен не могла от этого отказаться. Она храбрилась, но по тому, как крепко сжала руку почти незнакомого ей Алана, Аллегра почувствовала, что актриса перепугана до смерти.

— Я здесь, — тихо сказал Алан, отвечая на ее пожатие. Он помог ей выйти из машины и подвел к ожидающим на тротуаре Биллу, Гейл и Майклу. И Алан, и Аллегра не сводили с Кармен глаз.

Появление звезды произвело ошеломительный эффект. Толпа репортеров хлынула к ним, каждый во все горло выкрикивал ее имя. Аллегра до сих пор не видела ничего подобного. Казалось, людское море вот-вот захлестнет их. В этот момент оба подумали, что в Голливуде давно не рождалась звезда, обладающая таким огромным обаянием.

— Бедняжка, — искренне посочувствовал Алан. Он на собственном опыте знал, что такое поклонение толпы, но почему-то оно никогда не подавляло его так сильно, как Кармен. Может, потому, что большой успех пришел к нему в чуть более зрелом возрасте, к тому же, как мужчина, он не подвергался такому сильному давлению и его не так нагло пытались использовать в своих целях. — Идем, — сказал он, беря Аллегру за руку, но не спуская глаз с Кармен. На его лице застыла дежурная улыбка.

64

Репортеры, фотографы, поклонники тут же обступили Кармен со всех сторон. Их были сотни, даже движение лимузинов остановилось. Толпа, окружившая Кармен, все росла.

— Надо ее выручать, — сказал Алан и стал решительно проталкиваться сквозь толпу к Кармен.

Телохранители пытались сдержать напор людской массы, Майкл Гинесс сам растерялся, и от него, по-видимому, помощи ждать не приходилось. К счастью, в дело вмешались полицейские. Но еще раньше, чем они протиснулись к Кармен, с ней рядом в считанные секунды оказался Алан, ведя за собой Аллегру. Он обнял Кармен за плечи.

— Привет, ребята, — сказал он, умело переключая внимание толпы, чтобы дать Кармен небольшую передышку. Его тут же узнали, толпа совсем обезумела, теперь фанаты выкрикивали уже и имя Алана Карра. Он со знанием дела отвечал на вопросы: — Да... безусловно... большое спасибо... это правда... рад здесь оказаться... Несомненно, мисс Коннорс окажется сегодня в числе победителей...

Продолжая отвечать на нескончаемые вопросы, Алан медленно, но верно продвигался вперед, в чем ему помогали его широкие плечи спортсмена. Разгадав тактику Алана, Гейл и Билл, оказавшиеся чуть впереди, тоже стали постепенно продвигаться вперед. Прокладывая Кармен путь, Гейл несколько раз «случайно» наступала на чью-то ступню своим острым, как стилет, каблуком, при этом сохраняя на лице светскую улыбку. Билл, расчищая для Кармен дорогу к зданию отеля, старательно работал локтями, не раз и не два угодив кому-то по ребрам. Дело шло медленно, но в конце концов им удалось сдвинуться с места. Алан тоже не отставал, держа одной рукой Аллегру, другой — Кармен. Едва они вошли в здание, как отовсюду послышались новые восторженные вопли поклонников, нахлынула свежая волна репортеров, протягивая к ним микрофоны и направляя на них объективы фотоаппаратов и кинокамер. Кармен дрогнула и начала было отворачиваться, но Алан не выпускал ее руку, мягко подталкивая вперед, и все время что-то говорил ей, стараясь успокоить, подбодрить.

— Все в порядке, — без устали повторял он, — вы отлично держитесь. Ну же, выше нос, улыбайтесь в камеры, на вас сегодня смотрит весь мир.

У Кармен был такой вид, будто она вот-вот расплачется, и Алан еще крепче обнял ее за плечи. Еще одно,

65

последнее усилие, и они наконец попали в банкетный зал, оставив беснующуюся толпу позади. Не обошлось и без некоторых потерь: у Аллегры одна из оборок на накидке немного порвалась, разрез на платье Кармен стал заметно выше. В толпе какой-то особенно рьяный поклонник схватил ее за ногу, другой попытался сорвать с нее серьгу. Дело чуть было не кончилось всеобщей свалкой, и когда они наконец достигли входа в зал, глаза Кармен были полны слез.

— Не вздумайте плакать, — тихо сказал ей Алан. — Если вы покажете им, что боитесь, они с каждым разом станут вести себя все наглее. Вы должны делать вид, будто вас это нисколько не трогает. Притворитесь, что вам нравится их исступление.

— Я все это ненавижу, — прошептала Кармен. Как она ни крепилась, две крохотные слезинки все же скатились по ее щекам. Алан протянул ей носовой платок.

— Я говорю серьезно. Когда вы перед ними предстанете, вам придется быть очень сильной. Я сам этому научился пять лет назад. Если вы дадите слабину, вас разорвут на части — конечно, только после того как сорвут одежду.

Аллегра молча кивнула. Она была очень рада, что Алан пошел с ними. Все обернулось даже к лучшему, от Брэндона в этой ситуации не было бы никакого толку — навязчивость прессы вызвала бы у него только раздражение, — а Майкл все еще не добрался до банкетного зала.

— Знаешь, Алан прав, ты должна выглядеть так, будто для тебя это все пустяки, с которыми ты можешь справиться в два счета.

— А если я не могу? — спросила Кармен. Было заметно, что она до сих пор дрожит. Она с благодарностью посмотрела на Алана, хотя все еще немного его стеснялась. Он такой красивый, такой знаменитый. Конечно, Кармен была не менее знаменита, но в глубине души сама до сих пор в это не верила. Может, отчасти именно это и делало ее такой привлекательной.

— Если не можете, — так же тихо ответил Алан, — то вам здесь не место.

— Может, и не место, — грустно согласилась Кармен, возвращая ему носовой платок. Она только чуть-чуть дотронулась до глаз, и на платке остался едва заметный след туши для ресниц.

66

— Вся Америка считает, что ваше место здесь. Или вы хотите сказать, что вся страна ошибается? — многозначительно спросил Алан.

Неожиданно собралась целая толпа людей, которые знали Алана и спешили с ним поздороваться. Он стал представлять всех своим спутникам. С большинством Аллегра была знакома, а Билл и Гейл отошли немного в сторону: опасность если не миновала, то значительно уменьшилась. Алан и Кармен теперь оказались среди себе подобных, — других кинозвезд, продюсеров, режиссеров. Через несколько минут к ним присоединились родители Аллегры. Блэр чмокнула Алана в щеку и сказала, что очень рада видеть его снова и что ей очень понравился его последний фильм. Саймон покачал головой, как всегда молча сожалея о том, что Аллегра влюбилась не в Алана. Каждый отец мог только мечтать о таком муже, как Алан, для своей дочери. Красивый, умный, талантливый, с легким характером, спортивный. Саймон несколько раз играл с ним в гольф, а когда Алан и Аллегра еще учились в школе, Алан чуть ли не поселился у них на кухне. Но в последние годы он был очень загружен работой, и они встречались редко. Сейчас Саймон даже не мог понять, с кем Алан пришел на вручение «Золотого глобуса» — с Аллегрой или с Кармен Коннорс. Казалось, он в равной степени проявлял внимание к обеим женщинам. Майкл наконец появился, но заметил компанию своих друзей, остановился возле них и включился в оживленную беседу.

— Давненько мы тебя не видели, — добродушно попенял Саймон Алану. — Ты уж не веди себя как посторонний.

— В прошлом году я провел полгода на съемках в Австралии, а до этого девять месяцев снимался в Кении. А сейчас я только что вернулся из Таиланда. Мне никак не удается посидеть на месте. Скоро улетаю в Швейцарию. Иногда это даже забавно, вы, конечно, понимаете, что я имею в виду. — Он выразительно посмотрел на Саймона.

Алану не доводилось сниматься в его фильмах, но, как все в Голливуде, он относился к Саймону Стейнбергу с большой симпатией. Отец Аллегры не только хороший режиссер, но еще и умный, порядочный человек, настоящий джентльмен и неизменно честный как в словах, так и в поступках. Как истинная дочь своего отца, Аллегра восхищала Алана. Вдобавок у нее были потрясающие ноги и фигура, при **67** взгляде на которую у него все еще возникало желание оставаться для Аллегры не только другом, почти братом. В начале сегодняшнего вечера у Алана снова проснулись было романтические чувства к Аллегре, но когда он увидел Кармен, то почувствовал себя так, будто его выпотрошили. Он не понимал, что с ним творится, какие именно чувства он испытывает к Кармен, но точно знал только одно: ему хочется подхватить ее на руки и, прорвавшись с ней через толпу, унести куда-нибудь подальше, где они смогут надолго остаться одни. При том, как он относился к Аллегре в течение пятнадцати лет, Алан никогда не испытывал к ней ничего подобного. С той минуты, когда Кармен Коннорс села в лимузин, он не мог оторвать от нее глаз.

Аллегра сразу это заметила и улыбнулась Алану. Она поняла, что его словно молния ударила, но пока не до конца уяснила свое к этому отношению.

— Я же говорила, что Кармен тебе понравится, — сказала она немного льстивым тоном, когда они шли к столу под непрекращающееся сверкание вспышек десятков фотоаппаратов. Кармен и Майкл следовали за ними, чуть поодаль — Билл и Гейл. Кармен находилась как бы под двойной защитой с обеих сторон. К счастью, прессу интересовала не только она, но и другие звезды, пусть и не столь ослепительно прекрасные.

— Интересно, почему когда ты так со мной разговариваешь, то напоминаешь мне Сэм? — немного раздраженно заметил Алан, очевидно, не желая показывать Аллегре своих чувств к Кармен.

Очередной фотограф, на этот раз из «Пари матч», подошел, чтобы сфотографировать их вместе.

— Что ты имеешь в виду? Что я вредная или что я похожа на семнадцатилетнюю? — пошутила Аллегра.

— Я имею в виду, что ты просто заноза в заднице, но я все равно тебя люблю, — в тон ей ответил Алан. На его лице появилась знаменитая усмешка Алана Карра, за которую тысячи женщин не пожалели бы жизни.

— Ты просто прелесть! — Аллегре очень хотелось шутливо ткнуть его локтем в бок, но она не решилась на такой поступок под сотнями взглядов. — И честно говоря, по-моему, Кармен тоже так думает. — Она поймала себя на мысли, что снова заговорила с Аланом как заботливая старшая сестра.

— Не советую тебе лезть в это дело, — предостерег

68   Алан.

Ему вдруг захотелось снова поцеловать Аллегру в шею, и он почувствовал, что у него начинается раздвоение личности. Бред какой-то! Он знал и любил Аллегру — в основном по-братски — почти пятнадцать лет, и вдруг в нем снова проснулось влечение к ней. И в то же самое время его непреодолимо влечет к ее клиентке, умопомрачительно красивой блондинке, секс-бомбе. Ни то ни другое не должно было случиться. Чувствуя, что ему срочно нужно выпить, чтобы прочистить мозги — а может, наоборот, чтобы притупить разум, Алан подозвал проходившего мимо официанта и заказал виски со льдом.

— Ничего ей не говори, — предупредил он Аллегру, когда они нашли свой столик.

Стол был на десятерых. Кроме Аллегры с Аланом и Кармен с Майклом, за столом сидели пожилой продюсер, которого Аллегра хорошо знала, потому что он дружил с Саймоном, его жена — очень популярная в сороковых годах актриса, какая-то пара, которую Аллегра не знала, а также Уоррен Битти с Анетт Бенинг.

— Аллегра, я серьезно, — продолжал Алан. — Ради Бога, не вмешивайся в это дело и не пытайся что-то устроить.

— А кто сказал, что я собираюсь вмешиваться? — спросила Аллегра с поистине ангельской невинностью, поглядывая на Кармен.

Кармен немного успокоилась. Садясь за стол, она посмотрела на Алана своими огромными голубыми глазами и улыбнулась. Алан сел рядом. Некоторое время они разговаривали втроем, потом Аллегра извинилась и пошла поздороваться с какими-то друзьями. Среди гостей было несколько старших коллег Аллегры и почти все наиболее важные клиенты их фирмы. За столиком, где сидели Блэр и Саймон, собрались их самые близкие друзья, в основном режиссеры и продюсеры, а также звезда, снимавшаяся в последнем фильме Саймона. Для всех нынешняя церемония была чем-то вроде домашней вечеринки, и Аллегра, порхая по залу между гостями и здороваясь направо и налево, чувствовала себя как дома. Она улыбалась старым друзьям, то и дело останавливалась, чтобы перекинуться с кем-то парой слов. Кругом были хорошо знакомые ей киноактеры, сценаристы, продюсеры и режиссеры, работники киностудий или телевизионных станций. Событие, ради которого они собрались, было для всех очень важным.

— Ты потрясающе выглядишь, — заметил Джек Николсон, когда Аллегра проходила мимо. Она поблагодарила старого друга отца и кивнула Барбре Стрейзанд. Аллегра не была уверена что Стрейзанд ее знает, но знаменитая актриса была хорошо знакома с ее матерью. С особым удовольствием Аллегра остановилась перекинуться словечком с Шерри Лэнсинг. Приятно было сознавать, что многие мужчины в зале провожают ее восхищенными взглядами. От излишне сдержанного Брэндона Аллегра редко получала подобное подтверждение собственной привлекательности. К своему удивлению, она не терялась даже на фоне кинозвезд.

— Что ты делаешь? — спросил Алан, когда она вернулась за стол. — Ищешь свободного мужчину? Даже не вздумай, ведь ты пришла со мной! Я вижу, этот тип, с которым ты встречаешься, привил тебе дурные привычки.

Алан сделал свирепое лицо, но Аллегра знала, что он притворяется. Она села и усмехнулась:

— Хватит, Алан, замолчи и веди себя прилично.

Официанты разнесли кофе, освещение в зале приглушили, заиграла музыка, и собравшиеся окунулись в волшебную атмосферу «Золотого глобуса». Торжественная церемония началась, и все сердца забились немного быстрее. Деятели кино и телевидения шли вперемежку. Сначала вручались менее значимые премии, но уже тогда на подиум выходили хорошо известные Аллегре люди.

В перерывах, пока по телевидению показывали рекламу, дамы спешно пудрили носы и подкрашивали губы, чтобы предстать перед камерами во всей красе. Когда ведущий провозглашал вручение очередной награды, камеры нацеливались на номинантов и напряжение в зале все больше нарастало. Наконец подошла очередь матери Аллегры. Аллегра и Алан переглянулись, почти не сомневаясь в победе. Аллегра пожалела, что не сидит за одним столом с родителями и не может ободряюще пожать руку матери. Как ни странно, Блэр каждый год очень волновалась перед вручением премии. Увидев на мониторе лицо матери, Аллегра поняла, как сильно та волнуется. Ведущий стал называть имена одно за другим. Заиграла музыка, затем наступила тишина, показавшаяся Аллегре бесконечной, зал замер в ожидании. И вот ведущий объявляет имя победителя... но впервые за семь лет подряд прозвучало не имя Блэр Скотт, а другое. Аллегра была поражена и догадывалась, что мать поражена не меньше. Сначала она даже не поверила. При мысли о том, какую боль, какое ра-

70

зочарование испытывает сейчас мать, Аллегра чуть не расплакалась. С экрана монитора смотрело счастливое лицо победительницы, затем камера снова показала Блэр. Ей хватило
выдержки улыбнуться, но Аллегра видела, что мать потрясена.
Решение жюри отражало мнение публики, которое проявилось в снижении рейтинга.

Аллегра посмотрела на Алана и прошептала:

— Не могу поверить.

Ей очень хотелось подойти к матери, подбодрить, утешить
ее, но она не могла расхаживать по залу под взглядами телекамер.

— Мне тоже не верится, — шепотом ответил Алан. — По-
моему, это лучшее шоу на телевидении; когда я дома, то всегда его смотрю. — Он говорил искренне.

Но семь победных лет из девяти существования сериала —
большой срок, пора передать эстафету победителя кому-то другому. Именно этого Блэр боялась больше всего. Сидя на своем месте, она чувствовала, как внутри все холодеет. Она
посмотрела на мужа. Саймон кивнул и похлопал ее по руке,
но вряд ли он понимал, что чувствует его жена. Саймон много
раз получал разные награды, но каждый его фильм был отдельным законченным событием, не связанным с другими.
Саймону не нужно было снимать фильмы раз за разом, неделю за неделей, сезон за сезоном, постоянно заботясь о том,
чтобы поддерживать высочайший уровень сериала. В каком-
то смысле работа Блэр была намного сложнее. Блэр вспомнила, что Саймон тоже выдвинут на премию, и мысленно
упрекнула себя за то, что слишком сосредоточилась на своих
собственных переживаниях. Хотя никто другой этого не сознавал, ее не покидало ощущение, что она проигрывает по
многим направлениям сразу.

Церемония продолжалась, но Аллегру беспокоило состояние матери.

Ей хотелось, чтобы вечер поскорее закончился, но были
вручены еще далеко не все премии. Казалось, время тянется
бесконечно. Подошла очередь Кармен. Ведущий огласил список киноактрис, выдвинутых на премию, камеры поочередно
показали всех номинанток. Кармен сжала руку Алана под столом, он ответил на ее пожатие, от всей души надеясь на победу. Тут прозвучало ее имя, и сразу раздался гром
аплодисментов, засверкали вспышки фотоаппаратов, **71**

объективы всех камер нацелились на Кармен. Кармен встала, посмотрела на Алана. Тот улыбнулся ей с таким видом, будто ждал этой минуты всю жизнь. Именно в это мгновение Аллегра поняла, что между ними происходит нечто такое, чего ни один из них пока не понимает и даже не осознает. Она не знала, сразу ли они это поймут, но чувствовала, что между Кармен и Аланом уже зародилась некая магнетическая связь.

Дожидаясь, когда Кармен вернется на место, Алан встал. Немного запыхавшаяся и переполненная счастьем, она вернулась к столу с наградой в руках, одновременно смеясь и плача. Алан порывисто обнял ее и поцеловал как раз в тот момент, когда какой-то фотограф щелкнул затвором. Аллегра поспешно дернула Алана за рукав, и он быстро сел рядом с ней.

— Тебе надо быть поосторожнее, — предостерегла Аллегра, но он ничего не мог с собой поделать.

Кармен было трудно усидеть на месте от радостного возбуждения. Аллегра очень ею гордилась, и эта радость немного смягчила боль разочарования от того, что Блэр не получила премию. В каком-то смысле Кармен была для Аллегры вроде младшей сестры. Последние три года, почти с самого начала своей работы в адвокатской фирме, она опекала Кармен, помогала ей, следила за ее карьерой, и вот теперь ее подопечная получила премию, и получила заслуженно.

Вручение премий продолжалось еще больше часа, под конец и зрители, и участники так устали, будто сидели в банкетном зале целую неделю. Наконец подошла очередь последних номинантов. Партнер Кармен по фильму, кстати, тоже клиент Аллегры, получил премию за лучшую мужскую роль. Затем назвали лучший фильм, лучшего кинорежиссера и, наконец, лучшего продюсера художественного фильма. В этом году, как и в течение двух последних лет, «Золотой глобус» за лучшую работу продюсера снова получил Саймон Стейнберг. Поднявшись на сцену за наградой, Саймон поблагодарил всех, кто помогал ему в работе, и особенно жену Блэр Скотт, женщину, которая, по его мнению, всегда будет для него главной. В глазах Блэр блеснули слезы. Саймон вернулся на место и поцеловал жену.

А затем, под занавес, ведущий провозгласил вручение гуманитарной премии. В отличие от предыдущих эта премия вручалась не каждый год, а только когда какой-то выдающийся деятель в сфере шоу-бизнеса ее заслуживал. На экране замелькали кадры из фильмов лауреата, ведущий стал перечислять его многочисленные достижения за последние сорок лет. Все быстро догадались, кто получит премию, все, кроме самого лауреата, который казался совершенно ошеломленным, когда было объявлено его имя. На этот раз Блэр встала, приветствуя победителя, и когда он поцеловал ее и пошел на сцену за наградой, уже не таясь заплакала. Победителем стал Саймон Стейнберг.

— Бог мой, я... я даже не знаю, что вам сказать. — Саймон был глубоко тронут. — В кои-то веки мне не хватает слов. Если я получил эту премию — а я ее явно не заслужил, — то только благодаря всем вам, благодаря вашей доброте, благодаря вашему упорному труду все эти годы, это вы помогали мне достичь цели. Я благодарю всех, — сказал Саймон со слезами на глазах, обращаясь к залу. Аллегра тоже почувствовала влагу на щеках. Алан обнял ее за плечи. — Я благодарю вас за все, что вы для меня сделали, за все, чем вы были для меня. Я обращаюсь ко всем присутствующим в этом зале, к моей жене Блэр Скотт, моей дочери Аллегре, а также к двум другим моим детям, Скотту и Саманте, которые смотрят нас по телевизору, — ко всем, кто со мной работал: вы замечательные люди, а я ваш покорный слуга и вечный должник.

С этими словами Саймон спустился со сцены и пошел к своему столику. Все собравшиеся в банкетном зале отеля «Хилтон» стоя устроили ему овацию. Аллегра тоже стояла вместе со всеми и плакала от счастья и гордости за отца. Он действительно был тем великим человеком, каким его называли.

Чудесный вечер закончился. Когда все стали собираться уходить, Аллегра шепнула Алану, что хочет подойти к матери. Алан остался за столом с Кармен. Аллегра нашла Блэр в компании друзей и коллег по работе.

— Я люблю тебя, мама. Ты в порядке? — прошептала она, крепко обнимая мать.

Блэр кивнула. Глаза ее были еще влажными от счастливых слез. Для нее и Саймона этот вечер был очень важен, и она была так горда за мужа, что смогла забыть о собственной неудаче.

— Просто в следующем году нам нужно будет работать еще усерднее, — бесстрашно заявила она. Но Аллегра успела заметить во взгляде Блэр выражение, которое ей не понравилось. Отойдя от матери, она подошла к отцу и **73** снова заметила, что Блэр поглядывает на мужа как-то тревожно. Саймон в это время разговаривал с Элизабет Коулсон — режиссером, с которой ему доводилось работать. Англичанка Элизабет Коулсон была еще очень молода, но уже успела получить звание леди в знак признания своего таланта и выдающихся заслуг как режиссера. Оба были глубоко увлечены разговором, Саймон смеялся, и в самой их позе, когда они стояли рядом, было что-то неуловимо интимное. Аллегра не могла понять, в чем дело, но ощущение этого ее не оставляло. Тут ее увидел отец, подозвал к себе и представил Элизабет. Он сказал, что Аллегра — единственная в семье, у кого есть респектабельная профессия. Элизабет Коулсон рассмеялась низким грудным смехом и пожала Аллегре руку, говоря, что очень рада познакомиться. Будучи всего лет на пять старше Аллегры, Элизабет обладала своеобразной привлекательностью, присущей англичанкам, которые, сохраняя загадочную отрешенность, именно потому и выглядят особенно соблазнительно. Элизабет буквально излучала талант и сексуальность. Весь ее облик словно говорил: «Я только что из постели», — заставляя любого, кто на нее посмотрит, гадать, есть ли на ней что-то под очень простым, даже чуть старомодным темно-синим вечерним платьем. Даже Аллегре было ясно, что ее отцу нравится эта англичанка.

Они поговорили несколько минут, Аллегра поздравила отца. Тот обнял ее и поцеловал, но, уходя от него и Элизабет, Аллегра все еще испытывала какое-то смутное ощущение неловкости, причиной которого была Коулсон. Она вернулась за свой столик и издали увидела, что к ним присоединилась Блэр. Хотя мать никому, даже старшей дочери, в этом не признавалась, Аллегра чувствовала, что для нее это был тяжелый вечер. Блэр очень переживала из-за неудачи своего сериала. В течение девяти лет довольно трудно даже просто продолжать снимать шоу, тем более поддерживать интерес к нему на высоком уровне. В последнее время в результате снижения рейтинга они лишились некоторых выгодных рекламодателей. То, что сериал не получил «Золотого глобуса», могло привести к дальнейшему падению рейтинга.

Но сегодня вечером Аллегра чувствовала, что мать беспокоит не только это, и спрашивала себя, связано ли ее беспокойство с Элизабет Коулсон или ей просто почудилось.

Возможно, Блэр расстроена лишь тем, что ее сериал не получил в этом году премию. Когда дело касается

Блэр Скотт, порой трудно сказать, что она чувствует: Блэр — профессионал и непревзойденный мастер своего дела. При выходе из отеля как минимум дюжина репортеров задавали ей вопрос, как она относится к тому, что «Золотой глобус» достался другому. Блэр, как всегда любезная, ответила, что преклоняется перед талантом сценариста, получившего премию, и восхищается его передачей. Затем она заговорила о том, как много для нее значит триумф мужа, какой он удивительный человек, и в заключение предположила, что, возможно, пришла пора уступить дорогу более молодым талантам.

Кармен на обратном пути снова атаковали репортеры, на этот раз еще более рьяно, чем до церемонии. Поклонники при виде своего кумира опять пришли в неистовство. К ней тянули руки, бросали цветы, брошенный какой-то женщиной плюшевый мишка чуть не угодил Кармен в голову, к счастью, Алан вовремя успел его поймать.

— Напоминает футбол, — с усмешкой заметил он, обращаясь к Аллегре. Как ни странно, он действительно получил удовольствие от вечера. Алан предложил всей компании отправиться в ресторан, где отлично готовили гамбургеры, и взять с собой Кармен и Майкла.

На то, чтобы добраться до машины, у них ушло не меньше получаса. К тому времени как они сели в лимузин и закрыли за собой дверцы, у всех шестерых было такое ощущение, что их протащила по земле не одна тысяча рук и пришлось отбиться от вдвое большего количества репортеров.

— Господи, пожалуй, я лучше стану разносчиком в Сэйфуэй*, когда вырасту, — раздался с переднего сиденья голос Майкла, сопровождаемый стоном.

Все засмеялись. Но когда Алан предложил поехать в ресторан, Майкл, по его словам, совершенно обессилевший, попросил компанию отвезти его домой. Кармен не возражала, ее вполне устраивало общество Алана и Аллегры.

Сначала они высадили Майкла, затем поехали в ресторанчик Эда Дебевика. Кармен пожалела, что не может переодеться в джинсы и футболку.

— Я тоже, — согласился Алан. Женщины рассмеялись. — Честно говоря, я уверен, что вы будете классно смотреться в джинсах. Может, поедем завтра вместе в Малибу, чтобы я мог оценить, в чем вы мне больше нравитесь: в красном вечернем платье или в голубых джинсах? Ну знаете, как на конкурсе «Мисс Америка»? Черт, да вы могли бы завоевать премию «Мисс Конгениальность»... или победить в конкурсе купальников...

Аллегра улыбнулась, а Кармен снова рассмеялась. Под взглядами нескольких завсегдатаев они прошли в кабину, телохранители Кармен заняли соседнюю. Было уже за полночь, и сейчас этот ресторан, выдержанный в стиле пятидесятых годов, казался своим немногим посетителям особенно уютным.

Алан заказал себе двойной чизбургер с шоколадным коктейлем, и Аллегре сразу вспомнились времена их юности. Она заказала себе чашку кофе и гамбургер с луком, больше ей ничего не хотелось. Все улыбнулись официантке, одетой как домохозяйка пятидесятых. Точь-в-точь Этель из комедийного сериала «Я люблю Люси».

— А что вы будете, Мисс Лучшая Актриса Года? — спросил Алан Кармен.

Та захихикала. Алан обращался с ней наполовину как старший брат, наполовину как романтический герой, и это было очень приятно. Глядя на него, Аллегра не могла не признать, что о таком мужчине мечтает почти каждая женщина. Она-то сама слишком давно с ним знакома, чтобы воспринимать его всерьез, тем более чтобы им увлечься. Сейчас ей нужен только Брэндон.

— А мне, пожалуйста, яблочный пирог и молочный коктейль с клубничным сиропом, — сказала Кармен, чувствуя себя преступницей.

Алан пожал Кармен руку и посмотрел на нее с восхищением.

— Теперь, когда мы все получили свои премии, можно не заботиться о калориях. О, дайте мне скорее чего-нибудь пожирнее, а то я умру! Кстати, вы сегодня держались просто великолепно и справились куда лучше, чем я, будь я в вашем возрасте. Вся эта суета вокруг знаменитостей кого угодно напугает до смерти. — Понять проблемы кинозвезды мог только человек, который сам жил под таким же давлением и испытывал те же трудности, хотя Аллегра тоже понимала, потому что постоянно находилась рядом.

— Каждый раз, когда фотографы или поклонники бросаются на меня всей толпой, мне хочется удрать обратно в Орегон, — сказала Кармен вздыхая.

76

Аллегра округлила глаза:

— Да что ты? Ну-ка, ну-ка, расскажи! — Потом уже серьезно продолжала: — Алан прав, ты была бесподобна. Я тобой очень горжусь.

— Я тоже, — тихо сказал Алан. — Признаюсь, был момент, когда мне показалось, что они вас затопчут, не дав войти в отель. По-моему, сегодня и поклонники, и репортеры совсем сошли с ума.

«Но телохранители, которых наняла Аллегра, отлично справились с работой», — подумала Кармен, покосившись на Билла и Гейл, сидевших за соседним столиком.

— Да, они меня до смерти перепугали, — призналась она вслух, хотя это никого не удивило.

Алан спросил Аллегру, в каком настроении была Блэр.

— Думаю, мама расстроилась, хотя она ни за что в этом не признается. Она слишком горда, чтобы показать кому-нибудь свою боль. Вероятно, она испытывает смешанные чувства. С одной стороны, она очень рада за отца, но с другой — давно беспокоится за свою передачу, и то, что премия досталась другому сценаристу, конечно, не улучшает положения. Когда я подходила к родителям, она как раз поздравляла папу, а он казался очень взволнованным. По-моему, гуманитарная премия действительно очень много для него значит, даже больше, чем «Золотой глобус» за последний фильм.

— Он ее заслужил, — сказал Алан.

Кармен с мольбой посмотрела на Аллегру:

— Мне так хочется сняться в его фильме!

— Я замолвлю за тебя словечко, — пообещала Аллегра. Она подумала, что Саймон Стейнберг, наверное, тоже заинтересован в том, чтобы Кармен снялась в его фильме. Во-первых, ее имя в титрах гарантировало большие кассовые сборы, во-вторых, она просто талантлива.

Они разговаривали о том о сем, но Аллегра ни с кем не поделилась своими впечатлениями от встречи с Элизабет Коулсон. Сколько она себя помнит, она впервые видела, чтобы отец смотрел таким взглядом на кого-то, кроме своей жены. Но стоит ли сгущать краски — это было, вероятно, всего лишь профессиональное восхищение. А выражение, которое она прочла в глазах матери, было скорее всего вызвано впечатлением от этого волнующего вечера, полного радостей и разочарований.

Они просидели у Дебевича до двух часов. Как-то незаметно Алан и Кармен перешли на ты. Алан и Аллегра делились впечатлениями от учебы в школе в Беверли-Хиллз; Кармен рассказывала о своем детстве в Портленде. Оказалось, что детство Кармен было куда более благополучным, чем их, но от этого ей было только труднее приспосабливаться к сумасшедшему ритму своей нынешней жизни, в которой было все: и премии, и письма с угрозами, и папарацци, и таблоиды.

— Что ж, такова нормальная жизнь артиста, мы все так живем, — усмехнулся Алан.

Когда они садились в лимузин, он усадил Кармен к себе на колени, и она не стала возражать.

— Эй, ребята, я вам не мешаю? Может, мне взять такси? — пошутила Аллегра. За последние два часа стало еще заметнее, что Алана и Кармен тянет друг к другу.

— А может, ты лучше залезешь в багажник? — предложил в ответ Алан.

Аллегра, сев рядом, шутливо ткнула его локтем в бок. Кармен рассмеялась. Она немного завидовала их давней дружбе: у нее не было в Голливуде таких хороших друзей, точнее, у нее вообще не было здесь друзей, кроме Аллегры. Она знала только тех людей, с которыми работала, и когда съемки очередного фильма заканчивались, она обычно ни с кем из них больше не встречалась. Кармен так и не смогла привыкнуть к своему одиночеству в Лос-Анджелесе. Она редко куда-нибудь выходила по вечерам, если не считать торжеств вроде сегодняшнего, но и тогда ее спутником обычно бывал какой-нибудь выбранный студией актер, так же маявшийся от скуки, как она. Когда она рассказала об этом, Алан искренне изумился:

— Знаешь, половина мужчин Америки за одно свидание с тобой жизни бы не пожалели. Кому сказать, что ты каждый вечер сидишь дома и смотришь телевизор, — не поверят!

Впрочем, сам он верил Кармен. Если не считать нескольких бурных, но скоротечных романов, которые всегда попадали на страницы желтой прессы, его собственная личная жизнь была тоже далеко не такой захватывающей, какой представлялась многим.

— Что ж, придется мне самому заняться этим вопросом, — деловито заметил Алан. Кармен уже согласилась поехать с ним завтра в Малибу, где у Алана был собственный дом, а

78 сейчас он уговаривал ее пойти с ним в боулинг.

Аллегра попросила, чтобы ее завезли домой первой. Прощаясь, она поцеловала обоих и еще раз поздравила Кармен с победой. Только войдя в дом и сбросив босоножки на высоких каблуках, Аллегра почувствовала сильную усталость. Вечер был действительно долгий.

Судя по всему, между Аланом и Кармен завязывался роман. Аллегра была очень рада за обоих, но ее мысли невольно вернулись к Брэндону. Она прошла на кухню и стала прослушивать сообщения на автоответчике. Брэндон не должен был звонить, но вдруг он все-таки позвонил, чтобы просто сказать, как сильно он ее любит?

На автоответчике оказалось три сообщения от друзей и коллег, ни одно из них не было ни срочным, ни особенно важным. Четвертым и последним оказалось сообщение от Брэндона. Он прекрасно провел время с дочерьми и пообещал позвонить в воскресенье. Ни о «Золотом глобусе», ни о Кармен, ни о триумфе Саймона не было сказано ни слова, Брэндон даже не упомянул о том, что будет смотреть трансляцию по телевизору. Слушая его голос на пленке, Аллегра внезапно снова почувствовала себя одинокой. Казалось, Брэндон никогда по-настоящему не принимал участия в ее жизни, кроме редких случаев, когда ему самому этого хотелось. Он все время вел себя как заезжий турист. И какие бы чувства Аллегра к нему ни испытывала, как бы долго ни длился их роман, дистанция между ними не уменьшалась.

Аллегра выключила автоответчик и медленно прошла в спальню, по пути вынимая из прически шпильки. Волосы каскадом рассыпались по плечам. Она сняла платье и аккуратно повесила его на спинку стула. Непонятно почему на глаза ее вдруг навернулись слезы. Ей двадцать девять лет, а она даже не уверена, что ее когда-нибудь по-настоящему любил мужчина. Ощущение было странным. Она стояла обнаженная перед зеркалом в собственной спальне и спрашивала себя, любит ли ее Брэндон, сможет ли он когда-нибудь разрушить барьеры, которые сам вокруг себя воздвиг, и стать ей по-настоящему близким. Например, Алан знаком с Кармен всего одну ночь, но он уже потянулся к ней, ничего не боясь и даже не колеблясь. А Брэндон после двух лет знакомства все еще ведет себя как человек, который стоит на краю ущелья и боится прыгнуть, но и назад отступить не может. А ей, стоящей на противоположной стороне, он даже не хочет протянуть руку. Да, она одинока. Это было одно из тех открытий, которые заставляют человека глубокой ночью содрогнуться от ужаса, закричать от страха. Одна-одинешенька. И Брэндон тоже одинок, где бы он ни находился в эту минуту.

Глава 4

Утром Аллегру разбудил звонок Брэндона. Он собирался пойти с девочками на теннисный корт и хотел застать Аллегру дома. Он знал, что где-то в середине дня она улетает в Нью-Йорк, и боялся, что не найдет ее, если позвонит позже.

— Как успехи твоих цыплят, мамаша-наседка?

Казалось, Брэндон спросил с неподдельным интересом, но Аллегру удивило, что он даже не потрудился посмотреть новости. Мог бы сделать это если не ради Кармен, то хотя бы ради ее родителей. Однако она не стала упрекать его за это.

— Кармен признали лучшей киноактрисой, отец получил премию как лучший продюсер художественного фильма. Но это еще не все, он получил также специальную гуманитарную премию. Просто потрясающе, я так за него рада! К сожалению, мама, — Аллегра вздохнула, вспоминая затравленное выражение глаз матери, — не получила никакой премии и, по-моему, очень расстроилась.

— Ну что ж, в шоу-бизнесе приходится делать хорошую мину при плохой игре, если ничего другого не остается, — бодро ответил Брэндон.

Аллегру вдруг разобрала злость. Мало того что он не пошел с ней на церемонию награждения, так еще и рассуждает как бесчувственный чурбан.

— Все не так просто. От того, получила ли она награду, во многом зависит судьба сериала. Последний год маме приходилось бороться за выживание фильма, а теперь они и вовсе могут потерять выгодных спонсоров.

— Это очень плохо, — сказал Брэндон, но в его голосе не слышалось искреннего сочувствия. — Передай отцу мои поздравления.

80   — Обязательно.

Затем Брэндон с удивительной легкостью, задевшей Аллегру, переключился на своих дочерей. Новая встреча с Аланом дала ей повод лишний раз убедиться, что среди мужчин попадаются и чуткие люди, внимательные, заботливые. Не все такие перестраховщики и так держатся за свою независимость, как Брэндон. На деле Брэндон абсолютно самодостаточен и того же ждет от нее. Он не хочет, чтобы она предъявляла к нему какие бы то ни было требования. Они как два корабля в океане: плывут параллельными курсами, но их разделяет расстояние, которое никогда не сокращается. Сейчас, когда Аллегра слушала Брэндона, к ней вернулось ощущение одиночества, которое она испытала ночью. В последнее время это чувство стало посещать ее все чаще; всякий раз, когда Брэндона не было рядом в нужный момент, Аллегра чувствовала себя покинутой. Ей всегда хотелось, чтобы у нее были с любимым мужчиной такие же отношения, какие существовали между ее родителями, но временами она стала задаваться вопросом: а способна ли она на подобные отношения? Или доктор Грин права и она постоянно выбирает мужчин, не желающих ничем себя связывать?

— Во сколько ты вылетаешь в Нью-Йорк? — поинтересовался Брэндон.

Аллегра летела на встречу с известным писателем, автором многочисленных бестселлеров. По одному из его романов решили снять фильм, и его агент попросил Аллегру представлять интересы писателя при заключении договора. Следующая неделя не обещала быть легкой — Аллегре предстояло участие в нескольких важных переговорах.

— Я полечу четырехчасовым рейсом. — Голос Аллегры звучал печально, но Брэндон, по-видимому, этого не заметил. Она еще должна была уложить вещи в поездку и хотела, если успеет, заехать к матери или по крайней мере позвонить ей. Собиралась позвонить и Кармен. — Я остановлюсь в отеле «Риджженси».

— Я тебе позвоню.

— Желаю успеха на процессе.

— Жаль, что мне не удалось уговорить моего клиента пойти на сделку со следствием: если бы он согласился, его положение было бы куда легче. Но он чертовски упрям.

— Может быть, он еще согласится в последнюю минуту, — с надеждой сказала Аллегра.

81

— Сомневаюсь. На всякий случай я уже проделал всю подготовительную работу.

Как обычно, Брэндон был поглощен только своими собственными проблемами, его интересует только своя жизнь. Аллегре даже казалось, что приходится завоевывать его внимание.

— Увидимся в выходные, — сказал Брэндон, вдруг погрустнев. — Я буду по тебе скучать. — Казалось, он сам этим удивлен, и Аллегра улыбнулась. Такими вот маленькими хитростями он постоянно удерживал ее при себе и даже вселял надежду. Брэндон способен на настоящую любовь, просто он еще не оправился от травмы, нанесенной бывшей женой. Травма, нанесенная Джоанной. Извечное оправдание. Именно так Аллегра всегда объясняла родным и близким друзьям свои сложности в отношениях с ним. И могла бы привести множество подтверждений тому, что Брэндон ее любит — в отличие от других ей это казалось очевидным.

— Я уже сейчас по тебе скучаю, — сказала она.

В трубке надолго замолчали, потом Аллегра услышала:

— Элли, я ничего не мог поделать, мне обязательно нужно было повидаться с девочками в эти выходные.

— Я знаю, но мне все равно тебя не хватало вчера вечером. Это было очень важное для меня событие.

— Я же тебе говорил, на будущий год мы обязательно пойдем вместе.

Слова Брэндона прозвучали вполне убедительно, и Аллегра наконец улыбнулась:

— Ловлю тебя на слове.

Но где они будут через год? Разведется ли Брэндон к тому времени? Может, они уже поженятся? Преодолеет ли он свой страх перед браком? На все эти вопросы у Аллегры по-прежнему не было ответов.

— Я позвоню тебе завтра вечером, — снова пообещал Брэндон. Уже перед тем как повесить трубку, он тихо произнес слова, которые обезоружили ее: — Я люблю тебя, Эл.

— Я тоже тебя люблю. — Аллегра крепко зажмурилась, твердя мысленно, что Брэндон с ней, он от нее не отдаляется, просто у него есть определенные обязательства, и он еще не преодолел свои страхи. — Береги себя.

— Обязательно, ты тоже, — ответил Брэндон.

Аллегра поняла по голосу, что он действительно

будет по ней скучать, и, вешая трубку, мечтательно

улыбнулась. Что бы там ни говорили, у них все еще получится, хотя им, возможно, придется нелегко. Ей только нужно набраться терпения, Брэндон того стоит.

Затем Аллегра позвонила родителям, поздравила отца и передала ему поздравления от Брэндона. Когда она разговаривала с матерью, в голосе Блэр все еще слышались печальные нотки.

— Мама, как ты? — участливо спросила Аллегра.

Блэр улыбнулась, тронутая заботой дочери.

— Ужасно. Я пока не решила, то ли вскрыть себе вены, то ли сунуть голову в духовку и открыть газ.

Аллегра мысленно порадовалась, что мать еще способна шутить.

— Тогда тебе стоит поторопиться, а то в кухне начнется ремонт и духовку отключат. А если серьезно, мама, то эту премию должны были присудить тебе, ты ее заслужила.

— Как знать, дорогая, может быть и нет. Возможно, пришло время уступить место другим. Наши проблемы начались еще осенью. — Одна звезда отказалась от участия в сериале, потому что за девять лет ей изрядно поднадоело в нем сниматься, другие, когда пришло время подписывать новые контракты, запросили заоблачные гонорары. Несколько сценаристов тоже ушли из сериала, и, как обычно, все сложности, вызванные этими переменами, тяжким бременем легли на плечи Блэр. — Может, я просто старею, — добавила Блэр вроде бы в шутку, но что-то в интонации матери насторожило Аллегру. Это было то же, что она заметила накануне в ее взгляде. Аллегра спросила себя, догадывается ли отец о том, что происходит в душе Блэр.

— Мама, не говори глупости, у тебя впереди еще тридцать — сорок лет успешной работы, — возразила Аллегра с несколько преувеличенным оптимизмом.

— Упаси Бог! — При одной мысли об этом Блэр шутливо застонала. А потом вдруг рассмеялась и снова стала похожа на себя прежнюю. — Пожалуй, я ограничусь двадцатью годами, а потом уйду на пенсию.

— Ладно, на этом и договоримся.

Аллегра как-то сразу повеселела, уже меньше переживала за мать и даже стала более оптимистично смотреть на отношения с Брэндоном. Она почти жалела, что не сможет с ним увидеться до отлета в Нью-Йорк, а еще лучше —

провести с ним ночь. По своему обыкновению, она рассказала и матери, что улетает в Нью-Йорк и вернется только в конце недели.

— Увидимся после твоего возвращения, — ответила мать.

Блэр поблагодарила дочь за звонок, и Аллегра повесила трубку. После этого она позвонила Кармен. Актриса совсем уже отчаялась. Папарацци буквально взяли ее дом в осаду. По словам Кармен, у главных ворот собрались целые полчища репортеров и фотографов, только и ждущих, когда она высунет нос из дома, чтобы на нее наброситься. Это было вполне естественно: завоевав «Золотой глобус», Кармен Коннорс стала сенсацией. В результате она сделалась пленницей в собственном доме и с утра не могла никуда выйти.

— А разве у тебя нет задних ворот, через которые доставляют грузы? — спросила Аллегра.

Оказалось, что другие ворота есть, но и там дежурят корреспонденты нескольких телестудий с телекамерами на изготовку.

— Алан не собирался заехать? — задумчиво спросила Аллегра, одновременно пытаясь придумать способ для Кармен выбраться из дома, избежав при этом встречи с представителями прессы и телевидения.

— Вчера вечером мы договорились, что поедем в Малибу, но сегодня Алан не звонил, а я не хочу ему надоедать, — не совсем уверенно ответила Кармен. Однако у Аллегры уже появилась идея, она не сомневалась, что Алан не откажется помочь Кармен.

— У тебя найдется парик другого цвета, не такой, как твои собственные волосы?

— Есть один — черный, я его надевала в прошлом году на Хэллоуин.

— Отлично, найди его, он может пригодиться. Я звоню Алану.

Вместе с ним Аллегра разработала план. Алан (Аллегра и ему предложила надеть парик, благо их у него имелось множество) должен подъехать к дому Кармен на старом пикапе, которым редко пользовался. Если все же кто-то узнает номерные знаки машины известного актера, то к тому времени Алан и Кармен будут уже далеко. Он подъедет к задним воротам. Кармен выйдет из дома в парике, и они тут же уедут. Может быть, все сойдет удачно.

— Кармен может пожить несколько дней в моем доме в Малибу, пока шум не утихнет, если, конечно, захочет, — предложил Алан. Эта идея показалась Аллегре удачной. Договорившись с Аланом на два часа, Аллегра позвонила актрисе. Но Кармен вдруг застеснялась, смутилась и стала говорить, что не хочет пользоваться его добротой.

— Ну что ты, — подбодрила Аллегра, — Алану это понравится.

Алан, как они с Кармен позже рассказали Аллегре, появился точно в срок. На нем был светлый парик, делавший его похожим на хиппи, и приехал он на старом, обшарпанном «шевроле», который, естественно, никого не заинтересовал. Никто не обратил внимания на то, что хиппи посадил в свою развалюху девушку-мексиканку с короткими черными волосами, в тонкой хлопковой футболке и потрепанных джинсах. Девушка несла в обеих руках по большому бумажному пакету, в каких носят покупки из супермаркета. Парочка вышла за ворота, но никто не обратил на них внимания и уж тем более не подумал фотографировать. План бегства сработал превосходно. Через десять минут Алан и Кармен позвонили Аллегре с ближайшей бензозаправочной станции.

— Молодцы, — похвалила Аллегра. — Желаю приятно провести время. И смотрите, пока меня нет, постарайтесь не слишком часто попадать в переделки.

Она напомнила Кармен, что в Нью-Йорке остановится в отеле «Риджэнси» и вернется в Лос-Анджелес в следующие выходные. Не забыла она и поблагодарить Алана за помощь и заботу о Кармен.

— На самом деле это вовсе не жертва с моей стороны, — признался Алан старой подруге. — Не стану врать, что руководствовался исключительно альтруистическими побуждениями.

Алана самого немного удивляло, как сильно ему понравилась Кармен. Он пока не знал, что у них получится, но сама мысль заботиться о Кармен в отсутствие Аллегры пришлась ему по вкусу. Они даже не взяли с собой телохранителей звезды. В его бунгало на морском берегу в Малибу они собирались остаться только вдвоем.

— Надеюсь, ты не натворишь глупостей в мое отсутствие? Имей в виду, Кармен — хорошая девушка, очень религиозная и очень порядочная... она не похожа на девиц, с которыми ты обычно имеешь дело. — Аллегра вдруг испугалась, что **85**

Алан вскружит Кармен голову, а потом бросит, и попыталась найти нужные слова, чтобы выразить свои опасения.

— Элли, что, я сам не знаю? Не трать на меня слова, я все понял. Обещаю вести себя прилично... более или менее. Клянусь. — Он с тоской во взгляде посмотрел на Кармен, расхаживающую вокруг телефонной кабинки в своих обтягивающих джинсах и футболке. — Элли, я знаю, что она не такая, как все, она... я никогда не встречал такой девушки... ну, может, кроме тебя, но это было давно. Знаешь, по-моему, она похожа на нас, какими мы были в юности. Мы тоже были честными, искренними, неиспорченными, а потом повзрослели, стали грубее, циничнее... Я не причиню ей зла, Эл, обещаю. Я думаю... ладно, не важно. Лети в Нью-Йорк и спокойно занимайся своим делом. А когда ты вернешься, мы как-нибудь выберем время и поговорим с тобой о нашей жизни, как в старые добрые времена.

— Договорились. Позаботься о Кармен.

Аллегра чувствовала себя так, будто поручает его заботам младшую сестру, но она хорошо знала Алана, а что-то в его словах и самом голосе подсказало ей, что он действительно неравнодушен к Кармен.

— Я люблю тебя, Элли. Надеюсь, в один прекрасный день ты тоже найдешь себе подходящего парня взамен того обормота с бывшей женой на буксире и нескончаемым разводом. Элли, пойми, это ни к чему хорошему не приведет.

— Пошел к черту, — незлобиво откликнулась Аллегра.

Алан рассмеялся:

— О'кей, все ясно. Тогда лети в Нью-Йорк и по крайней мере переспи с кем-нибудь, может, это пойдет тебе на пользу.

— Ты неисправим! — Аллегра расхохоталась.

Алан повесил трубку. Теперь можно было покончить с маскарадом и ехать в Малибу. Там было солнечно, дом Алана стоял совершенно пустой и, казалось, дышал тишиной и покоем. Кармен никогда еще не видела более красивого места, а Алан был счастлив оказаться в Малибу с ней. Ему вдруг захотелось остаться здесь навсегда.

А тем временем Аллегра была на пути к аэропорту. Перед отъездом из дома она позвонила Брэму Моррисону и сообщила ему название отеля, где ее можно будет найти. Одной из причуд Брэма было то, что он хотел все время знать, где она находится. Все остальные, если возникнет необходимость, смогут связаться с ней через фирму.

В начале четвертого Аллегра заняла место в салоне бизнес-класса. Неподалеку случайно оказался адвокат из конкурирующей фирмы. Она иногда думала, что весь мир кишмя кишит адвокатами. Как странно, в то же самое время, когда она летит на восток, Брэндон летит обратно в Лос-Анджелес. И летят они в противоположные стороны.

В полете Аллегра изучила документы по предстоящей сделке, сделала для себя кое-какие пометки и в оставшееся время успела пролистать пару журналов. Самолет садился в Нью-Йорке за полночь. Аллегра взяла с багажной карусели свой чемодан и вышла из здания аэропорта, чтобы поймать такси. К ее удивлению, на улице оказалось очень холодно. К часу ночи она была уже в своем гостиничном номере. Из-за разницы во времени спать ей еще не хотелось, она бы с удовольствием кому-нибудь позвонила. В Лос-Анджелесе было только десять часов вечера, но Аллегра знала, что Брэндон вернется домой не раньше одиннадцати. Поэтому она приняла душ, надела ночную рубашку, включила телевизор и легла в кровать на белоснежные хрустящие простыни. Обстановка была роскошной, и Аллегра почувствовала вдруг себя этакой солидной дамой. Жаль, что ей некому позвонить и друзей в Нью-Йорке у нее нет. На предстоящую неделю у нее не было других планов, кроме встречи с писателем, назначенной на завтра, точнее, уже на сегодня, да еще нескольких встреч с агентами и другими адвокатами. Неделя обещала быть загруженной, но по вечерам ей было совершенно нечем заняться, разве что сидеть в номере и смотреть телевизор или читать деловые бумаги. А еще лежать на этой необъятной кровати и, чувствуя себя озорным ребенком, есть шоколадные конфеты из коробки, подаренной администрацией отеля.

Пройдя в ванную почистить зубы, Аллегра посмотрела на себя в зеркало и спросила свое отражение:

— Над чем ты смеешься? Разве ты достаточно взрослая, чтобы останавливаться в роскошных отелях и встречаться с одним из самых известных в мире писателей? А вдруг догадаются, кто ты на самом деле, поймут, что ты просто глупая малявка?

Мысль, что она так далеко продвинулась в своей карьере, что ей поручают столь ответственную работу, вдруг показалась Аллегре ужасно смешной. Почистив зубы, она захихикала, снова юркнула под одеяло в свою огромную роскошную кровать и стала доедать остатки «трюфелей».

Глава 5

В восемь часов зазвонил будильник. В Нью-Йорке занимался снежный январский день, солнце только-только вставало, а в Калифорнии в это время было пять часов утра. Аллегра со стоном перевернулась с боку на бок, на какое-то время забыв о том, где она. А потом вдруг вспомнила, что утром у нее назначена встреча. Писатель был гораздо старше ее и очень настороженно относился ко всему, имеющему хоть какое-то отношение к кино. Однако его агент считал, что на данном этапе фильм пойдет только на пользу, тем более что популярность писателя в последнее время стала снижаться. Аллегра затем и прилетела в Нью-Йорк, чтобы по просьбе агента убедить писателя доверить ей заняться этим вопросом. Сам агент был почти так же знаменит, как писатель, чьи интересы он представлял, и то, что он пригласил Аллегру в Нью-Йорк, было своего рода признанием ее профессиональных заслуг. Предстоящее дело могло стать для нее важным шагом на пути к полноправному партнерству в юридической фирме. Но сейчас, в шестом часу утра по калифорнийскому времени, перспектива встречи со сколь угодно важным клиентом очень мало вдохновляла Аллегру. В кровати было тепло и уютно, а за окном — снежно и холодно, и она бы с удовольствием не вылезала из-под одеяла до полудня.

Пока Аллегра лежала в кровати и уговаривала себя встать, принесли завтрак и свежие выпуски «Нью-Йорк таймс» и «Уолл-стрит джорнэл». Она выпила кофе, съела овсяную кашу и горячий круассан с джемом, попутно просматривая газеты, и постепенно предстоящий рабочий день стал представляться ей почти в радужном свете. Литературное агентство, в которое она собиралась, находилось на Мэдисон-авеню, а адвокатская контора, где у нее были назначены встречи на более позднее время сегодня же, — на Уолл-стрит. На пространстве между этими улицами находилось не меньше тысячи магазинов и магазинчиков, по крайней мере столько же, если не больше, художественных галерей и великое множество интереснейших людей. Иногда от одного только пребывания в Нью-Йорке голова шла кругом — столько всего интересного происходило в этом городе: концерты, драматические спектакли, музыкальные шоу, самые разные выставки... По сравнению с Нью-Йорком Лос-Анджелес казался глубокой провинцией.

Готовясь к утренней встрече, назначенной на десять часов, Аллегра надела черный костюм, сапоги и теплое пальто. Она приехала на такси, но даже за то короткое время, которое потребовалось, чтобы дойти от машины до подъезда, неся в одной руке портфель с бумагами, в другой — сумочку, успела пожалеть, что не надела шляпу. Уши замерзли, кожу на лице покалывало от холода.

Лифт вознес ее на верхний этаж, целиком занимаемый агентством. С первого взгляда становилось ясно, что агентство процветает. На стенах была представлена внушительная коллекция работ Шагала, Дюфи и Пикассо — несколько пастелей, одно полотно маслом и серия карандашных рисунков. В центре холла красовалась небольшая скульптура Родена.

Аллегру незамедлительно проводили в кабинет главы агентства, невысокого плотного господина по имени Андреас Вейсман. В речи Вейсмана чувствовался едва заметный немецкий акцент.

— Мисс Стейнберг? — Он подал Аллегре руку, с интересом разглядывая адвоката, о котором слышал много лестных отзывов. Светлые волосы Аллегры, ее утонченная англосаксонская внешность не могли не привлечь его внимание, он нашел ее очень красивой.

Некоторое время Аллегра и Вейсман беседовали вдвоем, около часа дня наконец прибыл их клиент. Писателю было, по-видимому, за восемьдесят, но он сохранил остроту ума, которой могли бы позавидовать и сорокалетние. Джейсон Хэйвертон оказался живым, остроумным, очень проницательным и даже сейчас, на девятом десятке, очень привлекательным мужчиной. Аллегра догадывалась, что в свое время он был очень хорош собой. Примерно около часа они разговаривали о киноиндустрии, и только потом Джейсон Хэйвертон осторожно поинтересовался, не приходится ли Аллегра, случайно, родственницей Саймону Стейнбергу. Когда она призналась, что это ее отец, Хэйвертон обрадовался и с воодушевлением заговорил о фильмах Саймона.

Писатель и его агент пригласили Аллегру на ленч в «Ла Греную». Только там, да и то не сразу зашел разговор о деле. Джейсон Хэйвертон признался, что и раньше не желал, чтобы по его книгам снимали фильмы, и сейчас всеми силами старался избежать сделки. Ему казалось, что в его возрасте продать роман киностудии — все равно что торговать своими убеждениями. Но с другой стороны, в последнее время он стал писать меньше, чем раньше, его читатели старели, и агент убеждал его, что снять фильм по книге — идеальный способ расширить читательскую аудиторию и привлечь более молодых читателей.

— А знаете, я согласна с вашим агентом, — сказала Аллегра, улыбнувшись сначала Хэйвертону, потом Вейсману. — И по-моему, ваши опасения напрасны; может, вам еще понравится работать с киностудией, — продолжала она.

Аллегра вкратце изложила возможные способы, позволяющие избежать всевозможных стрессов, сопряженных со съемкой фильма, и сделать весь процесс более приятным для писателя. Аргументы Аллегры, да и она сама, произвели на писателя благоприятное впечатление. Он убедился, что это умная женщина и опытный адвокат. К тому времени, когда принесли шоколадное суфле, они успели стать почти друзьями. Хэйвертон пожалел, что не мог встретить ее лет на пятьдесят раньше. Он признался, что был женат четыре раза и решил, что на пятую жену у него уже не хватит сил.

— С женами хлопот не оберешься, — сказал он с насмешливым огоньком в глазах.

Аллегра рассмеялась, ей было нетрудно понять, почему он когда-то пользовался у женщин таким успехом. Даже в преклонном возрасте он оставался невероятно привлекательным. В молодости Хэйвертон жил в Париже, и его первая жена была француженкой. Вторая и третья, как поняла Аллегра, были англичанками, а четвертая — американкой. Эта последняя и сама была известной писательницей, десять лет назад она умерла, и с тех пор, хотя у Хэйвертона за это время было несколько женщин, больше ни одной не удалось затащить его к алтарю.

— Знаете, дорогая моя, они отнимают ужасно много сил. Жены — как породистые скаковые лошади, они изящны, на них приятно посмотреть, но они нуждаются в уходе и к тому же страшно дорого обходятся. Правда, они доставляют и массу удовольствия, не спорю. — Хэйвертон улыбнулся, и Аллегра поймала себя на мысли, что тает под его взглядом. У нее даже возникло желание обнять его и прижаться к нему. Но Аллегра легко допускала, что если она так и сделает, он набросится на нее, как кот на мышку, которая стала слишком доверчивой и забыла об осторожности. Джейсон Хэйвертон явно не домашний котик, даже в свои восемьдесят с хвостиком он все еще лев. И при этом лев очень привлекательный.

Вейсману было забавно наблюдать за тем, как Хэйвертон обхаживает красавицу адвокатшу. Они с Хэйвертоном были хорошими и давними друзьями, и Вейсман вполне разделял мнение друга об Аллегре. Вейсмана, пожалуй, скорее удивило бы, если бы маститый писатель не попытался за ней ухаживать. Однако, пожалуй, она Хэйвертону не по зубам. К тому же, хотя у Аллегры не было кольца на левой руке, из отдельных мелочей, каких-то слов и намеков у Вейсмана сложилось впечатление, что она занята.

— Вы всегда жили в Лос-Анджелесе? — спросил Джейсон, прихлебывая черный кофе из миниатюрной чашечки. В его представлении изысканность, присущая облику Аллегры, ассоциировалась с Европой, в крайнем случае с восточным побережьем Соединенных Штатов. Ответ Аллегры удивил его:

— Да, я прожила в Лос-Анджелесе всю жизнь, за исключением нескольких лет, когда училась в Йельском университете.

— В таком случае у вас, наверное, выдающиеся родители. — Это был комплимент и родителям, и Аллегре, и она улыбнулась. Хэйвертон уже знал, кто ее отец, и, глядя на Аллегру, не мог не признать, что по крайней мере внутренне она на него очень похожа. Такая же искренняя, чуткая, прямая, скупая на слова, но не на чувства.

— Моя мама тоже пишет, — пояснила Аллегра. — В молодости она писала рассказы, а потом много лет — сценарии для телевидения. Она добилась большого успеха, но, мне кажется, до сих пор жалеет, что так и не собралась написать роман.

— Должно быть, ваши родители очень талантливы, — заметил Джейсон, но прекрасная молодая женщина, сидящая перед ним, интересовала его куда больше, чем ее родители.

— Да, это так, они талантливы. — Аллегра улыбнулась. — И вы тоже.

Она ловко перевела разговор снова на самого Джейсона Хэйвертона, что тому очень понравилось. Наблюдая за тем, как Аллегра обращается с Хэйвертоном, Вейсман невольно восхищался ею. Она действовала и мудро, и умело. Он откровенно сказал ей об этом, после того как писатель уехал. За Хэйвертоном пришла машина, и он на прощание **91** приветливо помахал Аллегре, словно старой приятельнице. Он согласился почти со всеми ее предложениями, касающимися договора с киностудией. Расставшись с писателем, Аллегра вернулась с Вейсманом в его лимузине в агентство, чтобы более детально обсудить пункты контракта.

— Вы очень искусно нашли к нему подход, — сказал Вейсман. Его одновременно и восхищало, и немного забавляло то, как Аллегра справилась с маститым писателем. Он подумал, что, несмотря на молодость, она очень быстро схватывает суть дела, к тому же у нее есть природное чутье на людей.

— Что ж, это моя работа, — ответила она просто. — Мне постоянно приходится иметь дело с людьми вроде Хэйвертона. Актеры — они ведь как большие дети.

— Писатели тоже. — Андреас улыбнулся. Чем дольше он общался с Аллегрой, тем больше она ему нравилась.

Следующие два часа они провели, продумывая детали будущего договора и подробно останавливаясь на каждом пункте сделки. Затем Аллегре предстояло связаться с киностудией, а потом, получив ее ответ, — снова с Вейсманом. Может быть, им и удастся завершить дело до конца недели. Хотя у Аллегры было назначено на разное время несколько встреч по другим вопросам, она обещала Вейсману, что как только получит ответ из Калифорнии с киностудии, сразу же ему позвонит.

— Вы надолго в Нью-Йорк? — спросил Вейсман.

— Я собиралась улететь в пятницу, если, конечно, я закончу все дела раньше. Думаю, мне лучше задержаться, пока мы не решим вопрос с экранизацией книги. Я уверена, что самое позднее к среде мы получим ответ.

Вейсман кивнул, потом черкнул что-то на листке отрывного блокнота с эмблемой «Гермеса». Аллегра уже отметила, что он пользуется вещами высочайшего качества. По-видимому, Вейсман признавал все только самое лучшее, даже клиентов.

— Сегодня вечером мы с женой даем небольшой прием. У одного из моих клиентов вышла новая книга, которая, как мы надеемся, получит литературную премию. Но даже если нет, мы решили, что выход книги — отличный повод устроить небольшую вечеринку. Джейсон вряд ли будет, но несколько наших клиентов обязательно придут, думаю, вам будет интересно с ними познакомиться. Вот адрес.

Он протянул ей листок с адресом и домашним телефоном.

Аллегра мельком взглянула: Вейсман жил на Пятой

— Приходите в любое время, когда вам будет удобно, между шестью и девятью часами. Мы с женой будем рады вас видеть.

— Спасибо за приглашение.

Вейсман ей понравился, с ним было приятно общаться, и ей импонировала его манера вести дела. Он был умен, любил точные формулировки, а под внешним лоском и европейским шармом скрывался блестящий бизнесмен, который точно знает, что делает, и не тратит время на ерунду. И это ей тоже в нем нравилось. Она слышала о Вейсмане много хороших отзывов и знала, что обычно его дела с клиентами идут очень успешно.

— Приходите, не раздумывайте, познакомьтесь с литературной жизнью Нью-Йорка. Думаю, скучать вам не придется.

Аллегра еще раз поблагодарила Вейсмана и вскоре ушла. Первая половина дня прошла на удивление удачно.

На улице снег успел подтаять, под ногами стало мокро и скользко. Аллегра осторожно подошла к краю тротуара и начала ловить такси, чтобы вернуться в отель. Из номера она стала звонить в Калифорнию на студию, чтобы начать переговоры о съемках фильма по книге Хэйвертона. Звонить пришлось не один раз, и освободилась она только к пяти часам. Затем она еще около часа записывала основные результаты переговоров в блокнот. К шести Аллегра все еще не решила, остаться в отеле и заказать ужин в номер или пойти на вечеринку к Вейсманам. На улице было холодно, ветрено, и снова выходить из отеля ей ничуть не улыбалось, тем более что из одежды у нее были с собой только деловые костюмы и пара шерстяных платьев. Но с другой стороны, возможность познакомиться с представителями литературных кругов Нью-Йорка, пожалуй, стоила того, чтобы ради этого выйти на холод. Аллегра раздумывала почти полчаса, потом посмотрела по телевизору новости и все-таки решила поехать. Как только решение было принято, она не стала терять время даром. Решительно открыла гардероб и достала черное шерстяное платье. Платье было с высоким воротом и длинными рукавами, облегающий покрой выгодно подчеркивал все достоинства фигуры. Аллегра оделась, надела туфли на высоких каблуках, расчесала волосы и придирчиво оглядела себя в зеркале, опасаясь, как бы ей не показаться провинциалкой по сравнению с изысканной нью-йоркской публикой. Из украшений у нее были с собой только золотые сережки и браслет, подаренный когда-то матерью. Аллегра уложила волосы в аккуратный узел на затылке, слегка подкрасила губы и надела пальто. Пальто классического покроя было далеко не новое и не слишком элегантное (она носила его, еще когда училась на юридическом факультете), но зато хорошо грело. В студенческие годы она надевала его, когда ходила в театр.

Аллегра спустилась в холл, портье вызвал для нее такси, и в половине восьмого она уже была на углу Пятой авеню и Восемьдесят второй улицы, как раз напротив музея «Метрополитен». Многоквартирный дом, в котором жил Вейсман, оказался внушительным старым зданием с консьержем и двумя лифтерами. В холле стояло несколько диванов с бархатной обивкой; огромный ковер, с виду персидский, приглушал звук шагов, и высокие каблучки Аллегры не стучали по мраморному полу. По словам консьержа, Вейсманы жили на четырнадцатом этаже. Когда Аллегра собиралась войти в лифт, из него вышло человек пять, которые, судя по виду, вполне могли быть гостями Вейсманов. Аллегра даже засомневалась, не опоздала ли она. Но Андреас приглашал с шести до девяти, и она решила не менять планы в последний момент. Действительно, как только лифт остановился на четырнадцатом этаже, Аллегра услышала гул голосов, приглушенные звуки фортепиано и поняла, что прием еще не кончился. Она позвонила. Дверь открыл дворецкий. С первого взгляда стало ясно: гостей собралось не меньше сотни. Аллегра вошла, дворецкий принял у нее пальто, она остановилась в прихожей и огляделась. Это была элегантная двухэтажная квартира, но Аллегру заинтересовала не столько обстановка, сколько собравшиеся гости. Все они — дамы в платьях для коктейля и мужчины в элегантных темно-серых костюмах, среди которых кое-где мелькали твидовые пиджаки, — выглядели очень по-нью-йоркски. Абсолютно у всех было оживленное выражение глаз, как будто каждый имел наготове с десяток увлекательнейших рассказов о сотне мест, где ему довелось побывать, и сгорал от нетерпения их рассказать. Да, это вам не сонная Калифорния. Аллегре казалось странным не видеть вокруг себя ни одного знакомого лица. Она догадывалась, что люди, собравшиеся здесь, тоже знамениты, но не в Голливуде, и она их не знала. Именно поэтому они казались ей загадочными, хотя имена большинства из них наверняка окажутся знакомыми. Оглядевшись, Аллегра узнала среди собравшихся нескольких издателей, редакторов, профессоров и писателей Тома Вулфа, Нормана Мейлера, Барбару Уолтерс, Дэна Рэзера, Джоанну Ланден. Несколько обособленно стояла небольшая группа кураторов музея «Метрополитен», как объяснил кто-то из гостей. Были здесь и глава «Кристи», и несколько маститых художников. В Лос-Анджелесе подобное собрание гостей было бы невозможно: там попросту не наберется такого разнообразия знаменитостей, работающих в различных сферах деятельности. Все знаменитости в Лос-Анджелесе так или иначе связаны с «индустрией», как там говорят, — словно речь идет о производстве автомобилей, а не фильмов. Но в Нью-Йорке на одной вечеринке могли собраться кто угодно — от театральных художников и актеров авангардистских театров до директоров универмагов и известных ювелиров, сценаристов и писателей. Взяв с подноса бокал шампанского и с интересом разглядывая удивительный людской калейдоскоп, Аллегра наконец заметила Андреаса Вейсмана. Он стоял у окна библиотеки, выходящего на Центральный парк, и беседовал с Мортоном Дженклоу, своим главным конкурентом в литературном мире. Речь шла об одном недавно умершем писателе — их общем знакомом и бывшем клиенте Вейсмана. Оба согласились, что литературный мир понес невосполнимую потерю. Тут Андреас заметил Аллегру и направился к ней. В черном платье, с собранными в пучок волосами она казалась моложе, чем днем, и вместе с тем серьезнее. Она показалась Вейсману еще прекраснее. Что-то в ее плавных, грациозных движениях вызывало в памяти воспоминания о балеринах с картин Дега. «Прав был Джейсон Хэйверт, — подумал Вейсман, улыбаясь своим мыслям. — Она не только хороший адвокат, но и необыкновенная женщина, такая изысканная». Писатель снова заговорил об этом днем, по телефону. Он также упомянул, что был бы не прочь при разговоре с Вейсманом пригласить ее на обед, и добавил с сожалением, что, случись эта встреча хотя бы несколько лет назад, все могло бы сложиться по-другому. Пожимая руку Аллегре, Вейсман снова улыбнулся, вспоминая тот разговор. Даже в самый разгар зимы этой женщине удается разжигать пламя в сердцах мужчин.

— Добрый вечер, Аллегра, я очень рад, что вы смогли прийти.

Он легонько обнял ее за плечи и повел через комнату к другой группке гостей. Здесь Аллегра узнала еще несколько знакомых лиц — владельца крупной галереи, о котором когда-то читала, известную фотомодель и молодого художника. Публика была на редкость разномастная, именно **95** этим Аллегре и нравился Нью-Йорк, и именно поэтому жители Нью-Йорка так неохотно переезжают на запад. Жизнь в Нью-Йорке бьет ключом, волнующая, захватывающая, такого нет ни в одном другом городе.

По мере того как они продвигались по комнате, Андреас знакомил Аллегру с гостями, объясняя каждому, что она адвокат из Лос-Анджелеса и работает в сфере шоу-бизнеса. Казалось, все были рады с ней познакомиться. Оставив Аллегру с новыми знакомыми, Андреас исчез. Какая-то немолодая дама сказала Аллегре, что она движется как балерина. Аллегра призналась, что в детстве действительно восемь лет занималась балетом. Кто-то другой спросил, не актриса ли она. Два очень красивых молодых человека, представляясь Аллегре, сказали, что работают на Уолл-стрит, в конторе братьев Леман. Еще несколько человек оказались сотрудниками крупной юридической фирмы, в которой Аллегра, еще учась в университете, была на собеседовании. От обилия новых лиц и имен у Аллегры слегка закружилась голова. Она поднялась на второй этаж, чтобы полюбоваться великолепным видом из окна, и здесь познакомилась еще как минимум с десятком гостей. Когда она снова спустилась вниз, часы показывали девять, но вечеринка была в самом разгаре. Более того, вскоре прибыли еще несколько пар гостей — мужчины в деловых костюмах, похожие на бизнесменов, и нарядные, прекрасно одетые женщины, все как одна с безукоризненными прическами, некоторые — в меховых шапках. В Лос-Анджелесе Аллегра привыкла видеть светлые волосы, молодящиеся лица с признаками подтяжки. Здесь все было по-другому, волосы темнее, меньше косметики и вообще меньше искусственности, дорогая одежда, блеск драгоценностей, серьезные, вдумчивые лица. Правда, и здесь попадались лица со следами подтяжки и фигуры, своей худобой напоминающие карандаш, но в основном у Вейсмана собрались люди, которые достигли вершин в своей области и которые влияют на мир уже одним только фактом своего существования. Аллегра слушала их с восхищением.

— Это впечатляет, правда? — произнес чей-то голос за спиной у Аллегры.

Она оглянулась и увидела незнакомого мужчину, разглядывающего ее точно так же, как она сама разглядывала остальных гостей. Высокий, поджарый, темноволосый незнакомец имел аристократический облик истинного ньюйоркца. И одет он был соответствующим образом: белая рубашка, тем-

96

ный костюм, консервативный галстук от «Гермеса» двух оттенков синего цвета. И все-таки что-то в его облике было нетипичным, Аллегра не могла понять, что именно — то ли загар, то ли искорки в глазах, то ли открытая улыбка. В каком-то смысле он даже больше походил не на жителя Нью-Йорка, а на калифорнийца, и то вряд ли. Аллегра не могла его разгадать, но и он, окидывая ее оценивающим взглядом, был заинтригован не меньше. Вроде бы она прекрасно вписывалась в обстановку, но в то же время что-то в ее облике подсказывало ему, что она нездешняя. Ему нравилось бывать в гостях у Вейсмана: у Андреаса всегда можно встретить интереснейших личностей самого разного рода занятий, от балетных танцовщиков до литературных агентов, от крупных предпринимателей до дирижеров. Довольно занятно просто смешаться с этой разнородной публикой и пытаться отгадать, кто чем занимается. Вот и сейчас он пытался разгадать эту женщину, правда, безуспешно. Она могла быть кем угодно — от декоратора до профессора медицины. Аллегра тоже старалась угадать, чем занимается незнакомец, и пыталась выбрать из двух вариантов: или это банкир, или биржевой брокер. Она присмотрелась к нему внимательнее, и мужчина широко улыбнулся.

— Пытаюсь понять, кто вы, откуда и чем занимаетесь, — признался он. — Мне нравится играть в эту игру, но обычно я отгадываю с точностью до наоборот. Судя по вашей осанке и манере двигаться, вы, наверное, танцовщица, но я решил, что вы копирайтер из «Дойл Дэйн». Ну как, круто?

— Очень круто, — рассмеялась Аллегра и подумала, что в чувстве юмора ему не откажешь.

Толпа гостей потеснила его и подтолкнула чуть ближе к Аллегре. Он посмотрел ей прямо в глаза. Почему-то с этой женщиной он чувствовал себя на удивление легко.

— Может быть, вы не так уж сильно ошиблись. Я работаю в сфере бизнеса, и мне действительно приходится много заниматься писаниной. Я адвокат. — Она тоже посмотрела ему в глаза и увидела в них удивление.

— Адвокат? В какой фирме? — спросил он, наслаждаясь игрой. Ему всегда нравилось отгадывать, кто есть кто, а Нью-Йорк с его огромным разнообразием людей и профессий предоставлял огромный простор для этой игры. Здесь никогда ни на один вопрос не найдешь простого ответа, тем более на вопрос, кто чем занимается. — Полагаю, вы корпоративный адвокат, а может, занимаетесь чем-то жутко серьезным. **97** вроде антимонопольного законодательства. Угадал? — Казалось странным, что такая красивая и женственная особа занимается столь сложным делом, но ему такое сочетание нравилось: в том, что красивая женщина занимается серьезным бизнесом, было что-то особенно волнующее.

В ответ Аллегра рассмеялась. Он наблюдал за ней с восхищением, любуясь потрясающей улыбкой, невероятно красивыми волосами, какой-то особой теплотой во всем облике. Он чувствовал, что она любит людей. А еще ему понравились ее глаза, они говорили о многом. Он интуитивно почувствовал, что она человек твердых принципов и, вероятно, обо всем имеет собственное суждение. Но по-видимому, у нее и с чувством юмора все в порядке. Она много смеется, при этом рот ее смотрится просто восхитительно, а в плавных движениях рук есть что-то очень-очень нежное.

— Почему вы решили, что я занимаюсь таким серьезным делом? — со смехом спросила Аллегра. Они даже не знали друг друга по именам, но почему-то это казалось совсем не важным. Ей нравилось разговаривать с незнакомцем и играть в его игру «кто есть кто». — Неужели у меня такой деловитый вид?

«Интересно, что он на это скажет?» — подумала Аллегра. Мужчина немного задумался, склонил голову набок, окидывая ее взглядом, потом покачал головой. Аллегра не могла не заметить, что у него потрясающе обаятельная улыбка. И вообще он очень обаятельный мужчина.

— Нет, я ошибся, — задумчиво произнес он. — Вы серьезный человек, но не занимаетесь такой серьезной отраслью юриспруденции. Довольно странная комбинация, не правда ли? Может, вы представляете интересы профессиональных боксеров или лыжников? Угадал? — Он снова ее поддразнивал, и Аллегра в который раз рассмеялась.

— А почему вы передумали насчет корпоративного адвоката или антимонопольного права?

— Для этого вы недостаточно скучны. Да, вы серьезны, добросовестны, но у вас в глазах смешинки. А эти ребята, специалисты по антимонопольному законодательству, — ужасные зануды, они никогда не смеются. Ну что, угадал я наконец? Вы спортивный адвокат?.. О, умоляю, только не говорите, что вы спасаете от тюрьмы чиновников, злоупотребляющих служебным положением! Не желаю слышать, что вы занимаетесь такой работенкой! — Он поморщился и поставил пустой стакан на ближайший столик.

Аллегра усмехнулась. Она неплохо развлекалась и чувствовала себя на редкость непринужденно с незнакомым человеком. Посмотрев ему в глаза, она сказала:

— Я адвокат из Лос-Анджелеса. В Нью-Йорке я оказалась потому, что мне нужно было встретиться с Вейсманом по делу одного его клиента, ну и еще есть кое-какие дела. В основном я представляю интересы людей, работающих в сфере шоу-бизнеса: режиссеров, актеров, сценаристов, продюсеров.

— Интересно, очень интересно. — Незнакомец снова окинул ее оценивающим взглядом, как будто собирая все впечатления воедино. — Значит, вы живете в Лос-Анджелесе? — Казалось, это обстоятельство его удивило.

— Да, всю жизнь, не считая семи лет учебы в Йельском университете.

— А я учился в его конкуренте.

Аллегра вскинула руку, жестом прося его не продолжать.

— Подождите, теперь моя очередь отгадывать. Думаю, мне будет гораздо проще. Вы учились в Гарварде. Вы родом с востока, может быть, из Нью-Йорка или... — она прищурилась, всматриваясь в его лицо, — возможно, из Коннектикута или Бостона. Учились в закрытой частной школе... дайте подумать... в Экзетере или Сент-Поле.

Портрет, который нарисовала Аллегра, рассмешил его: получился этакий ультраконсервативный, абсолютно предсказуемый сноб из Нью-Йорка. Возможно, в этом был повинен темный костюм, а может, галстук от «Гермеса» или безупречная стрижка.

— Вы близки к истине. Я из Нью-Йорка. Учился в Андовере, потом поступил в Гарвард. Год преподавал в Стэнфорде, а сейчас...

Аллегра снова знаком остановила его, ей хотелось отгадать самой. Он не походил на университетского профессора, разве что он преподавал в школе бизнеса... но для этого он слишком молод и хорош собой. Если бы дело происходило в Лос-Анджелесе, она приняла бы его за актера, но, пожалуй, этот вариант тоже не очень удачен: для актера он выглядит слишком умным и недостаточно эгоцентричным.

— Вы не забыли, что теперь моя очередь отгадывать? Вы и так уже дали мне слишком много подсказок, дальше я хочу догадаться сама. Наверное, вы преподавали литературу в Колумбийском университете, но, честно говоря, поначалу я приняла вас за банкира.

Если не считать озорного блеска в глазах, весь его облик был воплощением респектабельности и наводил на мысли об Уолл-стрит.

— Это все костюм. — Он улыбнулся и почему-то стал немножко похож на ее брата и совсем чуть-чуть даже на отца. Он был почти такого же роста, как Скотт и Саймон, и в его улыбке Аллегре виделось что-то смутно знакомое. — Я купил его, чтобы доставить удовольствие матери. Она считает, что если я собираюсь вернуться в Нью-Йорк, мне нужно одеваться респектабельно.

— А что, вы уезжали?

Он до сих пор не сказал ей, профессор он или банкир, и оба по-прежнему развлекались игрой. Толпа гостей постепенно начинала редеть. Если сначала по элегантным апартаментам Вейсмана разгуливало сотни две человек, то теперь, когда их осталась примерно половина, квартира казалась почти опустевшей.

— Я уезжал на полгода, — незнакомец решил подбросить Аллегре ещё одну подсказку, — работал в другом месте. Не хочется говорить, где именно.

К его удовлетворению, Аллегра все еще пыталась отгадать, где он был и чем вообще занимается.

— Вы преподавали в Европе?

Он замотал головой.

— Еще где-нибудь преподавали?

Аллегра совсем запуталась. Может, строгий костюм ввел ее в заблуждение и она пошла по ложному пути? Она еще раз посмотрела в глаза незнакомцу. Чувствовалось, что у него есть воображение, однако он явно любит собирать и анализировать информацию.

— Я уже давно не преподавал, но вы не так уж далеки от истины. Ну что, сказать?

— Видимо, придется. Сдаюсь. Во всем виновата ваша матушка, это костюм ввел меня в заблуждение, — заключила Аллегра, и оба рассмеялись.

— Что ж, я вас понимаю, он меня самого смущает. Когда я пришел сюда и посмотрелся в зеркало, то не узнал самого себя. На самом деле я писатель, а писатели — вы же знаете, что это за люди, ходят в рваных кроссовках, а то и в ковровых шлепанцах, в старых халатах, линялых джинсах, дырявых гарвардских свитерах.

— Насколько я понимаю, вы как раз из этой породы, — заключила Аллегра.

Однако он словно родился в костюме, и она подозревала, что в его гардеробе есть не только рваные свитера и линялые джинсы. Аллегра решила, что на вид ему лет тридцать пять, а что он потрясающе хорош собой, она поняла еще раньше. На самом деле ему оказалось тридцать четыре года, в прошлом году он продал киностудии права на экранизацию своей первой книги, вторая книга только что вышла из печати, но уже получила восторженные отзывы и отлично продавалась, к удивлению самого автора. Он написал ее потому, что не мог не написать, и вложил в нее свою душу, в результате получилось настоящее литературное произведение. Однако Андреас Вейсман пытался его убедить, что настоящее его призвание — художественная литература, и сейчас он собрался приступить к третьей книге.

— Значит, вы полгода не были в Нью-Йорке? Где же вы были? Писали роман в бунгало на пляже где-нибудь на Багамах? — Эта мысль почему-то показалась Аллегре очень романтичной.

Он рассмеялся:

— На пляже, но не на Багамах. Я полгода жил в Лос-Анджелесе, точнее в Малибу, перерабатывал книгу в сценарий. Я был настолько глуп, что согласился сам написать сценарий и еще вызвался быть сопродюсером — думаю, больше никогда в жизни за это не возьмусь, да мне никто и не предложит. Продюсер и режиссер фильма — один мой приятель по Гарварду.

— И вы только что вернулись?

Как странно, что они провели полгода в одном городе, а встретились только здесь, в Нью-Йорке. Аллегре показалось странным и другое: большинство гостей на приеме держались каждый сам по себе, а их двоих, только что прилетевших из Калифорнии, потянуло друг к другу как магнитом.

— Не совсем, — объяснил он, — я здесь уже неделю. Прилетел, чтобы встретиться с агентом. У меня появился замысел третьей книги, и я собираюсь на год запереться, чтобы написать ее — если, конечно, когда-нибудь покончу с этим проклятым сценарием. Мне уже предложили написать сценарий и по второй книге, но я пока не уверен, что мне хочется этим заниматься. Боюсь, Голливуд и вообще кино-

101

бизнес не для меня. Я еще не решил: не лучше ли забыть о кино, вернуться в Нью-Йорк и с головой уйти в работу над книгами? Я пока сам не понял до конца, чего хочу. В настоящее время, можно сказать, живу двойной жизнью.

— А что вам мешает заниматься и тем и другим? Вам даже не обязательно писать самому сценарии, если вы этого не хотите. Продавайте права на экранизацию, и пусть сценарием занимается кто-нибудь другой, это сэкономит вам массу времени для написания следующей книги. — У Аллегры возникло чувство, будто она дает консультацию одному из своих клиентов.

Ее серьезность вызвала у собеседника улыбку.

— А вдруг они испортят книгу? — с искренней тревогой спросил он.

На этот раз, увидев выражение его лица, рассмеялась уже Аллегра:

— Вы говорите как настоящий писатель. Представляю, как тяжело отдать свое детище посторонним людям. Я, конечно, не могу поручиться, что все пройдет без сучка, без задоринки, но иногда это требует меньшего напряжения, чем писать сценарий самому, не говоря уже о том, чтобы выступать сопродюсером фильма.

— Охотно верю. Ходить босиком по гвоздям и то приятнее. Киношная публика меня просто с ума сводит, на книгу им наплевать, их интересует только актерский состав, ну, может, еще режиссер. Сценарий для них вообще ничего не значит, в их представлении это только слова, с которыми можно обращаться как угодно. Они врут, жульничают, а чтобы добиться своего, готовы идти на все. Сейчас я, кажется, начинаю к этому привыкать, но поначалу страшно злился.

— Знаете, вам нужно иметь в Лос-Анджелесе хорошего адвоката или хотя бы местного агента, чтобы был под рукой и мог вовремя помочь, — практично рассудила Аллегра. — Спросите у Андреаса, пусть он вам кого-нибудь посоветует.

Он улыбнулся:

— А может, мне обратиться к вам? — Мысль показалась ему очень привлекательной. — Между прочим, я тут вам жалуюсь, а сам до сих пор не представился. Прошу прощения. Джефф Гамильтон.

Толпа гостей продолжала редеть, а они по-прежнему стояли очень близко друг к другу. Встретившись с ним взглядом, Аллегра улыбнулась. Она сразу вспомнила это имя.

— Я читала вашу первую книгу, она мне очень понравилась. — Книга была серьезная, но в ней попадались и смешные места. Аллегра хорошо помнила, что книга произвела на нее огромное впечатление, а это говорило о многом. — А я — Аллегра Стейнберг.

— Полагаю, вы только однофамилица известного продюсера? — небрежно поинтересовался Джефф, однако Аллегра тут же его поправила. Хотя она не злоупотребляла известностью своих родителей, но очень ими гордилась.

— Саймон Стейнберг — мой отец, — спокойно пояснила она.

— Он отказался снимать фильм по моей первой книге, но я его очень уважаю. Он не пожалел для меня времени, чтобы растолковать, чем плох сценарий. Самое смешное, что я убедился в его правоте. В конце концов я внес много изменений в сценарий, учтя его замечания. Я давно собирался позвонить ему и поблагодарить за помощь, да все как-то не получалось.

Аллегра улыбнулась:

— Отец во многих вещах хорошо разбирается, в свое время он и мне дал немало полезных советов.

— Могу себе представить.

Джефф многое мог себе представить, но только не то, что после сегодняшнего вечера они больше не увидятся. Аллегра стала оглядываться по сторонам. Она только сейчас заметила, что за время, пока она разговаривала с Джеффом, количество гостей в апартаментах существенно убавилось.

— Кажется, мне пора, — с сожалением сказала она.

Считалось, что прием заканчивается в девять часов, а сейчас было уже почти десять.

— Где вы остановились? — спросил Джефф. Он боялся, что Аллегра ускользнет и он больше ее не увидит, и чуть не схватил ее за руку.

— В отеле «Риджженси». А вы?

— О, я слишком избалован, чтобы жить в отеле, и поселился в квартире матери. Она уехала в круиз и вернется только в феврале, поэтому квартира свободна. Место тихое, но очень удобное и всего в нескольких кварталах отсюда.

Джефф проводил Аллегру в прихожую, где одевались гости. Она попросила свое пальто, Джефф тоже оделся и намотал на шею длинный шерстяной шарф. Они попрощались с миссис Вейсман и поблагодарили за гостеприимство. Хозяин в это время был на втором этаже, глубоко увлеченный **103** разговором с двумя молодыми авторами. Судя по всему, он не хотел, чтобы ему мешали, поэтому Аллегра и Джефф не стали прерывать разговор и снова спустились вниз.

— Может, вас подвезти? — с надеждой спросил Джефф.

— Я всего лишь возвращаюсь в отель, — ответила Аллегра, когда они вошли в лифт. — Возьму такси.

Двери лифта открылись на первом этаже, Аллегра и Джефф вместе не спеша двинулись через холл к выходу. Им было легко и хорошо друг с другом. Джефф придержал для Аллегры дверь, потом мягко взял за руку. На улице снова шел снег, и под ногами было очень скользко.

— А может, зайдем куда-нибудь выпить? Заодно и перекусим, например, съедим по гамбургеру. Мне бы хотелось еще немного с вами поговорить, да и время не позднее. Терпеть не могу, когда встретишься с кем-то вот так, как мы с вами сегодня, только разговоришься, войдешь во вкус, он тебе понравится — глядь, пора расставаться. Возникает такое ощущение, будто все было напрасно, все впустую.

Джефф выжидательно смотрел на Аллегру с надеждой. В эту минуту он показался ей совсем юным, гораздо моложе своих лет. Он не мог толком понять, что именно в Аллегре его так восхищает, но чувствовал, что и ее к нему тянет. Возможно, потому, что оба живут в Лос-Анджелесе, работают в близких областях, имеют много общего. Но как бы там ни было, Джефф не хотел ее отпускать, а Аллегре еще не хотелось возвращаться в отель. После разговора с Джеффом она боялась почувствовать себя очень одинокой. И вот они стояли, взявшись за руки, и смотрели на снег.

— У меня в номере лежит несколько контрактов, которые нужно прочесть, — сказала Аллегра без особого энтузиазма. Сегодня утром ей прислали по факсу целую кучу документов, касающихся предстоящего турне Мэлахи О'Донована, но ими можно было заняться и позже. В данный момент ей почему-то казалась куда более важной эта неожиданная встреча. Как будто им с Джеффом Гамильтоном нужно еще многое узнать друг о друге, каждый должен рассказать свою историю, завершить некую миссию. — Честно говоря, я бы с удовольствием где-нибудь перекусила, и гамбургер, о котором вы упомянули, как раз подойдет.

Ей показалось, что Джефф обрадовался. Он стал **104** высматривать такси. К счастью, ждать пришлось недолго, вскоре они уже ехали на восток, в кафе «Элен». Создавая свою первую книгу, он часто бывал в этом кафе и, возвращаясь в город, всякий раз заглядывал к «Элен» в память о прежних временах.

— Я боялся, что вы не согласитесь со мной пойти, — признался он с улыбкой. С горящими глазами, со снежинками в волосах, он еще больше походил на мальчишку, притом очень красивого. Ему не терпелось узнать побольше о самой Аллегре, о ее работе, о жизни, об отце, с которым он однажды встречался. Оставалось только удивляться, почему их пути не пересеклись раньше, когда оба были в Лос-Анджелесе. Неужели для того, чтобы встретиться, им обоим обязательно нужно было прилететь в Нью-Йорк? Но Джефф был очень рад, что они наконец столкнулись, как две планеты.

— Я не так уж часто куда-нибудь хожу, — призналась Аллегра. — Почти все время работаю. Мои клиенты ждут от меня очень многого.

«Слишком многого, если верить Брэндону», — добавила она про себя. Брэндона всегда раздражало, что она о них так заботится, но это было не только частью ее работы, но и особенностью характера. Аллегре нравилось быть незаменимой для клиентов.

— А я вообще никогда никуда не хожу, — признался в ответ Джефф. — Обычно по ночам работаю. Мне понравилось жить в Малибу. Иногда ночью я выходил из дома и шел прогуляться по пляжу, это очень хорошо освежает голову. А вы где живете?

Ему хотелось знать о ней все, и он надеялся, что они еще встретятся, может, даже до ее отъезда из Нью-Йорка.

— Я живу в Беверли-Хиллз. У меня есть небольшой симпатичный домик, я купила его, когда вернулась домой после окончания университета. Он маленький, но для меня в самый раз. Из окна открывается замечательный вид, а вокруг дома разбит японский садик, в основном из камней, так что пока меня нет, растения не погибнут без ухода. Если мне нужно уехать, я просто запираю дверь и уезжаю. — Она улыбнулась. — Например, как сейчас.

— Вы много путешествуете?

Аллегра отрицательно покачала головой:

— Я стараюсь всегда быть доступной для своих клиентов, кроме тех случаев, когда мне нужно быть с ними или по их делам где-то в другом месте. Двое из моих ны- **105** нешних клиентов — музыканты, иногда во время их гастрольных поездок мне приходится встречаться с ними в других городах и проводить там день-другой, но в основном я живу в Лос-Анджелесе.

Аллегра уже пообещала Брэму Моррисону, что постарается навестить его во время турне. Если Мэл О'Донован пожелает, она и его навестит. И тому, и другому предстоят долгие тяжелые гастроли, и ей придется преодолеть чуть ли не половину земного шара, чтобы подержать своего клиента за руку где-нибудь в Бангкоке, или на Филиппинах, или в Париже.

— Интересно, я их не знаю? — спросил заинтригованный Джефф. Аллегра говорила о своих музыкантах так, будто это какие-то священные существа, которых она поклялась защищать — в некотором смысле так оно и было.

— Возможно.

Такси остановилось. Джефф расплатился с водителем, и они вышли на тротуар перед рестораном.

— А вам можно говорить, кто они такие?

В кафе было шумно и людно, но метрдотель сразу узнал Джеффа и знаком дал понять, что сейчас же найдет для них столик.

— Итак, кто же эти клиенты, которым вы так преданы?

По его тону Аллегре стало ясно, что он понимает ее чувства и они его не удивляют. Как это было не похоже на Брэндона — тот выговаривал ей за каждую лишнюю минуту, отданную клиентам.

— Вероятно, многих моих клиентов вы знаете, некоторые из них не делают секрета из имен своих адвокатов, и этих я могу вам назвать: Брэм Моррисон, Мэлахи О'Донован, Кармен Коннорс — мои постоянные клиенты; от случая к случаю моими услугами пользуется Алан Карр.

Наблюдая за ней, Джефф открыл для себя еще кое-что новое: Аллегра гордится своими клиентами, как мать — детьми, так же заботится о них и защищает. И этим она понравилась ему еще больше.

— Я не совсем понял, их интересы представляет ваша фирма или их дела ведете вы лично?

На вид Аллегре можно было дать лет двадцать пять, и казалось странным, что молодой адвокат представляет интересы столь знаменитых личностей.

Она рассмеялась, и ее смех показался Джеффу самым прекрасным на свете.

— Нет, не фирма, они мои клиенты. Конечно, у меня есть и другие, но их имена я не имею права разглашать. Этих я назвала только потому, что они сами не скрывают, что я их адвокат. Думаю, Ерэм готов рассказать первому встречному, у какого врача он лечится, Мэл такой же. А Кармен то и дело напоминает газетчикам, кто представляет ее интересы.

Казалось, Аллегра не видит ничего необычного в том, чтобы вот так запросто упоминать известные имена, для нее это были не знаменитости, а просто люди, с которыми она работает. Джефф присвистнул.

— Ну и компания! Должно быть, вы очень гордитесь собой, — сказал он с нескрываемым восхищением. — И давно вы работаете в фирме?

Он подумал, что, вероятно, она на самом деле старше, чем ему показалось. Словно прочтя его мысли, Аллегра рассмеялась:

— Четыре года. Мне двадцать девять лет, скоро будет тридцать — по мне, даже слишком скоро.

Джефф улыбнулся:

— А мне тридцать четыре, но рядом с вами я чувствую себя так, будто последние десять лет просто проспал. Вы уже многого достигли... Артисты наверняка не самые легкие клиенты.

— Некоторые — да. — Аллегра всегда старалась быть справедливой. — А насчет того, что я достигла, не говорите глупости, вы написали две книги, собираетесь начать третью, пишете сценарий, снимаете фильм. А что я? Я всего лишь представляю интересы нескольких талантливых людей вроде вас. Я составляю их контракты, веду от их имени переговоры, оформляю для них доверенности и завещания, словом, стараюсь помочь им, чем могу. Наверное, моя работа тоже в некоторой степени творческая, но, конечно, с вашей и сравнивать нечего. Так что не жалейте себя, — в заключение шутливо упрекнула Аллегра. В действительности оба они достигли многого и обоим нравилась их работа.

— Может, мне тоже понадобятся ваши услуги, — задумчиво произнес Джефф, вспоминая последний разговор с Вейсманом, произошедший не далее как сегодня утром. — Я собираюсь продать Голливуду еще одну книгу, так что мне обязательно потребуется адвокат, хотя бы для того, чтобы подписать контракт.

— А как же вы обошлись в прошлый раз? — спросила Аллегра. Ей действительно было интересно узнать, многое ли делает Вейсман.

— В прошлый раз этими делами занимался Андреас. Тогда все было сравнительно просто, и я не могу пожаловаться, что меня облапошили. По договору я должен получить фиксированную сумму за написание сценария, а когда фильм выйдет на экраны, получать определенный процент от прибыли. Поскольку первый продюсер мой друг, я не хотел быть слишком напористым. Я занялся этим даже не столько ради денег, сколько для того, чтобы попробовать свои силы в новом деле. Похоже, я часто повторяю подобную ошибку.

Джефф усмехнулся, и Аллегра подумала, что он явно не похож на умирающего с голоду, один только дорогой костюм чего стоит.

— Если мне предстоит заняться этим снова, — продолжал Джефф, — на этот раз я бы хотел получить чуть больше в экономическом плане и не угробить на это столько сил, сколько в прошлый раз.

Аллегра улыбнулась:

— Что ж, я с удовольствием посмотрю ваш контракт в любое время.

— Буду очень рад, — сказал Джефф с улыбкой, а про себя подумал: «Интересно, почему Андреас ни разу о ней не упоминал, тем более не предлагал познакомить меня с ней?»

В действительности Андреасу никогда не приходило в голову, что его подопечного, начинающего талантливого писателя, может заинтересовать молодая блондинка, адвокат из Лос-Анджелеса.

За столиком в «Элен» они проговорили, наверное, часа два: о годах учебы в Гарварде и Йеле, о первых двух годах Джеффа в Оксфорде. Поначалу Джефф терпеть не мог преподавательскую работу, но со временем привык и даже полюбил ее. Затем умер его отец, и вскоре после его смерти Джефф всерьез стал писать. Он рассказал, что мать была очень разочарована тем, что он не стал адвокатом, как отец, а еще лучше врачом, как она сама.

Джефф описал свою мать как сильную, суровую женщину, во многом пуританку и настоящую янки. У нее существовали четкие представления о трудовой этике и ответственности, и она до сих пор считала, что писательство — недостаточно серьезное занятие для мужчины.

— А моя мать — сама писатель, — сообщила Аллегра, снова рассказывая ему о родителях.

Удивительно, как много у них с Джеффом оказалось общих тем для разговора, ей вдруг захотелось так много ему рассказать... Можно подумать, она всю жизнь ждала такого друга. Их мысли и чувства были настроены на одну волну, он понимал ее абсолютно, понимал во всем. Когда они вдруг посмотрели на часы, то в первый момент даже не поверили, что уже час ночи.

— Мне нравится юриспруденция, — рассказывала Аллегра, — я люблю строгую логику, а когда удается решить сложную проблему, получаешь ни с чем не сравнимое удовлетворение. Иногда работа раздражает меня до безумия, — она улыбнулась Джеффу через стол, не сознавая, что они держатся за руки, — но я все равно ее очень люблю.

Когда Аллегра заговорила о работе, у нее заблестели глаза, и Джефф снова невольно залюбовался ею. Он не помнил случая, чтобы когда-нибудь испытывал подобные чувства на первом свидании с женщиной.

— А что еще вы любите, Аллегра? — спросил он мягко. — Кошек? Собак? Детей?

— Наверное, все, что вы назвали. И семью. Моя семья — для меня все.

Джефф был единственным ребенком у родителей и, слушая, как Аллегра рассказывает о Скотте и Сэм, завидовал ей. Он вообще во многом ей завидовал. Сам он после смерти отца практически остался без семьи: мать никогда не отличалась особой теплотой и сердечностью. Но ему не составило труда понять, что Саймон Стейнберг — душевный, любящий человек.

— Вам нужно как-нибудь встретиться с моими родителями, — сказала Аллегра, — и познакомиться с Аланом, моим самым давним другом. Я имею в виду Алана Карра. — Аллегра поймала себя на мысли, что ведет себя как ребенок, который завел нового друга и теперь хочет перезнакомить его со всеми.

— Не может быть! — Реакция Джеффа на имя Алана была именно такой, какой следовало ожидать. — Алан Карр — ваш давний друг? Я не верю! — шутливо заявил Джефф.

— Когда-то, еще в последнем классе школы, он был моим мальчиком. С тех пор мы остались лучшими друзьями.

Было даже странно, как легко они с Джеффом нашли общий язык. Ему нравилось слушать о ее работе, **109** родственниках, друзьях. С Брэндоном у Аллегры все было иначе, однако она чувствовала, что сравнивать Брэндона с почти незнакомым человеком было бы несправедливо. Она ровным счетом ничего не знала о причудах Джеффа, о его недостатках, тайных страхах. И все же ей было так легко с ним, что оставалось только удивляться. В свою очередь, Джеффу нравились ее прямота и полное отсутствие притворства. Аллегра принадлежала к тому типу женщин, которые его всегда восхищали, хотя он уже очень давно не встречал ни одной, похожей на нее. Их встреча близилась к концу, но, глядя на Аллегру, Джефф чувствовал, что так и не задал один очень важный вопрос. Сначала он твердил себе, что не желает ничего знать, но сейчас понял, что все-таки должен спросить.

— Аллегра, в вашей жизни есть мужчина? Я имею в виду серьезные отношения, не такие, как с Аланом Карром. — Он улыбнулся с затаенным волнением.

Аллегра помолчала, не зная, как лучше ответить. Джефф имеет право знать... имеет ли? Они проговорили несколько часов, и их явно влечет друг к другу, но нет смысла отрицать, что Брэндон занимает в ее жизни очень важное место. Аллегра наконец решилась: она должна рассказать Джеффу правду. Глядя ему в глаза, она печально сказала:

— Есть.

— Этого я и боялся. Разумеется, я не удивляюсь, просто мне жаль. — Однако Джефф вовсе не собирался вскакивать и бросаться бежать от нее куда глаза глядят. — Вы с ним счастливы?

Это был самый важный вопрос, если Аллегра ответит «да», он выбывает из игры. Конечно, он готов бороться за то, чего хочет, но он же не дурак, не сумасшедший и не мазохист.

— Иногда, — честно призналась Аллегра.

— А когда несчастливы, то почему?.. — очень осторожно спросил Джефф. Ему не терпелось узнать, есть ли у него шансы, но если даже шансов нет, он знал, что не пожалеет о потраченном времени. Аллегра ему очень понравилась, и он несказанно рад этому знакомству.

— У него сейчас трудный период, — стала объяснять Аллегра, оправдывая Брэндона. Просто удивительно, как часто ей приходится оправдывать его перед другими людьми. — На самом деле этот период длится уже довольно долго, он разводится. Точнее, он уже не живет со своей женой, но официально еще не подал на развод. — Джефф внимательно наблюдал за Аллегрой, и ему показалось, что ее слова странно не вяжутся с выражением лица.

Аллегра сама не понимала, зачем рассказывает все это Джеффу, но отношения с Брэндоном были частью ее жизни. Джефф посмотрел на нее вопросительно.

— И давно это длится?

Он как будто почувствовал, что это ключ ко всей истории, она бросила ему этот ключ, он его поймал и теперь внимательно рассматривает со всех сторон.

— Два года, — тихо сказала она.

— Вас это беспокоит?

— Иногда. Хотя, кажется, меня это волнует не так сильно, как всех остальных. Брэндон уже два года не может договориться с женой о разделе собственности. Честно говоря, меня куда больше беспокоит то, что между нами до сих пор много недосказанного.

— И что же?

— Он по-прежнему стремится сохранить дистанцию, — честно призналась Аллегра. — Он боится взять на себя обязательства, наверное, поэтому до сих пор и тянет с разводом. Если я подхожу к нему слишком близко, он начинает пятиться — в переносном смысле, конечно. Брэндон говорит, что в первый раз женился по принуждению и до сих пор не оправился от этой травмы. Это я могу понять. Но мне непонятно другое: почему после стольких лет за вину другой женщины должна расплачиваться я. Я-то не виновата в неудаче его брака.

— Однажды у меня были подобные отношения с одной женщиной, — тихо признался Джефф, вспоминая писательницу из Вермонта, которая разбила его сердце. — Никогда в жизни я не чувствовал себя таким одиноким.

— Я вас понимаю, — мягко сказала Аллегра. Она не хотела обсуждать Брэндона. Она его любит, хочет выйти за него замуж, и если станет обсуждать его с другим мужчиной, это будет похоже на предательство. И все же она должна рассказать Джеффу всю правду об отношениях с Брэндоном, обязана, хотя они познакомились лишь несколько часов назад.

— У него есть дети?

— Да, две дочери, девяти и одиннадцати лет. Девочки замечательные, и он к ним очень привязан. Он часто летает к ним в Сан-Франциско и проводит с ними много времени.

— Вы тоже с ним летаете?

111

— Когда есть возможность. Мне часто приходится работать по выходным — все зависит от того, что происходит с моими клиентами: кто-то получает письма с угрозами, кому-то нужно подписывать новый контракт, кто-то уезжает в турне...

Да, дел у нее много, но Джефф чувствовал, что частые отлучки Брэндона во многом усиливают ее ощущение одиночества.

— И вы не возражаете, что он летает в Сан-Франциско один?

— Я же не могу ничего изменить, если занята. Он имеет право повидаться с дочерьми. — Аллегра насторожилась, но чем дольше Джефф ее слушал, тем больше у него возникало вопросов. Он чувствовал, что она несчастлива с этим мужчиной, только пока не желает признаваться в этом даже самой себе.

— И вас не тревожит, что он так долго тянет с разводом? — спросил он напрямик.

Аллегра нахмурилась:

— Вы говорите прямо как моя сестра.

— Кстати, а что думает об этой истории ваша семья?

— К сожалению, они не в восторге от Брэндона.

Аллегра вздохнула. Джеффу начинало нравиться то, что он слышал. Может, она и любит своего Брэндона, но между ними еще ничего не решено. Такая девушка заслуживает большего, гораздо большего, да и мнение семьи для нее много значит, это сразу заметно.

— После того, что Брэндону пришлось пережить, ему нелегко во второй раз связать себя обязательствами. Это не значит, что я ему не нужна, просто он не может так запросто дать все, что от него ожидают другие.

— А как насчет вас? Чего ждете от него вы? — мягко спросил Джефф.

Аллегра ответила не задумываясь:

— Я хочу, чтобы у нас были такие отношения, как у моих родителей. Я хочу теплоты, любви друг к другу и к детям.

— И вы думаете, он способен дать вам это?

Джефф снова взял ее за руку, и Аллегра не возражала. Он чем-то напоминал ей сразу нескольких человек, которых она любила: отца, Скотта, даже Алана. Но только не Брэндона. Брэндон — холодный, отчужденный, боится, что его попытаются силой заставить растрачивать себя. Джефф же, казалось, сам готов отдавать, не прячется в свою раковину. Его не пугают чувства, которые у нее могут возникнуть, и даже чувства, которые могут возникнуть у него самого, если он познакомится с ней поближе. Казалось, он готов быть с ней рядом, готов к душевной близости с ней. Глядя на Джеффа, Аллегра невольно вспомнила доктора Грин и улыбнулась. Но Джефф и не думал отступать:

— Как вы считаете, Аллегра, Брэндон в состоянии дать вам то, что нужно? — И стал ждать ответа.

— Не знаю, — честно призналась она, — думаю, он постарается. — Аллегра вдруг задумалась, так ли это на самом деле. Пока нельзя сказать, чтобы он уж очень старался.

— И сколько времени вы согласны ждать? — спросил Джефф.

Вопрос немножко испугал Аллегру, его уже задавала доктор Грин, но тогда она не смогла ответить. Однако она не желала вводить Джеффа в заблуждение.

— Джефф, я его люблю. Может, он несовершенен, но я принимаю его таким, какой он есть. Я прождала уже два года, могу подождать и еще, если понадобится.

— Может статься, что вам придется ждать очень долго, — задумчиво сказал Джефф. Для него не составило труда понять, что в отношениях Аллегры с Брэндоном не все гладко, но он также понимал, что Аллегра пока не готова с ним порвать. Однако Джефф считал себя человеком терпеливым, он готов был ждать. Их встреча не случайна, их свела сама судьба.

Они вышли на улицу. За то время, пока они сидели в кафе, снегу еще прибавилось. Дожидаясь такси, Джефф обнял Аллегру за плечи и прижал к себе.

— А как у вас? — спросила Аллегра. Чтобы не замерзнуть, она стала притопывать ногами, прижимаясь к Джеффу. — У вас кто-нибудь есть?

— О, есть и даже не одна. Во-первых, Гуадалупе, моя домработница, во-вторых, зубной врач в Санта-Монике и, наконец, Рози, машинистка.

Аллегра рассмеялась:

— Ничего себе компания. — Она посмотрела ему в глаза. — И что, это все? Неужели нет никакой юной старлетки, которая ловит каждое ваше слово и вечером, при свечах, затаив дыхание наблюдает, как вы печатаете, и ждет, когда вы освободитесь?

— В последнее время — нет.

Джефф снова улыбнулся. У него были серьезные отношения с женщинами, но это было давно, так что единственное препятствие, которое им предстоит преодолеть, — это Брэндон, однако Джефф еще не знал, как к этому подступиться.

Наконец подъехало такси. После ожидания на холоде было приятно оказаться в тепле и уюте. Джефф назвал таксисту адрес отеля «Риджэнси». Как только машина тронулась с места, он привлек Аллегру к себе. Такси везло их по ночным улицам, за окнами кружился снег. Всю дорогу оба молчали, прижавшись друг к другу.

Поездка оказалась короткой, даже слишком. Им обоим не хотелось расставаться друг с другом, но было так поздно, что даже бар при отеле уже закрылся. Аллегре не хотелось приглашать Джеффа к себе в номер в третьем часу утра, поэтому они попрощались внизу, в вестибюле.

— Спасибо за чудесный вечер, Джефф, — искренне сказала Аллегра. — Я прекрасно провела время.

— Я тоже. Впервые в жизни я действительно чувствую, что чем-то обязан Андреасу Вейсману. — Оба рассмеялись. Провожая Аллегру до лифта, Джефф с надеждой спросил: — Какие у вас планы на другие дни?

Она покачала головой:

— К сожалению, я очень занята.

На ближайшие четыре дня у нее были назначены деловые встречи, в том числе и в обеденный перерыв. Кроме того, нужно было поработать над документами, касающимися предстоящего турне Брэма, и еще раз встретиться с Хэйвертоном. Свободными у нее оставались только вечера, но она планировала работать и в номере перед сном.

— А может, встретимся завтра вечером?

Аллегра колебалась, понимая, что ей не следует соглашаться. Действительно не следует. Наконец она с сожалением сказала:

— До пяти у меня несколько встреч в одной адвокатской конторе на Уолл-стрит, затем там же деловой ленч с поверенным. Вряд ли я смогу освободиться раньше семи.

Ей хотелось еще раз встретиться с Джеффом, однако будет ли это справедливо по отношению к Брэндону? Но с другой стороны, что им мешает быть просто друзьями?

— А можно, я вам позвоню? Если вы не слишком сильно устанете, мы могли бы прогуляться или просто посидеть в ресторанчике где-нибудь поблизости. Я очень

114

хочу с вами встретиться. — Джефф посмотрел на нее, и Аллегра всей душой откликнулась на его чувства. Он просил о встрече, не скрывая, что хочет ее видеть, но не пытался ее принудить.

— А вам не кажется, что это не совсем удобно? — мягко спросила Аллегра. Ей не хотелось оказаться в двусмысленном положении.

— Поскольку мы оба понимаем истинное положение вещей, нет, не кажется, — честно ответил Джефф. — Я не собираюсь к вам приставать, но все-таки мне бы хотелось встретиться с вами снова.

Аллегра кивнула:

— Мне тоже.

Двери лифта открылись, и Аллегра, попрощавшись с Джеффом, вошла в кабину. Джефф помахал ей рукой и напомнил:

— Я позвоню завтра в семь.

Поднимаясь в лифте, Аллегра думала только о Джеффе. Она спрашивала себя, не изменила ли она Брэндону уже тем, что встретилась с Джеффом и говорила о... да обо всем. Ей бы определенно не понравилось, если бы Брэндон пригласил на обед другую женщину, и все же сегодняшняя ночь, встреча с Джеффом были, казалось, предопределены свыше. Казалось, ей было на роду написано встретить Джеффа, именно такого человека, как он, ей не хватало в жизни, и им суждено стать друзьями. Он так хорошо ее понимает, буквально с полуслова, то же самое можно сказать и о ней.

Аллегра вошла в номер с легким ощущением вины. Под дверью, словно напоминание о реальной жизни, лежала записка от портье с сообщением, что в ее отсутствие звонил Брэндон. Первой ее мыслью было перезвонить, но потом она засомневалась: уж слишком поздно. Впрочем, в Лос-Анджелесе только половина двенадцатого. Аллегра сняла пальто, села на кровать и все-таки набрала номер. Брэндон снял трубку после второго гудка. Он работал с документами, готовясь к завтрашнему слушанию, и немного удивился, что она звонит в такой час, но, кажется, был рад ее звонку.

— Где ты была? — В голосе Брэндона слышалось не столько недовольство, сколько любопытство.

— Я была на вечеринке у литературного агента мистера Хэйвертона. Вечеринка закончилась очень поздно — в здешних литературных кругах принято гулять до утра. — Это была ложь, но Аллегре не хотелось говорить, что она была в «Элен», тогда пришлось бы объяснять, кто такой Джефф. **115**

Она честно призналась Джеффу, что не свободна, и это главное, поэтому можно считать, что свой долг перед Брэндоном она выполнила. Ничего не произошло, а значит, она не обязана рассказывать ему о Джеффе.

— Хорошо провела время? — спросил Брэндон, позевывая. Он засиделся с бумагами допоздна и явно устал.

— Неплохо. А как продвигается процесс?

— Страшно медленно. Мы только-только приступили к выбору присяжных. Лучше бы мой клиент сразу признал себя виновным, и мы могли бы спокойно разойтись по домам. — Брэндону с самого начала не нравилось это дело.

— А если он не признается, сколько времени займет процесс, как ты думаешь?

— В худшем случае — недели две, это ужасно долго.

Аллегра знала, что слушается сложнейшее дело о должностном преступлении. Было собрано огромное количество материала, и Брэндону понадобилась помощь троих ассистентов.

— По крайней мере я вернусь домой до того, как слушание закончится.

— Думаю, в эти выходные мне придется поработать, — равнодушно сказал Брэндон. Однако Аллегра была к этому готова. Она собиралась в субботу заглянуть к нему в офис, рассчитывая, что удастся уговорить его немного развлечься в воскресенье.

— Об этом не беспокойся, в пятницу вечером я буду дома. — У Аллегры был заказан билет на шестичасовой рейс, и к десяти часам по калифорнийскому времени она должна уже добраться до дома. Может, она даже сделает ему сюрприз и заедет к нему на квартиру.

— Как-нибудь встретимся в выходные, — бросил Брэндон.

Аллегра не могла не вспомнить разговор с Джеффом на выходе из ресторана. Брэндон опять старался держать ее на расстоянии.

— Я позвоню завтра вечером, — рассеянно сказал Брэндон, — надеюсь, на этот раз ты будешь на месте?

— Вряд ли. У меня деловой обед, — снова — уже во второй раз — солгала Аллегра. — Лучше я сама тебе позвоню, когда вернусь, это будет не очень поздно.

Не может же она не спать две ночи подряд, иначе днем будет клевать носом на встрече с клиентом. Джефф

наверняка это понимает. Такие вечера, как сегодня,

выпадают редко. Это была одна из тех удивительных встреч, когда два человека вдруг обнаруживают множество общих мыслей и чувств, узнают друг в друге родственную душу. Но это не может повторяться из ночи в ночь.

— Смотри не перегружайся, — коротко бросил Брэндон и повесил трубку, добавив только, что ему нужно готовиться к завтрашнему заседанию. Никаких «я тебя люблю», ни хотя бы «я по тебе скучаю». Он даже не обещал встретить ее в аэропорту или быть дома, когда она вернется. Его поведение в который раз напомнило Аллегре, как у них все зыбко, непрочно, однако, несмотря ни на что, она все прощала, потому что любила.

«Чего я жду? — спросила себя Аллегра. — Что может измениться?» Как сказал Джефф, возможно, ей придется ждать очень-очень долго. Может быть, всю жизнь.

С мыслями о Брэндоне Аллегра медленно побрела в спальню. У них бывали и другие времена, за два года хороших воспоминаний накопилось много, а о разочарованиях, таких, как сегодняшний разговор по телефону, Аллегра старалась не думать. Их тоже накопилось немало за это время. Брэндона часто не оказывалось рядом с ней в самые важные минуты. Сколько раз он не говорил ей слов, которые она жаждала услышать, или не принимал участия в событиях, имевших для нее особое значение, как, например, вручение премии «Золотой глобус». Но почему ее преследуют неприятные воспоминания — потому ли, что она рассердилась на Брэндона, или потому, что встретила Джеффа? Быть может, ей хочется, чтобы Джефф стал для нее всем, чем не смог или не захотел стать Брэндон? А может, она вообще выдумала Джеффа, их духовное родство? Аллегра подошла к окну и стала всматриваться в темноту, думая об обоих мужчинах и не находя ответов на свои вопросы.

Глава 6

Во вторник Аллегра проснулась по звонку будильника в восемь часов. Весь Нью-Йорк был укрыт белым снежным одеялом. Сверху казалось, что на Парк-авеню лежат горы взбитых сливок. Дети по дороге в школу бросали друг в друга снежками, катались по льду, прыгали в сугро-

117

бы. Аллегре казалось, что им очень весело, и она сама была бы не прочь поиграть в снежки.

Весь день прошел в деловых встречах. Ближе к вечеру Аллегра позвонила Кармен Коннорс — только затем, чтобы удостовериться, все ли у нее благополучно. Экономки Кармен не оказалось дома, вероятно, она ушла за покупками, был включен автоответчик. Аллегра оставила сообщение, что звонит из Нью-Йорка и надеется, что у Кармен все в порядке, потом позвонила Элис. На ее вопрос, не возникли ли у Кармен какие-нибудь новые проблемы, не было ли больше угроз, Элис ответила:

— С тех пор как вы уехали, она не звонила ни разу.

Как выяснилось, в ее отсутствие клиенты вообще почти не давали о себе знать. Мэл О'Донован просил передать, что в очередной раз лечится от алкоголизма. Алан оставил на ее автоответчике сообщение с просьбой перезвонить, когда она вернется в Лос-Анджелес, но не раньше. Больше никаких новостей не было.

— Как там в Нью-Йорке? — спросила Элис.

— Белым-бело.

— Ну это ненадолго, — заверила секретарша.

Вероятно, она была права и к следующему дню снег растает и превратится в жидкую грязь под ногами, но пока город выглядел белым и очень чистым.

За ленчем в Центре международной торговли Аллегра встречалась с адвокатом, с которым до этого около года вела переписку и общалась по телефону. В оставшееся до конца рабочего дня время она побывала на трех встречах — с рекламными агентами Брэма и еще с двумя адвокатами. Затем поспешила в отель на встречу с адвокатом по делу, касающемуся лицензионного соглашения для Кармен. Некая парфюмерная фирма пожелала выпустить духи и использовать в рекламной кампании имя Кармен, но Аллегра не пришла в восторг от этого предложения. Торговая марка не из самых престижных, и Кармен вовсе не собиралась сидеть целыми днями в каком-нибудь универмаге, продавая парфюмерию. Чем больше Аллегра обдумывала предложение парфюмеров, тем меньше оно ей нравилось. Наконец в половине седьмого, совершенно обессиленная, она ввалилась в свой гостиничный номер.

Снова пошел снег, и улицы превратились в сплошную транспортную пробку. На то, чтобы добраться с Уолл-стрит до отеля, где проходила встреча с адвокатом, у

Аллегры ушел целый час. Перспектива добираться еще куда-то по сплошному месиву из мокрого снега ее просто ужасала. На дорогах творился настоящий кошмар: машины заносило, слышалось непрерывное гудение клаксонов, пешеходы с трудом пробирались по каше из мокрого снега. В Нью-Йорке снег хорош только в Центральном парке, во всех остальных местах от него одни неприятности.

Аллегра просмотрела сообщения, переданные через портье, и факсы, пришедшие на ее имя. Кармен не перезванивала, но зато Элис связалась с полицией, ФБР и фирмой, обеспечивающей охрану дома звезды, и выяснила, что все под контролем, писем с угрозами больше не поступало и новых неприятностей вроде бы тоже не предвидится. В отсутствие Аллегры звонил Брэм, чтобы поинтересоваться ее мнением об агентах. Пришло также несколько факсов из офиса, но ничего срочного. Пока Аллегра просматривала сообщения, зазвонил телефон.

— Стейнберг, — машинально ответила Аллегра, сняв трубку. На другом конце провода отреагировали мгновенно.

— Гамильтон, — услышала Аллегра знакомый голос. — Как прошел день? Полагаю, насыщенно?

— Да, дел было довольно много, но большую часть времени я потратила в транспортной пробке.

— Вы до сих пор работаете?

Джефф не хотел ей мешать, но ему хотелось услышать звук ее голоса, даже если она занята. Он весь день ждал часа, когда наконец можно будет позвонить.

Аллегра улыбнулась, думая, что почему-то когда сидишь в номере отеля, его низкий бархатный голос кажется особенно сексуальным.

— Да нет, не особенно, я просто просматривала сообщения и факсы. Ничего срочного нет. А как прошел день у вас?

— Неплохо. Вейсман успешно провел переговоры по поводу нового контракта.

— Это какого — на новую книгу или на фильм? У вас так много проектов, что я уже в них запуталась.

Джефф рассмеялся:

— Кто бы говорил! Контракта на издание третьей книги. Переговоры о фильме я предоставлю вести вам. Между прочим, я рассказал об этом Вейсману, идея ему страшно понравилась. Он и сам бы предложил мне это, но думал, что я больше не захочу иметь дело с кино. И он не ошибся, **119** но, кажется, я рискну предпринять еще одну попытку в Голливуде. А вас он назвал классным адвокатом и посоветовал сначала самому решить, буду ли я заниматься этим делом всерьез, и не тратить понапрасну ваше время. Говорит, вы человек очень занятой и у вас масса о-очень важных клиентов.

Джефф так точно скопировал интонации Андреаса, что оба рассмеялись.

— Я просто потрясена, — сказала Аллегра, ей было немного смешно слышать такие отзывы.

— Я тоже, мисс Стейнберг. Так как насчет обеда? После всех важных дел, которые вы успели закончить за сегодняшний день, у вас еще остались силы поесть?

— На самом деле сегодня я ничего такого важного не сделала. Днем поговорила с несколькими адвокатами и рекламными агентами певца, моего клиента, а вечером отказала парфюмерной фирме, которая хотела использовать имя Кармен.

— Что ж, по крайней мере это интересно. И какого вы мнения об агентах? Небось не слишком высокого?

— Ну нет, они мне понравились, толковые ребята. Запланировали для Брэма потрясающее турне. Если он осилит его — я имею в виду физически, — думаю, нужно соглашаться.

Джеффу нравилось слушать, как она рассказывает, ему нравились ее идеи, нравился сам голос, были близки ее интересы. Он весь день о ней думал — как ни старался, не мог выкинуть ее из головы. Ему нравилось в ней абсолютно все. Это какое-то безумие, он знает ее меньше суток, но почему-то не способен думать ни о ком и ни о чем, кроме нее. Аллегра тоже не могла не признаться, что на протяжении всего дня, занимаясь делами и проводя встречи, она нет-нет да и вспоминала Джеффа, и эти воспоминания всякий раз вызывали у нее улыбку.

— Должна сказать, мистер Гамильтон, вы очень плохо влияете на мою работу. Мои нью-йоркские партнеры, наверное, приняли меня за наркоманку с запада: я все время вспоминала наши ночные разговоры, то и дело пропуская мимо ушей слова собеседника. Это никуда не годится.

— Вы, наверное, правы, но ведь это приятные воспоминания, правда?

Джеффу хотелось спросить, звонил ли Брэндон, но он удержался. Вместо этого он поинтересовался, есть ли у нее с собой теплая одежда — какие-нибудь брюки, шерстяная шапка, варежки.

— Это еще зачем?

Аллегра не понимала, с какой стати он об этом спрашивает — разве что просто проявляет заботу. Но у Джеффа, по-видимому, было на уме что-то конкретное. В действительности он вынашивал свой план весь день и очень надеялся, что у Аллегры найдется подходящая одежда.

— У меня есть шерстяные брюки, я как раз в них сегодня ходила, шапку я тоже привезла, но она ужасно уродливая.

— А варежки?

— Варежки я не надевала лет двадцать.

Она забыла взять даже перчатки, и всякий раз, когда приходилось выходить на улицу, у нее мерзли руки.

— Ничего, я прихвачу для вас мамины варежки. Что вы скажете, если я предложу вам нечто нетрадиционное? Или вы предпочитаете изысканные светские развлечения?

Джефф осмеливался предполагать, что она по-прежнему не прочь с ним встретиться, и был прав. Аллегра ждала этой встречи весь день, не переставая уговаривать себя, что не совершает ничего предосудительного и не изменяет Брэндону.

— Не надо мне ничего изысканного, — тихо сказала Аллегра. Светских мероприятий ей и без того хватало, ей часто приходилось бывать с клиентами на званых обедах, церемониях вручения всяческих премий, наверное, поэтому она любила развлечения попроще. Заинтересованно и одновременно с некоторой тревогой она спросила: — Что вы задумали?

— Скоро узнаете. Одевайтесь потеплее, надевайте брюки, сапоги и эту вашу уродливую теплую шапку, встретимся через полчаса в вестибюле отеля.

— Это опасно? А вы, случайно, не собираетесь увезти меня куда-нибудь в Вермонт или Коннектикут? — Она почувствовала себя школьницей, затевающей на пару с одноклассником какое-то озорство.

Джефф усмехнулся, идея явно пришлась ему по вкусу.

— Нет, хотя, признаться, я бы с удовольствием куда-нибудь вас увез, просто не знал, что такой вариант возможен.

— Невозможен. На завтра у меня назначено здесь несколько встреч.

— Я так и думал. Не волнуйтесь, ничего страшного я не затеваю, просто небольшое развлечение в нью-йоркском стиле. Итак, встречаемся через полчаса, — закончил разговор Джефф, не желая задерживать ее у телефона.

121

Повесив трубку, Аллегра дочитала оставшиеся факсы, и у нее еще осталось время. Она даже подумывала, не позвонить ли Брэндону, чтобы покончить с этим сразу, но потом решила, что он еще не вернулся домой, а может, даже не пришел с заседания к себе в офис. В Калифорнии сейчас не было и половины пятого. Странно, что у нее вообще возникла такая мысль — «чтобы покончить с этим». Как будто позвонить Брэндону — какая-то неприятная необходимость, нечто вроде приема горького лекарства. Аллегра испытывала слабые угрызения совести из-за Джеффа, хотя и понимала, что ей не в чем себя винить, они с Джеффом не сделали ничего предосудительного — и не собираются.

В вестибюль Аллегра спустилась как раз вовремя. На ней были брюки, теплое пальто и старая вязаная спортивная шапочка ярко-красного цвета. Сквозь стеклянные вращающиеся двери было видно, что на улице все еще идет снег. Постояльцы, входя в вестибюль, топали ногами, отряхивая снег, снимали шапки, стряхивали снег с волос. Со стороны это выглядело довольно комично. Сквозь стеклянные двери Аллегра увидела, как к отелю подъехал закрытый двухколесный экипаж, напоминающий старинную английскую карету с застекленными дверцами. На заснеженной улице карета выглядела удивительно уютно. На козлах сидел настоящий кучер в высоком цилиндре. Карета остановилась у входа, возница спустился с козел, швейцар отеля помог ему придержать лошадей. Из кареты кто-то вышел и быстро прошел к отелю. И вдруг Аллегра увидела, что это Джефф. Он был в теплой парке и лыжной шапочке, весьма напоминающей ее собственную. Глаза блестели, щеки порозовели с мороза.

— Карета подана. — Джефф улыбнулся и протянул Аллегре белые пушистые варежки. — Наденьте, на улице холодно.

— Фантастика! — восхищенно выдохнула Аллегра.

Джефф помог ей сесть в карету, сам сел рядом, закрыл дверцу и заботливо прикрыл ей ноги меховой полостью. Кучер уже получил указания, куда ехать.

— Просто не верится. — Растроганная Аллегра радостно улыбалась. Джефф обнял ее за плечи, и она придвинулась к нему под теплой полостью, чувствуя себя как девушка на первом свидании.

— Я принял ваше предложение, и мы едем в Вермонт. К следующему вторнику доберемся. Надеюсь, это не нарушит ваши планы?

— Нисколько.

Сейчас, когда Аллегра сидела рядом с ним в коляске, ей казалось, что она готова на любое его предложение.

Коляска медленно тронулась. Аллегра надела варежки — они оказались теплыми, уютными и как раз ей впору. Она посмотрела на Джеффа, и их взгляды встретились. «Какой же он все-таки милый», — подумала она.

— Спасибо, Джефф, вы меня балуете.

Джефф смущенно отмахнулся:

— Ерунда. Раз уж выпал снег, нужно придумать что-нибудь особенное.

Появление на дороге конного экипажа внесло еще большую сумятицу в движение, и без того нарушенное из-за снегопада. Но в конце концов им все-таки удалось доехать до южной оконечности Центрального парка. Проехав еще несколько кварталов на север, кучер остановил экипаж возле катка Вулмана.

— Где мы? — спросила Аллегра, с некоторой тревогой всматриваясь в темноту за окном. Но в такой холод и пургу в парке, наверное, не было даже уличных грабителей.

Кучер открыл дверцу и помог им выйти из кареты. Джефф посмотрел на Аллегру с довольным видом.

— На коньках кататься умеете?

— Более или менее. Последний раз каталась в университете, да и тогда мне было далеко до Пегги Флеминг.

— Не хотите попробовать еще раз?

Неожиданное предложение сначала рассмешило Аллегру, но идея показалась заманчивой, и она кивнула:

— С удовольствием.

Держась за руки, они побежали к кассе. Кучер остался ждать, Джефф заплатил за аренду кареты до полуночи. Он взял напрокат две пары коньков, помог Аллегре переобуться, потом они взялись за руки и вышли на лед. Поначалу Аллегра передвигалась по льду с опаской, но довольно быстро вспомнила старые навыки и почувствовала себя увереннее. Джефф, как оказалось, прекрасно катался на коньках, в Гарварде он был членом хоккейной команды. Чтобы разогреться, он быстро пробежал один круг, вернулся к Аллегре и больше уже не отходил от нее. Вскоре Аллегра тоже стала довольно сносно кататься. Снег все падал и падал, и, кроме них, на катке почти никого не было, но Аллегра и Джефф от души веселились, смеясь и подшучивая друг над другом, как старые приятели. Несколько раз они прерывались, чтобы подкрепиться хот-догами и горячим шоколадом. Аллегра чувствовала себя с Джеффом так же легко и непринужденно, как с Аланом, даже еще лучше.

— Уж и не помню, когда я в последний раз так веселилась, — сказала она, когда они присели отдохнуть, потому что у нее устали ноги.

— В Лос-Анджелесе я иногда хожу покататься, но в Калифорнии катки никудышные, — рассказывал Джефф. — В прошлом году ездил на озеро Тахо, на лыжах покатался неплохо, а каток там слишком маленький. Катание на коньках явно не самый любимый вид спорта на западе, а жаль, я его очень люблю.

— Я тоже. — Аллегра с удовольствием посмотрела на Джеффа. Высокий, спортивный, мужественный, со смеющимися глазами, он выглядел, как бы выразилась ее младшая сестра, «обалденно». — Только я так давно не каталась, что уже забыла, как это здорово. Спасибо, что привезли меня на каток, — закончила она благодарно.

Немного погодя Джефф взял ей чашку горячего кофе и кренделек, посыпанный солью. Было не так уж холодно, ветер почти стих, но снег по-прежнему валил беспрестанно.

— Если снег не прекратится, завтра по городу вообще не проедешь. Может быть, все ваши завтрашние встречи придется отменить, — сказал Джефф с надеждой.

Аллегра рассмеялась. На завтра у нее была назначена вторая встреча с Джейсоном Хэйвертоном, и она рассказала Джеффу о писателе:

— Он мне понравился. Могу представить, что в юности он имел репутацию сердцееда, но сейчас он очень милый, интересный собеседник и сохранил остроту ума. — Хэйвертон действительно ей понравился, и она была рада встретиться с ним снова. — Мне кажется, здесь жизнь куда более цивилизованная, чем в Калифорнии. Там тоже есть литературные круги, благородные леди и джентльмены, образованная публика, которая всегда ведет себя прилично и чтит традиции, но такое впечатление, как будто все еще не до конца обработано. Пока живешь в Калифорнии, это забывается, но потом приезжаешь в Нью-Йорк и снова вспоминаешь. В Калифорнии такой человек, как Джейсон Хэйвертон, просто не мог бы существовать. За ним бы гонялись папарацци, желтая пресса печатала бы про него всякие небылицы, например, что у него роман с медсестрой из дома престарелых, он получал бы письма с угрозами...

— А знаете, Аллегра, для старика это, может, было бы и неплохо — все какое-то оживление в жизни. Глядишь, ему бы еще понравилось.

— Джефф, я серьезно!

Они снова стали кататься. Под предлогом, что Аллегра может упасть, Джефф крепко прижимал ее к себе, и Аллегре это было приятно.

— Лос-Анджелес — это совсем другой мир.

Джефф посерьезнел.

— Я знаю. Наверное, некоторым из ваших клиентов приходится туго. Представляю, каково это, когда падкие до сенсаций газетчики следят за каждым твоим шагом, не дают покоя всей семье, да еще всякие психи пишут тебе угрожающие письма.

— Что ж, рано или поздно это случается с любым, кто разбогател и считается знаменитостью. Можно сказать, это происходит автоматически. Человек делает деньги, приобретает известность, и тут же находится какой-нибудь маньяк, который хочет его убить. Это мерзко. Как на Диком Западе. Пиф-паф, и все кончено. А папарацци — они ничуть не лучше. Газетчики готовы на любую ложь, если она поможет им увеличить тиражи, а кто при этом пострадает, им наплевать.

— Но имея дело со знаменитостями, вам, наверное, приходится сталкиваться с этой грязью постоянно. Вы можете как-то защитить своих клиентов?

— Трудно сказать. Родители еще много лет назад научили меня, что не нужно привлекать к себе внимания, жить пристойно и стараться не реагировать на всю эту мышиную возню. Но газетчики достанут кого угодно. Помню, когда я и мои брат с сестрой были детьми, они все пытались нас сфотографировать, но отец в этих вопросах непреклонен, своих детей он был готов защищать прямо как лев. Если возникала необходимость, он добивался от полиции официального запрета на съемки. Но сейчас все изменилось, и не в лучшую сторону. Полиция вмешивается в дело только после того, как тебя пару раз попытаются убить. Как раз перед моим отъездом Кармен получила письмо с угрозами; к счастью, я успела побывать в полиции и ФБР и, кажется, теперь все под контролем. Бедняжка перепугалась до смерти. Случается, она звонит мне в четыре часа утра только потому, что услышала какой-то шум.

— Вам нужно спать побольше, — посоветовал Джефф с напускной серьезностью, и Аллегра рассмеялась.

Она не стала уточнять, что Брэндона неимоверно раздражает, когда ей звонят по ночам и вообще, как он говорит, постоянно вторгаются в ее личную жизнь. Аллегра не хотела жаловаться Джеффу на Брэндона и тем самым понапрасну поощрять Джеффа, давая ему понять, что несчастлива с Брэндоном. Несмотря ни на что, они с Брэндоном очень близки. Пройдет несколько дней, она возвратится домой, Джефф вернется в Лос-Анджелес, и они уже не смогут встречаться по вечерам, как сегодня. Может, иногда им удастся встретиться в обеденный перерыв... Аллегра уже думала об этом, и не раз. Можно было бы познакомить Джеффа с Аланом, даже представить родителям. Блэр он обязательно понравится, а с Саймоном они уже знакомы. Как странно: она думает о нем так, словно везет его домой знакомиться с родителями.

— О чем задумались? — спросил Джефф, заглядывая ей в глаза. Аллегра хмурилась, и на лицо ее словно набежала тень.

Она ответила не сразу:

— Я думала, было бы неплохо познакомить вас с моей семьей, и мне показалось это странным. Я пыталась оправдаться перед самой собой.

— А в этом есть необходимость, Аллегра? — мягко спросил он.

— Не знаю, — честно призналась она. — А как по-вашему?

Джефф не ответил. Они уже несколько минут стояли в глубине катка, прислонившись к перилам ограждения. На их лица падал снег. Стоя рядом с Аллегрой, Джефф, ни слова не говоря, вдруг просто пододвинулся ближе и поцеловал ее. В первый момент Аллегра опешила, но не отпрянула, а, наоборот, ухватилась за его плечи, чтобы не упасть. А потом она поцеловала его в ответ, и он стал все крепче прижимать ее к себе. Когда они наконец оторвались друг от друга, оба с трудом переводили дыхание.

— Ох, Джефф... — тихо прошептала Аллегра, ошеломленная тем, что они сделали. Она снова почувствовала себя нашалившей школьницей и одновременно очень остро ощутила себя женщиной.

— Аллегра, — тихо выдохнул Джефф. Он снова привлек ее к себе, и Аллегра не сопротивлялась.

Наконец они перестали целоваться и снова стали кататься на коньках. Несколько минут никто из них не произносил ни слова. Джефф нарушил молчание первым. Посмотрев на Аллегру, он серьезно сказал:

— Не знаю, может, мне полагается извиниться, но, честно говоря, совсем не хочется.

— Не за что вам извиняться, — пробормотала Аллегра, — я сама вас целовала.

Он посмотрел ей прямо в глаза:

— Вы чувствуете себя виноватой перед Брэндоном?

Ему было важно знать, что она чувствует. Ему нравилось в ней все: ее мысли, ее правила, ее мечты, не говоря уже о красоте, более того, он чувствовал, что все больше в нее влюбляется. Ему хотелось быть с ней, обнимать, целовать, заниматься с ней любовью — и к черту этого Брэндона.

— Не знаю. — Аллегра не стала кривить душой. — Я не уверена в своих чувствах. Наверное, я должна испытывать угрызения совести, ведь мы с ним встречаемся два года, я хочу выйти за него замуж... Но он такой неподатливый, Джефф, он дает только то, что пожелает, ровно столько, сколько сам считает нужным, и ни на йоту больше.

— Господи, Аллегра, почему вы хотите выйти замуж за такого субъекта? — В вопросе Джеффа слышалось раздражение. Они снова перестали кататься и остановились. Каток скоро закрывался, и редкие посетители уже начали расходиться.

— Сама не знаю почему, — ответила Аллегра почти жалобно. Она много раз пыталась ответить на этот вопрос друзьям и родным, пыталась как-то оправдать свое желание даже перед самой собой. — Может, потому, что мы так долго встречаемся, а может, потому, что мне кажется, будто я ему нужна. По-моему, я ему очень подхожу. Ему нужно научиться отдавать, внутренне раскрепоститься, не бояться любить и принимать на себя обязательства...

Глаза Аллегры наполнились слезами. Сейчас, когда она познакомилась с Джеффом, познала его душевную щедрость, все это звучало ужасно глупо.

— А если он ничему этому не научится, что ждет вас? Что за семейная жизнь у вас с ним будет? Вероятно, такая же безрадостная, как у него была с первой женой. Может, ему не нравится, что вы пытаетесь заставить его дать то, чего у него даже и нет. У меня сложилось впечатление, что в

127

первом браке его раздражало именно это, тем не менее он до сих пор не развелся. Сколько еще протянется эта неопределенность? Еще два года? Пять лет? Десять? Можно подумать, вы сами себя за что-то наказываете. Вы хоть понимаете, что заслуживаете лучшего?

То же самое Аллегре твердила мать, только голос Джеффа звучал более убедительно.

— А что, если вы при более близком знакомстве окажетесь таким же, как он? — грустно спросила Аллегра. Она произнесла вслух то, чего больше всего боялась, облекла в слова свой самый страшный кошмар. Так уж выходило, что в конце концов все мужчины оказывались похожими на Брэндона, но ведь она сама их выбирала.

— А как вам сейчас кажется, я на него похож?

Аллегра рассмеялась сквозь слезы:

— Нет, скорее вы похожи на моего отца.

— Я воспринимаю это как большой комплимент, — искренне сказал Джефф.

— Наверное, так и было задумано. А еще вы немного напоминаете мне брата и в чем-то — Алана.

Аллегра мечтательно улыбнулась. Гораздо приятнее думать обо всех хороших мужчинах, которые были в ее жизни, а не о тех, кто вроде Брэндона и его предшественников закоснел в своей неспособности давать что-то в ответ.

— А вы никогда не пытались обсудить свои проблемы с кем-то еще?

Аллегра улыбнулась его наивности.

— А как же! Психотерапия — любимый вид спорта на западе. Я играю в эти игры уже четыре года. — Посерьезнев, она буднично сказала: — Каждый вторник встречаюсь с психоаналитиком.

— И что он или она говорит по поводу ваших отношений с Брэндоном? Или вы предпочитаете это не обсуждать? — неуверенно спросил Джефф.

Он все еще не мог понять, почему Аллегра держится за человека, который дает ей так мало. Кажется, она и сама этого не понимает, но при этом заступается за Брэндона — похоже, она уже привыкла его оправдывать, значит, Джефф не первый обратил внимание на недостатки Брэндона, другие уже говорили ей то же самое.

— Да нет, я привыкла обсуждать наши беседы. — Они решили сделать еще один круг на коньках. — Доктор Грин считает, что это застарелая проблема, и она права. Я действительно раз за разом выбираю мужчин, неспособных меня полюбить и вообще неспособных на любовь. Но по-моему, Брэндон лучше своих предшественников.

Джефф не был знаком с предшественниками, но о Брэндоне у него сложилось весьма нелестное мнение.

— По крайней мере Брэндон пытается измениться, — продолжала Аллегра.

— С чего вы взяли? — с досадой пробурчал Джефф. — Что он для вас делает?

Но Аллегра не желала сдаваться:

— Он меня любит. Может, он слишком зажатый и сдержанный в чувствах, но внутри, под этой скорлупой, он другой — если мне действительно понадобится помощь, он в нужный момент окажется рядом. — Аллегра не раз уверяла в этом себя и других, но Брэндон пока ничем не подкрепил ее веру.

— Вы в этом уверены, Аллегра? — с нескрываемым сомнением спросил Джефф. — Подумайте хорошенько. Когда в последний раз он пришел вам на помощь в трудную минуту? Мы с вами знакомы совсем недолго, но даже я уже чувствую, что когда-нибудь он подложит вам здоровенную свинью. Ведь этот фрукт даже не развелся с женой. Для чего он ее приберегает?

Увидев, что Аллегра готова расплакаться, Джефф тут же оставил язвительный тон и поспешил закончить этот неприятный разговор.

— Прошу прощения, — сказал он примирительно. — Наверное, я просто ревную. У меня нет права говорить все эти вещи, просто мне кажется, что это несправедливо. Так трудно встретить человека, который тебе по-настоящему нравится, и вдруг я встречаю вас. И что же? Оказывается, что на вас висит этот Брэндон — как связка консервных банок на хвосте у кота. Естественно, мне хочется от него избавиться, это бы сильно упростило ситуацию.

Аллегра невольно рассмеялась над остроумным сравнением.

— Я вас понимаю. — Его слова задели ее за живое, но она не собиралась в этом признаваться. Они с Брэндоном вместе уже два года, не порывать же с ним только потому, что он не пошел с ней на вручение «Золотого глобуса», или потому, что не сказал ей по телефону «я тебя люблю», или потому, что вдруг предпочитает возвращаться к себе домой, или потому, что в Нью-Йорке она познакомилась с красивым и привлекательным писателем... Ни одна женщина не порывает с прошлым только потому, что некий обаятельный едва знакомый мужчина пригласил ее на каток. Но Аллегра не могла отрицать, что Джефф ее очень привлекает. Более того, он сразил ее наповал, но при чем здесь Брэндон?

Они снова встали на лед и катались, взявшись за руки, до тех пор, пока каток не закрылся, потом сдали коньки и пошли к дожидавшемуся их экипажу. Все это время Аллегра молчала. Джефф очень жалел, что не сдержался и дал волю чувствам. Он пригласил Аллегру на чашечку кофе в квартиру своей матери, но она отказалась, сказав, что пора возвращаться в отель.

— Обещаю вести себя прилично. Простите, Аллегра, напрасно я наговорил вам всякой всячины про Брэндона, надо было мне помалкивать.

— Я польщена. — Она улыбнулась. — А нельзя ли перенести приглашение на другой раз? К сожалению, мне завтра рано вставать.

На том и порешили. Аллегра откинулась на спинку сиденья, прислонившись к Джеффу. А он сидел и думал, как было бы хорошо просыпаться по утрам рядом с ней. Но вслух ничего не сказал. Экипаж повез их обратно, за окнами по-прежнему кружился снег, а они сидели, прижавшись друг к другу, и слушали приглушенный стук копыт по заснеженной дороге.

— Хорошо, правда? — тихо спросил Джефф.

Аллегра кивнула и улыбнулась:

— Спасибо за прекрасный вечер, Джефф. Мы так славно покатались. — Это было куда лучше обеда в самом модном ресторане. Аллегра наслаждалась каждой минутой, проведенной с Джеффом, даже когда он спорил с ней из-за Брэндона. Как бы некоторые его вопросы ее ни раздражали, она хорошо понимала, чем они вызваны. И сейчас все мысли Аллегры были только о Джеффе.

— Вы хорошо катаетесь, — похвалил он.

Аллегра непринужденно рассмеялась.

— А целуетесь еще лучше.

— Вы тоже.

Они снова разговорились, и к тому времени, когда экипаж выехал за ворота парка, они шутили, смеялись, им было легко друг с другом. Остановив лошадей перед отелем, кучер открыл дверцу и помог им выйти. Джефф расплатился, добавив щедрые чаевые, кучер поблагодарил и забрался на козлы. Аллегра посмотрела вслед карете, удаляющейся по Парк-авеню.

— Я чувствую себя Золушкой, — тихо сказала она, снимая варежки и протягивая их Джеффу.

Он усмехнулся:

— И что же дальше? Мы оба превратимся в тыквы?

Давно он не чувствовал себя таким счастливым, и все благодаря Аллегре.

— Хорошо вы придумали нанять карету. Это было великолепно.

Снег, карета, катание на коньках — все это походило на волшебную сказку. Аллегра подняла глаза на Джеффа, раздумывая, не поцеловать ли его на прощание. Где-то в глубине шевельнулось желание. Он зашел с ней в отель и проводил до лифта. Дождался, когда двери откроются и, к удивлению Аллегры, вошел вместе с ней в кабину. Но еще больше ее удивило, что у нее даже мысли не возникло возразить. Двери закрылись, и они стали в полном молчании подниматься на четырнадцатый этаж. Джефф проводил ее до дверей номера. Аллегра достала из кармана ключи, посмотрела на Джеффа, но не пригласила его войти. Она испытывала смешанные чувства: если бы все сложилось по-другому, если бы в ее жизни не было Брэндона... но он есть, и не может она забыть два последних года своей жизни ради одной романтической ночи с незнакомцем.

— Здесь я с вами прощаюсь, — тихо сказал Джефф. Его взгляд выдавал такую же внутреннюю борьбу, как та, что шла в ее душе. Джефф не собирался пробивать головой кирпичную стену, но и отпустить Аллегру тоже не мог. Он не верил, что ей действительно нужно то, что у нее есть — или чего нет, — с Брэндоном. Но не желая навязываться, он уже собирался произнести прощальные слова и уйти, как вдруг она сделала маленький шажок к нему. И Джефф не совладал с собой.

Он привлек ее к себе и стал целовать, прижимая так крепко, что она едва могла дышать. С ним она чувствовала себя в безопасности, надежно защищенной, чувствовала себя желанной — сила его желания не вызывала сомнений. Более того, она знала, что если когда-нибудь проведет с Джеффом ночь, он ни за что не уйдет от нее до утра.

Повинуясь безотчетному желанию, Аллегра целовала его снова и снова. Но потом отстранилась и печально покачала головой. В глазах ее стояли слезы.

131

— Джефф, я не могу.

Он кивнул:

— Знаю. Я даже не хотел бы, чтобы это произошло прямо сейчас — боюсь, что утром вы бы меня возненавидели. Давайте на какое-то время оставим все как есть. Пусть у нас будет этакий старомодный роман с объятиями и поцелуями. Мне достаточно просто быть с вами... или быть вашим другом, если это вас устраивает. Я сделаю все, что вы хотите, — сказал он нежно. — Я ни на чем не настаиваю и не хочу загонять вас в угол.

— Честно говоря, я сама толком ничего не знаю. Я совсем запуталась. — Их глаза встретились, и Джефф прочел в ее взгляде настоящую муку. — Мне нужны вы, и он мне нужен, я хочу, чтобы он был таким, каким он никогда не бывает, но мне кажется, способен стать... и не понимаю, почему мне не все равно? Почему я здесь? Что я здесь делаю, почему? У меня такое ощущение, будто я в вас влюбилась. Но настоящее ли все это или просто мимолетный роман? Я вообще не понимаю, что со мной происходит, — окончательно растерялась она.

Джефф посмотрел на нее влюбленными глазами, улыбнулся и снова поцеловал. Она не отстранилась и даже ответила на поцелуй. Ей нравилось целовать его, нравилось, как он ее обнимает, нравилось просто быть с ним рядом, ездить с ним в карете, кататься на коньках.

Оторвавшись друг от друга, оба прислонились к стене у двери ее номера. Аллегра не хотела приглашать Джеффа в номер, потому что тогда дело непременно кончилось бы постелью, причем в ближайшие пять минут, а это было бы хотя и заманчиво, но нечестно по отношению ко всем троим.

— Что будет, когда мы вернемся в Лос-Анджелес? — тихо спросила она и вдруг задумалась, как Джефф воспримет реалии ее повседневной жизни. Вопрос интересный. — Сейчас все выглядит очень романтично, но как изменятся наши отношения, когда нужно будет ходить в супермаркет за продуктами, когда в четыре часа утра позвонит Кармен, потому что ее разбудила собака, опрокинувшая мусорный бак, или Мэл О'Донован, которого арестовали за вождение автомобиля в нетрезвом виде, и мне нужно будет срочно вытаскивать его из полицейского участка?

— Я поеду с вами. А иначе зачем нужны друзья? Это жизнь, не вижу во всем этом ничего ужасного или особенно обременительного. По мне, так это даже забавно. По-

132

жалуй, я смогу почерпнуть из жизни ваших клиентов кое-какие идеи для своих будущих романов.

— Я серьезно. Иметь дело с моими клиентами — все равно что возиться с полудюжиной невоспитанных подростков.

— Думаю, я это выдержу. Неужели я произвожу впечатление такого хрупкого, изнеженного существа? Я привык считать себя довольно гибким. Будем считать, что это тренировка, когда-нибудь у нас появятся дети, которые станут вытворять то же самое — или, будем надеяться, не станут, если мы правильно их воспитаем.

Аллегра была поражена и почувствовала себя какой-то недотепой, но вместе с тем слова Джеффа были ей приятны.

— Что вы такое говорите?

— Я говорю, что хочу встречаться с вами, проводить с вами время, а там посмотрим, что из этого выйдет. Со мной происходит то же самое, что и с вами. Я начинаю в вас влюбляться. Не знаю, как это случилось и что из этого получится, но не хочу терять то, что возникло между нами, или отдавать вас парню, который явно вас не заслуживает и, по-моему, не ценит.

Он бережно убрал с ее лба упавшую прядь волос и посмотрел ей в глаза — в глаза, которые он знал всего пару дней, но которые уже смотрели на него с безграничным доверием.

— Но меньше всего мне хотелось бы, чтобы вы разрывались на части и страдали. Не решайте ничего прямо сейчас, все образуется само собой. Подождем до Лос-Анджелеса.

Доводы Джеффа звучали вполне разумно, и Аллегра невольно кивнула. Но потом вдруг встрепенулась и посмотрела на него почти с ужасом.

— А если я решу, что мы больше не сможем видеться? — спросила она.

Не могут же они вечно целоваться по углам — Брэндону это определенно не понравится.

— Надеюсь, вы так не решите, — ответил Джефф спокойно.

— Просто не знаю, как быть.

Аллегра чувствовала себя заблудившимся ребенком. Джефф улыбнулся, взял у нее ключи и открыл дверь.

— У меня есть на этот счет кое-какие предложения, но вряд ли они сейчас подойдут. — Он еще раз поцеловал ее в губы, сунул ей в руки ключи и, даже не переступая порог номера, легонько подтолкнул ее внутрь. — Какие планы на завтра?

133

— Завтра я снова встречаюсь с Хэйвертоном и агентами Брэма, потом у меня назначено несколько встреч в пригородах.

Аллегра вспомнила, что договорилась вечером пообедать с одним адвокатом, который никак не мог встретиться с ней в другое время. День предстоит долгий, и вряд ли она успеет встретиться с Джеффом.

— Боюсь, я освобожусь часов в девять, а то и позже.

— Значит, я позвоню после девяти.

Он в последний раз поцеловал ее и направился по коридору к лифту. Аллегра закрыла дверь номера, чувствуя непривычное умиротворение. Некоторое время она еще раздумывала, не позвонить ли Брэндону, но потом поняла, что не сможет. Было бы нечестно звонить ему сейчас, притворяясь, что она просидела весь вечер в номере, думая о нем. Аллегра понимала, что ей следует прекратить встречаться с Джеффом или по крайней мере целоваться, но об этом даже подумать было страшно. Может, нужно относиться к тому, что происходит, как к легкому увлечению — подумаешь, несколько объятий и поцелуев? Как только она вернется в Калифорнию, все снова станет на свои места. Когда примерно через час в номере зазвонил телефон, Аллегра все еще пыталась убедить себя в этом. От неожиданности она вздрогнула. Неужели Брэндон? Он не звонил днем, и когда она вернулась с катка, портье не передал ни одной записки. Снимая трубку, Аллегра внезапно почувствовала угрызения совести.

— Алло?

В эту минуту она чувствовала себя чуть ли не преступницей.

Джефф расхохотался.

— Аллегра, никогда не играйте в покер! Голос выдает вас с головой. Кстати, сейчас он звучит ужасно.

— Вы правы, Джефф. Меня совесть замучила.

— Я так и думал. Послушайте, вы не сделали ничего плохого, урон незначительный, ничего непоправимого не случилось. Вы не обманули его доверия. Если вам от этого станет легче, мы можем сделать перерыв. — Джефф сам это предложил, но кто бы знал, чего ему стоила эта жертва! Ему хотелось видеться с ней как можно чаще.

— Наверное, вы правы. То есть я имею в виду, нам нужно сделать перерыв, — проговорила она несчастным голосом. — Я просто не могу так.

— Вы очень честная женщина. И это прискорбно, — пошутил Джефф. Но в действительности ему было не до смеха. Мысль о том, что они не увидятся, была для него невыносима.

— Завтра мы не сможем встретиться. — Голос Аллегры вдруг обрел твердость, а Джеффу казалось, что его сердце сжали железные тиски.

— Понимаю. Если передумаете, позвоните. — Он уже дал Аллегре все свои телефонные номера. — Надеюсь, все будет хорошо. — Он едва ее знал, но искренне беспокоился за нее.

— Со мной все в порядке, мне просто нужно обрести равновесие. Последние два дня были просто сумасшедшими.

— Но прекрасными, — добавил Джефф.

Он мечтал снова прижаться к ее губам, но боялся, что этого больше не будет. Он позвонил пожелать спокойной ночи, а вместо этого неожиданно для себя предоставил Аллегре возможность сбежать от него.

— Да, последние два дня были чудесными, — мечтательно вздохнула Аллегра, вспоминая каток, закрытый экипаж и поцелуи под снегом.

Джефф выбил ее из колеи, а сейчас ей нужно сосредоточиться на реальной жизни и думать, как она вернется к Брэндону.

— Я вам позвоню. — Аллегра чуть не поперхнулась собственными словами. Опять она думает не о Брэндоне, а о Джеффе! — Спокойной ночи, Джефф.

— Спокойной ночи.

Джефф так и не сказал ей, зачем звонил. А позвонил он только для того, чтобы сказать, что любит ее.

Глава 7

Среда показалась Аллегре бесконечной. Она побывала в нескольких фирмах и в центре города, и в пригородах, на позднем деловом ленче, а потом еще был этот обед со страшно занятым адвокатом, консультантом по налогообложению, который выполнял поручение одного из ее клиентов. Наконец последняя встреча закончилась. Выйдя из ресторана, Аллегра решила пройтись по Мэдисон-авеню, подышать **135** свежим воздухом. Мысли ее снова вернулись к Джеффу · наверное, в тысячный раз за день.

Хотя это стоило ей неимоверного напряжения, Аллегра всетаки удержалась и не позвонила Джеффу. Она просто не могла себе этого позволить — чувства были все еще слишком свежи. Между ними зародилось нечто, обладающее огромной силой. Она боялась играть с огнем, охватившим их обоих.

Идя по улице, Аллегра рассеянно скользила взглядом по витринам. И вдруг она увидела Джеффа. Он смотрел на нее с обложки книги, выставленной в витрине книжного магазина. Аллегра остановилась, всмотрелась в лицо на обложке, в глаза, которые говорили ей так много, и ноги сами понесли ее в магазин. Она вошла и не раздумывая купила книгу.

Вернувшись в отель, Аллегра села за стол, положила книгу перед собой и долго-долго смотрела на фотографию, потом вздохнула и убрала книгу в чемодан.

Утром, еще до того как отправиться на первую встречу, Аллегра долго разговаривала по телефону сначала с Брэмом Моррисоном, потом с Мэлом О'Донованом. Когда она вернулась и справилась у портье, оказалось, что за весь день ей никто не звонил, в том числе и Брэндон. Однако в номере ее ждала целая стопка факсов. Кармен передала через Элис ничего не объясняющую фразу, что у нее все хорошо, у всех остальных, кажется, тоже ничего экстренного не случилось. Только у Брэма Моррисона снова неприятности — его сын стал получать какие-то странные угрозы. Неизвестный угрожал по телефону, трубку сняла экономка Брэма, испанка по национальности, она мало что поняла из слов звонившего, но ничего хорошего этот звонок не предвещал. Брэм лично обратился в полицию и приставил к обоим своим детям по телохранителю. Как Аллегра и говорила Джеффу, забот у нее всегда хватало — контракты, угрозы, гастроли, получение лицензий и снова контракты, бесчисленные контракты.

Но в этот вечер и работа не принесла Аллегре успокоения, сосредоточиться не удавалось, она была способна думать только о Джеффе. Наконец в десять часов он позвонил.

— Как прошел день?

Джефф старался говорить ровным голосом, но он страшно нервничал, так что взмокли ладони. Слышать голос Аллегры и знать, что он не может с ней встретиться, само по себе было мукой.

— Хорошо. — Аллегра в двух словах рассказала о предстоящем турне Брэма и об угрозах его сыну.

— По этим подонкам, которые угрожают детям, тюрьма плачет, — сказал Джефф.

Затем он поинтересовался остальными ее делами. Аллегра посмотрела на чемодан и скорбно призналась:

— Я купила вашу книгу.

— Правда? — Джефф был польщен. Приятно было узнать, что она о нем думала. — Интересно, почему вы ее купили?

— Мне захотелось иметь вашу фотографию. — Это прозвучало так похоже на признание школьницы, коллекционирующей фотографии кумиров, что Джефф рассмеялся.

— Если хотите, я могу прийти и предстать перед вами живьем, — обрадованно предложил он. На этот раз засмеялась Аллегра.

— Думаю, не стоит.

Они помолчали, и наконец Джефф спросил:

— Как поживает Брэндон?

Он ненавидел даже само имя этого человека, но любопытство победило, уж очень ему хотелось знать, звонила ли ему Аллегра.

— Я ему недавно звонила, но не застала. Наверное, он занят на судебном заседании.

— А как насчет нас, Аллегра? — мягко спросил Джефф. С самого утра он не мог сосредоточиться ни на чем, все время думал о ней.

— Думаю, нам лучше на время взять тайм-аут, пока мы не научимся держать себя в руках.

Джефф хмыкнул в трубку:

— Давайте лучше сделаем по-другому: я куплю вам складную дубинку, и вы будете давать мне по лбу всякий раз, когда я подойду к вам близко. Заранее предупреждаю, вам часто придется ею пользоваться.

— Я ничуть не лучше вас, — виновато пробормотала Аллегра.

— Эй, не будьте слишком строги к себе! Вы всего лишь человек и делали все как полагается, остановили меня, прогнали и сказали, что больше не хотите меня видеть.

Перечисляя все эти добродетели, Джефф ненавидел каждую из них, но в то же время уважал Аллегру за порядочность и выдержку. Она была полна решимости хранить верность.

— Да, я все это сделала, но только после того, как поцеловала вас, да не один раз, — уточнила Аллегра.

— Послушайте, прокурор, в этой стране закон не запрещает целоваться. Мы же с вами не в викторианской Англии, вы безупречны и можете собой гордиться.

В действительности Джефф предпочел бы, чтобы она не так ревностно хранила преданность Брэндону.

— А я собой недовольна, чувствую себя несчастной, и мне вас не хватает, — призналась Аллегра.

Оба рассмеялись.

— Рад это слышать, — весело откликнулся Джефф. — Если, конечно, это что-то меняет. Как насчет того, чтобы встретиться завтра?

— Нет, это ничего не меняет, и завтра я очень занята.

— Этого я и боялся, — отозвался Джефф упавшим голосом. — Когда вы возвращаетесь домой?

— В пятницу.

— Я тоже. Может, мы хоть обратно полетим вместе? Обещаю в полете не вытворять ничего неподобающего.

Аллегра засмеялась, но мысль лететь домой вместе показалась ей не слишком удачной. Зачем мучить себя понапрасну? Ясно же, что они не смогут держаться друг от друга на расстоянии.

— Думаю, не стоит, Джефф. Может, когда-нибудь пообедаем вместе в Лос-Анджелесе.

— Что вы такое говорите, Аллегра, разве для нас этого достаточно? — возмутился Джефф. — По крайней мере давайте будем друзьями. Просто бессмыслица какая-то! Вы же не монашка, а женщина, к тому же вы с этим типом даже не женаты. — Джефф догадывался, что они никогда и не поженятся, но одному Богу известно, где будет он сам к тому времени, когда Аллегра это поймет и освободится от Брэндона. Он верил, что в жизни всему свое время, и решительно не собирался откладывать следующую встречу с Аллегрой до тех неопределенных времен, когда она порвет с Брэндоном. Пожалуй, на это могут уйти годы. — Аллегра, давайте встретимся еще раз до вашего возвращения. Ну пожалуйста. Мне очень нужно вас увидеть.

— Нет, вам не нужно, а хочется, — возразила Аллегра.

— Если вы откажетесь, предупреждаю, что я могу

138 быть весьма навязчивым. Заявлюсь в отель и улягусь

на полу в вестибюле. Или снова приеду в конном экипаже и потащу лошадь через вращающиеся двери. — Ему всегда легко удавалось ее рассмешить и поднять ей настроение. — Глупышка, вы понимаете, что вы с нами делаете? Что происходит?

— Я держу свое слово, стараюсь хранить верность.

— Да тому парню, которому вы храните верность, это слово даже незнакомо, и вы это знаете не хуже меня! Он этого не заслуживает — и я тоже. По крайней мере позвольте мне проводить вас до аэропорта.

— Не надо, — твердо возразила Аллегра. — Я позвоню вам из Лос-Анджелеса.

— И что вы мне скажете? Что не можете со мной встречаться из-за Брэндона?

Аллегра почувствовала, что ей не по силам ответить на этот вопрос.

— Вы обещали, что не будете меня торопить, — напомнила она.

— Я солгал, — невозмутимо ответил Джефф.

— Вы несносны.

— Ладно, идите читайте мою книгу или смотрите на фотографию, я позвоню завтра вечером.

— Меня не будет в номере. — Она вопреки желанию пыталась охладить его пыл.

— Тогда я позвоню позже.

— Почему вы так себя ведете?

— Потому что я вас люблю.

В трубке надолго повисло молчание. Джефф ждал, закрыв глаза. Он уже пожалел, что у него вырвались эти слова.

— Ну хорошо, я вас не люблю. Вы мне очень нравитесь, и я хочу узнать вас поближе. — В трубке послышался тихий мелодичный смех. — Знаете что, мисс Аллегра Стейнберг, вы сводите меня с ума. Интересно, как вы собираетесь представлять мои интересы, если не хотите со мной встречаться?

— Вам же не нужно подписывать контракт со студией прямо сейчас, — напомнила Аллегра.

Джефф притворно возмутился:

— Так раздобудьте мне контракт немедленно! Какой же вы после этого адвокат?

— Сумасшедший, вот какой. Благодаря моему последнему клиенту.

139

— Убирайтесь, возвращайтесь к этому типу, не желаю вас видеть! — Джефф поддержал ее игру. — Кстати, на коньках вы катаетесь так себе, паршиво.

— Да, я знаю, — согласилась Аллегра. Она рассмеялась, но оба как самое большое сокровище хранили в душе воспоминания о вечере, проведенном на катке. Сейчас, когда Аллегра об этом вспомнила, ей не верилось, что они ехали в карете по заснеженному городу только вчера, казалось, она не видела Джеффа целую вечность. Как она вообще выживет в Лос-Анджелесе, если не сможет с ним видеться?

— Я пошутил, вы хорошая спортсменка, — ласково сказал Джефф. — У вас много прекрасных качеств, и, кажется, верность — одна из ваших добродетелей. Мне остается только надеяться, что когда-нибудь я встречу женщину, похожую на вас. До сих пор все женщины в моей жизни очень вольно трактовали понятие верности — кроме меня, оно распространялось в лучшем случае еще человек на десять, а в худшем — на половину взрослого мужского населения небольшого городка. Но имейте в виду, мисс Стейнберг, завтра вечером я все равно позвоню, — вежливо, но решительно предупредил Джефф.

— Спокойной ночи, мистер Гамильтон, — чопорно произнесла Аллегра. — Желаю приятного дня. Поговорим завтра вечером.

Аллегра не могла запретить ему звонить. Ей очень нравилось с ним разговаривать, и она знала, что будет с нетерпением ожидать его следующего звонка, который оказался спасительным, потому что следующий день выдался ужасным. Все началось с дождя, который полил с утра. Поймать такси было просто невозможно; когда Аллегра после нескольких безуспешных попыток махнула рукой и спустилась в подземку, поезд сломался. Все назначенные на день встречи либо начинались с задержкой, либо срывались. К шести часам, когда Аллегра добралась до отеля, чтобы переодеться, она чувствовала себя как выжатый лимон. С утра позвонил Вейсман и пригласил ее на обед, который должен был начаться в семь тридцать, и Аллегра согласилась — только для того, чтобы не сидеть вечером одной в номере и не думать о Джеффе. Утром посыльный доставил от Джеффа три красные розы на длинных стеблях. От цветов у нее на душе потеплело, но решимости не убавилось.

Аллегра считала, что после двух лет может пойти ради

Брэндона и не на такую жертву. Ведь Брэндон ей не

изменяет, у него много недостатков, но неверность в их число не входит. Она поражалась самой себе — никогда еще ни к одному мужчине ее не влекло с такой непреодолимой силой.

В пятницу, то есть завтра, она собиралась возвращаться в Лос-Анджелес, но они с Брэндоном не разговаривали по телефону с самого понедельника. Аллегра несколько раз звонила ему, но все никак не могла застать: он был то в суде, то на какой-нибудь встрече. Она оставляла для него сообщения, но он так и не звонил. Невозможность поговорить с Брэндоном выводила Аллегру из равновесия, в конце концов она решила, что это судьба наказывает ее за неверность. Мало того что она несколько раз целовалась с Джеффом, если они встретятся еще раз, у нее не хватит сил сопротивляться. Поэтому от сознания того, что вечером, когда Джефф позвонит, ее не будет в отеле, она испытывала не только грусть, но и некоторое облегчение.

Готовясь к вечеру, Аллегра надела красное шерстяное платье, волосы распустила по плечам. Перед визитом к Вейсманам она еще раз попыталась позвонить Брэндону, но ей снова сказали, что он на совещании. Попросив передать, кто звонил, она повесила трубку, надела пальто и спустилась вниз.

Аллегра попросила швейцара поймать для нее такси, но это заняло у него около получаса. В результате она прибыла на обед с опозданием, но, к счастью, большинство гостей тоже опоздали, и по той же причине. На обеде у Вейсманов ожидалось четырнадцать гостей, Андреас еще утром предупредил Аллегру, что будет Хэйвертон, а также еще два-три писателя.

Первой, с кем Аллегру познакомили, была очень красивая молодая женщина. Как оказалось, это была одна из клиенток Вейсмана — начинающая, но уже имевшая громкую славу писательница-феминистка. Затем ее познакомили с диктором программы новостей, корреспондентом «Нью-Йорк таймс», режиссером с телестудии Си-эн-эн и его женой. Одна гостья была Аллегре знакома, точнее, это была знакомая ее матери, актриса с Бродвея. Аллегра сама подошла к ней поздороваться, прежде чем гости сели за стол. Это была очень известная и уважаемая актриса, даже из своего появления в гостиной она сумела устроить небольшой спектакль — не вошла, а величественно проплыла, приковывая к себе всеобщее внимание. Одним словом, публика собралась изысканная.

Когда собрались все гости, кроме одного, дверной звонок зазвонил в последний раз. Аллегра посмотрела **141** на входящего гостя. «Господи, как я могла не догадаться, это же так очевидно!» Но не только Аллегра ни о чем не подозревала, Джефф — а это был он — выглядел еще более удивленным, чем она.

— Это судьба, — тихо сказал он, улыбнувшись одними губами.

Аллегра рассмеялась, испытывая странное облегчение и радость — куда большую, чем готова была признать. Она больше не могла бороться с собой. Аллегра подала Джеффу руку, словно они только что познакомились.

— Вы знали? — тихо, чтобы слышала только Аллегра, спросил Джефф, когда его посадили рядом с ней. На его волосах блестели дождевые капли, он показался Аллегре еще красивее, чем раньше.

— Конечно, нет! — В глазах Аллегры отразились все чувства, которые она пыталась побороть.

Джеффу стоило немалых усилий сдержаться, не привлечь ее к себе и не поцеловать при всех.

— Признавайтесь, вы нарочно это подстроили? — Он поддразнивал Аллегру и наслаждался этим. — Не стесняйтесь, скажите правду.

Аллегра метнула на него уничтожающий взгляд, Джефф засмеялся, наклонился к ней и все-таки поцеловал в щеку, потом пошел налить себе виски с содовой. Вернулся он очень быстро, снова сел рядом с Аллегрой, и некоторое время они чинно беседовали. Затем к ним присоединился Джейсон Хэйвертон. Писатель был доволен заключенной сделкой, сомнения, которые у него были по поводу экранизации одной из его книг, полностью рассеялись — в основном благодаря стараниям Аллегры.

— Мисс Стейнберг — просто чудо! — с восхищением сказал маститый писатель своему молодому собрату по перу, когда Аллегра отошла перемолвиться парой слов с хозяином. — Мало того что она великолепный адвокат, так еще и красавица. — Потягивая джин с тоником, писатель продолжал восторгаться Аллегрой.

С улыбкой послушав его, Джефф сообщил:

— Я только что ее нанял.

— О, она отлично позаботится о ваших интересах, — заверил Хэйвертон.

— Надеюсь, — с чувством произнес Джефф.

142   В это время вернулась Аллегра.

Вечер оказался интересным для всех собравшихся, а для Аллегры это было лучшее завершение ее поездки в Нью-Йорк. Когда гости начали расходиться, Джефф и Аллегра надели пальто одновременно и вместе вышли. Она отказалась от своих попыток удерживать его на расстоянии, и теперь ей казалось самым естественным на свете делом быть с ним рядом. Джефф был очень доволен, что они уходят вместе, он держался гордо и немного покровительственно.

— Не хотите зайти куда-нибудь выпить? — невинно поинтересовался он. — Конечно, если вы мне доверяете. — В его взгляде светились любовь и нежность.

Двери лифта открылись, Аллегра и Джефф зашли в кабину вместе.

— Дело не в вас, вам я всегда доверяю, — улыбнулась она, — дело скорее во мне.

— Думаю, дело в нас обоих. Не хотите ненадолго заглянуть ко мне, точнее, на квартиру моей матери? Это недалеко отсюда, всего в трех кварталах. Обещаю быть пай-мальчиком. А если я начну выходить за рамки, вы в любой момент можете уйти.

Аллегра рассмеялась над его мерами предосторожности.

— Вам не кажется, что это звучит опасно? Но надеюсь, нам обоим удастся совладать с собой, правда?

Однако, положа руку на сердце, ни один из них не был в этом уверен. Джефф раскрыл большой черный зонт, Аллегра взяла его под руку, и они пошли по Пятой авеню к дому, где находилась квартира его матери.

Дул пронизывающий ветер. Когда они входили в дом, порыв ветра буквально швырнул Аллегру на Джеффа. Здание весьма походило на то, в котором жил Вейсман, — на каждом этаже по одной квартире, и в каждом случае лифт останавливается в частном вестибюле. Само здание было невелико, квартиры в нем были поменьше, чем апартаменты Вейсмана, но отличались хорошей планировкой и имели великолепный вид из окон, да и сам дом был красив и очень респектабелен.

На этаже, где находилась квартира матери Джеффа, вестибюль был отделан черным и белым мрамором. В центре стояли небольшой столик и стул — антикварные вещицы, купленные на аукционе «Кристи». В самой квартире была представлена внушительная коллекция английского антиквариата. В обивке мебели и драпировках преобладали желтая парча и серый шелк, кое-какая мебель была обита неярким ситцем. Все было подобрано со вкусом, но Аллегре почему-то показалось, что атмосфера в квартире какая-то неприветливая. По-настоящему ей понравилась только одна комната: небольшой кабинет с уютным кожаным диваном. Пожалуй, этот диван был единственным местом, на котором они с Джеффом могли спокойно посидеть и поболтать. Аллегра взяла со столика фотографию матери Джеффа в серебряной рамке и с интересом всмотрелась в лицо высокой худощавой женщины. Джефф явно пошел в мать, но ее глаза смотрели сурово, тонкие губы были сжаты, и Аллегра не могла представить ее улыбающейся. Казалось, женщина не отличается веселым нравом, тогда как глаза и все черты Джеффа несут на себе отпечаток смеха, доброго юмора. В этом смысле мать и сын не походили друг на друга.

— У нее очень серьезный вид, — вежливо заметила Аллегра, подумав, что в ее семье вечно кто-нибудь улыбается, часто слышатся смех и оживленный разговор.

— Да, она серьезная. С тех пор как умер мой отец, она почти перестала улыбаться, — объяснил Джефф.

— Как грустно, — вздохнула Аллегра. Правда, у нее сложилось впечатление, что эта женщина была такой всегда.

— В нашей семье чувством юмора отличался отец.

— Мой отец тоже веселый, — сказала Аллегра и только потом вспомнила, что Джефф знаком с Саймоном.

Держа в руке стакан вина, Аллегра села рядом с Джеффом на диван и протянула ноги к камину. Джефф развел огонь. Неделя выдалась напряженная, Аллегра изрядно устала, но бывали и приятные моменты, в числе которых — прогулка в карете, катание в парке, сегодняшний обед. К счастью, за столом она оказалась рядом с Джеффом, а вторым ее соседом был Джейсон Хэйвертон, так что оживленная беседа за обедом не прекращалась ни на минуту.

— Мне понравился сегодняшний вечер, — сказала Аллегра, глядя, как Джефф разжигает камин. Ей нравилось даже просто находиться с ним рядом. — А вам?

Он встал, повернулся к ней, губы медленно раздвинулись в улыбке.

— Конечно, я прекрасно провел время. Знаете, я задумывался, будете ли вы на этом обеде, но не посмел вас спросить. Боялся, что если вы узнаете, что я тоже при-

144

глашен, то не придете. Или я зря боялся, вы бы все равно пришли?

Аллегра пожала плечами, подумала и кивнула:

— Наверное. Я не позволяла себе даже надеяться, что вы здесь будете. Кажется, события уже предоставлены сами себе.

Неожиданно увидев Джеффа у Вейсманов, Аллегра испытала огромное облегчение и такую радость, что сердце запрыгало. Сколько бы она ни твердила себе, что это неразумно, ее чувства вырвались из-под ее власти. И все же, несмотря ни на что, между ними по-прежнему маячила тень Брэндона.

— И что теперь? — спросил Джефф, садясь рядом с ней на диван. Он тоже держал в руке стакан с вином, а другой рукой обнял Аллегру за плечи. Им было на удивление хорошо вместе, причем это ощущение возникло с первой же минуты их первой встречи. И вот сейчас, сидя рядом на диване в квартире матери Джеффа и касаясь друг друга плечом, оба чувствовали себя на седьмом небе.

— Думаю, мы просто вернемся в Лос-Анджелес, а там посмотрим, как сложится, — честно ответила Аллегра. — Наверное, мне придется что-то рассказать Брэндону.

Теперь разговор с Брэндоном стал неизбежным, в каком-то смысле Аллегра чувствовала себя просто обязанной рассказать ему о том, что произошло. Сегодняшняя встреча с Джеффом заставила ее осознать, что она не может и дальше хранить это в тайне.

— Вы собираетесь рассказать ему о нас? — Джефф выглядел потрясенным.

— Возможно. — Аллегра пока не приняла окончательного решения. — Меня тревожит, что я способна испытывать такое сильное влечение к другому мужчине. Вероятно, Брэндону следует об этом знать. Это наводит на мысль, что в наших с ним отношениях чего-то недостает.

— Если честно, я думаю, что вам лучше держать это при себе. Разберитесь в своих чувствах к нему, постарайтесь понять, чего вы хотите, чего вам в нем недостает, а потом сделайте свои выводы.

Они оба слишком устали за день для такого серьезного разговора. Поэтому предпочли заговорить о новой книге Джеффа, о контракте на второй фильм. На вечере у Вейсмана Джефф почерпнул у Хэйвертона несколько полезных идей, в свое время подсказанных Аллегрой.

Джеффа в данный момент куда больше занимал замысел новой книги, чем окончание сценария к фильму по предыдущей. Он собирался, как только вернется в Малибу, с головой окунуться в работу, чтобы скорее покончить со сценарием. На выходные у него пока не было никаких планов.

— А у вас? — поинтересовался он.

В камине уютно потрескивал огонь, и их обоих стало немного клонить в сон. Маленькая комната казалась теплой и уютной, и Джефф с улыбкой подумал, как приятно видеть Аллегру здесь, в этой комнате, удобно устроившейся на диване рядом с ним. Квартира матери всегда казалась ему слишком строгой, но присутствие Аллегры придало ей теплоту и уют.

— Мне нужно подготовиться к следующей неделе.

На следующей неделе ей предстояли переговоры по поводу нового фильма с участием Кармен, кроме того, она рассчитывала уговорить Алана заключить новый контракт. Было и еще несколько больших и малых проектов, требующих ее участия. Она пока не представляла, что накопилось на ее рабочем столе за время ее отсутствия.

— Думаю, в субботу придется поработать, вечером скорее всего я съезжу на обед к родителям, а в воскресенье нужно встретиться с Брэндоном.

— Вот как? — удивился Джефф. — Разве он не пойдет вместе с вами на обед к вашим родителям? — Удивлению его не было границ, когда Аллегра замотала головой. — Неужели он не встретит вас в аэропорту?

— Это невозможно, Брэндон занят на процессе. Он предупреждал, что освободится в лучшем случае в воскресенье, и не хочет, чтобы я его отвлекала.

Джефф многозначительно вскинул брови и поднес к губам стакан.

— На его месте, Аллегра, я был бы счастлив, если бы вы меня отвлекли. — Он улыбнулся. — Если вам станет одиноко, позвоните мне.

Больше о Брендоне они не говорили.

Они долго сидели на диване, разговаривая обо всем понемногу. Оба, как ни странно, «вели себя прилично» — до того момента, когда Джефф отправился на кухню за льдом. Аллегра встала и пошла за ним. На кухне царили безупречная чистота и порядок. Мать Джеффа отличалась аккуратностью, и в отсутствие хозяйки экономка убирала за

146

Джеффом. Джефф достал из холодильника миску со льдом, поставил ее в раковину, повернулся к Аллегре — и тут с ним что-то произошло, он не смог сдержаться, в одно мгновение оказался рядом с ней и прижал к себе. Он почувствовал, как она дрожит в его объятиях, ее ноги прижимаются к его ногам, и все его тело словно расплавилось.

— Бог мой, Аллегра... не понимаю, как тебе удается творить со мной такое...

В жизни Джеффа было много женщин, но ни одна не действовала на него так, как Аллегра. Возможно, отчасти причина крылась в его сознании, что она пока не может принадлежать ему, а может, и никогда не сможет, — страстное желание, которое они испытывали друг к другу, имело непередаваемый горьковатый привкус. Губы Аллегры сами нашли его губы, и через мгновение Джефф уже крепко обнимал ее, прижимая всем своим телом к стене. Она не противилась, она сама его желала. Но по-прежнему была для него запретным плодом. Оба знали, что они не могут принадлежать друг другу.

— По-моему, мы должны остановиться, — не слишком уверенно пробормотала Аллегра охрипшим голосом.

Джефф наслаждался каждым изгибом ее тела, и она ощущала то же самое. Ее лицо и шея пылали; продолжая ее целовать, Джефф обхватил ладонями ее грудь.

— Не уверен, что смогу. — Он попытался остановиться, но это ему удалось не сразу. В конце концов гигантским усилием воли он заставил себя вернуться с небес на землю и выпустить Аллегру из объятий. Кто бы знал, чего это ему стоило! Но он сделал это ради нее, считая, что так надо. Однако их губы снова встретились, а ее рука медленно скользила вверх и вниз по его бедру, доставляя ему сладкую муку.

— Прошу прощения, — хрипло прошептала Аллегра.

— Я тоже.

В этот миг Джеффу больше всего на свете хотелось уложить ее на пол кухни или на диван или посадить на стол — да куда угодно — и довести до конца то, что они начали.

— Не знаю, смогу ли еще раз повторить этот подвиг.

— Может, нам больше не придется, — грустно сказала Аллегра. — В Лос-Анджелесе мы встретимся в ресторане «Спаго», там нам поневоле придется ограничиться одними разговорами.

— Какое разочарование, а мне в некотором роде понравилось, — пошутил он. Он снова, дразня и лаская, погладил ее грудь и поцеловал в губы.

— Мы только мучаем друг друга понапрасну, — жалобно проговорила Аллегра. Почему-то собственное поведение вдруг стало казаться ей глупым, нелепым, и она невольно задавалась вопросом: окажись Брэндон в схожей ситуации, проявил бы он такую же верность по отношению к ней?

— А что, это даже занятно, — заметил Джефф с кривой улыбкой, мужественно сохраняя самообладание, — на свой извращенный лад. Хотя не могу сказать, чтобы мне хотелось часто повторять этот опыт.

Он посмотрел Аллегре прямо в глаза, и она невольно задумалась, что в его словах прозвучало предупреждение.

Джефф показал Аллегре свою комнату — типично мужскую, с темно-зелеными полосатыми занавесками на окнах и множеством потемневших от времени предметов старины. Они даже ухитрились не оказаться в кровати, что обоим показалось поистине чудом. Аллегра поделилась этой мыслью с Джеффом, когда он стал показывать ей другие комнаты, и оба рассмеялись.

Вскоре после полуночи Джефф отвез ее в отель, поднялся вместе с ней в лифте и на этот раз вошел с ней в номер. Джефф сел на диван в небольшой гостиной, и Аллегра показала ему книгу, купленную накануне, — утром она снова достала ее из чемодана, чтобы еще раз взглянуть на фотографию.

— По-моему, мы оба сошли с ума. Я бегаю за вами, как мальчишка, а вы держите на столике мою фотографию.

Прошедшая неделя для обоих оказалась необычной, оба оказались вне привычной среды, повседневной рутины, обычных обязанностей. Но что ждало их по возвращении домой, оставалось пока неясным, теперь даже само возвращение было трудно представить.

Джефф на некоторое время задержался в номере, но все, что они хотели сказать друг другу, было уже сказано, все вино, которое они хотели выпить, выпито, и им не оставалось ничего другого, как попрощаться друг с другом — по крайней мере на время — или уже не прощаться никогда. Слишком быстро они оказались на распутье, с ними это случилось быстрее, чем случается с большинством людей, но ничего не поделаешь: настало время решать, отпустить друг друга и расстаться или ловить миг удачи. Но какой бы путь они ни избрали, оба понимали, что решение будет трудным.

Джеффу пришлось призвать на помощь всю силу воли, чтобы встать с дивана. Поднявшись, он долго стоял и просто смотрел на Аллегру, потом в конце концов не выдержал и обнял ее. Ему хотелось остаться с ней навсегда, любить и заботиться о ней, быть всегда рядом, но он знал, что это невозможно.

— Обещайте позвонить мне, если вам что-то понадобится. Для меня вы ничего не обязаны делать, от вас требуется только одно: порвать с этим типом, если вы сами того захотите, и позвонить мне. Просто скажите, что я вам нужен.

— Обязательно. Вы тоже звоните, — печально сказала Аллегра.

Оба чувствовали, что что-то кончается, но пока не поняли до конца, что это было и чем станет — быть может, лишь воспоминанием о нескольких снежных днях в Нью-Йорке и ночной прогулке в карете.

— Я вам позвоню, когда получу первое письмо с угрозами, — с усмешкой пообещал Джефф. — Берегите себя.

Аллегра проводила его до двери, тут он снова обнял ее и закрыл глаза, вдыхая аромат ее духов и чувствуя, как шелковистые волосы касаются его щеки.

— Господи, как же я буду скучать без вас!

— Я тоже.

Аллегра уже не знала, правильно ли она поступает, она больше ни в чем не была уверена. Казалось, в ее жизни все изменилось и стало непонятным. Она пыталась поступать правильно, как подобает, но, похоже, вместо этого натворила глупостей.

— Я вам позвоню, чтобы узнать, как у вас дела. — Джефф собирался дать Аллегре несколько дней передышки, а потом позвонить в офис.

Все слова вдруг иссякли, они просто обнимали друг друга и целовались. Потом Джефф ушел. Закрыв за ним дверь, Аллегра села на кровать и заплакала — она уже тосковала по нему. Вскоре после ухода Джеффа зазвонил телефон, но Аллегра не стала снимать трубку. Она боялась, что звонит Брэндон, а сказать ему было нечего.

Глава 8

Следующий день прошел в сумасшедшей суете. У Аллегры было назначено две встречи в разных районах Нью-Йорка, а самолет вылетал в шесть часов, значит, ей нужно выехать из города не позже четырех, а то и раньше, так как в пятницу вечером улицы всегда забиты машинами, а из-за ненастья дорога займет еще больше времени.

Она позвонила Андреасу Вейсману, попрощалась и поблагодарила за помощь и гостеприимство. В ответ он заверил, что был рад с ней встретиться, и пообещал позвонить, если окажется в Лос-Анджелесе. Отдельно поблагодарил за работу для Джейсона Хэйвертона.

В три часа дня, вернувшись с ленча, Аллегра в большой спешке побросала вещи в чемодан. Потом, подгоняемая чувством вины, решила позвонить Брэндону. Они не разговаривали несколько дней, и Аллегра уже испытывала из-за этого неловкость. Ее несколько утешало только то, что Брэндона, как правило, не удавалось застать по телефону и его, по-видимому, совершенно не интересовало, чем она занимается в Нью-Йорке. Он знал, что у нее много работы. Она действительно работала, но был еще Джефф, и Аллегра до сих пор сомневалась, вернется ли ее жизнь когда-нибудь в прежнее русло. Утром, когда она только проснулась, звонил Джефф, от одного только звука его голоса у нее выступили слезы на глазах. А он все время думал о ней. Он не стал уточнять, но Аллегра вдруг каким-то шестым чувством ощутила, что он лежит в постели, и мысль об этом не давала ей покоя все утро.

В офисе Брэндона Аллегре ответил автоответчик. Тогда она нажала кнопку, чтобы переключиться на его секретаршу. Спросив, на суде ли Брэндон, она с удивлением услышала, что нет.

— А разве сегодня нет заседания? Что-нибудь случилось?

— Сегодня утром обвиняемый признал себя виновным.

— Слава Богу, Брэндон доволен?

— Да, очень, — сухо ответила секретарша, которую Аллегра почему-то недолюбливала.

— Тогда передайте ему, пожалуйста, что мы увидимся вечером. Если он надумает меня встретить, я прилетаю рейсом «Юнайтед» 412, самолет прибывает в девять пятнадцать. Если он не сможет встретить, то к десяти я буду дома.

— Мистер Эдвардс точно не сможет вас встретить, он улетает в Сан-Франциско четырехчасовым рейсом.

— Вот как? Зачем?

— Полагаю, чтобы повидаться со своей семьей, — ответила секретарша с подчеркнутой вежливостью.

Аллегра задумалась. Брэндон летал в Сан-Франциско в прошлый уик-энд и прекрасно знает, что сегодня она возвращается домой. В чем же дело? Впрочем, она давно с ним не разговаривала, возможно, за эти дни у его дочерей возникли какие-то проблемы, требующие его присутствия.

— Тогда просто передайте, что я звонила, — коротко сказала она. — Я буду дома к десяти, пусть он мне позвонит.

— Слушаюсь, мэм. — На этот раз секретарша даже не попыталась скрыть сарказм. Аллегра как-то раз уже жаловалась на нее Брэндону, но тот заявил, что она опытный работник и он ею доволен.

Повесив трубку, Аллегра еще некоторое время осмысливала новость. Слушание дела закончилось, в выходные Брэндон свободен и улетает в Сан-Франциско. Правда, Брэндон еще раньше говорил, что они не увидятся до воскресенья, и, вероятно, считает, что у нее есть свои планы на выходные. А может, он собирался позвонить ей и попросить прилететь к нему, как только она освободится, например, в субботу. Но какой в этом смысл? Летать туда-сюда — только уставать понапрасну. Пока Аллегра над этим раздумывала, ей пришла в голову блестящая идея. Она тут же позвонила в аэропорт и узнала, есть ли места на рейс до Сан-Франциско. Брэндон всегда останавливается в одном и том же отеле, она может нагрянуть к нему прямо в номер. Решено, вот это будет сюрприз!

Ей ответили, что самолет на Сан-Франциско вылетает в пять пятьдесят три — то есть всего на семь минут раньше, чем она должна была лететь в Лос-Анджелес. Значит, она успеет. На этот рейс остался только один билет, в салон первого класса, и Аллегра с радостью ухватилась за эту возможность. Пусть придется заплатить немного дороже, но зато она увидит Брэндона. После знакомства с Джеффом и безумия, которое ее охватило, ей просто необходимо как можно быстрее увидеть Брэндона. Может, тогда вся романтика окажется лишь иллюзией. Брэндон олицетворял для нее стабильность, **151** у их отношений уже есть своя история, как-никак вместе два года. Она была с ним все время, пока он переживал мучительную процедуру разъезда с женой. Ей нравятся его дочки, а ему нравится она, вернее, он ее любит. У них с Брэндоном общая жизнь, а то, что было у нее с Джеффом, — лишь чудесная, но мимолетная вспышка. Иногда такое случается, но зачем строить воздушные замки? Приняв для себя решение, Аллегра позвонила портье и попросила забрать вещи.

Она не позвонила Джеффу, чтобы попрощаться, он улетал ранним рейсом, и Аллегра знала, что между ними все уже сказано. Пришло время расстаться, если они встретятся вновь — что ж, тогда и будет видно, что останется от их короткого романа. Аллегра теперь радовалась, что их отношения не зашли дальше, — она не собиралась ставить под угрозу свое будущее с Брэндоном. Это было бы ошибкой, она и так уже чувствовала себя виноватой. По зрелом размышлении Аллегра решила не рассказывать Брэндону о Джеффе — это ничего бы не изменило, только причинило бы ему боль. Думая о том, как обрадуется Брэндон ее появлению, Аллегра улыбнулась. Сначала она хотела позвонить в отель и предупредить через портье о своем приезде, но потом решила, что лучше сделать ему приятный сюрприз, свалившись как снег на голову.

Аллегра выписалась из отеля и села в поджидавший ее лимузин. Дорога до аэропорта оправдала самые худшие ожидания, и она едва не опоздала на самолет. Нужно было поменять билет, сдать багаж и подняться на борт самолета — и все это чуть ли не за минуту до вылета. Наконец она плюхнулась на сиденье. Все места в самолете были заняты, у большинства пассажиров были кислые лица, словно они пребывали в самом отвратительном настроении. Впрочем, это и понятно: пятница, конец недели, все устали, самолет полон. Из-за плохой погоды вылет задержали на полчаса. Пребывание в душном салоне тоже никому не улучшило настроения, а тут еще на борту сломался видеомагнитофон, усилив всеобщее недовольство.

Аллегра достала книгу Джеффа. За время полета она несколько раз переворачивала ее, чтобы посмотреть на фотографию. Снимок был очень удачный — Джефф на фоне кирпичной стены, к которой прислонился плечом. В его губах было что-то очень знакомое, а глаза, казалось, притягивали и удерживали ее взгляд, как будто он хотел что-то сказать ей или протянуть руку. В конце концов Аллегра не выдержала и убрала книгу в портфель.

В Сан-Франциско пришлось целых сорок пять минут ждать на взлетно-посадочной полосе, пока освободится выходной терминал. Когда она наконец вошла в здание аэропорта, по местному времени было одиннадцать часов — на два часа позже, чем она планировала прибыть. Это был типичный современный рейс, неудобный, с плохой кормежкой, с бесконечными задержками. Хмурые пассажиры покидали аэропорт недовольными. Одним словом, путешествие лучше некуда.

Аллегра подошла к «карусели» за своим багажом. Несмотря на усталость и неприятный осадок, оставшийся после полета, настроение у нее было приподнятое. Нагрянуть к Брэндону неожиданно, сделать ему сюрприз — это же замечательно. Она возвращалась не домой, к покрытой пылью мебели и накопившейся почте, и не надо было распаковывать чемоданы, нести вещи в чистку. К тому же и завтра не нужно идти в офис. Уик-энд с Брэндоном в Сан-Франциско — вот что им сейчас необходимо, причем необходимо куда больше, чем Брэндон может представить, да ему и незачем это знать. Аллегра была в восторге от своей затеи.

Забирая с «карусели» чемодан, Аллегра мельком вспомнила о Джеффе. Он к этому времени должен был быть в Лос-Анджелесе, в своем доме в Малибу, и она не могла не подумать о том, что он сейчас чувствует. Он обещал позвонить через несколько дней, но сейчас Аллегра уже сомневалась, стоит ли ей вообще с ним разговаривать. Им нужно избавиться от этого наваждения, безумия, охватившего обоих, а если они продолжат встречаться, это до добра не доведет. Теперь, покинув Нью-Йорк, Аллегра была полна решимости забыть то, что произошло.

Выйдя из здания аэропорта, Аллегра взяла такси и велела водителю отвезти ее в «Фэрмаунт». Брэндон всегда останавливался в этом внушительном старинном отеле, объясняя свой выбор тем, что для его дочерей побывать в этом отеле — нечто вроде аттракциона, да и во всех остальных отношениях отель на высоте. Аллегра пыталась уговорить его поселиться поскромнее, но от старых привычек не так-то легко избавиться, к тому же Брэндон настаивал, что его дочерям нравится бывать в «Фэрмаунте».

В этот поздний час дорога от аэропорта до города заняла лишь двадцать минут. Выходя из такси, Аллегра чувствовала себя так, словно движется под водой. Портье принял ее чемодан.

— Желаете снять номер? — любезно спросил он.

Аллегра изобразила на лице ледяную улыбку и уверенным тоном сообщила, что ее муж заранее снял номер и она приехала, чтобы с ним встретиться.

Ей пришло в голову, что Брэндон, вероятно, уже спит, но ее сюрприз стоит того, чтобы его разбудить. Она собиралась взять ключ от номера, тихо открыть дверь, раздеться и забраться к нему в постель. Конечно, хорошо бы принять душ, но она не хотела поднимать шум, в конце концов, принять душ можно и утром.

Несмотря на то что Аллегра подошла к стойке портье в половине двенадцатого, в вестибюле отеля было довольно людно. В отеле имелось несколько ресторанов, куда со всего города приходили желающие отведать нечто особенное. В зал «Тонга» шли отведать блюда восточной и полинезийской кухни, в Венецианский зал — послушать известные ансамбли и популярных ведущих, в «Мезон» — любители пообедать в более интимной обстановке. Но рестораны Аллегру не интересовали, ей нужно было только получить ключ от номера, где остановился Брэндон.

— Будьте любезны, номер мистера Эдвардса, — сказала она, убирая с лица прядь волос. Стоять в плаще, держа теплое пальто, было не очень-то удобно, тем более что, кроме пальто, она держала в руке дорожную сумку, в другой — портфель, а на полу у ее ног стоял чемодан.

— Как его зовут? — спросила за стойкой женщина с бесстрастным выражением лица.

— Брэндон.

— Вы уже зарегистрировались в отеле?

— Нет, но я уверена, что мистер Эдвардс зарегистрировался. Он прибыл несколько часов назад, а я только что прилетела из Нью-Йорка, чтобы присоединиться к нему.

— Ваше имя? — Она уставилась в лицо Аллегре.

— Миссис Эдвардс, — глазом не моргнув солгала Аллегра. Эта ложь давалась ей легко, она всегда останавливалась в «Фэрмаунте» под именем миссис Эдвардс, так было проще.

— Благодарю вас, миссис Эдвардс. — Дежурная протянула ей ключи и подала знак портье. Тот подхватил чемодан Аллегры и понес его к лифту. Когда он предложил взять у нее также грузы полегче, Аллегра охотно вручила ему портфель и сумку.

Она едва держалась на ногах от усталости. На восточном побережье было уже половина третьего утра, а она

154

встала в половине восьмого. Кроме того, вся поездка на восток оказалась полной впечатлений. Аллегра старалась не думать об этом, поднимаясь в лифте. При мысли о том, как удивится Брэндон, на ее губах заиграла улыбка. Может, он даже не проснется и только утром, открыв глаза, обнаружит ее рядом с собой. Она подумала, в номере ли девочки или приедут утром — вероятно, они уже здесь, потому-то Брэндон и прилетел так рано.

Портье открыл для нее дверь ключом и внес чемоданы. Аллегра шепотом попросила оставить их возле двери, дала ему щедрые чаевые и приложила палец к губам, призывая не шуметь. Ей не хотелось будить Брэндона: у него была трудная неделя и он наверняка устал не меньше ее. Закрыв дверь за портье, Аллегра включила настольную лампу в гостиной номера «люкс». Брэндон считался таким ценным клиентом, что ему всегда предоставляли «люкс» с двумя спальнями по цене обычного двухместного номера. Стараясь никого не разбудить, она на цыпочках обошла тускло освещенную гостиную. Из другой комнаты не доносилось ни звука. Кейс Брэндона стоял на полу возле письменного стола, на спинке стула висел пиджак, на столе валялось несколько книг и газет, в том числе «Уолл-стрит джорнэл», «Нью-Йорк таймс» и «Юридическое обозрение». Под стулом, на котором висел пиджак, Аллегра заметила ботинки — те самые, в которых Брэндон обычно ходил на работу. В домашней обстановке Брэндон был довольно аккуратен, но когда останавливался в отелях, далеко не так тщательно следил за порядком.

Аллегра поставила на пол свой багаж и с улыбкой, все так же на цыпочках подошла к двери спальни и заглянула внутрь. Ей хотелось сначала просто взглянуть на Брэндона, а уж потом раздеться и лечь к нему в кровать. В спальне было совсем темно, но когда ее глаза привыкли к темноте, она различила, что кровать пуста. Одеяло было откинуто, на подушке лежала раскрытая коробка шоколадных конфет, но Брэндона в кровати не было. «Вероятно, он пошел куда-то с девочками или все еще обсуждает с Джоанной детали развода, а может, отправился в кино», — подумала Аллегра. Он любил ходить в кино после трудной недели, особенно после судебных заседаний. Но, не застав его в номере, она была разочарована. Впрочем, Аллегра быстро успокоила себя мыслью, что это дает ей время принять душ, вымыть голову и немного отдохнуть перед его возвращением. Тогда, может быть, они **155** лягут вместе и все будет замечательно. Думая об этом, Аллегра неожиданно поймала себя на мысли, что чувствует себя чуть ли не изменницей по отношению к Джеффу. «Это просто нелепо, какое-то раздвоение личности, нужно немедленно выкинуть Джеффа из головы, нельзя думать о нем сейчас!» С этой мыслью Аллегра включила свет, чтобы скорее взяться за дело.

Сняв пиджак, она открыла дверцу гардероба, чтобы повесить его на плечики... и тут же поняла, почему Брэндона не оказалось в кровати. Ей по ошибке дали ключи не от того номера. В гардеробе висели чьи-то чужие вещи — несколько женских платьев, причем два из них были очень нарядными, джинсы, стояло несколько пар туфель. Поняв, что ошиблась номером, Аллегра поспешила закрыть дверцу шкафа и вернулась в гостиную, думая, что нужно поскорее забрать свои вещи и уйти, пока не вернулись хозяева. Но в гостиной она снова увидела мужской пиджак и знакомые ботинки. Ошибки быть не могло, это вещи Брэндона. И кейс тоже его, она бы узнала его повсюду, тем более что на замках выгравированы его инициалы. Значит, все-таки она находится в номере Брэндона... но почему в шкафу женские вещи? Аллегра снова заглянула в шкаф. У нее даже мелькнула мысль, не купил ли Брэндон всю эту одежду для нее, специально на случай, если она прилетит, но она тут же отбросила ее как нелепую. Одежда в шкафу рассчитана на женщину ниже ее ростом по меньшей мере на четыре-пять дюймов. Аллегра пощупала платья, как будто это могло прояснить вопрос, откуда они взялись. Наверное, от усталости мозг отказывался воспринимать увиденное.

Тогда Аллегра прошла в ванную. На полочке перед зеркалом лежала косметика, на полу стояли парчовые шлепанцы с перьями, тут же валялась почти совершенно прозрачная белая кружевная ночная рубашка. Аллегра уставилась на это, с позволения сказать, одеяние, и до нее наконец дошел полный смысл увиденного. Брэндон прилетел в Сан-Франциско с другой женщиной. Вещи, которые находятся в его номере, не принадлежат и его бывшей жене Джоанне, они будут малы размера на два, и уж конечно, это не одежда его дочерей. Девочки явно здесь не появлялись. Аллегра с опозданием поняла, что на этот раз Брэндон даже не снял номер с двумя спальнями, как делал всегда, когда у него ночевали дочери. Вещи явно принадлежали какой-то другой женщине, но кому — вот вопрос, на который у нее пока не было ответа. Аллегра
внимательно огляделась по сторонам и только сейчас

заметила, что по всему номеру тут и там разбросаны предметы женского туалета. На кровати валялись колготки, на спинке стула — бюстгальтер, возле раковины в ванной — трусики. При виде всего этого Аллегре хотелось завизжать. Чем он занимался? И давно ли это тянется? Сколько раз он ее обманывал? Сколько раз он летал в Сан-Франциско с другой женщиной, а ей говорил, что хочет побыть с дочерьми? Она никогда ничего не подозревала, у нее не было и тени сомнения в его верности. Она всегда ему доверяла, а он дурачил ее, лгал. И в Лос-Анджелесе у него также было достаточно возможностей изменять ей. Она-то, глупышка, терзалась угрызениями совести из-за нескольких поцелуев, оттолкнула мужчину, которому она по-настоящему понравилась и который понравился ей, — оттолкнула только потому, что считала себя обязанной хранить верность Брэндону! А он оказался подлецом и обманщиком. Она продолжала озираться по сторонам, глаза жгли слезы. Собственно, рассматривать было больше нечего, и так все ясно. Аллегра поняла, что не может оставаться в номере ни минуты. Не хватало еще, чтобы эта парочка застала ее здесь, вернувшись из ресторана!

Вспоминая многочисленные случаи отчужденности Брэндона, его слова, что ему необходимо пространство, нужно побыть одному, Аллегра покраснела от стыда и унижения. Неудивительно, что он не хотел брать на себя никаких обязательств! Он просто законченный мерзавец! '

Неуклюже подхватив все сумки и чемоданы сразу, Аллегра поспешно покинула номер и побежала к лифту — насколько это было возможно с таким грузом, — моля Бога, чтобы из лифта не вышел Брэндон со своей подружкой. К счастью, лифт пришел пустой. Аллегра спустилась, выскочила из отеля через двери, выходящие на Калифорния-стрит, и огляделась в поисках такси. Сан-Франциско не Нью-Йорк, и на поиски такси может уйти немало времени, тем более что, как правило, таксисты дежурят у главного входа в отель. Но она ни в коем случае не собиралась появляться у главного входа, слишком велика была опасность наткнуться на Брэндона, когда он будет возвращаться в отель с любовницей, где бы они ни проводили вечер. Поэтому она со своим багажом стояла на Калифорния-стрит и сквозь слезы смотрела на проезжающие мимо канатные трамваи, набитые туристами.

Уму непостижимо, просто невероятно. Он водил ее за нос бог знает сколько времени. Бедный ранимый **157**

Брэндон, который так боялся снова потерять свободу, оказывается, изменял ей направо и налево!

Наконец Аллегра увидела такси и, бросив портфель, энергично замахала рукой. Таксист остановился и вышел из машины, чтобы помочь ей погрузить вещи.

— Большое спасибо, — рассеянно поблагодарила Аллегра, садясь в машину.

— Куда едем?

— В аэропорт. — Голос Аллегры сорвался, и она закрыла лицо руками.

— Вы в порядке, мисс? — участливо спросил таксист, пожилой мужчина с пышными усами и заметным брюшком, явно сочувствуя пассажирке. Она показалась ему похожей на девчонку, убегающую из дома.

— Все нормально, — пробормотала Аллегра с мокрым от слез лицом.

Таксист повез ее обратно тем же маршрутом, каким она приехала сюда меньше часа назад. Аллегра оглянулась на отель и вдруг заметила, что до сих пор сжимает в руке ключ от номера. Она бросила ключ на сиденье и стала смотреть в окно, думая о своей жизни с Брэндоном. Сколько времени он ее обманывал? Она пыталась припомнить все те случаи, когда Брэндон говорил, что хочет повидаться с девочками, и другие, когда заявлял, что ему нужно побыть одному. Сейчас, оглядываясь назад, Аллегра задавалась вопросом, не дурачил ли он ее с самого начала, не были ли их отношения всего лишь игрой с его стороны, а обман — его стилем жизни.

Через двадцать минут она снова оказалась в аэропорту. Таксист помог ей выйти из машины.

— И куда же вы летите на ночь глядя? — мягко спросил он. Его пассажирка, красивая молодая женщина, проплакала всю дорогу, и ему было жаль ее и искренне хотелось ей помочь.

— Я возвращаюсь в Лос-Анджелес, — ответила Аллегра, пытаясь взять себя в руки. Но это ей никак не удавалось. Она полезла в сумочку за носовым платком и высморкалась. — Извините... со мной правда все в порядке.

— Девочка, по виду этого не скажешь. Но все будет хорошо, возвращайтесь домой. Что бы он ни натворил, утром пожалеет.

Таксист верно угадал, что причина ее переживаний — мужчина. Но то, что завтра Брэндон может пожалеть о своем поведении, сегодня служило ей очень слабым утешением.

Аллегра поблагодарила таксиста и вошла в здание аэропорта. Оказалось, что она опоздала на последний самолет. Самый поздний рейс на Лос-Анджелес был в девять часов вечера, и теперь ей ничего не оставалось, как сидеть в здании аэропорта до утра, чтобы улететь первым утренним рейсом, и даже некому было поручить свой багаж. Дежурный предложил ей переночевать в гостинице при аэропорте, но Аллегра отказалась. У нее не было сил двигаться, она хотела только сесть и дожидаться своего рейса. Ей о многом нужно было подумать, на какой-то миг у нее даже мелькнула мысль позвонить Джеффу, но лишь на миг. После всего, через что она заставила его пройти в Нью-Йорке, было бы несправедливо теперь плакаться ему в жилетку. Она заставила Джеффа поплатиться за каждый поцелуй, тем временем Брэндон, вероятно, всю неделю спал со своей подружкой. Аллегра не могла не задаваться вопросом, кто та женщина, что поселилась с ним в «Фэрмаунте», но тогда, в отеле, она была так ошарашена, что у нее и мысли не возникло поискать какие-то документы. Ничего не скажешь, приятная была сценка: повсюду ее белье, а чего стоит эта прозрачная ночная рубашка... Аллегре до сих пор не верилось в то, что она увидела. Тогда она почувствовала себя непрошеной гостьей, хорошо еще, что Брэндон и эта женщина не вернулись и не застали ее в номере. Это было бы уж слишком. А еще хуже, если бы она застала их в постели. При одной мысли об этом Аллегру пробирала дрожь.

Она положила багаж в автоматическую камеру хранения, чтобы не таскать его с собой, и отправилась выпить кофе. Постепенно Аллегра начала успокаиваться, временами в ней снова просыпалась злость, но большей частью она испытывала просто грусть, и ничего больше. У нее была мысль позвонить матери и рассказать о случившемся, но потом она раздумала. Блэр всегда недолюбливала Брэндона, и Аллегре не хотелось давать матери повод лишний раз увериться в своей правоте. Но так ли это, действительно ли он обманывал ее уже давно? Сейчас она не могла ответить на этот вопрос. А если спросить его напрямик, вряд ли он скажет правду. Пока что он даже не знает, что его поймали с поличным.

Пять больших чашек черного кофе помогли Аллегре продержаться до утра. Она то сидела в кресле, листая журналы, то бродила по залу, думая о Брэндоне. Сначала хотела написать ему письмо, в котором выскажет все, что думает и чувствует, но потом решила, что не стоит этого делать. Она не знала, как поступить. Можно было бы вернуться в отель «Фэрмаунт» или позвонить туда прямо сейчас. Она многое могла бы сделать, но больше всего ей хотелось поскорее вернуться домой и хорошенько все обдумать.

Аллегра опять села в кресло и стала наблюдать рассвет. Думая о Брэндоне, она снова заплакала. В шесть утра, когда она наконец заняла место в самолете, в голове у нее был туман, ноги подкашивались. Кроме Аллегры, первым рейсом летели две семьи да еще несколько человек — судя по виду, бизнесмены. В субботу утром в аэропорту вообще было очень мало народу.

Стюардесса налила Аллегре еще чашку кофе и принесла поднос с завтраком, к которому она, обессиленная, даже не притронулась. Она провела в дороге почти двадцать часов и выглядела соответствующим образом. В десять минут восьмого она снова взяла такси в аэропорту — на этот раз в аэропорту Лос-Анджелеса. Это был уже третий аэропорт, где она побывала меньше чем за два дня.

Сказав таксисту адрес, Аллегра устало откинулась на спинку сиденья и положила голову на подголовник. Когда она открыла входную дверь и вошла в свой дом, часы показывали восемь. Меньше чем за неделю, пока ее не было дома, она успела влюбиться в человека, который живет в трех тысячах миль от нее, и обнаружить, что другой мужчина — тот, которому она хранила верность два года, — ее обманывает. Это была тяжелая неделя, особенно нелегко далась ей прошлая ночь в Сан-Франциско.

Аллегра поставила чемодан на пол и огляделась. На письменном столе лежала стопка писем, которые сложила туда приходящая домработница. Кассета автоответчика была израсходована почти полностью. Аллегра нажала кнопку прослушивания. Сообщения были обычные: из химчистки — о том, что там не смогут отремонтировать пиджак; из прачечной — о том, что потерялась наволочка; из оздоровительного клуба — с предложением записаться на занятия; и из гаража, где она обычно покупала покрышки. Накануне звонила мать, чтобы узнать, придет ли она в субботу к ним на обед. Кармен оставила сообщение, что временно живет у друзей. Номер телефона, который она назвала, показался Аллегре знакомым, но она не могла

вспомнить, чей он, к тому же Кармен произнесла его скорого-
воркой. Самым последним шло сообщение от Брэндона. Он передал, что улетает в Сан-Франциско повидаться с дочерьми.
Процесс закончился раньше, чем они рассчитывали, и девочки
очень просили их навестить. «Ты, наверное, устала в Нью-Йорке, и дома за неделю накопилось много дел, увидимся в воскресенье вечером, когда я вернусь».

Интересно, соизволит ли он позвонить еще раз или со-
чтет, что и этого достаточно? А может, рассчитывает на ее
звонок?

Прямо сейчас она никому не собиралась звонить, тем более Брэндону. Ей хотелось побыть одной, зализать раны и решить, что делать дальше. Она пока еще не придумала, что и
как скажет Брэндону, но его измена не вызывала ни малейших сомнений, и Аллегра не допускала мысли, что после всего этого их отношения могут продолжаться.

Она распаковала вещи, развесила одежду по шкафам. Затем заварила себе чай и поджарила пару тостов. Приняла душ,
вымыла голову и постаралась привести себя в более или менее
нормальное состояние. Но все это время ее не отпускала почти физическая боль в сердце. Как будто, когда она увидела
бюстгальтер и прозрачную ночную рубашку подружки Брэндона, где-то глубоко внутри у нее что-то сломалось и теперь
она испытывала от этого непроходящую боль.

В десять часов утра она позвонила родителям, но когда
услышала от Саманты, что их нет дома, то испытала странное
облегчение. Родители ушли в клуб играть в теннис. Аллегра
сказала сестре, что у нее все в порядке, что она только недавно вернулась из Нью-Йорка и что у нее накопилось слишком
много дел, поэтому она не сможет прийти в субботу на обед.

— Сэм, ты все передашь маме?

— Ладно, передам, — небрежно бросила сестра, и Аллегра
забеспокоилась, узнает ли мать о ее звонке. Порой голова у
Саманты бывала занята куда более важными вещами с ее точки зрения, например, предстоящей вечеринкой, мальчиками,
походом по магазинам с подружками или еще чем-нибудь в
этом роде.

— Так передашь? Не забудешь? Мама должна знать, почему я ей не перезвонила.

— Ба-а, послушайте, кто говорит — Мисс Важная Персо-
на! Слушай, Элли, по-моему, ты ничего такого важного
не сказала.

161

— Может, для мамы это важно — в отличие от тебя.

— Ладно, сестренка, успокойся, передам я, что ты звонила. Кстати, как съездила? Купила что-нибудь в Нью-Йорке?

«Ну да, купила — книгу, написанную человеком, с которым я каталась на коньках», — подумала Аллегра.

— У меня не было времени ходить по магазинам.

— То-оска, так неинтересно.

— Кстати, это была не увеселительная поездка, я работала. — Но не только! — Как мама себя чувствует?

— Нормально, а что?

Саманта, кажется, удивилась вопросу Аллегры. Разве может быть что-то не в порядке? В семнадцать лет весь мир для нее был ограничен рамками ее собственных интересов, а родители пока стояли на последнем месте.

— Она не слишком расстраивается, что не получила премию?

— Да нет. — Сэм пожала плечами. — Она ничего такого не говорила, по-моему, ей все равно.

К сожалению, Саманта плохо знала свою мать. Блэр очень взыскательна к себе и другим, она во всем стремится к совершенству и, занимаясь каким-либо делом, не упускает из виду ни одной даже самой незначительной детали. Аллегра не сомневалась, что мать очень переживает из-за «Золотого глобуса», но гордость не позволяет ей сказать об этом вслух, а семнадцатилетняя Сэм, конечно, не догадывается о чувствах матери. Она учится в выпускном классе, и больше всего ее занимают магазины, первый опыт работы фотомоделью и предстоящее поступление в колледж.

— Скажи маме, что я позвоню, когда будет время, и папе передай привет. Я их обоих люблю.

— Может, записать все это дословно?

— Заткнись.

— Похоже, ты не в духе.

— Я всю ночь просидела в аэропорту. — Не говоря уже о том, что этой ночи предшествовало. Конечно, она не в настроении выслушивать всякую ерунду от семнадцатилетней девчонки.

— Ой, прости-и-и...

Аллегра решила, что с нее хватит.

— Всего хорошего, Сэм.

Повесив трубку, она немного подумала и позвонила Алану. Но у него дома к телефону никто не подо-

162

шел. Жаль, ей так хотелось поговорить с ним. Алан никогда не жаловал Брэндона, но был справедлив. Кроме того, ей хотелось рассказать ему о Джеффе, узнать, не решит ли он, что она совсем рехнулась — влюбилась в полузнакомого мужчину.

К полудню Аллегра так вымоталась, что даже мысли стали путаться. Тогда она сдалась, отложила все дела и легла. Никто к ней не приходил, и телефон молчал. Брэндон так и не позвонил, даже не поинтересовался, как она долетела. Аллегра без помех проспала шесть часов и проснулась, когда на улице снова стемнело. Она открыла глаза с ощущением, будто ей на грудь давит груз весом в десять тысяч фунтов, а в желудке лежит булыжник. Она долго лежала на спине, глядя в потолок, и думала о произошедшем. Из глаз медленно потекли слезы, стекая по щекам на подушку. Предыдущая ночь была самой ужасной в ее жизни, а сейчас она не в силах придумать, что делать дальше. Не хотелось начинать все сначала, она больше никогда не сможет никому доверять. Даже Джефф — и тот, наверное, всего лишь один из многих, все они одинаковы. Она всегда выбирала и продолжает выбирать только таких мужчин, которые не способны дать ей счастье, которые избегают ее, причиняют ей страдания, а в конце концов и вовсе исчезают из ее жизни. Единственный мужчина, который никогда не заставит ее страдать и который никогда от нее не сбежит, — Саймон Стейнберг. Только ему она может доверять, только его можно любить. Аллегра была абсолютно уверена, что отец ее никогда не предаст.

Но сейчас ей предстояло иметь дело с Брэндоном. Все это было неимоверно тяжело. Если она посмотрит ему в глаза, когда он станет ей лгать, то возненавидит его еще сильнее.

Аллегра не помнила, когда ела в последний раз. Вернувшись домой, она не позавтракала — или не поужинала — и легла в постель, то засыпая, то просыпаясь в слезах, то снова засыпая. Так продолжалось долго. Только в воскресенье, проснувшись утром, Аллегра наконец поднялась с постели. Ощущение было такое, будто накануне ее сильно избили. Все тело у нее болело с головы до ног, и она даже не понимала почему. Нестерпимая душевная боль превратилась почти в физическую, к тому же сердце не переставая ныло. Разговаривать ни с кем не хотелось, она включила автоответчик и даже не стала снимать трубку, когда позвонила Кармен. Судя по тому, как Кармен хихикала и как радостно звучал ее голос, у нее все было в порядке. **163**

Вплоть до четырех часов, когда наконец позвонил Брэндон, Аллегра ни разу не подошла к телефону.

Услышав голос Брэндона, она сразу сняла трубку — ей хотелось побыстрее покончить с неприятным делом, а Брэндон обещал заехать вечером, как только прилетит из Сан-Франциско.

— Здравствуй, Брэндон, — спокойно сказала Аллегра. Рука у нее сильно дрожала, буквально ходила ходуном, но голос не дрогнул.

— Привет, детка, как ты там? Как долетела из Нью-Йорка?

— Спасибо, хорошо. — Она говорила с холодком, но без недовольства, и Брэндон решил, что ее мысли заняты работой. С ним тоже такое часто бывало, и он не увидел в ее холодности ничего странного.

— Я звонил тебе в пятницу днем, но не застал, — спокойно сообщил он, ни о чем не подозревая.

— Я прослушала твое сообщение. Откуда ты звонишь? — Ее напряжение постепенно росло.

— Все еще из Сан-Франциско, мы с девочками прекрасно провели выходные вместе, — разглагольствовал Брэндон как ни в чем не бывало. — Теперь, когда процесс закончился, у меня словно гора с плеч свалилась. Просто потрясающе.

Очевидно, уик-энд тоже прошел «потрясающе».

— Что ж, рада слышать. Когда ты возвращаешься в Лос-Анджелес?

— Собираюсь вылететь шестичасовым рейсом, могу заехать к тебе около восьми.

— Это было бы замечательно. — Аллегра сама почувствовала, что голос прозвучал механически, как голос робота, и Брэндон на сей раз это заметил.

— Что-нибудь не так, дорогая? — В его голосе не слышалось тревоги или сочувствия, только удивление, ведь обычно она была такой сердечной. — Все еще не отошла от перелета? Трудная была поездка?

— Да, пожалуй. — Это была самая трудная поездка за всю ее жизнь. — Значит, увидимся в восемь.

— Отлично. — Брэндон поколебался, словно чувствуя, что от него требуется нечто большее, чем обычно, и в кои-то веки решил добавить: — Аллегра... я очень по тебе соскучился. — Он был большим мастером заметать следы.

164   — Я тоже, — прошептала она, чувствуя, как глаза снова наполняются слезами. — Я тоже по тебе скучала.

Всего хорошего, до вечера. — Аллегра попыталась закончить разговор.

— А ты не хочешь пойти куда-нибудь пообедать?

Аллегра могла только удивляться, как у него еще остались силы после уик-энда с Мисс Прозрачное Неглиже. Впрочем, может, они знакомы уже давно, страсти поутихли и от Брэндона не требовалось такого пыла, как ей представлялось.

— Честно говоря, я бы лучше осталась дома. — То, что она собиралась, нельзя было сказать в ресторане или где-нибудь еще, разговор не для чужих ушей. И ради собственного блага ей нужно покончить с этим разговором как можно скорее.

Аллегра вышла прогуляться, потом еще раз позвонила родителям. Матери соврала, что собирается допоздна работать в офисе.

— В воскресенье? — Блэр забеспокоилась: дочь слишком много работает, да и голос звучит устало. — Ну куда это годится!

— Мама, не забывай, я отсутствовала целую неделю. Заеду к вам как-нибудь в будни.

— Береги себя, — заботливо сказала Блэр. Аллегра была благодарна матери за то, что та на этот раз даже не спросила о Брэндоне.

На обед Аллегра ограничилась йогуртом, попыталась смотреть по телевизору новости, но поймала себя на мысли, что не понимает ни слова. Наконец она просто легла на диван и стала ждать вечера. В пятнадцать минут девятого с улицы донесся гул мотора. Услышав, что Брэндон вставляет ключ в замок — она примерно год назад дала ему ключи от дома, — Аллегра села. Брэндон вошел с довольным видом, заулыбался и подошел к дивану, где сидела Аллегра, намереваясь обнять ее. Но его ждал сюрприз — она встала с дивана и отошла в сторону, пристально глядя на него. В его глазах она не находила ответа ни на один из мучивших ее вопросов.

Брэндон этого не ожидал. Обычно Аллегра бывала приветливой, нежной, и сейчас он опешил. Довольно долго она не издавала ни звука, они стояли и молча смотрели друг на друга. Наконец Брэндон прервал молчание:

— Что-нибудь случилось?

— По-моему, да, а по-твоему, Брэндон?

Больше она ничего не добавила. Брэндон насторожился, лицо стало каменным.

— Что все это значит?

165

— Может, ты сам мне объяснишь, Брэндон? Кажется, уже давно происходит нечто такое, о чем я не знала. Некие события, о которых тебе следовало бы упомянуть.

— Какие, например? — Брэндон посмотрел ей в глаза. Аллегра чувствовала, что он начинает сердиться, но знала, что это своего рода защитная реакция. Его поймали с поличным, и Брэндон понял это сразу. — Не понимаю, о чем это ты толкуешь.

Он подошел к Аллегре. Не сводя с него глаз, она снова села.

— Понимаешь, понимаешь. Ты прекрасно понял, что я имею в виду, только пока не знаешь, как много мне известно. Кстати, я тоже не знаю. Именно это я и хотела бы выяснить. Сколько времени это происходит? Как часто? Со сколькими женщинами ты переспал за время, пока мы встречаемся? Ты обманывал меня все два года или это началось только недавно? Когда это началось, Брэндон? Я вдруг вспомнила все случаи, когда ты летал в Сан-Франциско без меня, заявляя, что хочешь побыть с девочками один или что вам с Джоанной нужно обсудить финансовые вопросы. И это не считая твоих поездок в Чикаго и дела, которое ты якобы ведешь в Детройте. Что это было? — Аллегра холодно смотрела ему в глаза. Внезапно боль, которую она испытывала последние два дня, исчезла, внутри у нее все как будто заледенело. — Когда это началось?

— Совершенно не представляю, о чем ты говоришь. — Брэндон попытался все отрицать и выставить ее дурочкой, но побледнел и тяжело опустился в кресло. Пока он доставал сигарету, Аллегра заметила, что руки у него дрожат.

— Все правильно, Брэндон, ты и должен нервничать. На твоем месте я бы заволновалась, — заметила она, наблюдая за ним. — Какой смысл в твоей лжи? Мы ведь даже не женаты, зачем утруждать себя обманом? Почему нельзя было просто сказать, что между нами все кончено, не дожидаясь, пока дело зайдет так далеко?

— Далеко? Как это? — Брэндон попытался изобразить растерянность. Он был бы рад намекнуть, что она просто свихнулась, но ему не хватало наглости. Он ясно видел, что Аллегра вне себя от ярости.

— Так далеко, как в этот уик-энд, в «Фэрмаунте».

166 Неужели я должна произнести все по слогам?

Длинные светлые волосы Аллегры разметались по плечам, и она даже не догадывалась, как привлекательно выглядит в облегающих джинсах и старенькой голубой футболке.

— Да что все это значит?

Видимо, Брэндон решил держаться до последнего. Аллегра взглянула на него с нескрываемым презрением.

— Ну хорошо, ты хочешь, чтобы я все объяснила — я готова, хотя на твоем месте не стала бы настаивать. В пятницу вечером я позвонила тебе в офис, и секретарша сказала, что ты улетел в Сан-Франциско навестить девочек. И я по наивности решила сделать тебе сюрприз. Сдала билет до Лос-Анджелеса и купила другой, до Сан-Франциско.

По мере того как Аллегра говорила, Брэндон все больше бледнел, но пытался сохранять внешнее спокойствие, закурил и посмотрел на Аллегру прищурившись.

— Я прилетела в Сан-Франциско, — продолжала Аллегра. — Полет был отвратительный, вылет задержали, но от подробностей я тебя, так и быть, избавлю. До «Фэрмаунта» я добралась к половине двенадцатого, дело было в пятницу, и я хотела сделать тебе сюрприз — раздеться и залезть в твою постель. У стойки я представилась как миссис Эдвардс, и мне выдали ключи.

Брэндон потушил сигарету, раздавив ее в пепельнице.

— Им не следовало так поступать, — буркнул он с раздражением.

— Возможно, — грустно сказала Аллегра. История была не из приятных, и она словно переживала все заново. — Как бы то ни было, я открыла дверь своим ключом и вошла в номер. Мне здорово повезло — тебя и твоей подружки не было в номере. Сначала я подумала, что мне дали не тот ключ, но потом узнала твой пиджак и кейс. Однако я не узнала множество других вещей. Было только ясно, что они принадлежат не мне, не Ники, не Стефани и даже не Джоанне. Так чьи это были вещи, Брэндон? Стоит мне тебя спрашивать или просто остановимся на этом, и дело с концом?

И она молча посмотрела на него в упор. Брэндон тоже молчал, пытаясь найти нужные слова, но слова не шли.

— Напрасно ты туда заявилась, Аллегра, — сказал он наконец.

Ответ был столь неожиданным, что Аллегра даже испугалась.

— Это еще почему?

167

— Тебя не приглашали. Видишь ли, ты получила именно то, чего заслуживала, — учитывая, что нагрянула незваной. Когда ты уезжаешь в командировку, я же не являюсь к тебе ни с того ни с сего. Я не твоя собственность, а ты не моя, мы не муж и жена, каждый из нас имеет право жить по-своему.

— Вот как? — Аллегра искренне изумилась тому. — Я думала, что мы более или менее... как это в наше время называется... стабильная пара? Или это уже в прошлом? Тогда кто мы? Я считала, что мы оба существа моногамные, но, видно, я ошибалась.

Брэндон встал.

— Я не обязан тебе ничего объяснять, мы не женаты.

— Это верно, — согласилась Аллегра, наблюдая за ним. — Ты женат на другой женщине.

— Так вот что тебя больше всего гложет? То, что я берегу свою независимость? Я не принадлежу ни тебе, ни кому-то еще, я сам по себе. Ты мне не хозяйка — ни ты, ни твои родственнички. Я делаю то, что хочу.

Аллегра даже не догадывалась, что он затаил злобу, она и понятия не имела, что он способен на такое.

— Я вовсе не хотела сделать тебя своей собственностью, я хотела только любить тебя — ну может, еще когда-нибудь стать твоей женой.

— Меня это не интересует. Если бы я хотел на тебе жениться, я бы давным-давно развелся с Джоанной. Неужели ты сама не догадывалась?

Аллегре было не только больно. Она почувствовала себя идиоткой. Разгадка все это время лежала на поверхности, все было именно так, как говорила доктор Грин, только она ничего не видела или не хотела видеть. Ни тогда, ни сейчас она не хотела знать правду. И от этого было еще больнее.

— Ты меня просто использовал! — обрушилась Аллегра на Брэндона. — Ты меня обманывал, водил за нос! Кто дал тебе право так поступать со мной? Это нечестно, я ведь была тебе верна!

— Честность, справедливость, верность — все это чушь собачья, ты знаешь хоть одного честного человека в этом мире? Так что с меня довольно. Каждый сам о себе заботится как может.

— Например, говорит одной женщине, что отправился навестить детей, а сам в это время спит с другой? Так, что ли?

— Аллегра, это моя жизнь, моя работа, мои дети. А тебе вечно хотелось во все сунуть свой нос, во всем поучаствовать. Знаешь, мне это никогда не нравилось.

168

— Нет, я не знала, — печально призналась Аллегра. — Этого я никогда не могла понять. Может, тебе нужно было мне объяснить, иначе мы не зашли бы так далеко и не потратили друг на друга два года жизни?

— Потратили? Я ничего не тратил. — Брэндон самодовольно ухмыльнулся. — Я делал только то, что сам хотел.

— Убирайся из моего дома! — Аллегра с ненавистью посмотрела на него. — Ты просто ничтожество, врун, прохиндей! Я попусту два года тратила на тебя душевные силы. Ты не способен на чувства, ты не можешь ничего дать ни мне, ни своим друзьям, ни знакомым, ни даже тем, кого ты якобы любишь. Ты даже собственным детям ничего не даешь. Больше всего на свете ты боишься, что кто-нибудь может вторгнуться в твое пространство, или, не дай Бог, заставит испытать хоть какие-то чувства, или, еще того страшнее, станет ждать от тебя каких-то обязательств. Да ты просто жалкая пародия на мужчину! Все, хватит, убирайся из моего дома!

Брэндон колебался лишь мгновение, мельком покосившись на дверь спальни. Аллегра встала с дивана, подошла ко входной двери и распахнула ее.

— Ты слышал? Уходи. Убирайся. Я не шучу.

— Кажется, у тебя в спальне осталась кое-какая моя одежда.

— Я пришлю ее тебе по почте. Прощай.

Она стояла у двери и ждала. Брэндон прошел мимо нее с таким видом, будто рад бы был ее задушить и нисколько не пожалел бы об этом. Он не извинился, не удостоил ее взглядом и не попрощался. Брэндон оказался совершенно бессердечным существом. Обидные слова, которые он бросал Аллегре, ранили ее в самое сердце. Она услышала все: и что он никогда не хранил ей верность, и что всегда поступал так, как считал нужным. Брэндон — холодный, бессердечный эгоист, и никакого терпения, никакого человеческого тепла не хватит, чтобы его изменить. Хуже всего было то, что Аллегра услышала и те слова, которые он не произнес вслух: она поняла, что он ее не любит и никогда не любил. Каждое сказанное им слово лишь подтверждало правоту доктора Грин. Сейчас, стоя у закрытой двери, Аллегра только удивлялась, как она могла не догадываться об этом.

Долго еще после ухода Брэндона она сидела и думала о том, что случилось, в конце концов снова заплакала. Он действительно такой, каким она его называла, — пустой, нич-

169

тожный, эгоистичный, бездушный, но ведь она два года его любила — или думала, что любит, — и верила, что он отвечает ей взаимностью. Больнее всего было сознавать свою жестокую ошибку. Аллегра даже не посмела обратиться за утешением к доктору Грин. Ей было бы невыносимо услышать, что она ни в чем не изменилась. Она не стала звонить и матери, догадываясь о мнении Блэр и не желая его слышать. Блэр наверняка сказала бы: оно и к лучшему. Аллегра сама понимала, что без Брэндона ей будет лучше, чем с ним, что он ее использовал и сознательно вводил в заблуждение. На самом деле ему было на нее плевать, в чем он и признался, сидя на ее диване, покуривая сигарету и безжалостно разрушая то немногое, что еще оставалось от ее чувства. Аллегре хотелось с кем-то поделиться, рассказать, что она обманута, что Брэндон оказался мерзавцем, но рассказать было некому. Она была совсем одна. Такой же она была до встречи с Брэндоном — одинокой, брошенной последним любовником. Тогда ей казалось, что горький урок пошел на пользу, но напрасно она так считала. Теперь от правды не скроешься, и это самое страшное.

Аллегра легла в постель и стала снова думать о Брэндоне. Он недостоин ее, без него ей будет только лучше. Она обнаружила женские вещи в его гостиничном номере. Однако не все в их прошлом было так плохо. Глядя на фотографию, сделанную в прошлом году в Санта-Барбаре, Аллегра не могла не вспоминать, как у них все было хорошо тогда, ведь она думала, что очень его любит. От этих мыслей становилось еще горше.

Интересно, позвонит ли он? Будет ли сожалеть о случившемся? Попросит ли прощения за то, что так несправедливо с ней обошелся? Впрочем, Аллегра уже дважды побывала в подобной ситуации, и ни один из ее «бывших» так и не позвонил. Разбив ее сердце, они просто исчезали, по-видимому, чтобы сделать то же самое с другой женщиной. Сегодня вместе с Брэндоном Эдвардсом от нее ушли два года ее жизни.

Позже, уже глубокой ночью, Аллегра встала с постели и зажгла свет. Ей пришлось собрать для этого все силы. Остановившись у окна и глядя в темноту, она снова задумалась о Брэндоне. Конечно, теперь можно позвонить Джеффу и сказать, что свободна, но она не хотела это делать. Ей нужно было время, чтобы оплакать свою потерю. Каким бы Брэндон ни был мерзавцем, как бы плохо к нему ни относились все ее родные, все же она два года его любила.

Глава 9

В понедельник утром Аллегра вышла на работу усталая, бледная, осунувшаяся. Глядя на нее, можно было подумать, что она побывала не в Нью-Йорке, а в прессе для отжима белья. Элис даже показалось, что она похудела за время поездки.

— Что с вами стряслось? — спросила секретарша участливо.

Аллегра пожала плечами. Боль все еще не прошла, она постоянно думала о том, что Брэндон, наверное, давно ее обманывал, только она по своей наивности ничего не замечала. Словом, она чувствовала себя идиоткой, и это ранило ее гордость. Но дела, работа не ждали, и со временем Аллегра начала понимать: хотя Брэндон задел ее гордость, сердце ее не разбито. Более того, теперь она даже не была уверена, так ли она его любила, как ей казалось. В этом было что-то странное. Ей было грустно, но она не так уж сильно сожалела, что все кончилось. В какой-то степени даже испытывала облегчение. За неделю, проведенную в Нью-Йорке, она много думала о своих отношениях с Брэндоном и стала замечать кое-какие детали, которых не замечала раньше, но о которых ей не раз говорили другие: например, его непонятное отчуждение, стремление сохранить дистанцию, боязнь близости. Если раньше она только недоумевала, почему его так часто не бывает рядом в нужный момент, то теперь все стало ясно — у него просто были другие женщины, и даже не важно, одна или десять. Сколько их было и насколько серьезными были их отношения с Брэндоном, она уже никогда не узнает, важно одно: Брэндон ей изменял. От этой мысли Аллегра приходила в ярость.

Однако за время ее отсутствия на столе скопилась целая гора бумаг, и к середине дня Аллегра настолько погрузилась в работу, что на мысли о Брэндоне у нее не осталось времени. Брэм был доволен тем, как Аллегра вместе с его агентами организовали турне. Мэлахи звонил из реабилитационного центра и просил денег, но по просьбе его жены Аллегра ему отказала.

— Прости, Мэл, но позвони мне еще раз, через месяц после окончания курса лечения, и тогда мы снова вернемся к этому вопросу.

— Черт подери, на кого ты работаешь? — взорвался Мэл.

Аллегра, набрасывая записи к следующей встрече, улыбнулась:

— Я работаю на тебя и действую в твоих же интересах. Тебе нужно пройти курс лечения до конца. — Она стала рассказывать Мэлу о его будущих гастролях, таким образом развлекая его до тех пор, пока его не позвали на массаж.

— Вот бы у меня было время для массажа, — с завистью сказала Аллегра Элис. Сама она пообедала йогуртом и чашечкой кофе, не отрываясь от чтения проекта нового контракта для Кармен, недавно присланного киностудией. Условия были очень выгодные, Кармен должна быть довольна. Будущий фильм обещал прославить ее на всю жизнь, сделать настоящей кинозвездой. Она позвонила Кармен, чтобы поделиться хорошей новостью, но снова наткнулась на автоответчик.

— Куда запропастилась Кармен? — пробормотала Аллегра, ни к кому не обращаясь.

Она стала звонить по другим телефонам, которые ей оставляла актриса, но ни один не ответил. Тогда она попыталась вспомнить имена ее друзей, даже подумывала, не позвонить ли в Портленд ее бабушке. Раньше Кармен никогда так не исчезала, бывало, по десять раз на дню звонила Аллегре по самым пустяковым вопросам, но сейчас как сквозь землю провалилась, и никто не знал, где она. Такое поведение было более чем странно для Кармен Коннорс.

После вручения «Золотого глобуса» вышла лишь одна статья в «Чаттер» с фотографией, на которой Кармен и Алан были сняты вместе, вернее, Аллегра выходила из машины с Аланом, а позади них была видна Кармен. В статье высказывалось предположение, что между Аланом Карром и Кармен Коннорс существует бурный роман, а Аллегра Стейнберг служит для обоих прикрытием. Самое смешное, что на этот раз они — редкий случай — опередили газетчиков.

Прочтя статью, Аллегра вспомнила сообщение, которое Кармен оставила на ее домашнем автоответчике, пока она была в Нью-Йорке. Еще тогда номер телефона показался ей знакомым. Аллегра порылась в сумке и достала ежедневник. Помнится, в Нью-Йорке она черкнула номер телефона вместе с другими на какой-то бумажке и сунула ее в ежедневник. Аллегра стала перелистывать страницы. Наконец нужный клочок бумаги нашелся, она всмотрелась в цифры. Тогда она не сообразила, но сейчас сразу узнала среди нескольких записанных номеров телефон дома Алана в Малибу. Аллегра тут же вспомнила, что Алан предлагал Кармен пожить в его доме. Все стало ясно. Набирая номер, Аллегра улыбалась своим мыслям. Трубку взял Алан.

В эти выходные она звонила ему на Беверли-Хиллз, но его не оказалось дома. Позвонить ему в Малибу Аллегре тогда в голову не пришло — Алан очень редко останавливался в своем доме на берегу. Удивительно, как она не сообразила, что он может быть все еще там, с Кармен.

— Привет, — сказала она невиннейшим тоном, словно позвонила просто так, от нечего делать.

Алан рассмеялся в трубку.

— Не надо мне зубы заговаривать. — Он знал Аллегру как облупленную. — Мой ответ — не твое дело.

— Ответ? — Аллегра тоже засмеялась. — На какой вопрос?

Голос у Алана был очень довольный, даже счастливый, в трубку было слышно, что в комнате кто-то разговаривает и хихикает, и Аллегра не сомневалась, что это Кармен.

— На вопрос, где я был всю неделю. Мой ответ — это тебя не касается.

— Дай-ка я сама догадаюсь. Все это время ты был в Малибу с некоей обладательницей премии «Золотой глобус». Ну что, горячо?

— Смотри, сваришься. Но не воображай себя Шерлоком Холмсом, у тебя была подсказка, я знаю. Кармен звонила и оставила мой номер телефона.

— Да, только мне не хватило ума сообразить что к чему. Мне показалось, что номер телефона знакомый, но я только минуту назад поняла, что он твой. Ну и как жизнь на пляже?

«До чего же приятно снова услышать его голос!» — подумала Аллегра. Раньше она собиралась рассказать Алану про Брэндона, но сейчас у нее не было настроения, к тому же она ни в коем случае не собиралась обсуждать свою личную жизнь в присутствии клиентки, каковой являлась Кармен. Алан — другое дело, с ним они закадычные друзья.

— Хорошо живется. — По голосу Алана чувствовалось, что он улыбается. — Даже очень. — Он привлек к себе Кармен и чмокнул ее в губы.

— А разве ты не должен сейчас быть на съемках? — Аллегра была не совсем в курсе его дел, так как с его

173

последним контрактом работал агент, предоставленный киностудией.

— Нет, я свободен месяца два, все еще жду окончательного решения насчет этого фильма.

— Кстати, о контрактах. Я подготовила для Кармен потрясающий контракт, может, она еще тебя опередит. — Правда, репетиции начнутся не раньше июня, если она согласится.

— Где будут проходить съемки? — спросил Алан с напускным безразличием, но Аллегра почувствовала, что он очень заинтересовался.

— В отличие от твоих прямо здесь, в Лос-Анджелесе.

Алану вечно приходилось сниматься в каких-то Богом забытых местах. Правда, съемки следующего фильма должны были проходить в Швейцарии, но недавно ему предложили другой фильм, со съемками в Мексике, до этого он снимался в Чили, а еще раньше на Аляске. Фильм должен быть приключенческим, но работа предстояла большая и, судя по всему, нелегкая. Во время съемок последнего фильма, которые проходили в джунглях Таиланда, погибли два каскадера. Может, хотя бы Кармен сумеет уговорить его не выполнять опасные трюки самому, без помощи каскадеров?

— Кармен знает, где тебе предстоит сниматься?

— Да, я ей уже сказал. Она говорила, что поедет со мной. По крайней мере Швейцария — цивилизованная страна, в отличие от большинства из тех, где мне приходилось сниматься раньше.

— Ты можешь успеть закончить съемки до того, как начнутся съемки у Кармен. По-моему, фильм получится потрясающий, мне хочется поскорее сообщить Кармен хорошую новость. Собственно говоря, поэтому я и позвонила. Не позовешь ее к телефону?

— Ах вот как! Мы с тобой дружим пятнадцать лет, ты выбрала меня своим кавалером на церемонии вручения «Золотого глобуса», а теперь, значит, выбрасываешь меня, как старый носовой платок? Оказывается, я только затем и был нужен, чтобы позвать к телефону Кармен?

— Не совсем так.

Аллегра рассмеялась, от разговора с Аланом она почувствовала себя лучше, впервые за последние три дня у нее немного поднялось настроение. Неприятный осадок на душе после разрыва с Брэндоном, горечь унижения все еще остались, но решающий разговор с этим человеком каким-то образом закалил Аллегру и придал ей сил. У нее несколько раз возникало искушение рассказать обо всем Алану, но слишком трудно было признаться кому-то, что Брэндон все время морочил ей голову и она наконец его разоблачила. Требовалось время свыкнуться с этой мыслью. Слава Богу, она все-таки положила конец их отношениям.

— Как прошла поездка? Много великих дел провернула? Как Нью-Йорк?

— Да, кое-что удалось сделать. А в Нью-Йорке было хорошо. Было много снега. — И поцелуев.

Алан не мог понять, чему она так радуется.

— Снег в Нью-Йорке? Чего же в этом хорошего?

— Знаешь, я каталась на коньках.

— Ты, на коньках? Ого, видно, что-то происходит. Неужто роман с тем старичком писателем, с которым ты должна была встретиться... как бишь его зовут? Диккенс? Толстой?

— Джейсон Хэйвертон. Он замечательный. Но хотя он мне очень понравился, никакого романа у меня с ним нет, такое только тебе может прийти в голову. Хотя он был бы не против.

— Могла бы уже знать, мужчины в летах ради секса готовы на что угодно.

— А что, ты уже начал обобщать собственный опыт?

— Плоско, плоско, мисс Стейнберг. Нехорошо так грубо разговаривать с парнем, в которого ты была когда-то влюблена.

— Так то было в школе, сейчас в тебя никто не влюблен, разве что Кармен. — А также несколько миллионов женщин по всему свету. Но последних на правах старого друга она могла попросту игнорировать. — Так ты собираешься позвать ее к телефону или мне придется весь день выслушивать твою болтовню?

Аллегра снова рассмеялась. Алан, конечно, несносён, но она его любит, никто так не умеет поднять ей настроение, как он.

— Погоди, я сначала спрошу, захочет ли она с тобой разговаривать. Кстати, когда мы тебя увидим?

Аллегра не без удовольствия отметила про себя, что он говорит так, словно они с Кармен женаты.

— Не знаю, может, в эти выходные, если мне больше нечем будет заняться. — Она уже точно знала, что нечем.

— Обрати внимание, я сказал «увидимся с тобой», а не «с вами», приглашение не распространяется на всяких зануд.

— Не говори гадости про Брэндона, — одернула она скорее по привычке, чем искренне. Она сама могла бы многое наговорить про Брэндона, но пока не была готова сообщать новость Алану.

— Что ты, я никогда не говорю плохо о покойниках! Попытайся избавиться от него до того, как мы пойдем куда-нибудь пообедать. Или, может, мы останемся здесь, я еще не решил. Предоставляю тебе решить этот вопрос с моим боссом, — с усмешкой закончил он, передавая трубку Кармен. Но тут возникла задержка — прежде чем отдать трубку, он поцеловал Кармен. Аллегре пришлось ждать довольно долго.

Наконец в трубке раздалось:

— Привет.

Оживленный голос Кармен звучал радостно. Она провела девять восхитительных дней в полном уединении с Аланом. Когда она гуляла по пляжу, несколько человек из местных ее узнали, но никто не побеспокоил. В Малибу жили и куда более известные личности, чем Кармен Коннорс, здесь все привыкли к знаменитостям, и появление на пляже еще одной никого не удивляло. Местные жители чуть ли не каждый день могли видеть Джека Николсона, Барбру Стрейзанд, Шер, Тома Круза, Николь Кидман. В Малибу Кармен и Алан оказались среди себе равных, да и служба безопасности работала безупречно.

— Я по тебе скучала, — сказала Кармен, хотя на самом деле у нее не было времени скучать.

— Мне тоже тебя не хватало. Нью-Йорк — сумасшедший город, но мне нравится. Угадай, что я тебе привезла? — Аллегра радовалась как ребенок, и ей не терпелось преподнести сюрприз Кармен.

— Не знаю, может, контракт на рекламу парфюмерии? Ты встречалась с ними в Нью-Йорке?

— Да, и уверяю тебя, ничего хорошего они не предлагали. Тебе бы пришлось на протяжении нескольких месяцев целыми днями просиживать в супермаркетах, продавая духи со своим именем, так что забудь об этом. У меня есть для тебя кое-что получше. — Она выдержала театральную паузу. — Как насчет классного нового фильма, роль в котором принесет тебе «Оскара», или я готова съесть свой портфель?

— Вот это да! Кто там играет?

— Ты. — Аллегра перечислила имена еще пяти кинозвезд, от которых у Кармен дух захватило. — А как тебе понравится гонорар в три миллиона долларов, обещанный обладательнице премии «Золотой глобус»? Впечатляет?

— Ты серьезно? — Кармен взвизгнула и, бросив трубку на стол, бросилась сообщать новость Алану. Через некоторое время она снова вернулась к телефону. — Просто не верится!

— Ты это заслужила.

После этих слов Аллегра вдруг спросила себя, почему она привыкла думать, что все вокруг заслуживают самого лучшего, начиная от человеческих отношений и кончая фильмами, но почему-то никогда не считала, что заслуживает того же сама. И правда, почему?

— Я хочу, чтобы ты приехала и встретилась с продюсерами.

— Конечно. Когда мне приехать?

— Скажи, когда тебе удобно, и я договорюсь о встрече. — Аллегра заглянула в свой ежедневник. — Четверг подойдет?

— Отлично. А Алану можно будет пойти со мной?

— Пожалуйста, если он захочет.

Алан кивнул.

— Он согласен. И вот еще что, Элли... — Кармен замялась, но потом все-таки набралась храбрости. — Может, в следующий раз удастся устроить так, чтобы мы с Аланом снимались в одном фильме?

«О Господи! — пронеслось в голове у Аллегры. — Ну и работенка мне предстоит». Как правило, над подобными контрактами очень трудно работать. К тому же женской половине населения Америки, не говоря уже о миллионах поклонниц по всему миру, явно не понравится, что их кумир, любимый секс-символ почти женат, да еще на такой красотке, как Кармен.

— Поговорим об этом позже. Это будет не так просто устроить, но, думаю, в конце концов удастся, если вы серьезно настроены. — Аллегра меньше всего хотела, чтобы они вдвоем заключили контракт миллионов этак на семь, а то и на десять, поскольку речь идет об Алане Карре, а потом порвали друг с другом и в результате отказались бы сниматься вместе или, того хуже, загубили бы фильм. Такая головная боль ей совершенно ни к чему. — Давай немного подождем.

— Я поняла: ты думаешь, что мы расстанемся, — рассудительно сказала Кармен. — Так вот, этого никогда не будет. Алан — необыкновенный мужчина, я таких еще не встречала, — призналась она, понизив голос. — Я без него жить не могу.

— А как угрозы? Прекратились?

177

— Да, совершенно. — Правда, Кармен со дня вручения «Золотого глобуса» почти нигде не бывала. Как ни странно, даже папарацци оставили ее в покое. — Здесь я чувствую себя в полной безопасности.

Аллегра улыбнулась: еще бы, кто бы не чувствовал себя в безопасности под защитой Алана? Саманта права, он настоящий супермен и очень милый.

— Я рада за вас обоих, — искренне сказала Аллегра.

— Спасибо, Элли. Это все благодаря тебе. Ты приедешь к нам на обед в эти выходные?

— С удовольствием.

— Приезжай лучше в субботу. По воскресеньям Алан любит ходить в боулинг.

— Тогда, может, я лучше приеду в воскресенье? С удовольствием обыграю его в кегли.

— Хорошо, если хочешь, присоединяйся к нам в воскресенье, но на обед все равно приезжай.

— Кто будет готовить? — спросила Аллегра с притворным испугом.

Кармен захихикала.

— Мы оба. Алан меня учит. И еще, Элли... — Она снова радостно засмеялась, у нее начиналась новая жизнь. — Спасибо за фильм.

— Благодари не меня, а продюсеров. Они мне сами позвонили, и я решила, что предложение придется тебе по вкусу.

— Еще бы, я страшно рада.

— Увидимся в воскресенье, а может, еще раньше, на встрече с продюсерами. Если тебе что-нибудь понадобится, звони в любое время.

Аллегра сомневалась, что Кармен позвонит — похоже, в последнее время Алан решает все ее проблемы. И действительно, за неделю Кармен позвонила всего один раз, да и то просто оставила на автоответчике сообщение, что у нее все в порядке. Аллегра могла этому только порадоваться, ей как раз понадобилось время, чтобы заняться собственными делами, как следует осмыслить произошедшее, зализать раны.

Но все будние дни ей пришлось заниматься только своей работой и встречаться с клиентами. В четверг приезжали из Малибу Кармен и Алан, состоялись переговоры с продюсерами, и контракт на новый фильм с участием Кармен был почти подписан. В тот же день Аллегра отправи-

178

лась к доктору Грин. По дороге в машине она мысленно готовилась получить нагоняй от психоаналитика, но ее ждал приятный сюрприз. Доктор Грин не только не отчитала Аллегру за разрыв с Брэндоном, но, напротив, была очень довольна тем, как ее пациентка справилась с ситуацией. Она упрекнула Аллегру только за то, что та вовремя не позвонила ей.

— Почему вы не позвонили мне в выходные, в промежутке между возвращением из Сан-Франциско и встречей с Брэндоном? Вам наверняка пришлось очень трудно.

— Да, вы правы, но мне казалось, что говорить-то особенно не о чем. Я чувствовала себя отвратительно — в основном потому, что поняла, какой я была наивной. Ведь Брэндон скорее всего обманывал меня все два года, а я ничего не замечала. Все думала, что ему нужно дать время, с ним нужно быть терпеливой и любящей... а на самом деле ему было просто плевать на меня.

— Ну, в этом вы, возможно, не правы, думаю, он по-своему вас ценил, — поправила ее врач. Если раньше Аллегра была слишком снисходительной к Брэндону, то теперь обида и гнев из-за его предательства толкнули ее в другую крайность. — Вы были ему небезразличны, он дорожил вами, насколько вообще был на это способен. Конечно, это не много, но все же что-то.

— Но как я могла быть такой идиоткой? Как я могла ничего не замечать два года?

— Не замечали, потому что не хотели замечать. Вам нужен был близкий человек, спутник, защитник. К сожалению, Брэндон очень мало подходил на роль близкого друга, что же касается защитника, то скорее вы его защищали, чем он вас. Из этого союза не могло получиться ничего хорошего. А как сейчас? Что вы чувствуете?

— Трудно сказать. Я чувствую себя одураченной, и это меня бесит, я злюсь на Брэндона. Но вместе с тем у меня такое ощущение, будто я снова стала самой собой, я чувствую себя свободной, ни от кого не зависимой. А еще мне жаль, что так вышло, и я боюсь, что следующий мужчина будет таким же. Может, они все такие, как Брэндон, или по крайней мере мне попадаются только такие. Именно это меня и пугает. А вдруг все повторится снова, а потом еще и еще... и я вечно буду выбирать всяких неподходящих типов?

— Это вовсе не обязательно. Думаю, вы кое-чему научились. — Как ни странно, доктор Грин была уверена в этом гораздо больше самой Аллегры.

179

— Почему вы так думаете?

— Потому что как только вы обнаружили, что происходит, вы не побоялись посмотреть правде в глаза. Вместо того чтобы сглаживать конфликт, вы его обострили и положили конец отношениям — не важно, кто формально ушел, вы или он. Если разобраться, вы вывели его на чистую воду, и он сбежал, уполз, как уж в нору. И теперь вам больше не нужно обманывать себя и других, делать вид, что он с вами, когда на самом деле он где-то далеко. Это большой шаг вперед, Аллегра.

— Может быть, — не очень убежденно согласилась Аллегра. — Но что дальше?

— А это уж вы мне скажете. Чего вы хотите? Как бы там ни было, у вас достаточно сил для борьбы за свое счастье. Если вы захотите, вы можете встретить хорошего человека.

— Кажется, я такого уже встретила в Нью-Йорке, — осторожно сказала Аллегра, — но пока не уверена.

Теперь, когда Аллегра вернулась домой, ее начали одолевать сомнения насчет Джеффа. Она стала с подозрением относиться к любому мужчине. Раз она выбрала Джеффа, то он наверняка такой же, как все его предшественники. А воспоминания... память наверняка приукрашивает действительность.

— Отношения на расстоянии — это еще один способ избежать подлинной близости, — напомнила доктор Грин.

Аллегра улыбнулась:

— Хотя он родом из Нью-Йорка, сейчас живет в Лос-Анджелесе, а в Нью-Йорк прилетал по делам, как и я.

Брови Джейн Грин на миг взлетели вверх. Она покачала головой:

— Как интересно. Ну-ка, расскажите поподробнее.

Аллегра рассказала ей все, что знала о Джеффе, и все, что о нем думала. Когда она стала рассказывать, как он заехал за ней в конном экипаже и они катались на коньках, этот рассказ показался фантастикой даже ей самой. Однако теперь она вдруг поняла, как сильно ей его не хватает. Она дала себе слово, что некоторое время не будет ему звонить — и не звонила. Она не сразу смогла оправиться от потрясения после разрыва с Брэндоном.

— Но почему вы ему не звоните? А если он решит, что вы потеряли к нему интерес? Судя по всему, он совершенно нормальный человек и очень милый, — сказала Джейн. —

Позвоните ему.

— Не могу, я пока не готова. — Аллегра упорно противилась этой мысли, и никакие доводы психоаналитика не могли ее переубедить. — Мне нужно время, чтобы прийти в себя после Брэндона.

— Нет, не нужно, — мягко возразила доктор Грин. — Вы два года оправдывались за него перед всеми знакомыми, а теперь появился мужчина, с которым вы, едва познакомившись, всю неделю только и делали, что целовались при каждом удобном случае. Вряд ли вы так уж скорбите по Брэндону.

Аллегра улыбнулась. Доктор Грин попала в точку.

— Может, я просто от него прячусь.

— Почему?

— Не знаю, наверное, от страха, — призналась Аллегра. — Я боюсь в нем разочароваться, по первому впечатлению он совершенно бесподобен, даже не верится. А вдруг он на деле окажется не таким? Меня это убьет.

— Нет, не убьет. А что, если он просто человек? Как вам такой вариант? Разочаровывает? Вы предпочитаете героя фантастических грез или антипода Брэндона?

— Я пока не знаю, что чувствую к нему... я только знаю, что когда мы вместе, готова идти за ним на край света. А теперь, когда я об этом вспоминаю, мне становится страшно.

— Это можно понять, однако вы могли бы по крайней мере с ним встретиться.

— Но он мне не звонил. Может, у него есть другая?

— Или у него много дел, или он пишет книгу, или не хочет вмешиваться в вашу жизнь, поскольку вы подняли такой шум вокруг своей верности Брэндону. Вам не приходило в голову, что следует сделать для него хотя бы такую малость — рассказать, что у вас с Брэндоном все кончено? Думаю, в этом есть смысл.

Но Аллегра все же предпочитала выжидать, ей хотелось узнать, позвонит ли он сам.

И в пятницу Джефф действительно появился. Он позвонил в адвокатскую контору во второй половине дня и спросил Аллегру таким неуверенным голосом, будто он сомневался в своем праве звонить ей на работу. Элис позвала к телефону Аллегру. Та затаила дыхание и взяла трубку, руки у нее дрожали. Казалось, в то мгновение, когда она услышала в трубке голос Джеффа, для нее началась новая жизнь.

— Аллегра?

181

— Добрый день, Джефф, как поживаете?

— Уже лучше. Я знаю, мне следовало некоторое время потерпеть, но я не смог удержаться, позвонил. Решил так: позвоню, а потом на какое-то время оставлю вас в покое. Я по вас так соскучился, что просто на стенку лез.

Это были те самые слова, которые Аллегра все два года мечтала услышать от Брэндона, да так и не дождалась. Джефф произнес их с легкостью, естественно. Слыша его голос, она почувствовала себя виноватой, что не позвонила сама, как советовала доктор Грин.

— Я тоже скучала, — тихо сказала она.

— Как поживают ваши питомцы теперь, когда вы вернулись? Все нормально? Или вам по-прежнему приходится защищать их от угроз и в четыре часа утра отгонять от них папарацци и всяких психов?

— Да нет, пока спокойно. — Если не считать ее собственной жизни, но об этом Аллегра умолчала. — А как у вас дела? Как продвигается работа над сценарием?

— Так себе. С тех пор как я вернулся, у меня совсем пропало настроение работать. Наверное, это вы меня так сильно отвлекаете. — В трубке повисла недолгая пауза, затем Джефф задал Аллегре вопрос, который неотступно преследовал его со дня возвращения из Нью-Йорка. — Как провели выходные?

— Необычно, — бесстрастно ответила Аллегра. — Как-нибудь поговорим. — Она ни в коем случае не собиралась обсуждать свою личную жизнь, сидя в офисе.

— «Как-нибудь». Это звучит как обещание свидания в очень отдаленном будущем, — грустно прокомментировал Джефф. Он целую неделю ждал, чтобы позвонить Аллегре, и теперь был рад слушать ее голос, но ему еще сильнее захотелось ее увидеть.

— А мне так не кажется, — тихо возразила Аллегра. Пытаясь набраться храбрости, она вспоминала напутствия доктора Грин. — Что вы делаете в эти выходные?

В ожидании его ответа она затаила дыхание и мысленно повторяла: «Только бы он не оказался таким, как другие, только бы не оказался...»

— Это что, приглашение? — Судя по голосу, Джефф был ошеломлен. Куда она девала Брэндона? Этот вопрос очень интересовал Джеффа, но он боялся все испортить, спросив напрямик.

— Возможно. Завтра вечером я приглашена на обед к друзьям в Малибу. Не хотите пойти со мной? Это совершенно неофициальное мероприятие, можно прийти в джинсах и старом свитере. Возможно, мы даже пойдем потом в боулинг.

— Пойду с удовольствием, — обрадовался Джефф. Ему не верилось, что Аллегра действительно его пригласила. — Можно поинтересоваться, кто ваши друзья — просто из любопытства, чтобы не попасть впросак, когда я к ним заявлюсь? — Джефф уже знал, с какого рода публикой общается Аллегра, и не ошибся в своих предположениях.

— Меня пригласили Алан Карр и Кармен Коннорс, только, ради Бога, никому не рассказывайте, что видели их вместе. Они скрываются в Малибу от газетчиков.

— Можете не сомневаться, я сохраню это в секрете, — смеясь, заверил Джефф. Никому и в голову не придет его расспрашивать. — Представляю, что это будет за вечер!

— А вот это вы напрасно, ничего особенного не ожидается, — весело ответила Аллегра. — Они оба прекрасные люди, правда, повара никудышные. Кармен вообще не умеет готовить, Алан только начинает ее учить, так что кормежка, возможно, будет ужасная. — Аллегра рассмеялась просто так, без всякой причины.

Они проговорили еще некоторое время, делясь впечатлениями о прошедшей неделе, которую провели врозь. Наконец Джефф осторожно поинтересовался:

— Когда вы вернулись, все было в порядке?

Аллегра ответила утвердительно. Она понимала, о чем Джефф пытался узнать, но это был отнюдь не телефонный разговор. Куда легче будет рассказать ему все в субботу, прежде чем они вместе отправятся в гости к Алану.

Вскоре они попрощались и вернулись каждый к своим делам, но весь оставшийся рабочий день Аллегра то и дело возвращалась мыслями к Джеффу. Вечером она собиралась поехать к родителям, но, позвонив, узнала, что они уходят в гости. Тогда она поехала домой и приготовила себе на ужин омлет. Дома Аллегра снова думала о Джеффе и Брэндоне. Она очень боялась повторить прежние ошибки, снова придумать себе образ несуществующего мужчины.

В субботу, когда Джефф заехал за ней, она встретила его какая-то необычно тихая. В линялых, но отглаженных джинсах, белой рубашке и спортивном пиджаке Джефф **183** выглядел безукоризненно, а еще точнее, был неотразим. Казалось, он сошел с рекламного плаката Ральфа Лорена. В любой одежде он сохранял облик жителя восточного побережья, и Аллегре это нравилось. Аллегра вышла ему навстречу в белых джинсах, белой рубашке и красном свитере, небрежно наброшенном на плечи.

В первый момент она застеснялась. Джефф огляделся, любуясь ее домом. Казалось, у них все начинается сначала, но это впечатление длилось только до тех пор, пока он не привлек ее к себе и не поцеловал.

— Так-то лучше, — мягко сказал он и шепотом добавил: — Я так долго этого ждал.

— Девять дней, — так же шепотом ответила Аллегра.

Джефф отрицательно замотал головой:

— Тридцать четыре года. Я очень долго вас ждал, мисс Аллегра Стейнберг.

— Где же вы были так долго?

Он обнял ее, не отпуская от себя, прошел к дивану и сел вместе с ней, разглядывая комнату. Аллегра снова почувствовала себя с ним легко и непринужденно, как будто они и не расставались. Потом Аллегра пошла на кухню налить ему диетпепси, Джефф последовал за ней. Он продолжал осматриваться и явно был доволен тем, как она устроила свой дом. Однако, к своему удивлению, он нигде не обнаружил следов присутствия Брэндона. Наконец Джефф с некоторой опаской спросил:

— Не хочу показаться бесцеремонным, но где он?

— Кто? — с недоуменным видом спросила Аллегра, наливая ему колу. Они собиралась в Малибу к Алану и Кармен вместе.

— Брэндон. Мой соперник. — Конечно, Джеффу не терпелось узнать, куда он пропал и почему Аллегра свободна в субботний вечер. Может, он снова укатил в Сан-Франциско? — Он уехал?

— Насовсем. — Аллегра озорно улыбнулась, глядя на Джеффа, как ребенок, который натворил нечто, что ему явно делать не полагалось. — Его нет. Он ушел. Кажется, я забыла вам сказать.

Некоторое время Джефф молча смотрел на нее, потом медленно поставил стакан на мраморную столешницу.

— Минуточку. Он ушел... исчез... испарился... и вы мне ничего не сказали? Не верю! Негодница! — Внезапно он сгреб ее в охапку и крепко прижал к себе. — Как вы посмели так со мной обращаться! Я-то с той самой минуты, как вы пригласили меня на обед к своим друзьям, все пытаюсь понять, что случилось. Почему вы мне сразу не позвонили? Я думал, мы договорились: если что-то случится, вы мне звоните.

— Когда я вернулась, произошло столько всего, но прежде чем звонить вам, мне нужно было разобраться во всем самой, привести мысли в порядок.

Это Джефф мог понять, но он промучился целую неделю. Вот если бы он знал, что она порвала с Брэндоном! Сейчас у него сразу появилось множество вопросов к Аллегре.

— За какое подлое деяние мне его благодарить — если я, конечно, его когда-нибудь увижу?

— По-видимому, даже не за одно, а за несколько, о которых я не знала. Расскажу только о последнем. В прошлую пятницу я прилетела из Нью-Йорка в Сан-Франциско и поздно вечером, почти ночью, нагрянула к нему в отель «Фэрмаунт». С ним в номере была другая женщина. Только тогда до меня вдруг дошло, что он изменял мне все время, пока мы встречались. И он это почти подтвердил.

— Хороший парень, ничего не скажешь. Твердые принципы, высокая мораль. — Джефф шутил, но готов был задушить Брэндона своими руками. По его милости Аллегре пришлось пережить жестокое унижение. Но с другой стороны, Джефф даже радовался, что это случилось так быстро. Это было как катарсис, очищение.

— Беда в том, — заметила Аллегра, — что я сама ценю принципы, порядочность, верность и прочую дребедень, которая в наши дни вышла из моды. И я привязываюсь к людям, которые, как мне кажется, обладают этими качествами. К сожалению, обычно я ошибаюсь, принимая желаемое за действительное. До сих пор я с завидным постоянством выбирала совершенно неподходящих мужчин.

— Ну может, теперь все будет по-другому. — Джефф снова привлек ее к себе, чувствуя, как ее гибкое тело прижимается к нему, окутывая своим теплом. — Может, у вас резко улучшилось зрение.

— Правда? — настороженно спросила Аллегра. Ей так хотелось получить от него ответы на свои вопросы, убедиться, что на этот раз она не ошиблась.

— А вы как думаете?

185

— Я спрашиваю вас. Боюсь, мне уже не пройти через все это снова. Брэндон был третьим — третья, последняя, попытка не удалась, я выхожу из игры.

— Нет, Аллегра. — Он повернул ее к себе лицом и заглянул в глаза. — Игра только начинается. Вы еще зеленый новичок, все дело в практике. Сейчас мы подошли к самому главному, и на этот раз вы завоюете приз, вы его заслужили.

Аллегра подняла на него глаза, в них блеснули слезы. Джефф снова поцеловал ее, и на этот раз она ответила на поцелуй, вложив в свой ответ всю душу, надежду и веру, которые до этого она так опрометчиво дарила тем, кто этого не заслуживал. Джефф прав, на этот раз все будет по-другому. Он настоящий, он ее не обманет. Аллегра чувствовала это сердцем.

Затем Аллегра провела его по дому. У нее возникло странное ощущение, что она показывает Джеффу его новое жилье, что он будет проводить в ее доме много времени. Ощущение было непривычное, но приятное.

— Мне нравится ваш дом, — от души похвалил Джефф. Ему действительно понравилась теплая атмосфера дома. Аллегра любила свое гнездышко, и ей было приятно показать его Джеффу.

Вскоре они поехали в Малибу. Путь до дома Алана занял сорок пять минут. По дороге Аллегра рассказывала Джеффу об Алане, об их бесчисленных детских проделках. Но, будучи подготовленным к встрече, Джефф в первый момент был ошеломлен, увидев Алана и Кармен воочию. Кармен даже в футболке и джинсах была так прекрасна, что дух захватывало. В ней была чувственность, которой отличалась Мэрилин Монро, но при этом Кармен была красивее — настолько, что Джефф оказался не готов к встрече с ней. А Алан выглядел точь-в-точь как на экране, только он был живой и стоял рядом, глядел прямо на него, улыбался своей знаменитой улыбкой, обнажая идеальные зубы, в глазах невероятной голубизны плясали искорки смеха. Он чем-то напомнил Джеффу Кларка Гейбла. Вместе Алан и Кармен составляли великолепную пару, можно себе представить, в какое неистовство придут репортеры, если узнают об их романе.

Хозяева пригласили гостей в дом. На закуску Алан приготовил блюда мексиканской кухни: тамалес — мелко порезанное мясо с кукурузой, щедро приправленное красным перцем, и гвакамоле, блюдо из плодов авокадо. Джеффу он предложил текилы. Но при всем своем гостеприим-

186

стве Алан время от времени исподволь разглядывал спутника Аллегры. Когда Алану удалось ненадолго остаться наедине с Аллегрой, он тут же засыпал ее вопросами. Аллегра нервно хмыкнула.

— Что происходит? Ничего не понимаю. Кто это такой? Куда ты девала своего напыщенного павлина? — Алан никогда не говорил о Брэндоне не только в вежливых, но даже просто в цивилизованных выражениях, поскольку терпеть его не мог. Но на этот раз Аллегра едва ли не впервые ничего не сказала в защиту Брэндона. Она только немного смущенно захихикала. — Этот мне гораздо больше нравится, но что ты сделала с другим? Убила?

— Почти. Как оказалось, он чуть ли не все два года меня обманывал. В прошлую пятницу я застала его в отеле «Фэрмаунт» с одной из подружек. Вернее, не совсем застала, их не было в номере, но зато там были ее трусики, бюстгальтер и прозрачная ночная рубашка.

— Вот тебе раз, почему же ты мне ничего не сказала? — Алан даже обиделся.

— Не знаю, наверное, мне нужно было время свыкнуться с новостью. — Аллегра посерьезнела. — На самом деле я тебе звонила, но не застала дома. Я чувствовала себя прескверно, и мне не хотелось никому рассказывать о том, что произошло. Всю неделю я зализывала раны.

— Считай, что тебе повезло, — сказал Алан серьезно, наливая ей содовую: текилу Аллегра не любила. — Этот мерзавец сделал бы тебя несчастной до конца дней, можешь мне поверить, я это чувствовал.

Аллегра не стала возражать. Пока они разговаривали, в комнату вернулись Джефф и Кармен.

— О чем это вы тут секретничаете? — спросил Джефф, обнимая Аллегру. Она улыбнулась. — Что здесь вообще происходит? Я могу оставлять вас с этим мужчиной, это не опасно? Лучше скажите сразу, чтобы я знал, чего мне ждать. Боюсь, с ним я не могу конкурировать. Так он опасен?

Алан рассмеялся и быстро успокоил Джеффа.

— Похоже, я уже пятнадцать лет как безопасен. В четырнадцать она была чертовски хороша, но мне так и не перепало ничего, кроме нескольких слюнявых поцелуев. Надеюсь, хоть вам удастся добиться от нее большего, — грубовато сказал он. Аллегра шутливо ткнула его локтем в бок.

— И на том спасибо, негодник! Помню, ты постоянно втягивал меня в какие-нибудь истории, и мне попадало от мамы.

— Знаешь, он и сейчас продолжает этим заниматься. — Кармен посмотрела на Аллегру с таким сочувствием, что та рассмеялась. Им было хорошо вместе, всем четверым. Аллегра подумала, что еще не видела Кармен и Алана такими счастливыми.

К обеду подали тако — сложенные пополам кукурузные лепешки с кусками курицы внутри, их приготовил Алан, и рис по-испански с салатом, который приготовила Кармен. На десерт у них была целая гора мороженого с горячим карамельным соусом. А потом они развлекались тем, что, как в детстве, пекли на огне в камине зефир. После обеда все четверо вышли прогуляться по пляжу. Они разговаривали, смеялись, играли в «пятнашки», поднимая брызги. Светила луна, волны с тихим шелестом набегали на песок, был прекрасный тихий вечер.

Когда они вернулись в дом, Кармен загадочно улыбнулась Аллегре, посмотрела своими огромными голубыми глазами на Алана и что-то прошептала ему — спросила, можно ли рассказать новость. Алан некоторое время колебался, глядя на своих гостей и пытаясь понять, как отнесется к их новости Аллегра и можно ли доверить ее Джеффу. В конце концов он все-таки решился, тем более что Кармен едва сдерживалась и даже пританцовывала на месте от нетерпения.

— На День святого Валентина мы с Аланом поженимся в Лас-Вегасе, — объявила она.

Аллегра бросилась на диван, делая вид, что падает в обморок.

— Мечта влюбленных и кошмар адвокатов!

Она встретилась взглядом с Аланом, пытаясь понять, то ли это, чего он хочет. Но Алан выглядел счастливым как никогда и уверенным в себе. В конце концов, ему уже тридцать, к этому возрасту он наверняка научился разбираться в людях.

— Газетчики вас просто на части разорвут. Надеюсь, вы понимаете, что в Лас-Вегас придется отправиться инкогнито и остановиться в отеле под чужими именами? Наденьте парики, загримируйтесь — сделайте все, что угодно, лишь бы вас не узнали. Ваша свадьба станет событием века, куда до вас принцессе Диане с принцем Чарлзом. Только умоляю, ради Бога, будьте осторожны!

— Обязательно, — заверил Алан. Ему только что пришла в голову одна мысль. — А ты не согласишься быть у нас на свадьбе свидетельницей, или подружкой невесты,

188

или еще кем-нибудь в этом роде? — Он повернулся к Джеффу и великодушно распространил приглашение и на него: — Вы тоже можете поехать, если к тому времени она вам не надоест. Да, мы будем рады вас видеть.

Джефф был тронут его приглашением, даже сделанным в шутливой форме. Алан и Кармен оказались приятными людьми, искренними, душевными, и он замечательно провел время у них в гостях. Этот вечер совсем не походил на собрание в каком-нибудь нью-йоркском салоне с претензией на утонченную интеллектуальность, в доме Алана обстановка была проще, и Джеффу это очень нравилось. Именно поэтому Джефф в свое время и поселился в Калифорнии, но Алан и Кармен не такие, как все, они особенные. Однако как ни понравились Джеффу хозяева, он весь вечер не мог отвести взгляд от Аллегры. Он все еще не мог поверить своему счастью — не верилось, что она так быстро порвала с Брэндоном.

Поскольку до свадьбы оставалось всего две недели, разговор теперь шел только о подготовке к свадьбе. Алан хотел увезти Кармен на медовый месяц в Новую Зеландию. Однажды он там снимался, и страна ему очень понравилась. А Кармен до сих пор не была в Париже.

— Поехали с нами в Новую Зеландию, Джефф, — вдруг предложил Алан, закуривая сигару. — А девчонки пусть останутся дома, походят по магазинам.

Но шутки шутками, а Аллегра время от времени все же напоминала друзьям о необходимости соблюдать осторожность. Как только газетчики пронюхают, что случилось, они превратят их жизнь в кошмар, поэтому крайне важно, чтобы никто ничего не заподозрил до последнего момента.

— Как вы собираетесь добираться до Вегаса? — спросила Аллегра.

— Вообще-то я планировал ехать на машине, — практично рассудил Алан.

— Тогда, может, возьмете напрокат гастрольный автобус? У Брэма как раз есть подходящий, я попробую с ним договориться, и если удастся, то пусть это будет моим свадебным подарком.

Аллегра сознавала, что идея отправить Алана и Кармен в Вегас на автобусе обойдется ей тысяч в пять долларов, но дело того стоит. Ехать в своем автобусе — все равно что плыть на яхте или лететь на частном самолете. И если она арендует его на свое имя, никто ни о чем не догадается.

Кармен сочла предложение заманчивым, Алан решил сделать ей приятное и согласился, поблагодарив Аллегру.

Джефф и Аллегра помогли хозяевам убрать со стола и сложить посуду в посудомоечную машину, чтобы горничная вымыла ее утром. В одиннадцать они стали прощаться. Луна светила по-прежнему ярко, и на обратном пути Джефф предложил Аллегре посмотреть его дом, который находился всего в нескольких кварталах от дома Алана. Сначала Аллегра колебалась, но, подумав, согласилась. Она еще не привыкла к их новым отношениям и в каком-то смысле стала застенчивее, чем была в Нью-Йорке. Там события развивались слишком быстро, и каждый стремился взять как можно больше, пока есть возможность. Тогда их отношения немного напоминали роман на борту корабля во время круиза, а сейчас вдруг стали частью реальной жизни, и Аллегра с тревогой чувствовала, что для обоих это серьезно. Помимо всего прочего, новость, что Алан и Кармен решили пожениться, тоже немного выбила ее из колеи, ей с трудом верилось, что они так быстро зашли столь далеко.

— Я сама их познакомила всего две недели назад, — немного удивленно сказала она Джеффу, когда он остановил машину возле небольшого, очень ухоженного дома.

— Ну что ж, это ведь Голливуд.

Он рассмеялся, но самое интересное было то, что Алан и Кармен действительно идеально подходили друг другу. Жениться через месяц после знакомства — шаг рискованный, но у него было такое чувство, что у них все получится, и Аллегра тоже в это верила.

— Они оба — замечательные люди, хотя и действуют уж слишком стремительно.

Больше всего ее удивил Алан. Он всегда отличался осторожностью, но на этот раз скорее всего увидел в Кармен ту самую женщину, которая ему нужна.

Они вышли из машины и пошли к дому, Джефф впереди, Аллегра за ним. Отперев дверь, Джефф оглянулся на Аллегру и помедлил, раздумывая, не перенести ли ее через порог. Ему очень этого хотелось, но он боялся отпугнуть Аллегру столь смелым жестом, особенно теперь, когда она немного ошеломлена известием о свадьбе двух своих друзей.

— Вы правда собираетесь прийти к ним на свадьбу? — спросила Аллегра.

— Да, если вы захотите. Я никогда не был в Лас-Вегасе.

— О-о, вы многое потеряли. По сравнению с Вегасом Лос-Анджелес покажется вам Бостоном.

— Жду с нетерпением. — Джефф усмехнулся.

Он много чего ждал с нетерпением, ему много чем хотелось заняться с Аллегрой, многое ей показать. У них все только начиналось.

Он провел ее по дому. Дом был небольшой и для писателя на удивление опрятный. Пол застилали плетеные коврики, удобные диваны и кресла были покрыты полотняными чехлами. Джефф не купил дом, а арендовал, но, как и он сам, дом выглядел очень по-восточному*. Он напомнил Аллегре летние домики, которые она видела в Новой Англии. Хотя и не собственный, дом как нельзя лучше подходил Джеффу и производил впечатление идеального места для писателя. А еще в таком доме приятно пасмурным днем сидеть с книжкой, свернувшись калачиком на диване. В гостиной был большой камин и несколько кожаных кресел. В спальне стояла огромная кровать с пологом на четырех столбиках. В отличие от остальной обстановки дома кровать эта, сделанная из толстых бревен, казалась типично западной.

Просторная, отделанная мрамором ванная была оборудована по последнему слову техники. По другую сторону от гостиной располагались рабочий кабинет Джеффа и небольшая спальня для гостей. Словом, в доме было все, что нужно.

— Как вам удалось найти такое сокровище? — Найти в Малибу подходящий дом почти так же маловероятно, как найти золотой самородок в тарелке с овсяной кашей.

— Я его не искал, дом принадлежит моему другу, который прошлым летом перебрался на восток. Он с радостью сдал его мне, а я с такой же радостью его снял. Он поселился в Бостоне. По-моему, он в конце концов продаст этот дом, а я, по всей вероятности, его куплю. Но пока я его только арендую.

Аллегра с улыбкой еще раз огляделась по сторонам. Приятный дом и очень подходит Джеффу. Интересно, что он совсем не похож на дом Алана, который пропитан духом Лос-Анджелеса.

Они пошли прогуляться по пляжу, но прохладный бриз с океана вскоре загнал их в дом. Вернувшись, они устроились рядом на диване и говорили, говорили... Когда Аллегра засо-

* Имеется в виду восточное побережье в США.

191

биралась уходить, стрелки показывали второй час. Ей не хотелось вынуждать Джеффа везти ее домой, но, к сожалению, она не могла никак иначе добраться до Беверли-Хиллз: к Алану они приехали на его машине.

— Мне так неловко, что вам придется отвозить меня и ночью возвращаться обратно. Я совершила ужасную глупость, нам нужно было договориться встретиться прямо у Алана.

— Ничего страшного, мне все равно делать нечего.

В отличие от Брэндона, который вечно бывал чем-то недоволен, добродушный Джефф относился ко всему гораздо проще. Аллегра снова подумала, что с ним очень приятно общаться. Рядом с Джеффом у нее возникало такое чувство, будто они вместе уже много лет. Как Кармен и Алан, они идеально подходили друг другу.

Он снова поцеловал Аллегру, на этот раз, как ей показалось, с большим пылом. И она откликнулась. Как хорошо, когда они вместе, наедине, у них полно времени и не нужно никуда торопиться, можно не думать ни о ком и ни о чем, кроме друг друга! Это настоящая роскошь — просто быть вместе.

— Если мы сейчас не остановимся, боюсь, я никогда отсюда не уйду, — только и прошептала Аллегра.

— На это я и надеюсь, — так же шепотом ответил Джефф.

Она засмеялась:

— Я тоже, но, думаю, мне лучше уйти.

— Почему?

Он уложил ее на диван и сам лег рядом. Аллегра не возражала. Некоторое время они просто лежали рядом, глядя, как в камине пляшут языки пламени (Джефф разжег огонь, когда они вернулись с пляжа). В окна лился лунный свет, доносился тихий плеск океанских волн, от этого гостиная казалась еще уютнее. Но Аллегра ничего не замечала вокруг, когда Джефф ее обнял.

— Ты не подумаешь, что я спятил, если я признаюсь, что люблю тебя? — спросил Джефф. Они лежали рядом, и это казалось таким естественным, словно так было всегда.

— Нет, не подумаю. А что, тебе самому это кажется странным? У меня такое чувство, будто я знаю тебя всю жизнь, как Алана. — Причем это чувство возникло у Аллегры чуть ли не с самой первой минуты, когда они познакомились на приеме у Вейсмана.

— Жаль, что я не знал тебя в те времена. Небось в **192** четырнадцать лет ты была клевой девчонкой. — Джефф попытался представить ее с косичками, веснушками на носу и скобками на зубах.

— Ага, меня и мои слюнявые поцелуи. В четырнадцать лет мы очень весело проводили время, тогда все было так просто.

— Все и сейчас просто, — спокойно заметил Джефф. — Что-то усложняется, только когда поступаешь неправильно, а мы все делаем правильно. Мы просто созданы друг для друга, и ты это знаешь.

— Ты так думаешь?

Аллегра посмотрела на него снизу вверх, Джефф пододвинулся к ней ближе и поцеловал еще крепче.

— Знаешь, иногда мне становится страшно, — тихо призналась Аллегра, вглядываясь в его лицо в отблесках пламени камина.

— Чего ты боишься?

— Я боюсь, что опять сделаю что-нибудь не то, боюсь выбрать не того человека. Я не хочу испортить себе жизнь... Знаешь, как бывает, женщина выходит замуж не за того, кого нужно, и потом жалеет об этом всю оставшуюся жизнь, отчаянно пытаясь что-то изменить. Я не хочу так жить.

— Не хочешь, значит, и не будешь, — резонно заметил он. — Ты ведь до сих пор ничего такого не натворила, почему же это должно произойти сейчас?

— Я слишком боялась ошибиться.

Слушая Аллегру, Джефф думал о том, что он-то точно знает, что хорошо для них обоих, что им обоим нужно. Время пришло, и нечего дальше мучить себя. Он встал, бережно поднял Аллегру на руки, отнес в свою спальню и положил на широкую кровать с пологом. В уютной спальне Джеффа Аллегра ощущала себя в безопасности, поэтому не сделала ни единого движения, чтобы уйти или хотя бы отодвинуться. Она просто лежала и смотрела на него широко раскрытыми зелеными глазами. Он сел рядом, наклонился над ней, поцеловал, и она мгновенно откликнулась. Он постепенно снял с нее всю одежду, с восхищением разглядывая и покрывая поцелуями каждый дюйм ее тела. А потом они несколько часов занимались любовью, лаская друг друга руками и губами. Утром, когда солнце заглянуло в окно, Аллегра, как младенец, спала в объятиях Джеффа.

Проснувшись первым, Джефф тихо прошел на кухню, приготовил завтрак для любимой и вернулся в комнату с подносом. Чтобы разбудить Аллегру, он стал покрывать ее спину поцелуями. Она зашевелилась во сне, открыла **193** глаза и со счастливой улыбкой посмотрела на Джеффа. Эту ночь они никогда не забудут. Их время пришло.

Позавтракав, они снова долго разговаривали. Потом они вместе принимали ванну, нежась в пенных струях джакузи. После ванны пошли на пляж. Они издали заметили Кармен и Алана, тут же вернулись в дом Джеффа и снова занимались любовью. Жаркий воскресный полдень они встретили в объятиях друг друга.

А потом Алан поспорил с Кармен.

— Я точно знаю, что видела утром на пляже Аллегру, она гуляла с Джеффом, — упорствовала Кармен.

— Не может быть, — возражал Алан. В его голосе уже появились интонации, типичные для мужа. — Вчера вечером она вернулась домой. Я знаю Элли, она бы так не поступила. Ей нужно время. К тому же, по-моему, она еще не пришла в себя после Брэндона.

— А я тебе говорю, что их видела. — Кармен была уверена в своей правоте.

Когда по пути в город Джефф и Аллегра проезжали мимо дома Алана, сидевшего в саду с Кармен, тот немало удивился, увидев их вместе.

— Ну, что я говорила! — торжествующе воскликнула Кармен, когда друзья помахали им из машины.

— Да, черт подери, ты оказалась права. — Алан проводил глазами автомобиль Джеффа. Он любил Аллегру как сестру и всегда желал ей добра. По его мнению, эта женщина заслуживала самого лучшего, что только может дать жизнь. Впрочем, Джефф показался ему неплохим парнем, и он надеялся, что у них с Аллегрой все сложится отлично.

— Может, мы устроим двойную свадьбу в Лас-Вегасе? — предложила Кармен. Она рассмеялась и потянула Алана в дом. Он не стал упираться и пошел за ней, но что касается двойной свадьбы, то тут у него были серьезные сомнения.

Глава 10

В начале февраля рабочий график Аллегры был загружен до предела. Ей предстояло закончить подготовку к турне Брэма, заняться контрактом Кармен на съемки в новом фильме, а также вести переговоры по еще нескольким фильмам с участием других клиентов. Помимо этого, она, как сотрудник фирмы, занималась еще множеством более мелких дел. Несмотря на это, с лица Аллегры не сходила улыбка, и Элис никогда еще не видела ее такой счастливой.

Время от времени, когда у Джеффа бывал перерыв в работе или назначена какая-нибудь встреча неподалеку от офиса фирмы «Фиш, Херцог и Фримен», он заглядывал к Аллегре на работу, а при малейшей возможности приглашал на ленч. Порой в обеденный перерыв они даже ухитрялись сбежать и уединиться в ее доме на Беверли-Хиллз. Когда Аллегра возвращалась после таких отлучек на работу, ей приходилось делать над собой усилие, чтобы сосредоточиться на делах и выглядеть серьезной. Все ее мысли были заняты Джеффом, никогда еще она не была так счастлива. Казалось, они идеально подходят друг другу во всех отношениях, любят одни и те же занятия, читают одни и те же книги, у них общие идеи и интересы. Джефф был неизменно добр, уступчив, обладал удивительным чувством юмора.

После первой недели блаженства, которую они провели большей частью в его уютном доме в Малибу, Аллегра предложила Джеффу съездить на обед к ее родителям. Она все еще не рассказала им о разрыве с Брэндоном. В ответ на ее предложение Джефф посмотрел на нее с некоторой опаской.

— Ты уверена, что это будет удобно?

Он был по уши влюблен в Аллегру, но не хотел торопить события. К тому же, зная, как она близка с родителями, он боялся, что его появление будет расценено как нежелательное вторжение.

— Конечно, мама любит, когда мы приводим в дом друзей. — Действительно, Блэр нравилось, когда друзья ее детей бывали в доме, она всегда старалась сделать так, чтобы они чувствовали себя желанными гостями.

Однако Джефф все еще колебался, отчасти потому, что побаивался мнения о себе старших Стейнбергов. Он и раньше не горел желанием знакомиться с родителями своих девушек, а теперь, когда ему перевалило за тридцать, и вовсе чувствовал неловкость в подобной ситуации.

— Но твои родители ужасно занятые люди.

— Ну и что, им будет интересно с тобой познакомиться.

В конце концов, несмотря на все опасения Джеффа, Аллегре удалось уговорить его прийти в пятницу на обед. **195**

Когда Джефф заехал за Аллегрой, чтобы ехать к Стейнбергам, в своих слаксах и блейзере он выглядел почти так же, как в их первую встречу в Нью-Йорке. Респектабельный, несколько консервативный и очень привлекательный. Они поехали в Бель-Эйр на его машине. Аллегра попыталась подбодрить Джеффа, который и вправду немного нервничал.

— В чем дело? — Она улыбнулась. — Тебя смущает, что мой отец продюсер?

У Аллегры возникло ощущение, будто ей снова шестнадцать лет. Но она нисколько не волновалась: ее родителям Джефф непременно понравится, тем более что Брэндона они едва выносили. Отец старался казаться безразличным, но Блэр терпеть не могла Брэндона и с трудом скрывала неприязнь и, как теперь выяснилось, была права.

Джефф улыбнулся:

— Я ведь когда-то посылал ему свою первую книгу. Вдруг он подумает, что я вернулся неспроста? — В этот момент Джефф стал так похож на подростка, что Аллегра расхохоталась. Они въехали в Бель-Эйр, и она стала показывать ему дорогу.

— Думаю, отцу хватит ума понять, что к чему, а если нет, мама ему все объяснит. Она очень проницательная женщина.

Блэр была с головой поглощена планами переустройства кухни, разложив чертежи на полу по всей гостиной. Мать с карандашом за ухом ползала вокруг них на четвереньках, объясняя отцу детали. Увидев старшую дочь, она радостно улыбнулась, но когда заметила ее спутника, во взгляде промелькнуло удивление. Однако вслух Блэр ничего не сказала.

— Привет, дорогая, я тут показывала папе, как будет выглядеть наша новая кухня. — Она снова улыбнулась дочери и поднялась с колен.

Аллегра представила матери Джеффа. Когда по телефону Аллегра сказала, что приедет на обед не одна, ее мать, естественно, предположила, что речь идет о Брэндоне. Блэр тщательно скрывала свое удивление, но, разумеется, ей хотелось поскорее расспросить дочь о спутнике.

Саймон тоже встал, поцеловал дочь и уточнил, мрачно усмехнувшись:

— Она мне показывала, во что через полгода превратятся огромная яма на нашем заднем дворе и пустая комната, где мы, бывало, мирно завтракали. Чувствую, летом наш дом будет выглядеть как после смерча.

Саймон представился Джеффу и подал ему руку, дружелюбно поглядывая на гостя. Ему сразу понравились теплая улыбка и крепкое рукопожатие Джеффа.

— Мы уже встречались около года назад, — сказал Джефф и скромно добавил: — Вы были так добры, что согласились поговорить со мной по поводу сценария, который я писал по своей книге. Книга называлась «Птицы лета». Вы, наверное, уже не помните, ведь вам так много приходится их читать.

— А вы знаете, я не забыл. — Саймон задумчиво покачал головой и улыбнулся. — У вас были очень неплохие идеи насчет сценария, однако наброски, насколько я помню, требовали серьезной доработки. Но так всегда бывает.

— С тех самых пор я над этим работаю, — признался Джефф. Он вежливо поздоровался за руку с Блэр. Наблюдая за ним со стороны, Аллегра не могла не отметить, что он очень хорошо воспитан.

Вскоре подошла Саманта. Перед обедом все пятеро некоторое время посидели в гостиной. Говорили о работе Джеффа, о новой кухне Блэр, сравнивали Голливуд с Нью-Йорком. Джефф признался, что иногда скучает по Нью-Йорку, но жизнь в Калифорнии тоже имеет свои привлекательные стороны. Для него главная привлекательность Калифорнии состояла в том, что здесь жила Аллегра, но об этом он умолчал. По его словам, он первоначально планировал провести здесь год, а затем вернуться в Нью-Йорк и писать там следующую книгу. Он даже подумывал о переезде в Новую Англию или в Кейп-Код. Но прежде чем куда бы то ни было переезжать, в мае он должен был приступить к съемкам, которые, вероятно, закончатся не раньше сентября.

Слушая, как Джефф делится своими планами, Аллегра немного встревожилась. Ей как-то в голову не приходило, что он может вернуться на восток. Они лишь недавно познакомились, но все шло так замечательно, и ей не хотелось думать о возможном скором отъезде Джеффа.

Улучив момент, когда все двинулись в столовую, Аллегра тихо сказала:

— Это плохая новость.

— Меня еще можно отговорить, — прошептал Джефф, касаясь губами ее уха.

— Я надеюсь.

На протяжении всего обеда Аллегра не без удовольствия наблюдала за Блэр, которая, в свою очередь, с

197

интересом поглядывала на молодую пару. Блэр не терпелось побольше узнать о спутнике Аллегры. Но в присутствии Джеффа ей приходилось сдерживать любопытство. Сэм тоже исподволь рассматривала гостя. После обеда Саймон с Джеффом вышли прогуляться и поговорить о кинобизнесе — о профсоюзах, затратах на съемки и прочих близких обоим проблемах. Женщины вернулись в гостиную, и Блэр воспользовалась случаем, чтобы расспросить Аллегру. Она чувствовала, что пропустила несколько глав из жизни дочери, и теперь жаждала наверстать упущенное. Она с улыбкой спросила:

— Скажи, Аллегра, в твоей жизни произошли перемены? Аллегра притворилась, что не понимает.

— Ты о чем, мама?

Сэм вытаращила глаза, и обе женщины рассмеялись. Было нетрудно заметить, что Джефф без ума от Аллегры.

— Признаться, я уже не рассчитывала когда-нибудь распрощаться с Брэндоном. Ну рассказывай, он снова улетел в Сан-Франциско или случилось именно то, о чем я думаю? — Блэр даже не смела надеяться.

Загадочное выражение лица сделало Аллегру похожей на Мону Лизу, только белокурую.

— Возможно, — уклончиво ответила она. Аллегра не стала раньше времени вдаваться в подробности и пока лишь хотела познакомить с Джеффом свою семью.

Блэр посмотрела на старшую дочь с укоризной:

— Могла бы и намекнуть.

Саманта со скучающим видом прилегла на диван. Во-первых, она очень устала, а во-вторых, хотя Джефф нравился ей куда больше Брэндона, жизнь сестры все равно казалась ей ужасно скучной.

— Он интереснее Брэндона, — изрекла с вежливым интересом Сэм. — И все-таки, Элли, что случилось? Брэндон тебя бросил?

— Ну, Саманта, разве так спрашивают? — пожурила Блэр, но тут же, не удержавшись, спросила сама: — Дорогая, что случилось?

Блэр была рада, что Брэндон исчез, она только надеялась, что у Аллегры не было неприятностей. Ей давно казалось, что Брэндон не ценит ее дочь по-настоящему, он всегда держался так отчужденно, чуть ли не враждебно, к тому же ее не могли не беспокоить его неопределенные отношения с женой.

198   — Думаю, просто время пришло.

Загадочный ответ Аллегры только подогрел любопытство и Блэр, и Саманты. Сестра не выдержала первой.

— И давно это случилось? — спросила она.

— Несколько недель назад. А с Джеффом я познакомилась в Нью-Йорке. — Аллегра решила хотя бы отчасти удовлетворить их любопытство.

Казалось, Блэр такой ответ устраивал, Джефф ей понравился, как и Саймону.

— Он очень симпатичный, — спокойно заметила она.

Через несколько минут вернулись Саймон и Джефф, все еще глубоко увлеченные разговором о фильме Джеффа.

— Я бы хотел прочесть вашу новую книгу, — сказал Саймон серьезно. — Пожалуй, я ее куплю, она ведь, кажется, только что вышла?

— Она поступила в продажу несколько недель назад. Я только что вернулся из небольшого рекламного турне. Честно говоря, не представляю, как вам при вашей занятости удается выкроить время на чтение. — Джеффа действительно поразило, как много Саймон успевает.

— Да вот, удается как-то. — Саймон незаметно покосился на жену, и Аллегра успела заметить во взглядах, которыми они обменялись, нечто странное: не то чтобы враждебность и определенно не гнев, но что-то вроде легкого холодка отчуждения. Аллегра еще не видела, чтобы они смотрели друг на друга с таким выражением. Она невольно задалась вопросом, что в последнее время беспокоит ее родителей. Может, причина в ремонте кухни? Саймон терпеть не мог всякие неудобства, а Блэр обожала перестройки, и по этому поводу между ними время от времени возникали трения.

Аллегра промолчала, но позже, когда они с Блэр вышли в кухню, она внимательно присмотрелась к ней, но так и не заметила ничего тревожного. Разве что в последнее время мать выглядела более усталой, чем обычно. Впрочем, у нее всегда было очень много дел, а сейчас ко всем ее заботам прибавилось беспокойство из-за сериала.

— У папы все в порядке? — осторожно спросила Аллегра, не желая показаться любопытной. В любой супружеской паре случаются споры, может, родители тоже в этот вечер о чем-то поспорили перед их приездом.

— Конечно, дорогая, а что?

199

— Ну, не знаю... просто мне показалось, что папа какой-то странный сегодня, мрачноватый, что ли. Наверное, показалось.

— Наверное, — беспечно откликнулась Блэр. — Саймон злится из-за сада. Он ему нравится такой, как есть, и он не верит, что мои преобразования могут что-то улучшить.

Аллегра улыбнулась, нечто в этом роде она и предполагала. Этот спор между родителями возникал уже не первый раз, к счастью, ничего более серьезного не произошло. У них удивительно удачный брак.

— Кстати, мне понравился твой знакомый. Он такой умный, добродушный, приятный в общении. И очень хорош собой. — Блэр налила себе воды и улыбнулась. — Я очень рада.

Аллегра засмеялась, прекрасно понимая свою мать: Блэр радовалась, что дочь распрощалась с Брэндоном.

— Я так и думала, что ты будешь довольна. — Аллегре было даже немножко грустно оттого, что все вокруг так радуются ее разрыву с Брэндоном. Значит, и другие видели нечто такое, чего она сама упорно не замечала. — У нас с Джеффом все произошло так стремительно. Мы познакомились в Нью-Йорке на приеме у одного литературного агента, с которым я работала. С тех пор мы почти постоянно вместе. — Посмотрев на мать, она призналась с трогательной застенчивостью: — По-моему, мы подходим друг другу. Он мне так нравится... я никогда не встречала таких мужчин... кроме папы.

— О-о, детка, это серьезно. — Блэр вгляделась в лицо дочери. — Женщины сравнивают с отцами только тех мужчин, за которых собираются замуж.

Аллегра покраснела от смущения.

— Мама, ты торопишь события. Мы с Джеффом всего три недели как познакомились.

— Ты удивишься, но когда появляется подходящий мужчина, события могут развиваться очень быстро.

Эти слова Блэр напомнили Аллегре историю Кармен и Алана. Ей хотелось поделиться новостью с матерью, но она, к сожалению, не имела на это права.

Женщины вернулись в гостиную к мужчинам, Саманта ушла звонить по телефону какой-то подруге, а Блэр и Аллегра остались. Аллегра и Джефф просидели в гостях почти до одиннадцати часов и очень мило провели время, непринужденный разговор то и дело прерывался смехом.

Проводив дочь и Джеффа, Блэр широко улыбнулась мужу. Саймон так хорошо изучил свою жену, что без слов понял, чем она так обрадована и взволнована. Он усмехнулся:

— Полно, Блэр, не торопи события и не воспринимай все так серьезно, она же его едва знает.

— То же самое мне сказала Аллегра. Но вы оба упускаете из виду один важный момент: этот парень явно без ума от нее.

— Я в этом не сомневаюсь, но дайте бедняге шанс, прежде чем накидывать петлю ему на шею. — Саймон пошутил, но едва произнес эти слова, тут же пожалел о сказанном. Он попытался поправить дело: — Я ничего такого не имел в виду.

Но было поздно, Блэр уже в полной мере уловила суть его замечания. Чуть заметно пожав плечами, она повернулась к нему спиной. Раньше он не допускал подобных высказываний даже в шутку, да и она тоже, но в последнее время Блэр стала замечать, что у них обоих нет-нет да и сорвется с языка нечто в таком духе. Саймон уверял, что это ничего не значит, но Блэр так не думала. Никаких серьезных разногласий между ними пока не было, но их брак как будто слегка обтрепался по краям. Блэр, кажется, догадывалась почему, но не была уверена. Вот и сейчас, когда она посмотрела на мужа, ее словно кольнуло в сердце что-то холодное. Ничего определенного она пока сказать не могла, но в воздухе дома витало нечто неуловимое, по комнатам носились какие-то флюиды, и когда Блэр смотрела на Саймона, словно чьи-то холодные пальцы пробегали по ее позвоночнику.

— Ты поднимешься в спальню? — тихо спросила она, зажимая под мышкой свернутые в рулон чертежи будущей кухни.

— Когда-нибудь обязательно поднимусь. — Увидев выражение ее лица, Саймон поспешно поправился: — Я буду через минуту.

Блэр кивнула и поплелась наверх. Ее снова охватила безотчетная тоска. Между ними еще не пролегла непреодолимая пропасть, даже крупной трещины не возникло, но в последнее время явно наступило охлаждение. Временами Блэр спрашивала себя: может, это просто неизбежная стадия, через которую проходят все супружеские пары, и они ее минуют, как кочку на дороге? Или это признак какого-то серьезного неблагополучия? Пока она не нашла ответа на свой вопрос.

Аллегра и Джефф решили в этот раз переночевать у нее, так как до Беверли-Хиллз было ближе. На обратном пути она не стала ходить вокруг да около и напрямик спросила:

— Ну и как тебе понравились мои родители?

— По-моему, они замечательные люди, — просто ответил Джефф.

Родители Аллегры показались ему сердечными, дружелюбными, приятными в общении. Притом что оба были людьми известными, они оказались скромными и без претензий. Джефф передал Аллегре свой разговор с Саймоном.

— Он сказал, что собирается прочесть мою книгу. Думаю, с его стороны это просто дань вежливости, но все равно приятно.

— О, это очень на него похоже. Отец всегда поддерживает моих друзей, когда дело касается их фильмов, пьес или новых деловых начинаний. По его словам, это не только интересно, но и помогает ему чувствовать себя молодым. — В свои шестьдесят Саймон действительно выглядел лет на десять моложе. Вспомнив о матери, Аллегра нахмурилась. — Честно говоря, меня больше беспокоит мама.

— А что такое? — Джефф явно удивился. Блэр талантлива, достигла успеха в своем деле, красива, моложава, здорова, наконец, — о чем тут можно было беспокоиться? — Выглядит она прекрасно.

— Выглядит — да, но я не уверена, так ли у нее все благополучно. По-моему, она до сих пор переживает, что «Золотой глобус» достался другому сценаристу. С сериалом вообще в последнее время много сложностей, но дело не только в этом. Как будто ее тревожит что-то другое. — Аллегра снова перебирала в памяти свои впечатления, пытаясь понять, что ее беспокоит. — Мама почти все время печальная, даже когда она бодрится и улыбается, кажется, в душе ей не до смеха. Ее что-то гложет.

— А ты ее не спрашивала?

Аллегра покачала головой:

— Вряд ли она мне расскажет. Сегодня вечером папа выглядел непривычно серьезным, и на мой вопрос мама ответила, что он просто злится из-за сада.

— Вероятно, так оно и есть. Насколько я понимаю, твои родители очень много работают, и это не может не сказываться. Они удивительные люди. Саймон — самый известный и уважаемый продюсер в Голливуде, Блэр выпускает один из наиболее знаменитых сериалов.

Джефф подумал про себя, что, должно быть, не просто соответствовать столь высоким стандартам, и неудивительно: ни один из детей Стейнбергов не пытался с ними тягаться.

— Кстати, Сэм мне тоже симпатична. — Не говоря уже об эффектной внешности, Джеффу понравился ее юношеский максимализм в суждениях — в нем было что-то освежающее.

— Мне она тоже нравится... иногда. — Аллегра усмехнулась. — Правда, в последнее время с ней совсем нет сладу. Она все время живет с родителями как единственный ребенок, и это отнюдь не идет ей на пользу, они ее очень избаловали. Для Сэм было лучше, когда мы со Скоттом тоже жили дома, но эти времена давно уже прошли. Папа, когда дело касается Сэм, становится слишком податливым, Сэм может из него веревки вить и знает это. Мама ведет себя потверже, но Сэм ловко гнет свою линию и в результате всегда добивается своего. Я бы никогда не посмела так себя вести.

— Наверное, с младшими детьми всегда так. Старших детей воспитывают по полной программе, а когда они вырастают, для младших наступает настоящее раздолье. Но между прочим, мне твоя сестра не показалась такой уж избалованной. Она очень воспитанна.

Аллегра снова усмехнулась:

— Это потому, что ты ей понравился. Она сказала, что ты милый.

— А если бы не понравился?

— Тогда бы она тебя просто игнорировала.

— В таком случае я очень польщен.

Добравшись до дома Аллегры, они тут же оказались в постели. Оба очень устали, но было так приятно лежать рядом обнявшись. Их ласки редко оставались невинными, и обычно вскоре оба бывали охвачены страстью. Так вышло и на этот раз.

То были счастливые дни. Аллегра любила просыпаться по утрам рядом с Джеффом. Иногда он вставал раньше и, когда она открывала глаза, встречал ее чашечкой дымящегося кофе. Обоим такая жизнь казалась прекрасной, казалось, что лучше уж и быть не может. В субботу утром позвонил Алан и пригласил их на обед.

— Вот это жизнь... — довольно протянул Джефф, когда Аллегра поставила перед ним горячие булочки и сливочное масло. Она хозяйничала на кухне в белом кружевном переднике, надетом на голое тело. — А твоя фотография так и просится на обложку «Плейбоя».

Он сделал вид, что щелкает фотоаппаратом, и Аллегра приняла соблазнительную позу. Затем он усадил ее к себе на колени, и результат последовал немедленно. В конце концов им пришлось вернуться в спальню.

Второй раз они встали с постели уже днем. Аллегре предстояло готовить ленч, а Джефф заметил, что они только и делают, что едят и занимаются любовью.

— А что, ты жалуешься? — с интересом спросила Аллегра, откусывая от большого сочного яблока.

— Господи, конечно, нет, мне это нравится.

— Мне тоже.

Аллегра вспомнила о приглашении Алана. Ей очень понравилось, что Джефф так легко нашел общий язык с Аланом и Кармен, но она не хотела навязывать ему свои планы: наверное, у него есть в городе и другие друзья.

— Какие у тебя планы на сегодняшний вечер? Собираешься куда-нибудь пойти?

— Пока нет, но с удовольствием пошел бы.

Джефф встал рядом и откусил от ее яблока с другой стороны, а когда проглотил кусок, поцеловал Аллегру. Их губы пахли яблоком, и поцелуи чуть было снова не привели их в спальню.

— Эй, если мы будем продолжать в таком духе, мы вообще никуда не попадем! — шутливо возмутилась Аллегра, но Джефф не отпустил ее и стал целовать в шею. — Ну хватит, отпусти, мне нужно позвонить Алану.

Они договорились, что к семи приедут к Алану в Малибу, а позже, возможно, отправятся в боулинг. Когда Джефф и Аллегра приехали, Кармен варила макароны, а Алан готовил итальянский соус. При появлении гостей он попытался исполнить оперную арию на итальянском языке, чем всех рассмешил. Джефф решил, что лучше поставить настоящую музыку.

Вечер был такой теплый, что они даже собирались поесть на свежем воздухе, но потом все-таки решили собраться за кухонным столом. Приготовленный Аланом соус получился восхитительным, каждый брал добавку, и не по одному разу, так что позже все стали жаловаться, что слишком много съели.

— Скоро мне снова придется сидеть на диете, — пожаловался Алан. — В конце марта начинаются репетиции в Голливуде, а в середине апреля должны начаться съемки в Швейцарии. Будем скакать по горам, как горные козлы.

Предстояли съемки очередного приключенческого фильма, где Алану была обещана главная роль, а также гонорар, выражающийся астрономическими цифрами.

Кармен забеспокоилась:

— Скакать по горам? А это опасно?

— Нет — если я не поскользнусь, — поддразнил Алан. Но Кармен это не рассмешило.

То, что последовало дальше, не на шутку встревожило уже Аллегру. Кармен заявила, что хочет поехать вместе с Аланом. Аллегра ничего хорошего в этом не видела. Во-первых, женщины, приезжающие с актерами, обычно становятся для всех большой обузой. Во-вторых, места, в которых Алану приходится сниматься, как правило, совершенно не подходят для нежных созданий вроде Кармен. Она попыталась отговорить актрису:

— Ничего не выйдет, в июне у тебя начинаются съемки, у тебя просто не будет времени поехать с Аланом.

— Ну и что, я могу побыть с ним шесть недель до начала репетиций.

Алан поддержал Кармен:

— Вот это было бы здорово!

Но Аллегра почти не сомневалась, что позже он об этом пожалеет. К счастью, разговор перешел на другие темы. После десерта (на этот раз им было подано банановое суфле — идеальное средство, чтобы свести на нет результаты любой диеты) Алан предложил поехать всем вместе в город, в боулинг-клуб. Ему нравилось иногда походить по барам, поиграть в пинг-понг или бильярд, просто побыть обыкновенным человеком. И одним из его любимых развлечений был боулинг. В конце концов ему удалось уговорить всех троих. Вся компания со смехом загрузилась в его «ламборджини» и отправилась в Санта-Монику. Этот «ламборджини» представлял собой крепкий, как танк, бронированный автомобиль, изготовленный по специальному заказу одного арабского шейха. Таких машин было выпущено не больше дюжины, и Алан считал большой удачей отыскать один из них, ярко-красный, в Сан-Франциско. Изнутри салон «ламборджини» был отделан каповым деревом и мягкой кожей. По скоростным качествам автомобиль не уступал «феррари» и, наверное, мог бы ехать по песчаным дюнам со скоростью сто восемьдесят миль в час. Алан обожал его, это была одна из его любимых игрушек. Правда, красный «ламборджини» куда больше бросался в глаза, чем его старый пикап «шевроле», но зато в нем было и несравненно удобнее, к тому же имелась суперсовременная стереосистема. Всякий, кто смотрел на эту роскошную машину, разевал рот от восхищения.

— Где ты раздобыл такое чудо? — спросил Джефф. Он в жизни не видел ничего подобного.

— На севере. Он был построен для кувейтского шейха, но тот так его и не забрал. Отличная машина, совершенно пуленепробиваемая, кузов бронированный. — Однако Алан любил свой автомобиль не столько за безопасность, сколько за скорость.

Алан поставил «ламборджини» на стоянку возле «Хэнгтаун боул», и они вошли в клуб. Взяв напрокат тапочки для боулинга, все четверо с удивлением обнаружили, что в клубе в этот вечер необычно многолюдно. Им пришлось ждать, пока освободится дорожка. Впрочем, никто не расстроился, они заказали себе пиво и запаслись терпением. Через двадцать минут освободилась дорожка, и четверка всерьез принялась за игру.

Алан оказался очень хорошим игроком, Кармен — так себе, но ей часто везло. Джефф вполне мог тягаться с Аланом, а Аллегра играла почти на равных с Джеффом, но никто не подходил к игре так серьезно, как Алан. Ему нравилось выигрывать, и он то и дело одергивал Кармен, чтобы та играла повнимательнее.

— Я и так внимательна, дорогой.

Когда она это сказала, Аллегра вдруг обнаружила, что за ними наблюдают. Они как-то не заметили, что, пока они играли, вокруг них постепенно собиралась толпа. Посетители клуба узнали не только Алана, но и Кармен.

— Привет, — дружелюбно сказала Кармен кому-то из толпы. К сожалению, она не догадывалась, как выглядит со стороны в белых джинсах, обтягивающих тело, как перчатка, и столь же облегающей белой футболке. Аллегра сама лишь сейчас с опозданием поняла, что наряд Кармен слишком откровенно демонстрирует достоинства ее фигуры. Довольно неказистые лиловые с коричневыми полосками тапочки для боулинга, конечно, не подходили к ее костюму, но не могли испортить общего впечатления. Кармен выглядела как королева красоты, и некоторые мужчины, явно перебравшие спиртного, уже поглядывали на нее с вожделением.

Алан, ни слова не говоря, поставил Кармен между собой и Джеффом, однако он тоже привлекал внимание толпы. Боковым зрением Алан заметил, что с Аллегрой заговорил какой-то громила с волосами, собранными в хвостик. Аллегра, надо отдать ей должное, держалась совершенно невозмутимо и старалась делать вид, будто ничего особенного не происходит. Громила спросил про машину на стоянке, и она ответила, что машина взята напрокат на один вечер. Ответ прозвучал вполне правдоподобно: в Лос-Анджелесе существовали и такие агентства по аренде автомобилей, где можно было взять напрокат любую экзотику, все, что угодно, начиная от «роллс-ройса» до старинного «бентли».

Другой детина, пожирая глазами Кармен, пытавшуюся не обращать на него внимания и сосредоточиться на игре, подошел поближе к Аллегре и злобно заговорил:

— Небось эта дамочка считает себя очень умной? Нас не обманешь, мы знаем, кто она такая. Какого черта она сюда приперлась, решила вечерок потолкаться среди простых работяг?

Аллегра не ответила и немного отошла в сторону, боясь неосторожным словом или жестом разозлить этих двух молодчиков еще больше. Оба были пьяны, и их возгласы стали привлекать внимание других посетителей клуба. Вдруг одна женщина подошла к Алану и попросила автограф, за ней еще несколько. Затем внезапно Кармен стали оттеснять к столу. Не успел Алан оглянуться, как какой-то тип схватил его за руку и попытался двинуть кулаком в челюсть. К счастью, он был так пьян, что действовал неуклюже, к тому же во время работы над последним фильмом Алан освоил несколько приемов карате и сейчас, применив один из них, без труда опередил нападавшего. Но Аллегра достаточно долго вращалась в мире звезд, чтобы понимать, чем может закончиться такое «кино». У нее выработалось своеобразное чутье на неприятности. Незаметно отойдя в сторонку, она подошла к телефону-автомату и набрала 911. Никто и внимания не обратил на какую-то женщину, звонившую по телефону. Она представилась дежурному офицеру, назвала имена своих спутников и в двух словах обрисовала ситуацию.

— Вот-вот начнется общая драка, — сдержанно подытожила она. В трубку было слышно, как дежурный отдает кому-то по рации короткие четкие распоряжения.

207

— Не вешайте трубку, мисс Стейнберг. Как там мистер Карр?

— Пока держится.

Со своего места Аллегра продолжала наблюдать за друзьями. Больше пока никто не пытался бросаться на них с кулаками, но обстановка продолжала накаляться. Джефф, в свою очередь, заметил, что Аллегра стоит у телефона. Ему хотелось подойти к ней поближе, но в то же время он боялся оставить Кармен без прикрытия. Слишком уж много людей напирали на них, пытаясь прикоснуться к ней, а то и прижаться, какой-то парень даже попытался оторвать рукав от ее футболки.

Но вот в клуб вошли трое полицейских. Не задерживаясь у бара, они направились к дорожкам для боулинга. Видя, что происходит, полицейские приготовили дубинки: ни у кого не оставалось сомнений, что шутить они не собираются. Один полицейский сразу прошел к Кармен, другой заговорил с Аланом Карром; в считанные минуты им удалось сдержать напирающую толпу, но кое-кто все еще пытался дернуть Кармен за волосы, оторвать клочок одежды, схватить за руку и подтащить к себе. Между полицейскими и распоясавшейся публикой началось нечто вроде игры в перетягивание каната. Чтобы освободить Кармен от толпы, затягивавшей ее как зыбучие пески, потребовались усилия двоих полицейских. Но пока они освобождали Кармен, какая-то юная толстушка с визгом бросилась на шею Алану, умоляя ее поцеловать. Можно подумать, она всю жизнь мечтала оказаться в такой близости с Аланом Карром. Точно так же парни в баре, казалось, все до одного только о том и мечтали, чтобы сорвать одежду с Кармен Коннорс. Чтобы защитить от тянущихся со всех сторон рук Кармен, Алана и Джеффа и расчистить вокруг них место, пришлось потрудиться уже троим полицейским. Наконец все шестеро стали медленно продвигаться к выходу. Аллегра попыталась присоединиться к своим друзьям, но едва она к ним приблизилась, как была отброшена назад полицейской дубинкой, и их снова разделила толпа. Джефф отчаянно махал ей рукой, но Аллегра не могла к нему пробиться. Тогда он попытался сам проложить к ней дорогу, но тоже безуспешно и, естественно, без какой-либо поддержки со стороны пьяной толпы, обезумевшей от похоти и возбуждения.

— Аллегра! — закричал он. Аллегра его видела, но не могла расслышать его голос. Тогда он крикнул одному из полицейских: — Она с нами! Помогите!

208

Вместе с полицейским он стал проталкиваться обратно. Добравшись до Аллегры, Джефф прижал ее к себе и стал прокладывать путь к выходу, где уже ждали Кармен и Алан. Снаружи дежурила еще одна патрульная машина. Под охраной четырех полицейских Алан открыл «ламборджини», все сели и заперли двери изнутри. Полицейские энергично жестикулировали, показывая, что им нужно как можно быстрее уезжать отсюда. Алана не нужно было в этом убеждать, дрожащей рукой он повернул ключ в замке зажигания.

В зеркале заднего вида Карр увидел, что снаружи перед клубом собирается толпа поклонников, недовольных тем, что их идолы ускользают.

— Вот это да! — Джефф шумно вздохнул. — И часто, ребята, с вами такое случается?

Он пытался разгладить на себе рубашку и пиджак. Все четверо выглядели как жертвы кораблекрушения. Одежда была измята, местами порвана, волосы растрепаны, с Алана сорвали шляпу и темные очки, и то и другое пропало. Джефф лишился одного ботинка.

— Как только вы это терпите!

Кармен всхлипывала, Аллегра пыталась ее успокоить. Публика — это как чудовище, которое одновременно и любит, и ненавидит своих кумиров; это чудовище считает их своей собственностью и, если не соблюдать максимальную осторожность, в конце концов может просто уничтожить их, сожрать.

— Да, это страшно. — Аллегра погладила Кармен по спине. Если ее эти неистовые поклонники просто раздражали, то Кармен их терпеть не могла и панически боялась.

— Они как животные. Ты видела их глаза? — сквозь слезы проговорила Кармен, глядя на Алана. — Они меня чуть не изнасиловали. Один все время хватал за грудь, а еще кто-то пытался просунуть руку мне в трусики, клянусь! Брр, какая мерзость!

Кармен так обиженно жаловалась, что стала похожа на невинную школьницу. Впрочем, у нее были все основания испугаться. Жадная, похотливая толпа злилась из-за того, что ее кумиры не принадлежат ей со всеми потрохами. Возбужденным людям хотелось бы утащить кумиров в свое логово, сделать их частью себя, завладеть их телами, душами, жизнью.

— Никогда больше не пойду в этот клуб, и черт с ним, с боулингом! — заявила Кармен, по-детски надув губы. — Ненавижу это дерьмо.

209

— Я тоже, — согласился Алан, — да кому это может понравиться?

Однако он любил играть в кегли. Вот почему многие кинозвезды оборудуют в своих домах дорожки для боулинга, спортивные арены, катки, кинотеатры — потому что они не могут себе позволить, как простые смертные, пойти в кино, на каток, в боулинг, взять с собой детей, потому что лишены тех возможностей, которые для обычных людей являются чем-то само собой разумеющимся.

— Это еще ничего, вы бы видели, что творится на концертах Брэма Моррисона, — сказала Аллегра.

Джефф восхищался ее выдержкой. Неизвестно, что могло бы произойти, если бы она вовремя не вызвала полицию. Но сама Аллегра не видела в своем поступке ничего выдающегося: достаточно насмотревшись на подобные зрелища, она знала, что нужно делать. Она почти сразу чувствовала, когда дело начинало принимать дурной оборот, а дурной оборот оно принимало почти всегда, особенно если кумиром толпы была женщина. Аллегра не раз предупреждала Кармен об опасности, объясняла, как себя вести в той или иной ситуации, даже наняла тренера, чтобы тот обучил ее приемам самообороны. Но Кармен по-прежнему терялась перед толпой.

— Ты молодец, Эл, спасибо, что вызвала полицию, — сказал Алан. Настроение у него было подавленное. Было нечто унизительное в том, чтобы подвергаться таким вот нападениям поклонников, даже если первоначально у этих людей были добрые намерения.

Вечер был безнадежно испорчен. Инцидент в клубе сильно подействовал и на Джеффа. По дороге домой Алан высадил их с Аллегрой возле дома Джеффа и стал извиняться за происшествие. Но оба понимали, что он ни в чем не виноват. Они простились и поблагодарили Алана и Кармен за обед.

— Не представляю, как бедняги выдерживают такую жизнь. Неужели они вообще не могут никуда выйти, как нормальные люди? — продолжал удивляться Джефф.

— Как тебе сказать... Они бывают на премьерах, на церемониях вручения премий, но и там приходится соблюдать осторожность. Крупные, заметные события сопряжены с серьезным риском нападения, порой даже смертельным. Оказавшись в толпе, можно серьезно пострадать. А в остальное время, если звезда попытается вести образ жизни обычного человека, это зачастую оборачивается тем, что ты видел сегодня, если только не выбрать какое-нибудь местечко вроде «Спаго». — Аллегра улыбнулась. В известном ресторане «Спаго», кстати, одном из ее любимых, всегда бывает полным-полно кинозвезд и прочих знаменитостей, но там к ним никто не смеет приставать, обычные люди восхищаются своими кумирами издали.

Однако в таких местах, как боулинг-клуб, где они побывали сегодня, никаких ограничений не существует, публика не считает нужным сдерживаться, и иногда дело принимает опасный оборот. Но Аллегре все это было не в новинку, многому она научилась и на опыте собственных родителей. Правда, Саймон и Блэр никогда не имели такой славы, как кинозвезды, поскольку их место было по другую сторону камеры, но их друзья и знакомые не раз попадали в подобные ситуации; такие же испытания выпадали и на долю многих клиентов Аллегры.

— Знаешь, я перепугался за тебя до смерти, — признался Джефф, когда они раздевались у него в спальне. Обоим не терпелось поскорее сбросить одежду: она превратилась в лапах распоясавшихся поклонников Алана и Кармен чуть ли не в лохмотья, казалась оскверненной. Подняв ногу в одном носке, Джефф рассмеялся: — Бедняги небось думают, что им достался ботинок Алана.

— Когда-нибудь ты сможешь выкупить его обратно на аукционе, — пошутила Аллегра.

Происшествие подействовало и на нее. Возбуждённая толпа поклонников всегда пугает своей непредсказуемостью.

— Просто не верится, — Джефф покачал головой, — я почувствовал себя настоящей звездой. А если серьезно, с удовольствием отдал бы такую славу любому желающему. — Он сладко потянулся и разлегся на кровати.

Аллегра с комическим ужасом замахала на него руками:

— Только не мне, потому я и выбрала профессию адвоката, а не актрисы. Я бы и дня такой жизни не выдержала!

— Однако ты отлично справилась, — похвалил Джефф. — Из нас четверых ты единственная догадалась позвонить в полицию. А я стоял как дурак, с открытым ртом и раздумывал, как бы нам выйти из этой передряги живьем.

— Весь фокус в том, чтобы быстро сориентироваться. Я только посмотрела на этих молодчиков и сразу поняла, к чему дело идет.

Однако когда они легли в постель и обнялись, все еще не до конца оправившись от перенесенных треволний, Джефф невольно задался вопросом, что же будет на свадьбе Алана и Карр, если даже появление в обычном боулинг-клубе чуть не обернулось катастрофой. Он поделился своими опасениями с Аллегрой:

— Если судить по сегодняшнему вечеру, им нужно устроить свадьбу на каком-нибудь необитаемом острове посреди океана.

— Ты прав, на свадьбах бывает еще хуже, вот уж где фанаты проявляют себя во всей красе, они просто беснуются. Свадьба какой-нибудь знаменитости — это всегда кошмар, это почти так же страшно, как концерт. — Аллегра рассмеялась, но оба понимали, что им должно быть не до смеха. — К сожалению, Кармен бесполезно что-то говорить, она мне не верит, а Алан заявляет, что собственную свадьбу она имеет право устроить так, как ей хочется. С тех пор как мне стало известно об их намерении пожениться, я чуть ли не каждый день обсуждаю предстоящую свадьбу со специалистами из служб безопасности.

— И что же они советуют?

— Потерпи — узнаешь. — Аллегра загадочно улыбнулась, чувствуя себя этакой Мата Хари. — Одно могу обещать точно, это будет круто. Так круто, как только бывает в Лас-Вегасе.

Джефф под одеялом крепче прижал ее к себе.

— Интересно, почему я начинаю бояться этой свадьбы?

— Потому что ты слишком умный. Если бы они были такими же умными... они бы удрали куда-нибудь, где ни одна живая душа ничего не заподозрит, например, в какой-нибудь захудалый городишко в Южной Дакоте. Беда в том, что это было бы неинтересно. Впрочем, когда на тебя набрасываются совершенно чужие люди, тоже приятного мало.

— В следующий раз я надену сандалии на ремешках, — серьезно заключил Джефф, подумав. — Тогда уж меня не разуют.

Но даже происшествие в боулинг-клубе не подготовило его к свадьбе Алана Карра и Кармен Коннорс.

Глава 11

Гастрольный трейлер, о котором позаботилась Аллегра, забрал Алана и Кармен от дома Джеффа в Малибу. Оба были в париках, Кармен — в каштановом, Алан — в

212

черном, темных очках, закрывающих пол-лица, потертых джинсах и старых, бесформенных свитерах. Кармен еще набросила на шею длинный вязаный шарф. Оба смачно жевали резинку и говорили с южным акцентом.

Аллегра и Джефф не отставали от жениха и невесты, они тоже были в париках, но оделись гораздо «наряднее», чем другая пара, — оба в костюмах из синтетики, одежду Аллегры в изобилии украшали фальшивые бриллианты. Перед тем как облачиться во все это «великолепие», Джефф заметил:

— Я и не знал, что у нас костюмированный бал.

Но в одном можно было не сомневаться: Алана и Кармен никто не узнает. Все четверо сидели в закрытом помещении, оборудованном в задней части трейлера, перебрасывались шутками, ели мороженое и то и дело принимались хохотать, увидев свое отражение в зеркале. Время от времени кто-нибудь заходил на кухню и приносил фрукты или бутерброды. В трейлере была и ванная, отделанная розовым мрамором. Такими машинами обычно пользовались музыканты или кинозвезды, колеся с гастролями по стране, но этот конкретный трейлер принадлежал частному лицу и потому находился в отличном состоянии. Аллегра уже не первый раз брала его напрокат для своих клиентов в качестве гардеробной на колесах или гастрольного автомобиля. Конечно, трейлеру Брэма было далеко до знаменитого двухэтажного трейлера Эдди Мерфи с его антиквариатом и обшивкой из ценных пород дерева, но все же это был один из самых удобных автомобилей своего класса, и всю дорогу до Лас-Вегаса кто-нибудь из пассажиров удовлетворенно замечал, что они устроились лучше некуда.

Добравшись до Лас-Вегаса, они сразу же отправились в «МГМ-Гранд-отель», в забронированные номера. В вестибюле их появления уже ожидали шестеро телохранителей, две женщины и четверо мужчин, которые при виде своих клиентов тут же смешались с толпой. Ни Кармен, ни Алан даже ничего не заметили, как позже не обратили внимания на двух женщин и четырех мужчин, занимающих номера по обе стороны от их «люкса». Джефф и Аллегра поселились в номере напротив. С той минуты как они вошли в отель, Аллегра то и дело посматривала по сторонам, но, к счастью, им не попалось ни одного репортера или фотографа. Примерно с месяц назад стали ходить слухи, что у Алана Карра роман с Кармен Коннорс, но никто не подозревал, что они собираются пожениться так скоро.

У себя в номерах все четверо сменили парики. Алан превратился в обесцвеченного перекисью блондина, остальные трое стали рыжими. Увидев Алана в новом обличье, Аллегра расхохоталась.

— Господи, ну и видок у тебя!

— А что, мне даже нравится. — Он притворился, что строит ей глазки, и легонько шлепнул по заду. Потом снова надел черный парик и сделал движение бедрами, подражая Элвису Пресли.

— Фи! — Аллегра поморщилась. — Как хорошо, что ты уже стал актером, а то бы тебе нипочем не найти работу.

— Не скажи, детка, не скажи...

Кармен с большим черным пластиковым пакетом в руках скрылась в спальне и через полчаса вернулась в коротком белом атласном платье с глубоким декольте и белых атласных туфлях на высоких каблуках. Волосы, уложенные в аккуратный узел, прикрывала короткая фата. Контраст с бесформенным свитером и черным париком был просто разительным. Прекрасное лицо с умело наложенным легким макияжем, длинные стройные ноги, которые позволяла видеть короткая юбка, — все в ней было безупречно. Увидев ее, Алан в первый момент даже опешил. Сам он по-прежнему был в потрепанных джинсах и парике, правда, надел полотняный пиджак и «настоящие» ботинки. Но для конспирации он решил так и жениться в парике, в шутку заявив, что тогда у них родятся дети блондины.

— Ты просто сумасшедший, — сказала Кармен, целуя его.

Через полчаса появился мировой судья, с которым Аллегра лично договорилась заранее. Если поручить это дело служащим отеля, слухи о предстоящей свадьбе обязательно дойдут до папарацци. Впрочем, те в любом случае могут пронюхать, если мировой судья узнает Кармен — а в этом наряде он непременно ее узнает. Кроме того, имена жениха и невесты будут указаны в свидетельстве о браке, хотя когда брак будет заключен, ни один даже самый прыткий репортер уже не успеет ничего предпринять.

Аллегра тоже не рискнула отказаться от «маскарадного костюма». На этот случай у нее была припасена длинная широкая юбка и сандалии. Огненно-рыжий парик довершил дело.

— Жду не дождусь, когда увижу свадебные фотографии, — пошутил Джефф, занимая место рядом с

Аланом. Аллегра была глубоко тронута тем, что Алан попросил его быть шафером на свадьбе.

— Ладно, не больно зазнавайся, — осадил Джеффа жених, — Тебе и самому далеко до Гари Купера. — Джефф был в светлом парике, ненамного отличающемся от парика Алана, и блейзере от Ральфа Лорена поверх спортивной рубашки.

Мировой судья не знал, кто его пригласил, но сразу решил, что новобрачные явно не в своем уме. Он ухитрился провести церемонию бракосочетания за рекордно короткое время — три минуты, на протяжении которых пару раз назвал Кармен Карлой, а Алана Адамом, а подписывая свидетельство о браке, даже не взглянул на имена жениха и невесты. Но как только церемония закончилась, Алан и Кармен официально стали мужем и женой. Аллегра разлила по бокалам шампанское, все четверо выпили и закусили черной икрой.

— Кармен Карр. — Аллегра произнесла это имя первая. Она поцеловала сначала новобрачную, потом своего старого друга. — Мне нравится, как это звучит.

— Мне тоже, — сказала Кармен. В ее глазах блестели слезы. Кармен мечтала венчаться в церкви в своем родном Орегоне, но понимала всю невозможность этого желания. Страшно даже представить, чем обернулась бы такая свадьба — толпы репортеров с фотоаппаратами, вертолеты, вой полицейских сирен, визг поклонников...

— Желаю счастья, — буркнул мировой судья уже на ходу. Вручив Алану свидетельство о браке, он заторопился к выходу. Его ждали другие заботы и другие пары. Он даже не представлял, кого только что соединил узами брака, для него странная парочка так и осталась Адамом и Карлой.

Через час все четверо спустились в казино. Проходя мимо двери номера, где остановились телохранители, Аллегра тихонько постучала, и те незаметно последовали за ними. Пока операция шла на удивление гладко, без сучка без задоринки. Примерно до полуночи все было спокойно, но потом кто-то узнал Кармен и попросил у нее автограф. Фату она сняла, но осталась в коротком белом платье, в котором выходила замуж. Кармен обычно реагировала на такие просьбы вежливо, вот и сейчас она улыбнулась и подписала открытку. Через несколько минут кто-то щелкнул затвором фотоаппарата. Аллегра поняла, что пришло время скрываться.

— Нам пора, Золушка, — тихо сказала она Кармен. — Поторопись, пока карета не превратилась в тыкву.

Снаружи трейлер охраняли еще двое телохранителей. С тех пор как четверка вышла из него, никто посторонний туда не заглядывал. В трейлере оставался только водитель, но он ни о чем не догадывался.

Кармен попыталась было возразить:

— Но, Аллегра, еще слишком рано...

Однако в казино было многолюдно, и перспектива большой давки никого не привлекала. Можно себе представить, что начнется, если публика узнает знаменитых актеров. «Смотрите, это же Кармен Коннорс, она только что вышла замуж... А это Алан Карр...» Щелканье фотоаппаратов... сверкание вспышек... визг... жадные руки, тянущиеся со всех сторон... Брр.

— Идем, миссис Карр, поднимай свою задницу. Это моя брачная ночь, и я не собираюсь потратить ее всю на игру в бинго. — Алан крепко поцеловал молодую жену, игриво шлепнул ее по заду, и вся компания двинулась к выходу, у которого их ждал трейлер.

Поднявшись по ступенькам, Кармен оглянулась на Аллегру и Джеффа. Аллегра протянула ей букет белых искусственных цветов, который оставался у водителя. Стоя на верхней ступеньке трейлера, Кармен грациозным жестом бросила букет, и Аллегра его поймала*. Несмотря на их нелепые наряды, в этой сцене было что-то очень трогательное и романтичное. Водитель трейлера заметил, что невеста в этом платье немного похожа на Кармен Коннорс.

— Да, точно, будь она чуточку повыше и не будь у нее южного акцента, она была бы очень похожа на актрису, — сказал он Аллегре.

— Может быть, — с сомнением протянула Аллегра.

Дверь закрылась, и трейлер тронулся с места. Аллегра с Джеффом и телохранители остались стоять на тротуаре перед отелем. Новобрачные улыбались и махали им в окно трейлера.

Дело сделано, Кармен и Алан в безопасности. И за ними не увязался ни один репортер, ни одна бульварная газетенка ни о чем не пронюхала. Устроив эту свадьбу, Аллегра проделала грандиозную работу, и Джефф восхищался ею еще больше, чем раньше.

— Ты просто гений, — сказал он, когда они провожали взглядами удаляющийся трейлер.

---

* У американцев принято считать, что девушка, поймавшая свадебный букет, брошенный невестой, вскоре тоже выйдет замуж.

К четырем часам дня новобрачные уже должны были быть в Малибу, им оставалось только забрать из дома Алана свои вещи, переодеться и успеть в аэропорт на девятичасовой рейс до Таити. Вот и все. Конец приключения.

— Ловко я все организовала, правда? — Аллегра улыбнулась. К ее радости, все прошло гладко. Было бы очень жаль, если бы толпы папарацци и беснующихся поклонников испортили Алану и Кармен этот счастливый день.

— Насколько я понимаю, они ни под каким видом не могли устроить обычную свадьбу, верно? — спросил Джефф. Он действительно не представлял, как можно было обойтись без маскарада, париков, телохранителей и даже гастрольного трейлера. Аллегра все продумала.

— Ну почему же, могли бы, — Аллегра сама отговорила Алана, а уж тот убедил Кармен, — но это был бы кошмар почище того, что ты видел в боулинг-клубе. Представь себе толпы фотографов, вертолеты над головой, все поставщики подкуплены прессой и торгуют информацией... Не торжество, а игра в перетягивание каната, и Кармен бы возненавидела собственную свадьбу.

Джефф кивнул. Случай в боулинг-клубе его многому научил, и он больше не собирался спорить с Аллегрой. Хотя кинозвездам все завидуют, все мечтают жить, как они, на самом деле их жизнь далеко не сахар.

— По-моему, свадьба, подобная нынешней, все равно интереснее банального пышного торжества. — Аллегре вспомнилось, как хороша была Кармен в белом платье с короткой фатой, как позже она бросила ей букет искусственных цветов. Она подняла букет и помахала им перед Джеффом. — Я сохраню его на память.

Они возвращались в отель. Телохранители были отпущены, Аллегра поблагодарила их и распрощалась с ними, еще когда они стояли возле трейлера; позже адвокатская контора получит счет за их услуги. Она осталась наедине с Джеффом — если, конечно, не считать нескольких сотен человек в казино отеля.

Аллегра и Джефф вернулись в свой гостиничный номер. Они собирались переночевать в отеле, а утром в лимузине возвращаться в Лос-Анджелес. К тому времени Алан и Кармен должны быть уже в воздухе на пути к Таити. Аллегра договорилась с новобрачными, что оглашение свадьбы состоится только по окончании их медового месяца, чтобы

217

никто не помешал им насладиться уединением. Вероятно, кто-нибудь из гостиничного персонала рано или поздно узнает их и сообщит в газеты, но Бора-Бора — место довольно отдаленное, и Алан надеялся, что там они будут в безопасности. А по возвращении они объявят о своем браке, устроят совместную пресс-конференцию и дадут всем желающим возможность всласть пофотографировать звездную пару. Как говорила Аллегра, акулам надо время от времени бросать небольшой кусок, чтобы они не слишком оголодали.

Этой ночью Аллегра заснула в объятиях Джеффа, думая о Кармен и Алане. Алан был одним из самых давних ее друзей, и было как-то непривычно думать о нем, как о женатом мужчине.

— С Днем святого Валентина! — тихо сказал Джефф.

— И тебя тоже.

Аллегра повернулась к нему спиной, он обнял ее, она крепко заснула до самого утра. Ей приснилось, что она поймала букет невесты и рассмеялась, увидев, что он пластиковый. А когда она его поймала, Джефф сел в трейлер и уехал. Она попыталась его догнать и побежала за трейлером. Она бежала, бежала всю ночь, но все не могла догнать трейлер. Во сне, как и в жизни, те, кого она любила, всегда уходили от нее. Но больше это не повторится, напомнила себе Аллегра, просыпаясь. Только не в этот раз, не с Джеффом. Джефф с ней, он ее не бросит.

Глава 12

В середине марта Кармен и Алан вернулись домой с Бора-Бора. На этот раз им не удалось избежать встречи с прессой. За время их отсутствия был опубликован список претендентов на премии Академии, в котором стояли и их имена. Кто-то известил прессу о времени прибытия молодоженов, и когда самолет, в котором летели Кармен и Алан, приземлился, в аэропорту их уже ждала небольшая толпа. Однако они были готовы к встрече. Оба хорошо загорели и выглядели прекрасно, и когда со всех сторон защелкали фотоаппараты и засверкали вспышки, молодожены медленно двинулись через окружившую их толпу и даже нарочно останавливались, чтобы дать возможность себя сфотографировать. Аллегра позаботилась об автомобиле и договорилась с телохранителями, что те заберут багаж, так что Кармен и Алан могли без задержек сесть в лимузин и уехать.

В лимузине — также благодаря заботам Аллегры — для них была припасена бутылка шампанского. В доме Алана на Беверли-Хиллз их ждали цветы. Но, к сожалению, в считанные дни назойливое внимание телевидения и прессы сделало их жизнь почти невыносимой. У ворот постоянно дежурили фотографы, и не только у ворот — над домом кружили вертолеты, из которых Алана и Кармен фотографировали в саду, в бассейне, стараясь поймать любой момент, когда кто-нибудь из них покажется во дворе. Даже мусор, выбрасывавшийся из дома, и тот воровали репортеры из желтой прессы. Когда молодым супругам стало совсем невмоготу, они сбежали в Малибу, но там оказалось еще хуже. В конце концов скрыться от папарацци на несколько дней удалось только в доме Аллегры. Сама Аллегра на несколько дней переехала к Джеффу. Всем четверым снова пришлось прибегнуть к маскараду, и даже в небольшие, малоизвестные ресторанчики они ходили не иначе как в париках.

— Это просто невероятно! — ужасался Джефф беспардонности назойливых репортеров.

Он заканчивал окончательную шлифовку сценария. Для них с Аллегрой месяц прошел довольно спокойно, если не считать того, что Брэм Моррисон вновь стал получать угрозы и заниматься этим вопросом пришлось, конечно, Аллегре. Музыкант снова перевез семью в Палм-Спрингс, а сам поселился в доме одного друга, местонахождение которого держалось в тайне. В последнее время он никуда не выходил без сопровождения телохранителей. После серии статей в прессе о том, что концертное турне принесло Брэму сто миллионов долларов, его положение резко ухудшилось. Казалось, каждый хотел урвать свой кусок пирога и ради этого готов был пойти на все, даже на шантаж или похищение.

Первого апреля, примерно через две недели после возвращения звездной пары, Аллегра встретилась с Кармен, чтобы обсудить детали нового контракта с киностудией. Кармен подписала контракт еще до отъезда на Таити, но Аллегра хотела уточнить с ней еще кое-какие тонкости, в частности, точно **219** определить, на какие условия ее клиентка может рассчитывать, приступая к съемкам фильма. Чтобы избежать возможных недоразумений, предстояло заранее обговорить, какую ей предоставят гримерную, какой установят график работы, а также уладить множество других более мелких вопросов.

Они почти закончили с работой, когда Кармен вдруг озорно улыбнулась, поглядывая на своего адвоката. Аллегра вспомнила, что сегодня первое апреля. В детстве они с Аланом как только не подшучивали друг над другом, какие только розыгрыши не устраивали. Скотт в этот день, бывало, разыгрывал всю семью, но, к удивлению Аллегры, даже не позвонил в этот раз. Он каждый год ошарашивал ее каким-нибудь неожиданным звонком, то якобы из Мексики, то из тюрьмы. Как-то раз он позвонил и сказал, что женился на проститутке, а пару лет назад заявил, что звонит из Сан-Франциско, где ему сделали операцию по изменению пола. Правда, она давно научилась платить ему той же монетой.

Кармен расплылась в улыбке, и Аллегра приготовилась к розыгрышу.

— Я хочу тебе кое-что сказать, — начала Кармен.

Аллегра засмеялась, не дожидаясь ее слов:

— Погоди, дай я сама догадаюсь. Вы с Аланом разводитесь? Первое апреля, никому не верю.

Кармен тоже засмеялась. С утра Алан успел разыграть ее уже два раза. Сначала он сказал, что к ним нагрянул ее бывший любовник, потом с серьезным видом заявил, что его мама решила приехать и пожить с ними полгода.

— Ничего подобного, — возразила Кармен. Она вдруг смутилась, но Аллегра все же подозревала, что ее ждет розыгрыш. В этот момент Кармен вдруг чем-то напомнила ей Алана. — У нас будет ребенок, — сообщила звезда, сияя.

— Правда? Так скоро? — Аллегра знала об их желании иметь детей, но не ожидала, что это произойдет так скоро. В июне у Кармен начинаются съемки, ей предстоит сниматься всего три месяца, однако теперь все сильно осложнится. Неужели ее клиентка потеряет контракт на этот фильм? — Какой у тебя срок? — спросила она и затаила дыхание в ожидании ответа.

Кармен застенчиво потупилась.

— Всего месяц. Алан говорит, что еще слишком рано кому-то рассказывать, но тебе я хотела сказать. Я тут подумала, может, поставить в известность киностудию? Когда

220

начнутся съемки, у меня будет срок всего три месяца, наверное, это не так страшно, но под конец я буду уже на седьмом месяце. Как ты думаешь, они разорвут со мной контракт?

— Не знаю, пока ничего не могу тебе обещать, — честно призналась Аллегра. — Возможно, они как-нибудь выкрутятся. Надеюсь, твою беременность удастся маскировать почти до самого конца съемок. Слава Богу, что у тебя сейчас нет контрактов на другие роли.

Зачастую работа над фильмом занимала восемь, а то и девять месяцев. В данном случае это было бы равносильно катастрофе.

— Они что-нибудь придумают, в любом случае им придется искать выход из положения, я знаю, ты им очень нужна. Я позвоню на студию сегодня днем. — Аллегра улыбнулась. — Поздравляю. Алан, наверное, страшно рад, он любит детей. Он всегда мечтал иметь настоящую семью, жену, детей. Надеюсь, это не первоапрельская шутка? — на всякий случай спросила Аллегра, и Кармен рассмеялась.

— Во всяком случае, врач говорил всерьез, к тому же мы были у него не первого апреля, а вчера. Мне делали ультразвук, и мы видели ребенка. Представляешь, у него уже бьется малюсенькое сердечко, оно похоже на крохотную фасолину. Мне поставили срок пять недель, — гордо сообщила Кармен и захихикала.

— Даже не верится, — вздохнула Аллегра. Она вдруг почувствовала себя ужасно старой. Кармен всего двадцать три года, перед ней открывается карьера кинозвезды, а она уже вышла замуж и ждет ребенка. Ей же, Аллегре, почти тридцать, и все, что у нее есть, — это любимая работа и мужчина, которого она любит — в этом Аллегра была уверена, — но знает чуть больше двух месяцев. Трудно сказать, чем все это кончится. В ее жизни до сих пор нет определенности.

После ухода Кармен Аллегра задумалась, сидя за рабочим столом. Ей было немного тоскливо, она чуть-чуть завидовала своей клиентке и подруге, но потом решила, что это глупо. Кармен и Алан имеют право на счастье, а ей еще нужно во многом в своей жизни разобраться, навести порядок. Хорошо хотя бы, что у них с Брэндоном все кончено, а то, чего доброго, она могла бы всю жизнь прождать, пока он соберется развестись с Джоани. С тех пор как они расстались, он звонил только один раз, интересовался, где его теннис-

221

ная ракетка и велосипед Ники. И то и другое осталось у нее дома, и ему пришлось приехать за своими вещами в ближайшие выходные. Приехав к Аллегре, Брэндон застал у нее Джеффа и поглядывал на него с любопытством, но, к счастью, почти ничего не говорил. Вид у него был недовольный, он, по-видимому, все еще злился на Аллегру. Забрав вещи, холодно поблагодарил ее и тут же уехал. Вот и все. Два года, а что у нее от них осталось? Детский велосипед и теннисная ракетка — а еще пустота в душе. Однако теперь у нее есть Джефф, и отношения с ним гораздо глубже, чем были с Брэндоном. В нем она нашла то, что всегда мечтала видеть в мужчине, — понимание, поддержку, духовную близость. Джефф интересуется ее работой, ему нравятся ее друзья, он не боится сближения. Не боится полюбить ее. Хотя они знакомы всего два месяца, между ними уже сейчас возникла такая прочная духовная связь, какой у нее никогда ни с кем не возникало, и уж тем более с Брэндоном.

Аллегра позвонила Алану, чтобы поздравить его с хорошей новостью.

Довольный Алан немного смутился:

— Я ведь ее просил никому пока не рассказывать. Вчера, когда мы увидели ребенка во время ультразвукового обследования, кажется, на Кармен это очень сильно подействовало. Она готова была сразу же помчаться в магазин за колыбелькой.

— Алан, мне надо знать все. Я должна буду сообщить на студию о том, что произошло, им лучше узнать заранее, что у Кармен изменится фигура, — деловито сказала Аллегра.

Она встряхнула головой, отбрасывая волосы с лица, стараясь избавиться от чувства зависти и ощущения пустоты. Она ничего не могла с собой поделать. С ней вообще происходило что-то странное: раньше Аллегра никогда не отличалась особой сентиментальностью по отношению к детям. Может, все дело в том, что речь идет о ребенке Алана?

— Думаешь, у нас могут возникнуть проблемы со студией? — встревожился Алан. Он не хотел ставить под угрозу важные съемки Кармен, но было уже поздно. В декабре должен родиться ребенок.

— Надеюсь, нет. Я тебе позвоню, как только переговорю со студией. Думаю, с этим конкретным фильмом все обойдется, они могут выкрутиться. Конечно, если бы они собирались все три месяца снимать ее в купальнике, то нам бы пришлось туго, но действие фильма происходит в Нью-

222

Йорке зимой, на ней будет надето много всего, так что изменения фигуры не будут заметны. Запланировано несколько съемок на натуре, а основные пройдут в павильоне. И даже когда Кармен будет без пальто, насколько мне известно, сильно облегающие платья не предусмотрены сценарием.

— Она очень обрадовалась, Эл, — сказал Алан с такой гордостью, словно они были первой парой на свете, которой удалось зачать ребенка.

— Да, я это заметила. Но хочу тебе признаться: рядом с Кармен я почувствовала себя старухой. — «А еще в каком-то смысле почувствовала себя брошенной, — мысленно добавила Аллегра, — в конце концов, я ведь знаю тебя гораздо дольше, чем Кармен». Но вслух она говорить этого не стала.

— Когда-нибудь это случится и с тобой, — обнадежил Алан.

— Надеюсь, что нет, — тут же возразила Аллегра и рассмеялась. — Я бы предпочла сначала выйти замуж, если, конечно, это будет зависеть от меня.

— По-моему, тебе нужно прибрать к рукам Джеффа, пока он не вернулся на восток. Он хороший парень.

— Спасибо за совет, папочка, — насмешливо отозвалась Аллегра. Конечно, Джефф хороший, спору нет, но не Алану это решать.

— Всегда готов помочь. Кстати, я сегодня видел Сэм, классная у нее побрякушка.

Аллегра обомлела:

— Что еще за побрякушка?

— Кольцо. Обручальное кольцо. Почему ты мне не сказала, что она помолвлена? По-моему, девчонка этим страшно гордится.

— Кто, Сэм? — в ужасе переспросила Аллегра. — Она мне ничего не говорила! Она помолвлена? С кем? Когда это случилось?

— По ее словам, вчера, — невинно продолжал Алан.

Наконец Аллегру осенило.

— Ах ты негодник! Признавайся, ведь это первоапрельская шутка? — с надеждой спросила Аллегра. В трубке раздался хохот. — Я тебя убью!

— Здорово ты мне поверила! Зря я сознался, надо было еще поморочить тебе голову.

— Паршивец! Чтоб у тебя родилась четверня! — в сердцах пожелала Аллегра. Алан каждый год ее разыгрывал, и она каждый год попадалась на удочку.

После разговора с Аланом Аллегра позвонила на киностудию и сообщила новость о беременности Кармен. Разумеется, на студии ее сообщение восторга не вызвало, но Аллегру поблагодарили за своевременное предупреждение. Ее заверили, что контракт остается в силе, и посоветовали как можно скорее встретиться с режиссером фильма, чтобы обсудить, как организовать съемки и справиться с возникшим затруднением. Продюсером картины была женщина, с которой Аллегра уже имела дело по фильмам своих клиентов, и она ей очень понравилась еще по прежним деловым контактам.

— Моя клиентка и я ценим ваше понимание, — сказала Аллегра.

— Спасибо, что предупредили заранее.

— Я обрадую Кармен, что все в порядке, а то она очень переживает.

— Что поделать, иногда приходится думать, как перехитрить мать-природу. Например, в прошлом месяце мы снимали Элисон Джарвис, так она забыла нас предупредить, что кормит ребенка грудью. Бюст у нее был, наверное, размера сорок восемь ДД, честное слово, я всерьез опасалась, что она не поместится в кадр.

Обе женщины рассмеялись.

Повесив трубку, Аллегра сразу стала звонить Кармен и успокоила ее, что киностудия не разрывает с ней контракт.

К концу дня, возвращаясь с работы к Джеффу, она приуныла, сама толком не понимая почему. Вроде бы день прошел неплохо, для Кармен все складывалось удачно, несмотря на ее беременность, но почему-то Аллегра чувствовала необъяснимую подавленность. «Может, я просто немного завидую Кармен и Алану из-за того, что у них будет ребенок?» — думала она по дороге в Малибу. Но потом решила, что это уж совсем глупо и дело, наверное, в другом: у Алана и Кармен все получилось, их жизнь состоялась, в то время как ее собственная постоянно напоминает неоконченную стройку. Аллегра продолжала посещать доктора Грин. В последнее время та была очень довольна своей пациенткой и ей нравилось, как у Аллегры развиваются отношения с Джеффом. Поставив машину возле дома Джеффа и открывая дверь своим ключом, Аллегра напомнила себе, что у нее нет причин грустить, она счастлива. Никогда еще ни с одним мужчиной у нее не было таких глубоких близких отношений, как с Джеффом. Она любила его так, как никого никогда не любила, Джефф олицетворял все, о чем она мечтала.

— Кто-нибудь есть дома? — крикнула она, входя в дом. Ей никто не ответил, но вскоре Джефф появился из глубины дома, где находился его кабинет. За ухом у него торчал карандаш, и он улыбался во весь рот, не скрывая радости от того, что видит Аллегру. Весь день он усердно трудился над сценарием, но все равно по ней скучал. Она шагнул к Аллегре, обнял ее и поцеловал долгим глубоким поцелуем, от которого малейшие намеки на неудовлетворенность жизнью вмиг улетучились.

— Вот это да! По какому случаю такая встреча? Одно из двух: или у тебя был очень удачный день за пишущей машинкой, или уж совсем никудышный.

— Как обычно, и того, и другого понемножку. Я просто по тебе соскучился. Как прошел день?

— Неплохо, — ответила Аллегра, доставая из холодильника бутылку минеральной воды «Эвиан» для себя и банку колы для Джеффа. Отхлебнув из бутылки, она рассказала ему новость о беременности Кармен.

— Как, уже? Ребята времени даром не теряют. Видно, они отлично провели время на Бора-Бора. Может, нам тоже туда отправиться в наш медовый месяц?

Аллегра улыбнулась, понимая, что насчет медового месяца Джефф шутит, но у нее все равно потеплело на душе.

— Боюсь, к тому времени, когда я выйду замуж, я стану такой старой, что мне придется покупать не детскую коляску, а инвалидную.

— Это еще почему? — с неподдельным интересом спросил Джефф.

Они устроились на высоких табуретах возле кухонной стойки.

— Мне скоро исполнится тридцать, я потратила много времени, делая карьеру, но еще не достигла всего, к чему стремилась. Полноправным партнером в фирме я пока не стала, да и помимо этого мне еще многое предстоит сделать. Честно говоря, — призналась она, — я давно всерьез не задумывалась о замужестве.

Так оно и было. Аллегра словно катилась по накатанной дороге от одного дня к другому, осмысливая и принимая события по мере того, как они наступали. Она считала это более реалистичным подходом к жизни, чем сидеть

225

сложа руки и ждать, когда прекрасный принц явится за тобой на белом коне.

— Знаешь, мне странно слышать это от тебя, я немного разочарован, — сказал Джефф с удивлением. В глазах его появился хитрый блеск, и Аллегра решила, что ее ждет очередной первоапрельский розыгрыш. Она решила его опередить, чего с Аланом ей никогда не удавалось.

— Это еще почему? Ты что, собирался сегодня сделать мне предложение? Ха! Первое апреля, никому не верю!

Но Джефф только улыбнулся, казалось, он нисколько не был разочарован тем, что она разгадала его розыгрыш.

— Честно говоря, да, собирался. Я рассудил, что первое апреля — замечательный день для помолвки, если получу отказ, всегда можно отшутиться. А что, мне эта идея даже нравится.

Аллегра безмятежно потягивала минеральную воду. Из окон его удобной кухни было видно заходящее солнце. Они всегда очень хорошо проводили время с Джеффом, и ей нравилось возвращаться с работы к нему домой.

— Очень смешно, только Алан тебя уже опередил.

— Вот как? Он сегодня попросил тебя выйти за него замуж? — Джефф усмехнулся. — Я бы сказал, что это дурной тон, если учесть, что его жена беременна.

— Да нет же, чурбан ты этакий! — Аллегра снова рассмеялась. — Он разыграл меня по-другому, сказал, что Сэм вчера обручилась. И я ему даже поверила. Удивительно, зная его столько лет, я могла бы уже привыкнуть к его розыгрышам, так ведь нет же, он каждый год меня дурачит, и я каждый раз попадаюсь на его удочку!

Джефф улыбнулся:

— А мне ты бы поверила, если бы я сегодня попросил твоей руки?

Он наклонился к ней почти вплотную, так что их губы чуть не соприкасались. Думая о том, что он только что сказал, Аллегра тихонько рассмеялась и подыграла ему:

— Нет, не поверила бы.

Джефф все-таки поцеловал ее, потом отстранился и покачал головой:

— В таком случае мне придется повторить свое предложение завтра. — Он притворился, что убит ее отказом. Аллегра снова засмеялась, они снова стали целоваться, но что-

226   то в его глазах, какое-то странное выражение застави-

ло ее вдруг склонить голову набок и внимательно всмотреться в его лицо.

— Ты ведь говоришь не всерьез, правда? Ведь это шутка?

— Как тебе сказать... — Джефф сделал вид, что задумался. — Наверное, выйти за меня замуж и впрямь было бы похоже на шутку, но я... я говорил серьезно. Как ты к этому отнесешься? По-твоему, это сумасбродная затея? Или, может, ты считаешь, что стоит попробовать? Если ты надумаешь попробовать, я готов и на ближайшие лет пятьдесят — шестьдесят как раз свободен.

— О Господи... Господи!.. — почти прокричала Аллегра, хватаясь за голову. — Так ты серьезно?

— Конечно, серьезно. Я еще никогда в жизни никому не делал предложения. Мне показалось, что первое апреля — самый подходящий день для такого дела, во всяком случае, можно не сомневаться, что он запомнится.

— Ты просто сумасшедший! — Аллегра бросилась ему на шею. Невероятно, фантастика! Она знает Джеффа чуть больше двух месяцев, но почему-то совершенно уверена, что они друг другу идеально подходят. С другими мужчинами все было иначе: отношения с ними длились годами, а они по-прежнему удерживали ее на расстоянии, ходили вокруг да около, избегали подлинной близости. И вот теперь в ее жизни появился Джефф, они вместе, и это настолько естественно, настолько хорошо, что лучше и быть не может. Просто чудо. — Как же я тебя люблю! — воскликнула она, обнимая и целуя его.

Еще никогда в жизни она не была так счастлива. Перед ее собственной новостью меркла даже новость о том, что у Кармен и Алана будет ребенок. Джефф сделал ей предложение, он хочет быть с ней до конца жизни — случилось именно то, о чем она всегда мечтала. Мечта наконец стала реальностью, и это получилось на удивление легко. Им не нужно было ничего «улаживать», ни над чем не требовалось «еще поработать», им не нужно было «пробовать, что из этого выйдет», или «как следует все обдумать». Аллегра даже не нуждалась в консультации психоаналитика, чтобы разобраться, нужен ли ей Джефф, а ему не нужно было думать лет десять — или пять, или даже год, — чтобы понять, любит ли он ее. Они любят друг друга и собираются пожениться — и это естественно и правильно.

— Эй, а ты не забыла, что так мне и не ответила? — напомнил Джефф.

227

Аллегра издала еще один вопль восторга, вскочила и запрыгала по кухне, как девчонка. Джефф рассмеялся, наблюдая за ней.

— Я отвечаю. Мой ответ — да! Да! Да! — Она подбежала к Джеффу и снова поцеловала его.

— Первое апреля! Я пошутил!

Но Аллегра только рассмеялась:

— Ну нет, на этот раз даже не пытайся отвертеться!

Тем временем зазвонил телефон. Это был брат Аллегры.

— Привет, Скотт, — сказала она небрежно. — Какие новости, говоришь? Да в общем-то почти никаких, так, всякие мелочи. Кстати, Джефф и я только что обручились. Да нет, это не первоапрельская шутка, я серьезно. — Она говорила так буднично, что Скотт явно не поверил.

Слушая ее и понимая всю нарочитость ее тона, Джефф снова расхохотался.

— Ты просто чудовище! — прошептал он с шутливым ужасом.

— Говорю тебе, это правда. Мы с ним просто сидели на кухне, разговаривали и решили пожениться.

В ответ Скотт заявил, что тоже сегодня сделал предложение одной девушке. Он и не думал ей верить.

— Серьезно, это не первоапрельская шутка, все по-настоящему, — посмеиваясь, продолжала настаивать Аллегра, но так и не сумела разуверить брата в розыгрыше.

— Ладно, если так, не забудь пригласить меня на свадьбу, — с сарказмом сказал он на прощание. Ему нужно было возвращаться в Стэнфорд, и Аллегра испортила ему ежегодное удовольствие, опередив его своим неожиданным заявлением.

— Он не поверил ни единому слову, — со смехом заключил Джефф, когда Аллегра повесила трубку.

— Точно, не поверил.

— Он просто умрет, когда поймет, что я сказала ему правду... — Аллегра изобразила испуг. — Или ты уже передумал?

Джефф поцеловал ее.

— Дай мне подумать пару дней, я никогда раньше не был помолвлен, и пока мне это даже нравится.

— Мне тоже.

Они снова стали целоваться. Вскоре оба забыли и о помолвке, и обо всем на свете и думали только друг о друге.

Джефф сорвал с нее слаксы и шелковую рубашку, она стянула с него шорты и футболку. У Джеффа были длинные загорелые ноги; иногда, устав от работы над сценарием, он выходил среди дня поваляться на пляже. Рядом с ним Аллегра выглядела белой, тоненькой и очень изящной. Когда они опомнились на ковре в гостиной, за окном уже стемнело. Аллегра села и огляделась. Кругом была разбросана их одежда. Она рассмеялась:

— Интересно, мы и после свадьбы будем продолжать в том же духе?

— Я на это рассчитываю, — ответил Джефф, приглушенно засмеявшись.

Наконец они встали и перебрались в спальню. Но прошло еще немало времени, прежде чем у кого-то из них возникла мысль об обеде, или о том, чтобы куда-то пойти, или даже о помолвке.

— Мне нравится быть помолвленной, — заявила Аллегра. Она взяла на кухне пачку печенья «Орео» и принесла его в спальню, Джефф по случаю их помолвки откупорил бутылку шампанского. Они подняли бокалы и чокнулись.

— Наверное, нам надо кому-нибудь позвонить? — спросил Джефф. — Может, мне полагается просить твоей руки у Саймона?

— Думаю, в конце концов тебе придется это сделать, но пока не поднялась суета вокруг нашей помолвки, давай просто радоваться жизни. — Аллегра уже начала мысленно готовиться к свадьбе и обнаружила, что это очень интересное занятие. Она, как и Джефф, никогда раньше не была помолвлена. — Когда ты планируешь наше бракосочетание?

— Кажется, по традиции полагается играть свадьбу в июне. Я люблю соблюдать традиции. Правда, в июне я еще буду занят на съемках фильма, но, думаю, мы сможем все устроить. Если, конечно, ты не против отложить медовый месяц до сентября. Как тебе такой вариант? Я бы предпочел не откладывать свадьбу надолго.

Джеффу и два месяца до их свадьбы казались слишком большим сроком, ему хотелось поскорее сделать Аллегру своей женой. И Аллегру нисколько не пугало замужество всего лишь через несколько месяцев после знакомства, наоборот, ей это нравилось. Они и так практически живут вместе, зачем же тянуть дольше? Хватит того, что она потратила так много времени на других мужчин, которые, как потом выяснялось, не любили ее по-настоящему. С Джеффом ей **229** не требовалось времени на раздумья, она готова была выйти за него хоть сегодня.

— Мы можем провести медовый месяц на Бора-Бора, — улыбаясь, предложил Джефф. — Может, нам повезет так же, как Алану и Кармен.

— Ты что, хочешь так сразу завести детей? — Аллегра удивилась, но возражать не стала.

— Да, если ты тоже хочешь. Мне тридцать четыре, тебе двадцать девять, я не хочу слишком долго откладывать. Так что, как только ты почувствуешь желание стать матерью — я готов. Мне кажется, мы должны стать родителями, пока относительно молоды. Ты, конечно, моложе меня, но, по-моему, завести первого ребенка до тридцати пяти лет — это здорово.

— Если так, нам, наверное, лучше начать прямо сейчас. На то, чтобы родить ребенка, знаешь ли, требуется некоторое время, а тридцать пять тебе стукнет уже через полгода. — Хотя Аллегра шутила, она находила слова Джеффа просто замечательными. — Кстати, о родителях: завтра вечером мы приглашены на обед к моим. Может, мы тогда и сообщим им о помолвке? Или ты предпочитаешь немного подождать?

— А зачем ждать? Мне не нужен испытательный срок, в течение которого я мог бы передумать, госпожа адвокат. Для меня наша женитьба — вопрос решенный. А вы что думаете по этому поводу?

— Ну-у, не знаю, — притворно засомневалась Аллегра, — может, нам стоит предпринять еще одну попытку, вроде пробной поездки на автомобиле, убедиться, что все работает как надо.

Она наклонилась над Джеффом и поцеловала его, рассыпая по всей кровати крошки от печенья. Но Джефф, кажется, ничего не имел против. Он ответил на поцелуй и в тон ей заметил:

— В ближайшие несколько лет я планирую тренироваться очень много.

Джефф поставил шампанское на тумбочку возле кровати, и они снова любили друг друга. К полуночи оба совсем обессилели, но это была приятная усталость.

— Боюсь, этак ты истощишь мои силы задолго до свадьбы, — пожаловался Джефф. — Может, нам надо пересмотреть планы?

— Даже не вздумай! Теперь тебе не отвертеться от женитьбы. Сейчас одна минута первого, первое апреля

230

кончилось, так что ты уже не отшутишься. Вы влипли, мистер Гамильтон.

— Аллилуйя! — Джефф снова поцеловал ее.

Аллегра легла на спину, глядя в потолок.

— Ты какую хочешь свадьбу, пышную или скромную? — спросила она.

— Думаю, поскольку у нас в запасе всего два месяца, мы не успеем устроить что-то грандиозное. А ты как считаешь?

— Согласна с тобой. По мне, было бы хорошо сыграть свадьбу в саду у моих родителей и пригласить человек сорок-пятьдесят гостей, а может, и еще меньше. — Аллегра вдруг смутилась, что не поинтересовалась сначала его мнением. — Но может, ты хочешь пригласить побольше друзей? Я вовсе не имела в виду, что мы просто тихо поженимся и сообщим всем пост-фактум.

— Все в порядке, — с улыбкой успокоил Джефф. — Единственный человек, кого я действительно хочу пригласить, это моя мать. У меня есть здесь несколько друзей, но немного, большинство моих однокашников разбросаны по всему восточному побережью, а кое-кто даже живет в Европе. Вряд ли ради моей свадьбы они проделают огромный путь до Калифорнии. По-моему, сорок человек в самый раз. Мне нужно будет позвонить матери. В июне она каждый год путешествует по Европе и любит, чтобы ее предупреждали заранее, если ей придется изменить планы.

— А она не рассердится? — серьезно спросила Аллегра. Встреча с матерью Джеффа ее немного пугала. На фотографии, которую она видела в нью-йоркской квартире Джеффа, его мать выглядела холодной и суровой, совсем непохожей на своего покойного мужа.

— Все будет хорошо. Года четыре назад мама наконец перестала донимать меня вопросом, собираюсь ли я жениться и когда. Кажется, когда мне стукнуло тридцать, она отчаялась увидеть меня женатым. — Джефф не стал упоминать о том, что ни одна из всех его подружек, которые у него были за последние двадцать лет, матери не понравилась. Однако он был уверен, что Аллегру мать полюбит — ее просто невозможно не полюбить.

— Мне не терпится рассказать маме. — Аллегра радостно улыбнулась. — Она будет так рада! Моим родителям ты очень понравился.

231

— Надеюсь их не разочаровать. — Джефф повернулся к Аллегре, поцеловал ее с нежностью и очень серьезно сказал: — Я буду очень, очень хорошо о тебе заботиться и любить тебя всю жизнь. Клянусь.

— Я тоже, Джефф, честное слово, я... я всегда буду с тобой.

Они лежали рядом, держась за руки, и обсуждали планы на будущее. Неожиданно Джефф усмехнулся:

— А может, нам тоже удрать на трейлере в Вегас? Можем снова надеть парики, а ты после венчания бросишь букет из пластиковых орхидей. — Джефф знал, что его мать это, мягко говоря, не одобрила бы, но ему понравилась свадьба Кармен и Алана.

— А в этом что-то есть, — ответила Аллегра. — Если дать моей матери возможность устроить из этой свадьбы грандиозное мероприятие, то она это сделает, можешь не сомневаться. Может, нам таки придется сбежать в Лас-Вегас.

Оба рассмеялись и юркнули под одеяло, как два озорных ребенка, затевающих очередное баловство.

На следующий день, собираясь на работу, Аллегра на радостях забыла ключи от машины, пришлось вернуться за ними в дом. Вместо того чтобы схватить ключи и бежать на работу, она сорвала еще один поцелуй. Джеффу пришлось чуть ли не силой выталкивать ее за дверь, чтобы она не опоздала на утреннюю встречу с клиентом.

— А ну пошла, быстро! — кричал он, отмахиваясь от нее. — Убирайся, проваливай!

Аллегра побежала по короткой подъездной дороге к машине. Уже сидя за рулем, она все еще тихонько посмеивалась. Никогда еще она не была так счастлива.

Все утро она улыбалась с довольным видом кошки, сожравшей канарейку. Но приходилось сдерживаться, чтобы никому не проговориться, — первыми новость должны узнать ее родители, а с ними она встретится только вечером, на обеде, вместе с Джеффом. Особенно трудно было не проболтаться, когда она смотрела в глаза Элис, и еще — когда позвонила Кармен. Кармен по-прежнему пребывала на седьмом небе от счастья по поводу своей беременности, но собственная новость казалась Аллегре самой прекрасной.

В обеденный перерыв она попыталась вытащить в город Джеффа, но тот отказался, сославшись на занятость.

232

— Как же мне быть, — посетовала Аллегра, — кроме тебя, я ни с кем не могу пойти на ленч, боюсь не выдержать и проболтаться. Придется тебе все-таки пойти со мной.

— Не могу — если вы хотите, чтобы вечером я был в состоянии поехать к вашим родителям, миссис Гамильтон.

Миссис Гамильтон... Аллегре очень нравилось, как это звучит, Джеффу тоже, и им нравилось играть в слова. Аллегра исписала половину блокнота, отрабатывая разные варианты росписи «Аллегра Гамильтон». Кажется, в последний раз она развлекалась такой игрой лет в четырнадцать-пятнадцать, когда была влюблена в Алана.

Идти на ленч одной Аллегре не хотелось, и в конце концов она решила отправиться на Родео-драйв и пройтись по магазинам, чтобы присмотреть себе белое платье или костюм, которые подошли бы для свадебного банкета в саду у Блэр. Она заглянула в самые разные бутики — Ферре, Диора, Валентино, Фреда Хэймана, Шанель, — чтобы хотя бы посмотреть, что у них есть в наличии из белого, но не нашла ничего. У Валентино, правда, был один белый льняной костюм, красивый, но недостаточно нарядный. У Ферре она нашла великолепную белую блузку из органзы, но ее не с чем было надеть. Но даже ничего не купив, Аллегра все равно получила удовольствие от похода по магазинам. Надо же, она подыскивает себе подвенечное платье — и это всего через два месяца после знакомства с Джеффом! У нее даже мелькала мысль позвонить Вейсману в Нью-Йорк и поблагодарить его — ведь если бы не его прием, они с Джеффом могли бы никогда не встретиться.

Сначала Аллегра собиралась обойтись без ленча, но в последний момент решила заглянуть в гриль-бар по дороге и перехватить сандвич с чашечкой кофе. В этом гриль-баре часто можно было встретить знакомых адвокатов и агентов, среди посетителей иногда мелькали лица известных актеров, она не раз встречала здесь своих друзей. Кроме удобного расположения, этот гриль-бар был хорош тем, что здесь неплохо готовили и быстро обслуживали.

Войдя в зал, Аллегра окинула взглядом кабинки и вдруг заметила в дальней от входа отца. Он над чем-то смеялся, но его спутника ей не было видно. У Аллегры возникло огромное искушение подойти и рассказать о своей помолвке, но этим ей не хотелось обижать мать. Придется потерпеть до вечера, когда они с Джеффом придут на обед. Но даже если она не могла поделиться новостью, ничто не мешало ей

233

просто подойти поздороваться с отцом. Аллегра так и сделала. Повесив пиджак на спинку стула, она пошла к кабинке, где сидел отец. В короткой бежевой юбке, тонком бледно-голубом свитере, бежевых «лодочках» на низком каблуке от Шанель, в тон сумочке на плече, стройная, гибкая Аллегра выглядела очень стильно и была больше похожа на фотомодель, чем на адвоката.

Она подошла к кабинке, Саймон поднял голову, заметил дочь и широко улыбнулся. Теперь Аллегра увидела его спутницу. Женщина с первого взгляда показалась ей знакомой, потом она вспомнила: это Элизабет Коулсон, кинорежиссер, англичанка, с которой отец разговаривал на церемонии вручения «Золотого глобуса». Высокая, стройная и очень красивая, она была ненамного старше ее самой. У Элизабет Коулсон был удивительный смех — глубокий, очень сексуальный.

— Привет, вот это сюрприз, — сказал Саймон.

Он встал, чмокнул дочь в щеку и представил женщин друг другу. Элизабет, очень талантливый режиссер, успевшая, несмотря на молодость, быть удостоенной звания леди, держалась просто, без претензий. Аллегра отметила, что она, по-видимому, неплохо проводит время с Саймоном. Саймон пояснил Аллегре, что они говорили о съемках.

— Я вот уже несколько месяцев пытаюсь уговорить Элизабет поработать со мной, но пока ничего не добился, — с улыбкой пожаловался он, садясь на место.

Аллегра присмотрелась к отцу и его спутнице. По-видимому, они чувствовали себя в обществе друг друга совершенно непринужденно, как старые друзья, которые провели вместе немало времени. Саймон предложил дочери присоединиться, но Аллегра отказалась, не желая мешать их беседе.

— Не могу, папа, я заскочила только на несколько минут, быстренько перехватить чего-нибудь, мне скоро нужно возвращаться в офис.

— А что ты вообще здесь делаешь?

Аллегра загадочно улыбнулась. Ей очень хотелось поделиться радостной новостью, но она понимала, что придется потерпеть.

— Вечером расскажу.

— Ну что ж, вечером так вечером.

Аллегра пожала руку Элизабет и вернулась к своему столику. Заказ — салат «Цезарь» и капуччино —

принесли очень быстро, и через пятнадцать минут она уже выходила из гриль-бара. По дороге в офис, сидя за рулем, Аллегра поймала себя на мысли об отце и Элизабет Коулсон. Непонятно почему оба раза — и на вручении «Золотого глобуса», и сегодня — у нее возникало ощущение, что они очень близко знакомы друг с другом. Она невольно задала себе вопрос: может, Блэр так же хорошо знакома с англичанкой? Аллегра решила спросить об этом у матери при следующей встрече. Затем ее мысли снова унеслись к предстоящей свадьбе. Об этом она не забывала ни на минуту, на протяжении дня три раза звонила Джеффу только затем, чтобы поговорить об их общей тайне и заговорщически похихикать. Сдерживать желание поделиться своей радостью с другими становилось все труднее. Вечером, подъезжая к воротам родительского дома, Аллегра чуть не подпрыгивала на сиденье от нетерпения, радостное возбуждение так распирало ее, что, казалось, еще немного — и она лопнет.

— Не волнуйся, — успокоил ее Джефф, но он и сам нервничал. Что, если родители Аллегры будут против их брака, или решат, что молодые слишком торопятся, или он им не понравится? Джефф поделился своими тревогами с Аллегрой еще дома, в Малибу, но она заявила, что его страхи просто нелепы, и от этого ему стало легче.

У дверей их встретил один Саймон: Блэр, по его словам, говорила по телефону в кухне. Она разговаривала с архитектором, занимающимся перепланировкой кухни, и, кажется, разговор был не из приятных. Архитектор только что сообщил Блэр, что перестройка займет не меньше семи месяцев, если строго следовать замыслу. Раздосадованная Блэр чуть ли не кричала на архитектора.

— Может, нам на полгода просто переехать в отель? — усмехнулся Саймон, но чувствовалось, что это было сказано лишь полушутя.

В ожидании хозяйки дома он предложил Джеффу выпить, тот выбрал скотч с водой. Несколько минут они беседовали обо всем понемножку, потом наконец появилась Блэр. Она вышла из кухни возбужденная и раздраженная. Саймон сразу же предложил ей выпить, но она отказалась и, все еще находясь под впечатлением разговора с архитектором, обратилась к Саймону:

— Представляешь, какой бред! Он заявил, что работы займут семь месяцев! Рехнулись они там, что ли! — **235**

Она повернулась к Аллегре: — Прости, дорогая. — Пытаясь успокоиться, она обняла и поцеловала дочь, поздоровалась с Джеффом. — Просто не верится.

— Почему бы нам не оставить кухню такой, как есть? — осторожно спросил Саймон.

Блэр решительно возразила, что их кухня устарела и вообще вопрос о ремонте уже решен и обсуждению не подлежит.

— Тогда я перееду, — сказал он вполголоса.

Блэр бросила на мужа предостерегающий взгляд, и они перешли на другую тему. Но Аллегра больше не могла сдерживаться. Улучив момент перед обедом, Джефф отставил в сторону стакан и посмотрел на родителей Аллегры:

— Аллегра и я хотим вам сказать... вернее, я хочу просить у вас... я понимаю, мы с вашей дочерью не так давно познакомились, но... — Никогда в жизни Джефф не чувствовал себя так неловко, он словно снова стал подростком. Блэр удивленно смотрела на него во все глаза, а Саймон улыбался. Он ему искренне сочувствовал.

— Вы хотите попросить у меня именно то, о чем я подумал? — подсказал он, пытаясь его поддержать. Джефф бросил на него благодарный взгляд.

— Да, сэр. — Сидя рядом с Аллегрой перед ее родителями и пытаясь найти нужные слова, он чувствовал себя даже не подростком, а пятилетним мальчуганом. — Мы хотим... мы намерены... — Он собрался с духом, пытаясь вести себя как подобает взрослому мужчине. — Аллегра и я решили пожениться.

— Ах, дорогая, как я рада! — Блэр вскочила и со слезами на глазах бросилась обнимать то дочь, то Джеффа.

Аллегра вопросительно посмотрела на отца:

— Папа? — Ей полагалось получить отцовское благословение, но она и без слов видела по глазам Саймона, что он одобряет их брак. У него в глазах тоже блестели слезы радости.

— Одобряю от всего сердца. — Саймон крепко пожал руку Джеффу. Мужчины выглядели такими довольными, будто только что заключили важную сделку. В сущности, так оно и было — решился вопрос, определяющий всю дальнейшую жизнь Аллегры и Джеффа. — Молодчина.

— Спасибо, — сказал Джефф. У него словно гора с плеч свалилась. Сообщить о своих намерениях родителям

Аллегры оказалось куда труднее, чем он себе представлял. Хотя они сильно облегчили ему задачу, все же это был один из тех волнующих жизненных моментов, которые остаются в памяти навсегда.

И тут вдруг заговорили все разом, так что даже не сразу услышали, что их приглашают за стол. Саманты не было, она ушла куда-то с друзьями, и за обедом все разговоры были только о предстоящей свадьбе.

После первого блюда Блэр призвала к тишине:

— Хватит галдеть, нам нужно обсудить все детали. Когда состоится свадьба, где, сколько будет гостей, какое у невесты будет платье, длинная фата или короткая... Господи, да так много всего предстоит решить!

Блэр промокнула глаза платочком. Это был один из самых счастливых вечеров в ее жизни и, конечно, в жизни Аллегры.

На некоторые вопросы Аллегра попыталась ответить сразу.

— Мы хотим пригласить человек сорок или пятьдесят, свадьбу устроить здесь, дома и в саду, — радостно сказала она. — Чтобы все было мило и уютно, ничего помпезного. Мы решили пожениться в июне. — Она с улыбкой повернулась к Джеффу, потом посмотрела на мать.

Блэр тоже улыбнулась:

— Ты, конечно же, шутишь?

Однако Аллегра явно не поняла вопроса.

— Нет, не шучу. Вчера вечером мы с Джеффом все обсудили, и я тебе сказала, какой мы представляем свою свадьбу.

— Это исключено! — отрезала Блэр. Она вдруг заговорила как продюсер, а не как мать. — И думать забудь, так дело не пойдет.

— Мама, это не твое шоу, речь идет о моей свадьбе, — мягко напомнила Аллегра. — Что значит «и думать забудь»?

— Это значит, что в ближайшие две недели от сада ничего не останется. До осени на заднем дворе не будет ничего, кроме грязи и плавательного бассейна, так что свадьба в саду исключается. И я не могу поверить, что ты всерьез собираешься ограничиться сорока гостями. Ты хоть представляешь, как много у нас знакомых? Аллегра, это ни в какие ворота не лезет. Подумай о своих клиентах, о школьных друзьях, не говоря уже о друзьях семьи. Разумеется, Джефф и его родители тоже захотят кого-то пригласить. Честно говоря, совершенно не представляю, как мы можем уложиться в четыреста или пятьсот человек, вероятно, придется пригласить человек шестьсот. А это означает, что свадьбу никак нельзя будет устроить дома. И уж конечно, не может быть и речи об июне. Такие свадьбы не организуются за два месяца. Аллегра, детка, давай говорить серьезно. Где и когда мы устроим свадьбу?

— Мама, но я и не шучу. — Аллегра перестала улыбаться. — Это не твоя свадьба, а наша, и мы не хотим приглашать больше пятидесяти гостей. В том-то все и дело. Если устраивать из свадьбы массовку — тогда да, придется пригласить всех. Но когда гостей сорок или пятьдесят, можно ограничиться самыми близкими друзьями, и такой вариант нам гораздо больше нравится. К тому же скромная свадьба не требует полгода на подготовку.

— Конечно, зачем возиться из-за такой ерунды?

Блэр очень расстроилась, Саймон уже давно не видел ее такой. В последнее время она вообще принимала все слишком близко к сердцу и быстро раздражалась: сначала расстроилась из-за разговора с архитектором, теперь вот из-за свадьбы дочери.

— Мама, прошу тебя, не надо! — Аллегра готова была расплакаться. — Почему ты не хочешь предоставить нам самим все устроить? Ты не обязана этим заниматься.

— Это просто нелепо! И где же, позволь узнать, ты собираешься сыграть свадьбу? В своем офисе?

— Возможно. Мы можем устроить праздник в доме Джеффа в Малибу. Пожалуй, это идея.

— Ты же не хиппи, не бродяжка какая-нибудь, ты уважаемый адвокат, у тебя солидные клиенты. А для нас очень много значат друзья, да и для тебя тоже. — Блэр повернулась к Джеффу за поддержкой: — Вам нужно как следует подумать и изменить планы.

Джефф кивнул и посмотрел на Аллегру. Чувствуя на себе взгляды Блэр и Саймона, он сказал как можно спокойнее:

— Дорогая, может, лучше поговорим об этом вечером, когда вернемся домой? Подумаем, что можно изменить.

— Я не хочу ничего менять! — вспылила Аллегра. — Мы с тобой уже все обсудили. Мы же решили, что хотим устроить скромную свадьбу в саду.

— Никакого сада нет! — резко бросила Блэр. — А в июне у меня съемки. Ради Бога, Аллегра, неужели обязательно нужно усложнять нам всем жизнь?

— Ладно, мама, не думай об этом. — Аллегра бросила смятую салфетку и встала из-за стола, глядя на

238

Джеффа сквозь слезы. — Мы обвенчаемся в Лас-Вегасе. Мне не нужно, чтобы ты все для меня организовывала, я хочу только небольшую скромную свадьбу. В конце концов, я ждала этого дня тридцать лет и хочу, чтобы он прошел так, как этого хотим мы с Джеффом, а не так, как это видится тебе, мама. Кто выходит замуж, ты или я?

Видя, как расстроилась дочь, Блэр уже растерялась. Саймон попытался успокоить обеих.

— Не надо так волноваться, — тихо сказал он, — давайте отложим этот разговор и продолжим его после обеда.

Женщины немного успокоились, Аллегра снова села. Но было ясно, что отложенный разговор будет непростым.

Остаток обеда прошел большей частью в неловком молчании. Но когда все встали из-за стола и перешли в гостиную пить кофе, обе женщины снова приготовились с прежней твердостью отстаивать каждая свою точку зрения. Аллегра хотела пригласить на свадьбу сорок человек, а Блэр считала, что им необходимо пригласить пять или шесть сотен. Блэр предложила устроить банкет в клубе или в отеле «Бель-Эйр» — по мнению Аллегры, это придало бы торжеству налет казенщины. Она хотела принимать гостей дома, но Блэр твердила, что не в состоянии одновременно и заниматься сериалом, и готовиться к приему и что назначать свадьбу на июнь — просто глупость. Они проспорили два часа, но компромисс, казалось, даже не наметился. Однако в конце концов и той и другой удалось истощить силы оппонента и добиться некоторых уступок. Аллегра с большой неохотой дала себя уговорить на полторы сотни гостей и согласилась перенести свадьбу на сентябрь. Блэр согласилась до сентября организовать свадьбу дома. К сентябрю должны закончиться работы на заднем дворе, а в сериале на сентябрь был запланирован перерыв. По поводу сроков Аллегра колебалась дольше всего и несколько раз вполголоса совещалась с Джеффом. Им обоим очень не хотелось ждать свадьбы целых пять месяцев, но Джефф напомнил, что к осени у него закончатся съемки и тогда они смогут сразу после свадьбы устроить настоящий медовый месяц, а не ждать чуть ли не сто дней, как пришлось бы сделать в случае свадьбы в июне. Такой вариант имел определенные преимущества, и Аллегра, как ни противилась, посоветовавшись еще раз с Джеффом, все-таки сдалась.

— Но это мое последнее слово, мама. Больше не пытайся на меня давить. Сто пятьдесят человек и ни

239

одним человеком больше, свадьба в сентябре и банкет в саду. Я соглашаюсь на это только ради тебя.

Мужчинам, слушающим их со стороны, этот диалог напоминал игру в «Монополию». Саймон с надеждой посмотрел на жену:

— Означает ли это, что наша кухня уцелеет? Судя по словам архитектора, рабочим никак не успеть перестроить ее к сентябрю.

— Помалкивай! — Блэр снова вспылила. — Это не твоя забота.

Но через минуту она снова оттаяла и неуверенно улыбнулась. Все четверо вздохнули с облегчением, вечер оказался очень трудным.

Саймон плеснул себе бренди и налил Джеффу еще одну порцию виски с содовой.

— Я и не знал, что подготовка к свадьбе отнимает столько сил, — сказал Джефф.

— Я и сам этого не знал. У нас была довольно скромная свадьба. Но я знаю, что для своих дочерей Блэр мечтала сделать все по высшему разряду.

— Мама может устроить пышную свадьбу для Сэм, — вмешалась Аллегра, еще не пришедшая в себя после битвы с матерью. Обе были упрямы, и достичь компромисса оказалось очень трудно. Больше всего Аллегра сожалела о том, что свадьбы придется ждать пять месяцев.

— Ничего, переживем как-нибудь, — заверил Джефф, целуя ее.

Им нужно было еще кое-что уточнить с Блэр, и они вместе пошли на кухню. Когда они входили, мать Аллегры сморкалась и вытирала глаза платком. Аллегра тут же почувствовала угрызения совести за свою резкость:

— Прости, мама, я не хотела тебя обидеть.

— У тебя должна быть красивая свадьба, особенная.

— Она и будет такой, мама.

Пока Джефф с ней, все остальное не так уж и важно. Весь этот спор из-за свадьбы показался Аллегре глупым, и она очень жалела, что не сбежала с женихом, как Кармен с Аланом. Насколько бы все было проще! Похоже, до тех пор, пока все не кончится, ей еще многое придется вытерпеть.

Между тем Блэр не желала останавливаться.

— А что ты думаешь насчет платья? — спросила она. — Надеюсь, ты позволишь мне помочь с выбором?

— Платье я уже присматриваю. Сегодня в обеденный перерыв я прошлась по Родео-драйв.

Аллегра улыбнулась, вспомнив свой поход по магазинам. Она подробно рассказала матери, где была, что видела и чего ей хочется. С ее представлениями о подвенечном платье Блэр почти согласилась, но высказала пожелание, чтобы Аллегра выглядела наряднее, может быть, надела широкополую шляпу или длинную фату.

— Кстати, на Родео-драйв я встретила папу. Мне ужасно хотелось тут же поделиться с ним новостью, но я решила приберечь ее до вечера. Еле сдержалась.

— Интересно, что он покупал на Родео-драйв?

Блэр очень удивилась, потому что Саймон терпеть не мог ходить по магазинам, обычно для него все покупала она.

— Ничего не покупал. Я заскочила перекусить в гриль-бар и встретила его там с Элизабет Коулсон. Они разговаривали о работе. Кажется, папа пытался ее уговорить стать режиссером одного из его фильмов.

Аллегра заговорила о другом: она еще не решила, будут ли у нее подружки невесты и если будут, то сколько. Рассуждая на эту тему, она вдруг заметила в глазах матери какое-то странное выражение, а когда они вернулись в гостиную, Блэр посмотрела на Саймона — снова, как показалось дочери, как-то странно. Жених и невеста просидели в гостях почти до одиннадцати часов, и все это время разговор вертелся вокруг предстоящей свадьбы. Уже уходя, Джефф случайно услышал, как Блэр тихо сказала Аллегре странную фразу:

— Тебе нужно позвонить отцу.

Аллегра кивнула, но взгляд у нее стал каким-то тревожным.

Через несколько минут они остались одни. Изнурительный вечер наконец подошел к концу. На обратном пути оба некоторое время молчали, Джефф вел машину, Аллегра сидела с закрытыми глазами, положив голову на подголовник. Первый раунд подготовки к свадьбе оказался очень тяжелым для обоих. На выезде на скоростную автостраду Джефф как бы невзначай поинтересовался:

— О чем это говорила твоя мать?

— Нам нужно было удрать в Вегас, пожениться там и потом поставить всех перед фактом, — устало сказала Аллегра.

241

— Я не это имел в виду. Она сказала, что тебе нужно позвонить отцу. Как это понимать?

Аллегра не ответила. Сидя с закрытыми глазами, она притворялась спящей. Однако покосившись на нее, Джефф почувствовал, как она вся сжалась. Ничего не понимая, он нежно коснулся пальцем ее щеки.

— Эй, не надо от меня прятаться. Что Блэр имела в виду?

Кажется, он задел больное место.

Аллегра открыла глаза и посмотрела на него в упор:

— Я не хочу говорить об этом сегодня, вечер и без того был ужасный.

Оба снова замолчали, но Джефф не собирался так легко сдаваться. Ему не нравилось, что Аллегра прячется от него в свою раковину, и беспокоила ее неожиданная скрытность.

— Разве твой отец не Саймон?

Аллегра не ответила. Молчание затягивалось, Джефф догадывался, что она ищет путь к отступлению, пытается придумать способ избежать неприятного разговора. По-видимому, он затронул вопрос, о котором ей очень не хотелось говорить даже с ним. Все это время Аллегра сидела отвернувшись к окну. Наконец она печально покачала головой и проговорила:

— Мама вышла замуж за Саймона, когда мне было семь лет.

Признание далось Аллегре очень нелегко. Джефф был в затруднении: ему не хотелось ворошить старые тайны, но он собирался жениться на Аллегре и хотел ей помочь всем, чем сможет.

— Я и не знал, — осторожно сказал он.

— Мой так называемый настоящий отец живет в Бостоне, он врач. Я его ненавижу, и он меня тоже. — Она наконец повернулась к Джеффу и посмотрела ему в глаза. Чувствуя, как нелегко ей говорить, Джефф решил прекратить расспросы. Он просто еще раз нежно дотронулся пальцем до ее щеки, а когда пришлось остановиться на красный свет, наклонился к ней и поцеловал.

— Аллегра, что бы ни случилось, я хочу, чтобы ты знала: я здесь, с тобой, и я тебя люблю. Больше никто не причинит тебе боли.

У нее выступили слезы на глазах. Когда Джефф наклонился, чтобы ее поцеловать, Аллегра прошептала:

— Спасибо.

Остаток пути до дома они провели в молчании.

* * *

В это время в Бель-Эйр Стейнберги уже поднялись в свою спальню. Поглядывая на Саймона, который развязывал галстук, Блэр взяла в руки глянцевый журнал и притворилась, что читает.

— Я слышала, ты сегодня встречался за ленчем с Элизабет Коулсон, — холодно сказала она, взглянув на мужа. — Я думала, что у тебя с ней все кончено.

— У меня с ней ничего и не начиналось, — тихо ответил Саймон.

Расстегивая на ходу рубашку, он прошел в ванную, но услышал, что Блэр идет за ним. Он повернулся к ней, и Блэр посмотрела ему в глаза, сверля его взглядом.

— Я же тебе говорил, у нас чисто деловые отношения.

Саймон сказал это очень спокойно, но увидел, как у нее поникли плечи. Блэр вдруг снова почувствовала себя старухой. Он остался таким же красивым, как и раньше, и он обедает в кафе со спутницей, которая по возрасту годится ему в дочери. А она поблекла, увяла и вообще не чувствует себя женщиной. У нее все в прошлом, даже в профессиональном плане, и вот теперь она стала матерью невесты, а скоро станет тещей. Блэр почувствовала себя древней старухой.

— И над чем же ты с ней работал в Палм-Спрингс? — тихо спросила она.

Саймон повернулся к ней спиной.

— Не надо, Блэр. — Он не собирался снова играть с женой в игры, в последнее время они и так занимались этим слишком часто. — Мы просто разговаривали, вот и все. Мы с ней друзья. Прошу тебя, Блэр, ради нас обоих оставь это, хотя бы такую малость ты должна ради меня сделать.

— Я ничего тебе не должна. — Глаза Блэр наполнились слезами, она круто повернулась и вышла из ванной. Но потом посмотрела на него через плечо в открытую дверь. — Ты предложил, по словам Аллегры, ей вместе снять фильм?

— Это я ей сам сказал. Мы просто разговаривали и все. Элизабет возвращается в Англию.

— А ты? Ты будешь снимать следующий фильм в Англии?

— Нет, следующий фильм я снимаю в Нью-Мексико.

Саймон медленно вышел из ванной, подошел к жене и обнял ее.

243

— Блэр, я люблю тебя и хочу, чтобы ты это знала. Прошу тебя, давай больше не будем об этом... Нам обоим станет только больнее.

Но Блэр хотела, чтобы ему было больно, чтобы он страдал так же, как страдала она, узнав, что полгода назад у него был роман с Элизабет Коулсон. Саймон был очень осторожен, никто ни о чем не догадывался, но Блэр все знала. Она узнала правду совершенно случайно, когда кто-то из знакомых сообщил ей, что видел Саймона и Элизабет в Палм-Спрингс. Говоривший ни о чем не подозревал, но Блэр сразу догадалась, что происходит. Стоило ей услышать, что ее мужа видели с другой женщиной в Палм-Спрингс, как у нее по спине пробежал холодок. Конечно, Саймон все отрицал, но когда на каком-то приеме Блэр несколько минут понаблюдала за тем, как он разговаривает с Элизабет, у нее не осталось сомнений. Саймон и Элизабет держались как мужчина и женщина, которые по ночам в постели делятся друг с другом всеми своими секретами. Она снова попыталась узнать правду у Саймона, но тот ничего не сказал. Однако Блэр сердцем чувствовала неладное.

Аллегра об этом ничего не знала, Блэр не рассказала никому. Она просто носила все в себе, а душа болела, и сегодня, когда Аллегра сказала, что видела их вместе, боль вспыхнула с новой силой.

— Что, обязательно нужно было встречаться с ней в ресторане? Почему ты не мог поговорить с ней в офисе?

— Потому что если бы я встречался с ней в офисе, ты бы решила, что я с ней сплю. Я подумал, что будет лучше назначить встречу в людном месте.

— Лучше всего, если ты вообще не будешь с ней встречаться, — тихо сказала Блэр. Она бессильно осела на кровать. — Но может, это уже не имеет значения.

Она медленно встала и побрела в свою гардеробную. Саймон не последовал за ней. В их жизни все так изменилось... Они уже несколько месяцев не занимались любовью. Это прекратилось само собой, без каких-либо обсуждений, как только Блэр узнала о романе Саймона. Она стала чувствовать, что стареет, что Саймон ее не любит, его желание к ней угасло.

Когда Блэр, переодевшись в ночную рубашку, вернулась в спальню, Саймон читал в кровати. Он с сочувствием посмотрел на жену. Она очень переживала его измену, он и сам ужасно сожалел о своем поступке, но это было одно из тех событий, которые иногда случаются, и сейчас он никакими силами не мог изменить прошлое. Мало того, он с досадой сознавал, что Блэр не позволит ему забыть о том, что произошло. Вероятно, он это заслужил. Саймон смирился с тем, что его судьба в руках Блэр, ему только очень хотелось найти какой-то способ убедить жену, что он по-прежнему очень ее любит. Но она ему не верила. Кроме сериала, мысли Блэр занимала только Элизабет Коулсон, казалось, больше ее ничто не интересует. Саймон задавал себе вопрос, изменится ли что-то теперь, когда Аллегра собралась замуж. Может, подготовка к свадьбе немного поднимет настроение Блэр? Во всяком случае, он на это надеялся.

— Я рад за Аллегру, — тихо сказал Саймон. — Джефф славный парень, думаю, он будет ей хорошим мужем.

Блэр пожала плечами. Больше двадцати лет Саймон тоже был ей хорошим мужем, а теперь вот все изменилось. Они были так счастливы, так близки, считали свою семью особенной, непохожей на другие, наивно относили себя к числу счастливчиков, которым все нипочем. Но в конце концов несчастья не обошли стороной и их. И вот теперь все стало по-другому и никогда больше не будет таким, как прежде. Даже если бы после Палм-Спрингс он порвал с Элизабет Коулсон, прошлого уже не вернуть. Слишком поздно.

Блэр легла в кровать и взяла книгу — новый роман Джеффа. Она купила его примерно неделю назад, еще не зная, что автор скоро станет ее зятем. Но ей было трудно сосредоточиться на чтении, и о самом Джеффе она тоже не могла думать, неизменно возвращаясь мыслями к Саймону и Элизабет Коулсон. Значит, они вместе пошли в ресторан в обеденный перерыв... Что же еще они делали вместе? Может, ленч в людном месте служил им лишь удобным прикрытием? Блэр повернулась и посмотрела на мужа. Саймон уснул прямо с книгой в руках и в очках. Блэр было больно даже просто смотреть на него: болела душа, где раньше жила любовь. Так у них продолжалось уже несколько месяцев. Блэр сняла с него очки, взяла из рук книгу и положила ее на тумбочку.

«Интересно, когда с ним Элизабет Коулсон, он вот так же засыпает?»

Блэр тоже отложила книгу и выключила свет. Она уже стала привыкать к чувству одиночества и боли в душе, почти научилась жить с ними, но еще слишком хорошо помнила, как все было раньше, до этих злосчастных перемен. Лежа **245** без сна с закрытыми глазами, Блэр вспоминала прошлое. Но затем она сделала над собой усилие и стала думать о предстоящей свадьбе Аллегры. Может, ей и Джеффу повезет больше, чем им с Саймоном, и ничто не сможет омрачить их счастья. Во всяком случае, она на это надеялась. Блэр стала мысленно молиться за дочь.

Глава 13

Целую неделю после помолвки Аллегру не покидало ощущение, будто на их офис налетел ураган. Буквально у каждого из ее клиентов возникли свои проблемы: кто-то подписывал новый контракт, кому-то предложили заключить лицензионное соглашение, требовавшее ее участия, или еще что-то в этом роде. Ее буквально разрывали на части.

Когда Джефф позвонил матери, чтобы рассказать о своей помолвке, все еще больше осложнилось. Мать Джеффа, которая до сего момента не знала даже о самом существовании Аллегры, довольно холодно высказалась в том духе, что помолвка слишком поспешная и Джефф впоследствии может пожалеть об этом. Поговорив с сыном, она несколько минут побеседовала с Аллегрой, затем трубку снова взял Джефф. Мать надеялась, что они хотя бы на несколько дней прилетят в Нью-Йорк и она сможет познакомиться с будущей невесткой.

— Нам обязательно нужно навестить ее до мая, когда начнутся съемки, — сказал Джефф, повесив трубку. Однако Аллегра, у которой дел было по-прежнему невпроворот, пока совершенно не представляла, как это можно устроить. Но она пообещала в ближайшие несколько недель во что бы то ни стало выкроить время для поездки.

Однако за эту неделю она так и не смогла позвонить отцу, мысленно оправдывая себя непомерной занятостью. Джефф старался не докучать ей вопросами, но в конце концов Аллегра сама рассказала, что ее родители разошлись и развод был далеко не дружеским. За последние двадцать лет она видела отца всего несколько раз, и ни одну из встреч нельзя было назвать приятной. Он, по-видимому, до сих пор возлагал на нее ответственность за действия матери.

— Он при каждой встрече обязательно говорит, как я похожа на мать, какие мы обе избалованные и как он терпеть не может «голливудский стиль жизни». Его послушать, так получается, будто я не адвокат, а стриптизерша в баре.

— Может, он не видит разницы между двумя этими профессиями? — попытался пошутить Джефф, но у Аллегры не было настроения шутить. Его мать тоже отнюдь не восхищалась Голливудом и с подозрением относилась даже к его работе для кино, но случай с отцом Аллегры оказался еще сложнее. К тому же у Джеффа осталось впечатление какой-то недосказанности. Не вдаваясь в подробности, он все же не мог не задуматься о том, не здесь ли кроется причина ее прежних неудач с мужчинами. Если когда-то отец оттолкнул ее, возможно, теперь подсознательно она ищет и находит мужчин, которые поступают точно так же.

Джефф подумал, что в таком случае с ним ее ждет серьезное разочарование, потому что он ни в коем случае не собирается ее отвергать. Напротив, он любил проводить с ней дни, тихие, спокойные вечера, ему нравилось иногда проваляться в постели до полудня, никуда не торопясь, — правда, такая возможность выпадала крайне редко.

В эти выходные, после того как они побывали у родителей Аллегры и сообщили о своей помолвке, им наконец удалось провести тихий вечер дома вдвоем. В субботу они даже сумели выбраться в кино. Вечером они легли в постель сразу же, едва вернулись домой — им не терпелось поскорее насладиться друг другом, — и уже стали засыпать, как вдруг зазвонил телефон.

Джеффу не хотелось подходить к телефону, но Аллегра не могла не ответить на звонок. Когда звонили по ночам, ей всякий раз казалось, что с кем-то из ее клиентов произошла какая-то катастрофа и требуется ее немедленное участие. Надо сказать, что иногда именно так и случалось, но все же чаще оказывалось, что кто-то ошибся номером.

— Слушаю, — недовольно пробормотала Аллегра. Некоторое время на том конце провода молчали. Она уже собиралась повесить трубку, но в это время услышала всхлипывания. — Кто это?

Снова молчание, потом еще один всхлип, и затем сдавленный голос в трубке:
— Это Кармен.

247

— Кармен? Что случилось?

Воображение тут же подсказало Аллегре несколько вариантов. Кармен попала в аварию, с ней произошел несчастный случай, она ранена, Алан ее бросил... Что еще могло произойти? Аллегра усилием воли подавила раздражение.

— Кармен, не молчи.

Джефф недовольно замычал на своей половине кровати. Всякий раз, когда у Кармен случалась размолвка с Аланом, она впадала в истерику и звонила Аллегре, и Джефф, конечно, не приходил от этого в восторг. Ему очень нравилась звездная парочка, но он считал, что улаживать их мелкие супружеские конфликты вовсе не входит в обязанности Аллегры. В конце концов, трения неизбежны в любой семейной паре, но большинство жен не звонят своим адвокатам по ночам, рассчитывая на их помощь в улаживании семейных дел.

— Он уезжает, — наконец со слезами в голосе проговорила Кармен и тут же разразилась новым потоком слез. Послышался чей-то недовольный голос, но слов Аллегра не разобрала.

— Что происходит? — Аллегра старалась, чтобы ее спокойствие по телефону передалось Кармен, но из этого ничего не вышло. — Скажи толком, он от тебя уходит?

— Да, он уходит.

Кармен всхлипнула, потом в трубке послышалась какая-то возня, затем Аллегра услышала раздраженный голос Алана:

— Господи, да никуда я от нее не ухожу! Я улетаю в Швейцарию на съемки фильма и не собираюсь ни погибнуть при выполнении трюка, ни закрутить роман с местной крестьянкой. — Эту фразу Алан повторял, наверное, уже в сотый раз за вечер. — Я собираюсь там работать, вот и все. Как только съемки закончатся, вернусь домой. Я актер, я должен сниматься, это мой хлеб. — С этими словами он снова передал трубку жене, которая снова разразилась истерическими рыданиями.

— Но я же беременна! — захлебывалась она слезами.

Аллегра вздохнула. Теперь ей все стало ясно: Кармен не хочет отпускать Алана на съемки. Но он подписал контракт, причем очень выгодный, и должен сниматься.

— Послушай, Кармен, успокойся и рассуди здраво. Алан обязан лететь на съемки, это его работа. Твои съемки начнутся в июне, до этого ты успеешь навестить его в Европе и даже можешь пробыть там с месяц до начала репетиций. А теперь успокойся и ложись спать.

Всхлипы вдруг прекратились. Ненадолго в трубке стало тихо.

— А ведь и правда, я могу полететь с ним! Господи, как я сама не догадалась, спасибо тебе, Аллегра! Я тебя люблю!

Так-то оно так, но вряд ли Алан разделял восторг жены. Кармен привыкла требовать неустанного внимания и может сильно отвлекать его от работы.

— Я тебе завтра перезвоню! — выпалила Кармен и повесила трубку, даже не сказав «до свидания».

Аллегра покачала головой, выключила свет и снова легла. Но когда она пододвинулась поближе к Джеффу, тот заворочался и недовольно пробурчал в подушку:

— По-моему, нужно отучить их звонить тебе каждые пять минут как бесплатному психоаналитику! В конце концов, это просто нелепо. Не понимаю, почему ты безропотно все терпишь.

Аллегра знала, что Джеффу надоели частые звонки в любое время дня и ночи, но он держался молодцом. Ее клиенты за последние годы успели привыкнуть к тому, что к ней можно обратиться с любым вопросом, и Джефф это понимал. Кроме Кармен, ей звонила жена Брэма Моррисона при необходимости, и сам Брэм, и, конечно, Мэлахи. Этот звонил чуть ли не каждый раз, когда напивался или накачивался наркотиками или когда считал, что его осенила блестящая идея, не говоря уже о случаях, когда попадал в какую-то передрягу. Даже Алану иногда срочно требовался совет. Звонили и другие клиенты. В Лос-Анджелесе это было обычным делом, а те, кто не названивал своим адвокатам, звонили агентам.

— Джефф, так уж они устроены. Они к этому привыкли, и их будет очень трудно перевоспитать.

— Просто патология какая-то. Что у них стряслось на этот раз? Алан и Кармен опять поссорились? Похоже, этот брак покажется нам очень долгим, если они будут названивать нам по ночам всякий раз, когда поспорят, кому выносить мусор. — Это была шутка, в действительности весь мусор из дома Алана и Кармен надлежало измельчать в порошок и запирать в контейнере с кодовым замком, чтобы никто его не украл. — Если ты сама не можешь им сказать, скажу я.

— Алану на следующей неделе нужно лететь в Швейцарию на съемки, а Кармен возражает. Она хочет, чтобы муж остался дома с ней и с ребенком.

Джефф рассердился еще больше:

— Какая глупость! Ребенка-то еще и в помине нет. Она беременна каких-нибудь десять минут и рассчитывает, что Алан будет сидеть с ней дома все девять месяцев?

— Не девять, а всего лишь семь и три четверти — у Кармен срок пять недель.

Джефф снова страдальчески застонал, и Аллегра расхохоталась. Это прозвучало действительно смешно, но Кармен воспринимала все очень серьезно.

— Может, тебе лучше переквалифицироваться на специалиста по антимонопольному законодательству? — в шутку предложил он.

Раз уж звонок не дал им уснуть, они решили не терять времени даром. Джефф пододвинулся поближе к Аллегре и начал ласкать ее с самыми недвусмысленными намерениями. От этого его настроение снова улучшилось, и теперь уже им никто не помешал.

На следующей неделе мысли всех четверых были заняты ежегодным вручением премии «Оскар». Кармен воодушевленно строила планы поездки с Аланом. Они должны были вылететь через два дня после церемонии. В этом году и Кармен, и Алан были выдвинуты на премию, и хотя никто из них всерьез не рассчитывал получить «Оскара», сам факт выдвижения на премию был очень важен для актерской карьеры каждого. Впрочем, Кармен, казалось, совершенно утратила интерес к своей карьере. В последнее время ее интересовал только будущий ребенок и еще, конечно, Алан.

Аллегра и Джефф тоже присутствовали на церемонии и встретили там родителей Аллегры. Фильм Саймона завоевал пять «Оскаров», в том числе, к радости Аллегры, и как лучший фильм года. Блэр, казалось, была рада за мужа, но всякий раз, когда Аллегра смотрела на мать, она замечала в ее лице необъяснимое напряжение. Она не могла понять, кроется ли причина в ухудшении рейтинга сериала, или у Блэр просто плохое настроение, или причина в чем-то совсем другом. Конечно, не исключено, что у нее просто разыгралось воображение, но Аллегра чувствовала, что тут кроется нечто большее, чем кажется на первый взгляд. Пытаясь понять причину настроения матери, она поделилась своими сомнениями с Джеффом, но тот вообще ничего не заметил.

— Она явно чем-то или расстроена, или встревожена, — утверждала Аллегра.

— Может, твоя мать неважно себя чувствует? Может, она заболела? — предположил Джефф, но Аллегра только еще больше встревожилась.

— Надеюсь, что нет.

Как и следовало ожидать, ни Алан, ни Кармен не получили «Оскара», но никто из них заметно не расстроился. Блэр же оказалась верна себе. После церемонии она подошла к дочери и спросила, позвонила ли Аллегра отцу.

— Нет, мама, я ему не звонила.

Аллегра нахмурилась. В этот вечер ей совершенно не хотелось портить себе настроение разговорами об отце и обсуждать вопрос, почему она откладывает звонок. На церемонию вручения «Оскара» она надела облегающее платье из серебристой ткани, подчеркивавшее все достоинства ее фигуры, и выглядела великолепно.

Однако Блэр не унималась:

— Мне нужно знать, указывать ли его имя на приглашениях.

— Ну хорошо, хорошо, я ему позвоню. — Потом Аллегре пришла в голову удачная мысль. — Мама, лучше позвони ему сама и спроси, хочет ли он видеть на приглашениях свое имя. Лично я думаю, что мы прекрасно обойдемся без него. Мой отец — Саймон, а этот тип мне не нужен. Кстати, у меня есть идея получше! Давай вообще не станем ему звонить, а приглашения на свадьбу будете рассылать вы с папой от своего имени. В конце концов, я ведь даже не ношу фамилию твоего бывшего мужа.

Действительно, хотя официально Саймон не удочерил Аллегру, людям она была известна под фамилией Стейнберг. В свое время Блэр не хотелось обсуждать этот вопрос с родным отцом Аллегры, Чарлзом Стэнтоном. Может, кому-то и казалось, что Аллегра Стэнтон звучало бы лучше, чем Аллегра Стейнберг, но только не самой Аллегре.

— И на всякий случай хочу тебя сразу предупредить: я не пойду по церковному проходу под руку с ним. Меня поведет папа.

Разделившая их толпа — вокруг толкались журналисты и просто зеваки — не дала Блэр возразить.

Позже, когда толпа немного поредела, Аллегра увидела леди Элизабет Коулсон, которая подошла поздравить

Саймона. В окружении остальных они непринужденно беседовали друг с другом, и Блэр отошла немного в сторону поговорить с друзьями. Но Аллегра заметила, как мать искоса взглянула на отца, во всей ее фигуре чувствовалось какое-то напряжение. По-видимому, Джефф оказался прав: Блэр нездорова.

По окончании официальной церемонии все разошлись по частным приемам. Аллегра и Джефф сначала отправились на прием, который устраивала Шерри Лэнсинг. Торжество проходило в том же здании, что и церемония награждения, только несколькими этажами выше, в ресторане. Позже они поехали на другой прием, в «Спаго», однако и первому, и второму было далеко до приемов, которые некогда устраивал Ирвинг Лазар. Впрочем, Аллегра и Джефф отлично провели время.

Через два дня Алан и Кармен отбыли в Швейцарию с целой горой чемоданов, сумок, коробок и чехлов с одеждой. Со стороны можно было подумать, что на самолет грузится труппа бродячего цирка, однако Кармен посреди этой груды вещей выглядела счастливой. Все-таки она летит с Аланом!

— Смотри не забудь вовремя вернуться, — напомнила ей Аллегра в аэропорту.

Отъезд получился несколько сумбурным. Алан пришел в ужас при виде количества багажа, который набрала Кармен, а тут еще появились газетчики — как обычно, кто-то за деньги «поделился» информацией об отлете звездной пары, — что только ухудшило его настроение и внесло еще большую сумятицу в это событие. В конце концов с помощью Аллегры и служащих VIP-зала аэропорта их таки удалось усадить в самолет. Перед самым вылетом Аллегра дала Алану подписать несколько документов, которые привезла с собой в кейсе. Наконец они попрощались, и Аллегра в лимузине поехала в город одна. После суеты аэропорта тишина и покой показались ей просто раем. У нее даже осталось время позвонить Джеффу.

— Как все прошло? — спросил Джефф.

— Как обычно, описанию не поддается.

— Надеюсь, они снова надели полиэстровые костюмы и парики? Им без этого никак не обойтись.

Аллегра рассмеялась:

— Ты прав, им действительно нужно было надеть парики.

Алан тащил плюшевого мишку, которого Кармен возила с собой повсюду, а на Кармен была соболья парка и обтягивающий костюм, при виде которого у всех глаза на лоб лезли. Знаешь, я до сих пор жалею, что мы с тобой не поженились в Лас-Вегасе, как они.

— Я тоже. Кстати, раз уж мы заговорили о нашей свадьбе... — осторожно начал Джефф. — Я сегодня звонил маме. Она очень хочет, чтобы мы прилетели к ней в Нью-Йорк. Я бы хотел сделать это, пока не начнутся съемки.

До начала съемок оставалось две недели, Аллегра не представляла, как они смогут выкроить время для поездки в Нью-Йорк. Сейчас она отрабатывала последние детали турне Брэма Моррисона. Проверка и перепроверка организации безопасности во время концертов, чтение контрактов и обязательств принимающей стороны — уже одного этого Аллегре хватило бы с избытком. Кроме того, Джефф познакомил Аллегру со своим другом по Гарварду, Тони Якобсоном. Тони был сопродюсером фильма по роману Джеффа. Перед началом съемок Джеффу предстояло провернуть еще гору работы, и как они сумеют вырваться в Нью-Йорк, пусть даже для такого важного дела, как встреча с матерью Джеффа, Аллегра совершенно не представляла.

— Джефф, я попробую что-нибудь придумать, но не уверена, удастся ли.

— Я пообещал маме навестить ее в последний уик-энд апреля. — В ожидании ответа Аллегры Джефф даже затаил дыхание, моля Бога, чтобы она согласилась. Мать и так уже расстроилась, что он сделал предложение, не познакомив с ней невесту. — Ты сможешь?

— Я постараюсь, постараюсь.

Последний уик-энд апреля — это последние два дня перед началом турне Брэма. К счастью, первый концерт состоится недалеко, в Сан-Франциско, но ей все равно будет непросто вырваться.

— Если тебе так удобнее, мы можем поехать только на выходные, с одной ночевкой.

Джефф был готов подстроиться под ее планы, но поездка к матери слишком много для него значила. С первого дня их знакомства Джефф всегда помогал ей во всем, проявляя удивительное понимание. Теперь настал ее черед пойти ему навстречу.

— Если хочешь, на обратном пути мы можем заехать в Бостон к твоему отцу, — предложил Джефф.

Вопреки его ожиданиям на другом конце провода замолчали.

— Чарлз Стэнтон мне не отец.

Аллегра так и не рассказала Джеффу о своих отношениях с отцом. Однако эта фраза давала Джеффу повод расспросить Аллегру позже, когда они вернутся домой. В последнее время они стали вместе готовить по вечерам ужин. Джефф готовил мясо, а Аллегра брала на себя гарниры. Салаты у нее всегда получались вкусные и красивые, а Джеффу нравилось жарить стейки, свиные отбивные и цыплят. Но вечером в кухне, когда он спросил Аллегру о Стэнтоне, она снова надолго замолчала.

— Может, я зря пристаю к тебе с вопросами, тем более что ты все равно не отвечаешь?

Аллегра уходила от ответа уже две недели, с тех пор как Джефф впервые услышал, что Саймон не ее родной отец.

— Пойми, я все-таки должен знать, почему ты не хочешь об этом говорить. Может быть, мы сумеем преодолеть это вместе. Кстати, что говорит по этому поводу твой психоаналитик?

Аллегра молчала.

— Ты ее спрашивала?

Она кивнула.

— Доктор Грин советует все рассказать тебе.

Аллегра снова надолго замолчала. Она разложила по тарелкам рис и брокколи, Джефф положил рядом с гарниром по ломтику вареной рыбы. Еда выглядела очень аппетитно. Аллегра приготовила еще чесночные гренки и салат.

— Вуаля!

Аллегра улыбнулась какой-то застывшей улыбкой, она думала о Чарлзе Стэнтоне, и Джефф словно прочел ее мысли.

— Скажи, Элли, за что ты его так ненавидишь? — спросил он тихо. — Что он вам сделал, тебе или твоей матери? — Джефф предполагал нечто ужасное, но Аллегра взяла вилку и пожала плечами:

— В общем-то ничего страшного он не натворил... во всяком случае, тогда. Скорее беда в том, чего он как раз не сделал после... У меня был брат, его звали Патрик, Пэдди. — Аллегра подняла глаза и улыбнулась. — В детстве он был моим героем. Он был на пять лет старше и делал для меня все... я была для него маленькой принцессой. Я знаю, часто бывает, что старшие братья поколачивают сестер, но Пэдди никогда меня не бил.

254 Он завязывал мне шнурки на ботинках, помогал мне надевать варежки, чинил мои поломанные куклы, пока... — В глазах Аллегры заблестели слезы, так бывало с ней всегда при воспоминании о Пэдди. Она до сих пор хранила в запирающемся на ключ ящике рабочего стола в офисе фотокарточку брата, но не могла выставить ее на стол. Прошло почти двадцать пять лет, а ей было все еще больно вспоминать о нем. — Пэдди умер, когда мне было пять лет. — Голос Аллегры дрогнул. — Он страдал редкой формой лейкемии, в то время ее не умели лечить, да и сейчас врачи не сильно в этом преуспели. Пэдди знал, что умрет, — помню, он говорил мне, что поднимется на небеса и будет ждать меня там.

Глаза Аллегры снова наполнились слезами. Джефф перестал есть, дотянулся через стол и накрыл ее руку своей.

— Мне очень жаль.

У него тоже подкатил ком к горлу. Аллегра кивнула. Ей было тяжело говорить, но она собиралась закончить рассказ, раз уж начала. Может, доктор Грин права: лучше рассказать Джеффу все и покончить с этим.

— Я умоляла Пэдди не покидать меня, но он говорил, что придется. Под конец ему было очень плохо, я до сих пор помню, как он страдал. Считается, что человек не запоминает то, что с ним происходило в пятилетнем возрасте, во всяком случае, запоминает немного, но я помню о Пэдди все, помню день, когда он умер.

Слезы мешали ей говорить, но она все равно продолжала. Джефф протянул ей бумажную салфетку. Аллегра улыбнулась сквозь слезы, думая о том, как было бы хорошо, если бы Джефф мог познакомиться с ее братом. Она часто вспоминала Пэдди и жалела, что его нет с ней.

— Когда брат умер, отец как будто повредился в уме. Оказывается, перед смертью Пэдди он сам пытался его лечить — тогда я этого не знала, мама рассказала мне уже позже, — но ничего не смог сделать. Пэдди никто не мог помочь, но отец как раз специализировался на болезнях крови, и его страшно угнетало, что он оказался бессилен. На меня он никогда не обращал особого внимания, может, потому что я девчонка, а может... не знаю. Я вообще плохо его помню в то время, мне вспоминается только Пэдди. Отца вечно не было дома, он работал. А потом брат умер, и отец потерял голову. Он срывал зло на маме, стал ее во всём винить, постоянно кричал на нее. Тогда я почему-то решила, что это моя вина — **255** как, наверное, и любой ребенок на моем месте. Я думала, что совершила какой-то ужасный проступок и из-за этого умер Пэдди, а отец нас возненавидел. Когда я пытаюсь его вспомнить, то мне вспоминается только, как он орал. Так продолжалось около года. Уже сейчас, став взрослой, я понимаю, что он тогда, вероятно, много пил. Родители все время ссорились, кричали друг на друга, их брак разваливался на глазах. Помню, чтобы не слышать, как они кричат, по ночам я пряталась в шкаф и там плакала.

— Похоже на кошмар.

— Это и был кошмар. Дело кончилось тем, что он начал бить маму. Я очень боялась, что он и меня изобьет, и одновременно чувствовала себя виноватой, что не защищаю маму, но что я могла сделать? Тогда я все время думала, что будь Пэдди жив, ничего бы такого не произошло, но сейчас я и в этом не уверена. Он стал винить маму буквально во всем, даже заявлял, что Пэдди умер из-за нее. Однажды у мамы кончилось терпение и она сказала, что уйдет от него. Тогда отец пригрозил, что если она это сделает, он от нас отвернется и мы обе умрем с голоду на улице. У мамы не было родственников и, как я сейчас понимаю, не было своих денег. Много позже она мне призналась, что разработала план побега и стала тайком от мужа посылать в разные журналы короткие рассказы. Рассказы печатали, она откладывала гонорар и накопила несколько тысяч долларов. И вот однажды ночью, после того как он ее избил, мама взяла меня и мы сбежали. Помню, мы остановились в каком-то плохоньком отеле, было ужасно холодно, мне очень хотелось есть, и мама купила мне пончики «донатс». Наверное, она боялась за наше будущее и старалась тратить как можно меньше денег.

Кажется, мы прожили в том отеле несколько дней, и отец нас не нашел. Но потом мама взяла меня с собой и пошла к нему на работу, чтобы с ним поговорить. В Гарвардской медицинской школе он считался светилом, на работе к нему относились чуть ли не как к Господу Богу, никому и в голову не могло прийти, что он избивает жену. Коллеги знали только, что он потерял сына, и очень ему сочувствовали.

Мама сказала, что хочет с ним развестись. А он заявил, что если она уйдет, то он больше не желает нас видеть, я для него больше не дочь и мы обе для него все равно что умерли.

У нее снова выступили слезы. Джефф все так же держал ее за руку, но молчал.

— Он так прямо и сказал: «Ты мне больше не дочь». Но мама ответила, что все равно уйдет. Тогда он сказал, что как только мы выйдем из его кабинета, он будет считать, что мы умерли. Знаешь, когда мы ушли, я первое время все ждала, что вот-вот умру. Он меня не поцеловал на прощание, даже «до свидания» не сказал, вел себя так, как будто ненавидит нас обеих лютой ненавистью. Думаю, тогда он действительно ненавидел маму, а меня он просто не отделял от нее в своем сознании. Я была подавлена, очень переживала. Мама говорила, что он просто очень расстроен из-за смерти Пэдди и не сознает, что говорит, но со временем одумается, однако в это верилось с трудом. Мы с ней переехали в Калифорнию, добирались на трейлере. Время от времени мама ему звонила, но он не желал с ней разговаривать и просто вешал трубку.

Мы поселились в Лос-Анджелесе. Мама сразу же устроилась на работу — стала писать сценарии для телевидения. Наверное, у нее началась полоса удач, ее работа понравилась, ей стали давать новые заказы, дела пошли успешно. Однажды, когда я была с ней на студии, она рассказала одному человеку свою историю, так тот даже прослезился, пока слушал. А примерно через полгода она встретила Саймона. Мне тогда было шесть с половиной лет. Мы уехали из Бостона в тот самый день, когда мне исполнилось шесть. День своего рождения я встретила в холодной комнате отеля, не было ни именинного пирога, ни подарков. Папочка даже не позвонил, чтобы меня поздравить. Но после всего, что случилось с нами за прошедший год, я чувствовала, что не заслужила поздравления и подарков. Я винила во всем себя, только сама не понимала почему, просто решила, что я виновата, и все.

С тех пор прошло много лет. За эти годы я несколько раз писала отцу, просила его нас простить. Но он не отвечал на мои письма. Только один раз он прислал мне письмо, в котором писал, что моя мать совершила отвратительный, непростительный поступок, что ей не следовало бросать мужа. «Она повела себя как последняя шлюха — бросила мужа и укатила в Голливуд» — так, кажется, он писал. А еще он написал, что я живу в Калифорнии, обители греха и разврата, и он не желает меня знать. Помню, я порвала то письмо и выбросила, а потом долго плакала. Но к тому времени Саймон почти заменил мне отца, и в конце концов я перестала думать о Чарлзе Стэнтоне и даже мысленно не называла его своим отцом.

9 Свадьба

Однажды — мне тогда было пятнадцать — он приехал со мной повидаться. А может, не приехал, а просто оказался по делам в Калифорнии и зачем-то позвонил мне. Я захотела с ним встретиться, он согласился. Мне было любопытно посмотреть, каким он стал. Но он почти не изменился и вел себя примерно так же, как раньше. Мы договорились встретиться с ним в кафе, мама меня подвезла. Все время, пока мы пили чай, он только и делал, что говорил всякие гадости о маме. Он даже не спросил, как у меня дела, не пожалел, что не видел меня десять лет и не писал писем. Он лишь со злостью сказал, что я копия своей матери. По его словам, мы с мамой поступили по отношению к нему непорядочно и когда-нибудь должны за это поплатиться. Это был ужасный день. Я ушла от него, даже не дожидаясь, когда мама за мной заедет, и бежала всю дорогу до дома. Мне хотелось поскорее оказаться от него как можно дальше. С тех пор я ничего о нем не слышала — вплоть до того дня, когда имела глупость пригласить его на церемонию вручения дипломов в университете. Представь себе, он таки приехал в Йель и снова начал ругать нас с мамой. Но к тому времени я стала взрослой и мне все это порядком надоело. Я ему сказала, что больше не желаю его видеть.

Как-то раз он прислал мне открытку на Рождество — уж не знаю, почему он это сделал. Я ему ответила и написала, что поступила в юридическую школу. Больше я о нем ничего не слышала. Он просто забыл о моем существовании. Не знаю, как он мог вычеркнуть меня из жизни — пусть мама его бросила, но я-то от этого не перестала быть его дочерью. У меня была своего рода навязчивая идея, что мне необходимо его видеть, получать от него какие-то известия, чуть ли не бегать за ним. Но теперь я от этого излечилась, он меня больше не интересует. Все кончено, он мне не отец, он для меня не существует. Просто не верится, что мама хочет напечатать его имя на свадебных приглашениях. Вот что я тебе скажу: мое имя не будет стоять на одной странице с его! Чарлз Стэнтон мне не отец. Думаю, ему это тоже не нужно. В конце концов, он мог бы поступить порядочно — отказаться от меня официально и дать Саймону возможность меня удочерить. Но когда я напрямую попросила об этом — на той самой встрече в Бель-Эйр, в пятнадцать лет, — он заявил, что я унизила его своей грубой просьбой. Он всего лишь эгоистичный мерза-

вец, пусть его кто-то уважает и считает хорошим врачом — мне плевать, для меня он просто ничтожество. И он мне больше не отец.

Чарлз Стэнтон фактически отказался от дочери, хотя формально жена сама ушла от него вместе с Аллегрой — и за это пришлось расплачиваться почти двадцать пять лет. Даже сейчас Аллегра не могла его простить и вряд ли когда-нибудь сможет.

— Я понимаю твои чувства, Элли. Зачем приглашать его на свадьбу? По-моему, ты совершенно не обязана это делать.

Слушая историю Аллегры, Джефф от всего сердца жалел ту девочку, лишенную отцовского внимания, которой она была когда-то. Конечно, в доме Саймона Стейнберга ей жилось лучше, чем с родным отцом, в этом Джефф ни минуты не сомневался. Однако потерять брата и быть отвергнутой родным отцом — очень тяжело для ребенка, и рана в душе Аллегры не затянулась по сей день. Подсознательно она стремилась продолжить прежнюю жизнь и выбирала мужчин, которые отвергали ее, как когда-то отец. К счастью, через много лет и благодаря помощи доктора Грин порочный круг наконец был разорван.

— Мама считает, что мы должны указать его имя в приглашениях, представляешь? По-моему, это просто бред. Мама пытается переложить свой старый груз вины, которую чувствовала когда-то перед отцом, на меня и ожидает, что я безропотно его понесу. А я не собираюсь. Пусть даже этот мерзавец умрет на моем пороге, мне все равно. Я не хочу видеть его на нашей свадьбе.

— Так не приглашай его, — согласился Джефф.

— Попробуй сказать это маме. Она и слышать ничего не хочет! Каждый день спрашивает, позвонила я ему или нет. А я говорю, что не позвонила и не собираюсь.

— А что думает по этому поводу Саймон?

— Я его еще не спрашивала, но он всегда ратует за справедливость. Кстати, именно по его инициативе я пригласила Чарлза Стэнтона на вручение диплома. Папа тогда говорил, что было бы несправедливо не пригласить его на такое важное событие и что Стэнтон будет мной гордиться. Но ему было плевать на меня, он приехал и был груб со всеми, даже с Сэм, которой тогда было десять лет. Скотт возненавидел его с первого взгляда. Он тогда не знал, кто это такой, я просила маму и Саймона ничего не говорить Сэм и Скотту. Они сказали, что Стэнтон — друг семьи. Теперь-то все знают

259

правду, но тогда я очень боялась признаться. Мне казалось, что если брат и сестра узнают, что Саймон не мой родной отец, я стану для них как бы человеком второго сорта, они перестанут меня любить. Но правду сказать, Саймон никогда не делал различия между мной и своими родными детьми. Если его отношение ко мне когда-то и отличалось, то только в лучшую сторону.

Аллегра улыбнулась, потом вздохнула и снова потыкала вилкой кусочек рыбы. Затем опять посмотрела на Джеффа.

— Мне очень повезло с отцом, если не считать первых пяти лет.

Джефф кивнул, думая о том, как сильно травмировали ее эти первые годы, и понадобилось много времени, чтобы затянулись душевные раны.

— Ну как ты думаешь, что мне делать?

— Что хочешь, — ответил Джефф. — Это наша свадьба, и ты не должна идти на поводу у своей матери.

— Мне кажется, она до сих пор чувствует себя виноватой в том, что когда-то ушла от него, и хочет как-то компенсировать ему потерю, сделать для него хоть что-то, бросить ему своего рода подачку. Но я не считаю себя в долгу перед ним, Джефф. Он никогда, понимаешь, никогда не был мне настоящим отцом.

— Ты ему ничего не должна, — твердо сказал Джефф. — Знаешь, я попрошу твою мать не упоминать его в приглашениях.

Аллегра испытала облегчение оттого, что Джефф по крайней мере ее понял.

— Я с тобой согласна. И мне все равно, как полагается поступать в таких случаях. Он-то последние двадцать четыре года не обращался со мной, как полагается отцу.

— Он не женился во второй раз?

Джефф подумал, что эта история по-своему трагична для каждого из ее участников. Вероятно, все трое так и не смогли до конца оправиться от потрясения после смерти Пэдди.

— Нет, он больше не женился. Да и кому он нужен?

— Элли, а может быть, он не всегда был таким неуравновешенным и смерть твоего брата его сломила?

— Мое раннее детство тоже было для меня тяжелым потрясением. — Аллегра откинулась на спинку стула и вздохнула с облегчением. Дело сделано, она все рассказала Джеффу. — Ну вот, теперь ты знаешь все мои страшные тайны. Мое настоящее имя — Аллегра Шарлотта Стэнтон, но предупреждаю: если ты когда-нибудь назовешь меня так, я тебя убью. Меня вполне устраивает фамилия Стейнберг.

— Меня тоже, — произнес Джефф немного рассеянно, все еще раздумывая над услышанным. Он встал, обошел вокруг стола и поцеловал Аллегру.

В тот вечер ни один из них не закончил ужин, они вышли на пляж, долго гуляли и снова говорили о Чарлзе Стэнтоне. Аллегра была рада, что рассказала Джеффу о своем детстве. Как будто с плеч ее свалилась стопудовая гиря. И сейчас, говоря о своем биологическом отце, она, хотя и злилась на него по-прежнему, стала как-то меньше переживать из-за случившегося. У нее был Джефф и своя собственная жизнь. Наконец она начала выздоравливать.

Прогулявшись по пляжу, они долго сидели на террасе, любовались звездами, потягивали вино. Умиротворенная Аллегра прильнула к Джеффу, ночь была прекрасная. Но вскоре после полуночи зазвонил телефон.

— Ради Бога, не отвечай, — взмолился Джефф. — Опять у кого-то что-то стряслось или кто-то попал в тюрьму. Так или иначе, на тебя хотят взвалить чьи-то проблемы.

— Ничего не поделаешь, такая уж у меня работа. А вдруг кому-то действительно нужна помощь?

Но звонил не один из клиентов, а Саманта. Она хотела договориться со старшей сестрой о встрече. Звонок Аллегру несколько удивил. Сэм время от времени обращалась к ней за помощью, особенно когда нужно было в чем-то убедить родителей.

— У тебя опять конфликт с мамой? — с улыбкой предположила Аллегра.

— Нет, у нее сейчас и без меня хватает забот в саду и на кухне, она все время на кого-нибудь орет. Просто удивительно, как у нее не случился сердечный приступ. — Сэм говорила без тени юмора: с Блэр в последнее время действительно стало очень трудно.

— А тут еще моя свадьба, — вставила Аллегра.

— Да, я об этом слышала. Где мы можем встретиться?

— По какому поводу? Насчет контракта на съемку или что-нибудь в этом роде? — полюбопытствовала Аллегра.

— Ну... вроде того, — загадочно ответила Сэм.

261

— Я заеду за тобой в двенадцать. У Джеффа ленч с со-продюсером Тони Якобсоном, а мы можем пойти в какое-нибудь занятное местечко вроде «Айви» или «У Нэйта и Эла».

— Давай пойдем туда, где можно спокойно поговорить, — тихо сказала Сэм.

Аллегра улыбнулась:

— Так-так, звучит очень серьезно. Наверное, это любовь.

— Можно и так сказать, — мрачно произнесла Сэм.

— Ну что ж, по этой части я в последнее время делаю успехи, но мне, наверное, просто повезло. Помогу всем, чем сумею.

— Спасибо, Эл.

Аллегра повторила свое обещание, что заедет за ней в воскресенье в полдень. Она была тронута тем, что Сэм обратилась за помощью к ней. Когда она рассказала о звонке Джеффу, тот пробурчал:

— Интересно, почему люди не могут звонить в нормальное время?

— По-моему, Сэм чем-то расстроена. Наверное, у нее новый мальчик.

— Ладно, она по крайней мере член семьи. — В глазах Джеффа это давало ей куда больше прав звонить по ночам, чем, к примеру, Мэлу О'Доновану звонить из каталажки, куда он угодил, будучи навеселе.

— Ты не против, если я завтра днем пообедаю вместе с Сэм? — спросила Аллегра чуть позже, когда они собирались ложиться спать. Первоначально она хотела присоединиться к нему и Тони. Тони очень понравился Аллегре — такой аккуратный, толковый, настоящий джентльмен с восточного побережья. Он был родом из Нью-Йорка, а его отец управлял одним из самых крупных инвестиционных банков на Уолл-стрит. Он помог Тони и Джеффу найти спонсоров, а также дал несколько дельных советов. Тони был совсем не похож на Джеффа, но Аллегра относилась к нему с искренней симпатией.

— Конечно, нет. Встретимся с тобой позже, может, все вместе поиграем в теннис. Я все понимаю, да и Тони тоже поймет. Уверен, Сэм ему понравится, — пошутил Джефф.

Невеста смерила его неодобрительным взглядом.

— Папе это понравится!

Метнув на Джеффа еще один свирепый взгляд, Аллегра издала смешок. Все складывалось наилучшим образом. И Джефф прав, ей незачем приглашать на свадьбу Чарлза Стэнтона, оставалось только сказать об этом матери. Можно будет сделать это на следующий день, после разговора с Самантой. Аллегра улыбнулась своим мыслям. Интересно, что за совет понадобился Сэм от старшей сестры? Может, впрямь что-нибудь насчет нового кавалера? Аллегра никак не могла считать себя экспертом по мужчинам, но ей польстило, что младшая сестра обратилась за советом именно к ней. Дружба сестер много значила для обеих, правда, Сэм иногда бывала очень несносной, но Аллегра любила ее даже такой.

Глава 14

В воскресенье Аллегра, как и обещала, заехала за сестрой в полдень. Перекусить в «Айви» казалось ей удачной мыслью, после ленча они могли бы не спеша пройтись по магазинчикам на Норт-Робертсон, торгующим подержанной одеждой, немного прогуляться, освоиться друг с другом. В последнее время Сэм частенько вела себя как избалованный ребенок, и Аллегру немного тревожила перспектива провести полдня наедине с сестрой.

Но сегодня в поведении Сэм не было ничего от избалованного ребенка, скорее наоборот. К удивлению Аллегры, в машине сестра отмалчивалась. Аллегра встревожилась. Но Сэм была неразговорчива и за ленчем. Старшей сестре оставалось только гадать, зачем младшая попросила ее о встрече. Наконец Аллегра не выдержала и сама спросила:

— Так в чем дело? У тебя трудности с новым мальчиком?

В последние два года Сэм все время с кем-то встречалась, но постоянного приятеля у нее не было — в отличие от Аллегры, которая в возрасте Сэм постоянно пребывала в состоянии пылкой влюбленности в очередного мальчика.

— Вроде того. — Сэм пожала плечами, и вдруг у нее в глазах заблестели слезы. — Но не совсем так.

— Тогда что случилось? — Аллегра решила немного подтолкнуть сестру к разговору. Официант принес капуччино. Еда была восхитительная, но Сэм к ней почти не притронулась. — Ну же, Сэм, выкладывай все начистоту. Тебе   **263** наверняка станет легче, если ты со мной поделишься. Может, все еще не так страшно, как тебе кажется.

Но Сэм вдруг уронила голову на руки и тихо заплакала.

Аллегра погладила младшую сестру по плечу.

— Ну-ну, малышка, не плачь, расскажи, что случилось, — сказала она тихо. Но когда Сэм подняла голову, Аллегра прочла в ее взгляде беспросветное отчаяние. — Сэм, пожалуйста...

— Я беременна, — сдавленно прошептала Саманта. — У меня будет ребенок.

Аллегра молча смотрела на плачущую сестру, не зная, что сказать, обняла ее.

— Ох, дорогая... Господи... как же это получилось? Кто же это?.. — Аллегра спросила так, будто кто-то сделал ее сестру беременной, а она сама в этом не участвовала. Аллегра не слышала, чтобы у Саманты появился постоянный парень, во всяком случае, его имя не упоминалось.

— Это сделала я. — Сэм приняла всю вину за случившееся на себя. Она подняла голову и отбросила блестящие платиновые волосы назад. Вид у нее был какой-то потерянный, даже жалкий.

— Но ты же была не одна, — возразила Аллегра, — если только это не было непорочным зачатием. Кто отец ребенка?

«Не просто мальчик, а отец ребенка. Мать. Господи, и это говорится о семнадцатилетней девочке! — мелькнула у нее мысль. — Неужели у Сэм будет ребенок, живое существо, маленький человечек?»

— Это не имеет значения, — буркнула Сэм.

— Еще как имеет! Это кто-нибудь из школы?

Еще не зная отца ребенка, Аллегра уже готова была оторвать ему голову, но ради Сэм ей нужно было сохранять хотя бы видимость спокойствия, как ни трудно это было. Сердце ее колотилось, мысли путались.

Сэм вместо ответа только покачала головой.

— Ну ладно, Сэм, не молчи, кто он?

— Если я тебе скажу, пообещай, что не станешь ничего предпринимать по этому поводу.

— Он тебя изнасиловал? — спросила Аллегра свистящим шепотом.

Сэм снова замотала головой:

— Нет, я сама во всем виновата. Я пошла на это **264** добровольно, он меня так поразил... он был такой... я думала... в общем, не знаю. — Из глаз Сэм снова хлынули слезы. — Наверное, мне просто льстило его внимание. Ему тридцать лет, он такой взрослый, такой искушенный...

Семнадцатилетняя девчонка и тридцатилетний мужчина? Уж он-то должен был соображать, что к чему! Судя по всему, ему даже не хватило порядочности подумать о предохранении. Аллегру переполняли сочувствие к сестре и злость на незнакомого ей безответственного мерзавца.

— Ты была девственницей?

Сэм отрицательно покачала головой, не вдаваясь в подробности. Саманте почти восемнадцать, и, очевидно, у нее уже были с кем-то серьезные отношения. Аллегра не стала углубляться, ее куда больше волновало настоящее, чем прошлое.

— Где ты с ним познакомилась?

— Я участвовала в съемках, а он был фотографом, — сокрушенно проговорила Сэм. — Он француз, из самого Парижа, мне показалось, что это очень круто. Он был очень красивый и обращался со мной как со взрослой женщиной...

— Ты ему еще не сказала?

У Аллегры уже чесались руки от желания задушить этого подонка. Если его не депортируют из страны, пусть считает, что легко отделался, он вполне мог бы угодить в тюрьму за совращение малолетних. Можно себе представить, как разъярится отец! Но Сэм — в который раз за последние полчаса — снова покачала головой:

— Я не хочу ему сообщать, но на всякий случай позвонила в агентство, через которое он приезжал, и мне сказали, что он, кажется, в Японии, а может, еще где-то. Он работал у них совсем недолго. Они его даже не знают толком, ему просто нужно было собрать портфолио перед поездкой в Токио. Никто не знает, как с ним связаться. Но это и не важно, потому что я не хочу больше с ним встречаться. Он нормальный парень, но под конец повел себя как идиот, стал мне предлагать наркотики; я, конечно, отказалась, тогда он назвал меня малявкой. — А в результате у нее у самой скоро будет малявка. — Его зовут Жан-Люк, а фамилию никто не знает.

— Господи Иисусе! — Аллегра была в такой ярости, что готова была ругаться последними словами. — Как они только там работают, в этом своем агентстве! Принимают человека на работу и не знают его фамилии! Да их тоже всех надо упрятать за решетку за совращение несовершеннолетних!

265

— Эл, мне почти восемнадцать, я снимаюсь для журналов, уж наверное, меня не надо держать за ручку.

— Выходит, что надо, — строго заметила Аллегра, но потом напомнила себе, что с сестрой следует быть помягче. У Сэм и без того хватает бед, ей сейчас нужны не нотации, а помощь. Слава Богу, что Саманте хватило духу прийти со своими бедами к старшей сестре. — Насколько я понимаю, маме ты еще ничего не сказала.

— Честно говоря, мне совсем не хочется ей рассказывать.

Аллегра понимающе кивнула. В ее возрасте ей бы тоже этого не хотелось, хотя Блэр так хорошо все понимала, что даже некоторые подруги Аллегры шли со своими проблемами к ней, а не к собственным матерям. Однако в последнее время Блэр из-за ремонта и подготовки к свадьбе постоянно была не в духе, и Сэм побоялась рассказать ей о своей беде.

— И что же мы будем делать? — спросила Аллегра с замиранием сердца. Лично она считала, что в возрасте Сэм и при таких обстоятельствах есть только одно решение. Ей было страшно представить, что сестра испортит себе жизнь, связав себя внебрачным ребенком. — Завтра сходим с тобой к моему врачу, может, нам вообще не придется ничего рассказывать маме. Но сначала мне нужно хорошенько все обдумать.

— Ничего не получится, — упрямо пробормотала Сэм.

Аллегра растерялась:

— Что не получится?

— Я не могу пойти с тобой к врачу... во всяком случае, не могу избавиться от ребенка.

— Это еще почему? — Аллегра пришла в ужас. — Уж не хочешь ли ты оставить ребенка? Сэм, ты даже не знаешь его папашу! Не можешь же ты растить ребенка одна. По-моему, тут нечего разводить сантименты, это просто глупо.

Аллегра вдруг вспомнила, как вела себя Кармен. Еще не видев плод, она стала рассуждать так, словно малыш уже родился. Может, нечто подобное происходит и с Сэм, она чувствует пресловутую связь с младенцем?

— Эл, я не могу избавиться от ребенка, — повторила Саманта, — во всяком случае, не путем аборта.

— Но почему?

Аллегра ничего не понимала. В семье Стейнбергов придерживались моральных норм, но вполне разумно, без фанатизма, и они не католики.

— У меня срок пять месяцев.

— Что-о? — Услышав это, Аллегра чуть не упала со стула. — Какого черта ты молчала столько времени? Надо было рассказать мне раньше! Чем ты занималась все пять месяцев? Мечтала?

— Я не знала, — честно призналась Сэм. Она всхлипнула. Слезы закапали на стол. — Честное слово. У меня всегда были нерегулярные месячные, и в этот раз, когда произошла задержка, я решила, что это из-за диеты, или от избытка гимнастики, или из-за экзаменов, или из-за того, что я волновалась насчет колледжа... словом, не знаю. Мне как-то в голову не приходило, что я могу быть беременна.

— Но ты не могла ничего не замечать! Разве ребенок не должен шевелиться или еще что-нибудь в этом роде? Разве ты не видела, что живот увеличивается?

Аллегра присмотрелась к сестре, но та была худая, как доска, и просторная, бесформенная одежда ее беременность полностью скрывала.

— Ну... мне показалось, что я вроде начинаю толстеть, и еще появился волчий аппетит. — У Сэм стал еще более несчастный вид. — Ребенок зашевелился только на этой неделе, и я почувствовала. Правда, я сначала подумала, что у меня рак или просто какая-то опухоль растет в животе.

Бедняжка даже не догадывалась, как обстоит дело. И это в конце двадцатого века, в цивилизованной стране, в городе, где живут, вероятно, самые искушенные люди! Бедная Сэм решила, что у нее опухоль. Аллегре стало отчаянно жаль сестру, но положение было угрожающе серьезным.

— Думаю, тебе придется родить ребенка и отдать его на усыновление.

Сэм только молча смотрела на нее с отсутствующим видом. Она даже не знала, какого пола этот ребенок. Ей предложили определить пол, когда делали ультразвук, но она отказалась. Она не хотела знать, мальчик это или девочка, вообще ничего не желала знать. Она просто не хотела, чтобы «оно» в ней было.

— Эл, что делать, что делать? Если я не расскажу родителям, мне придется вскоре сбежать из дома. — От одной мысли об этом Сэм бросало в дрожь.

— Ты не можешь сбежать из дома.

— А что еще делать? Просто ума не приложу. Всю прошлую неделю я только о том и думала, удрать или нет, но сначала решила поговорить с тобой.

— Нам придется рассказать маме. Если она очень рассердится или они выгонят тебя из дома, ты можешь пожить у меня, пока ребенок не родится. — Аллегра снова присмотрелась к худенькой фигурке Сэм. — Кстати, когда он должен родиться?

У нее все еще в голове не укладывалось, что перед ней беременная женщина. И это не Кармен, а ее младшая сестра семнадцати лет от роду!

— В августе. Эл... ты мне поможешь рассказать родителям?

Аллегра кивнула. Сестры протянули друг другу руки через стол. Через несколько минут Аллегра заметила, что две коротко стриженные женщины за соседним столиком смотрят на них с одобрительной улыбкой. Видимо, они приняли Аллегру и Сэм за лесбиянок. Аллегра улыбнулась и, расплачиваясь по чеку, поделилась своими наблюдениями с Сэм. За весь ленч это было единственное, что вызвало у нее улыбку, Аллегра всерьез опасалась, что после такого ленча у сестры будет несварение желудка.

— Когда ты собиралась сказать родителям?

— Никогда, — призналась Сэм. — Но наверное, лучше все-таки сказать, пока они сами не заметили. Мама и так уже пару раз как-то странно на меня посматривала, когда я слишком усердно налегала на еду за завтраком. Но скорее всего она всерьез об этом не задумывалась. У нее слишком много забот с сериалом, ремонтом и твоей свадьбой. Папа тоже ни о чем не подозревает, ему до сих пор кажется, что мне пять лет и я должна ходить с косичками.

В действительности, обеим сестрам нравилась в родителях эта черта. Несмотря на то что Саймон и Блэр во многих отношениях были многоопытными людьми, в них оставалась какая-то трогательная невинность. Отец видел в своих дочерях — да и не только в них, почти во всех, с кем общался, — лишь самое хорошее, он редко говорил о ком-то дурно. Сэм боялась, что ее новость разобьет ему сердце. Она готова была на все, лишь бы не говорить отцу о ребенке, и в то же время сознавала всю невозможность такого шага.

— Завтра я приеду, и мы поговорим с ними вместе, — пообещала Аллегра таким тоном, как будто речь шла о том, чтобы вместе отправиться на гильотину. Но что дальше? Что делать Саманте? Вот главный вопрос. — Сэм, что ты собираешься делать? Ты хочешь отдать ребенка в приют? Оставить у себя? — Им нужно вместе искать ответы на эти вопросы. Ребенок появится всего через четыре месяца, и хочешь не хочешь, придется что-то решать.

— Каждый раз, когда я об этом думаю, меня охватывает паника, и я ничего не могу придумать. Мне хочется только одного: пусть то, что во мне, куда-нибудь исчезнет, как будто его и не было.

— Сэм, не стоит рассчитывать на чудо, — наставительно сказала старшая сестра, а про себя подумала: «Судя по всему, Сэм не способна принять какое-то решение».

Выйдя из ресторана, сестры пошли прогуляться, но обе были не в настроении ходить по магазинам. Наконец Аллегра отвезла сестру домой, обняла ее на прощание и посоветовала сохранять спокойствие до следующего дня, когда она приедет и они вчетвером все решат.

— И выкинь из головы всякую ерунду вроде побега из дома! От себя все равно не убежишь, будем держаться вместе.

Сэм поблагодарила старшую сестру. Когда она побрела к дому, Аллегре показалось, что у нее не только поникли плечи, но и все тело как-то обмякло. Хорошо, что хотя бы беременность пока не заметна. Но как воспримут новость родители, Аллегре было страшно даже представить. Завтра предстоит тяжелый разговор. Какими бы чуткими и понимающими ни были родители, беременность младшей дочери будет для них страшным ударом. К несчастью, здесь не может быть благополучного решения. Если Сэм откажется от ребенка, то вполне возможно, что впоследствии не раз пожалеет о своем поступке, во всяком случае, неизбежно будет вспоминать о нем с болью. А если сохранит, вся ее жизнь пойдет под откос. Положа руку на сердце, Аллегра не видела в беременности сестры абсолютно ничего хорошего. Для Саманты беременность — не что иное, как катастрофа.

Было странно думать, что Кармен узнала, что станет матерью, с огромной радостью; она, Аллегра, тоже хотела бы иметь детей, даже Джефф уже заводил разговоры о малыше, но то, что для одних — счастье, для другого человека оборачивается трагедией. Все так перепуталось...

Аллегра возвращалась в Малибу в подавленном настроении. Поставив машину, она не стала заходить в дом, а вышла посидеть на пляже. Там ее и застал Джефф через **269** два часа, когда вернулся домой. Аллегра сидела на песке, обхватив колени руками. Ленч с Тони Якобсоном затянулся дольше, чем предполагал Джефф: оказалось, что им нужно обсудить очень много вопросов, касающихся фильма, и оба остались довольны друг другом. Но, ступив на деревянный настил, Джефф с первого взгляда на Аллегру почувствовал неладное. Вид у нее был совершенно отсутствующий, как будто она пребывала в своем отдельном мирке. Наверное, она все-таки позвонила родному отцу, предположил Джефф.

— Привет. — Он сел рядом с ней. Аллегра повернула к нему голову, но не ответила. Джефф нежно провел пальцами по ее длинным светлым волосам. — Ты что, с Сэм поссорилась?

— Нет. — Аллегра печально улыбнулась, Джефф всегда так добр к ней, в каком-то смысле он относится к ней, как Саймон. Как странно: ей столько лет приходилось бороться с демонами в своей душе, а теперь она победила их и вольна полюбить такого человека, как Джефф.

— Что-то у тебя невеселый вид. Плохие новости?

Аллегра кивнула и снова стала смотреть на океан.

— Я могу чем-нибудь помочь?

Аллегра понимала, что не должна все рассказывать Джеффу, но если ребенок родится в августе, значит, тайна в любом случае скоро перестанет быть тайной.

— Боюсь, помочь не может никто. — Аллегра посмотрела ему в глаза. — Сэм на шестом месяце беременности.

— Тьфу, черт! Кто отец? — Джефф даже не знал, что у Сэм есть парень.

— Отец — некий тридцатилетний француз, фамилии которого она не знает, пять месяцев назад он был здесь проездом, кажется, по пути в Токио. В агентстве, так же как и у Сэм, нет о нем информации. Он просто приехал в город, сделал несколько ее фотографий и уехал, оставив ей «подарок».

— Здорово. А аборт при ее сроке делать можно, и хочет ли она избавиться от ребенка?

— На оба вопроса ответ «нет». Пять месяцев — слишком большой срок для операции, и она все равно не хочет ее делать. Завтра мы собираемся рассказать родителям.

— Она хочет оставить ребенка?

— Не знаю. По-моему, она так потрясена, что не способна найти разумный выход. Но ей нельзя оставлять ребенка у себя. Она слишком юная, у нее будет испорчена вся жизнь. Однако я не имею права диктовать ей, как поступить, это очень важное решение, она должна принять его сама.

— Понимаю. — Серьезные глаза Джеффа были полны сочувствия. — Если я могу хоть чем-то помочь — только скажи. — Но он чувствовал себя бесполезным. Никто из них ничего не мог поделать, разве что поддержать Сэм в тяжелом испытании, которое ей предстояло.

— Я ей сказала, что если она совсем поссорится с родителями, то может переехать и пожить со мной. Я тогда перееду обратно к себе на четыре месяца. — Подобное решение Аллегру не слишком радовало, но все же это была хоть какая-то помощь.

— Она может пожить здесь, с нами, — не раздумывая предложил Джефф. — У меня все равно скоро начнутся съемки, так что я буду целыми днями пропадать на съемочной площадке. Можно устроить ей спальню в моем кабинете.

Аллегра обняла его и поцеловала.

— Спасибо, Джефф, ты такой милый.

Они встали и пошли прогуляться по пляжу. Гуляли долго, а вернувшись домой, никак не могли наговориться.

На следующий день Аллегра, как и обещала, после работы поехала к родителям. Было только начало шестого, и им с Сэм пришлось ждать, когда родители вернутся с работы. Обычно отец с матерью возвращались около половины седьмого. Когда родители почти одновременно вошли в гостиную, сестры сидели как на иголках. И Саймон, и Блэр были в хорошем настроении, оба удивились и обрадовались, увидев Аллегру. Но, присмотревшись к дочерям, Блэр заволновалась. Не иначе как что-то случилось со Скоттом, была ее первая мысль. Наверное, попал в аварию, и врачи позвонили не ей, а старшей сестре. Уже почти не сомневаясь, что произошло несчастье, она с тревогой обратила взгляд на старшую дочь:

— Что случилось?

Аллегра, сразу догадавшись о подозрениях матери, поспешила ее успокоить:

— Ничего страшного, мама, никто не ранен, у всех все хорошо, мы просто хотели с тобой поговорить.

— Слава Богу!

Блэр села в кресло. Саймон с тревогой посмотрел на трех женщин. Даже он — а он не был таким панике-

271

ром, как Блэр, — почувствовал, что происходит нечто серьезное, напряжение как будто витало в воздухе.

— Я испугалась, что Скотт ранен, — призналась Блэр, вспоминая Пэдди. Но, снова взглянув на серьезную, сосредоточенную Аллегру, спросила: — Речь пойдет о чем-то, связанном со свадьбой? — Сейчас Аллегра заявит, что они урезали количество приглашенных, но у Блэр уже не осталось сил спорить. — В чем дело?

— Мама, мне нужно с тобой поговорить, — начала Сэм дрожащим голосом.

Саймон, прищурившись, всмотрелся в лицо младшей дочери: он никогда еще не видел ее такой взволнованной.

— Какие-то неприятности?

— Вроде того, — тихо сказала Сэм и замолчала. Молчание затягивалось. В конце концов Сэм поняла, что не в силах сказать родителям, и со слезами на глазах посмотрела на Аллегру.

— Хочешь, я скажу? — негромко спросила Аллегра.

Младшая сестра кивнула. Тогда Аллегра посмотрела поочередно на обоих родителей. Пожалуй, никогда еще у нее не было такой трудной задачи, но лучше покончить с этим неприятным делом поскорее.

— Сэм на шестом месяце беременности, — сказала она очень спокойно.

Блэр стала белее полотна. Аллегра испугалась, что мать упадет в обморок. Саймон выглядел ненамного лучше.

— Что-о? — спросил он. На некоторое время в комнате воцарилась тягостная тишина. — Как такое может быть? Что случилось? Ее изнасиловали или... Почему вы нам сразу не сказали? — Очевидно, Саймон решил, что Аллегра тоже имеет к этому отношение, но Блэр так не думала. А пока она могла лишь молча смотреть на обеих дочерей.

— Папа, меня никто не изнасиловал, я просто совершила глупость. — Вконец уничтоженная Сэм размазывала по щекам слезы.

— Кто отец? Ты его любишь? — спросил Саймон, все еще пытаясь постичь смысл происшедшего.

— Нет. — Сэм решила быть честной до конца. — Тогда мне казалось, что я влюблена, но на самом деле мне просто льстило его внимание, не более того. Он меня очаровал, я на время потеряла голову, а потом он уехал.

Саймон начал приходить в себя, и потрясение стало понемногу сменяться возмущением.

272

— Кто он такой?

— Фотограф, я познакомилась с ним на съемках. Я догадываюсь, о чем ты думаешь, папа, но тебе не удастся засадить его за решетку, он уехал, я даже не могу его найти.

Аллегра в двух словах рассказала о фотографе. Блэр заплакала, глядя на младшую дочь.

— Сэм, я тебя не узнаю, как ты могла совершить такую глупость? Почему ты мне сразу не рассказала?

— Мама, я сама не знала, что беременна, я ни о чем не подозревала до прошлой недели, пока не сходила к врачу и он мне не сказал. А потом я ужасно испугалась, мне хотелось сбежать из дома, исчезнуть или вообще умереть, но сначала я решила посоветоваться с Аллегрой.

— Слава Богу.

Блэр с благодарностью посмотрела на старшую дочь, подошла к Сэм, села с ней рядом и обняла за плечи. Саймон с трудом сдерживал слезы. Видя это, Аллегра подошла к нему и обняла.

— Я тебя люблю, папа, — прошептала она.

Саймон обнял Аллегру и все-таки не выдержал, тоже заплакал. Да, случилось непоправимое, но по крайней мере они все вместе. Саймон высморкался и вместе с Аллегрой сел на диван напротив жены и Сэм.

— Что же нам делать?

— У нас нет особого выбора, — заключила Блэр. При взгляде на младшую дочь у нее разрывалось сердце. Она такая красивая, такая юная и еще так мало знает жизнь! Но первое столкновение с реальностью уже произошло, Сэм переживает первое серьезное жизненное испытание — или первую в жизни трагедию, это как посмотреть. Больнее всего Блэр было от мысли, что она ничем не может защитить своего ребенка. — Тебе придется рожать, Сэм, — мягко сказала она, — аборт делать уже поздно.

— Я знаю, мама.

Однако Сэм не представляла, что ждет ее дальше, что произойдет с ее телом и сердцем. До сих пор беременность протекала на удивление легко, ее не тошнило, все было как всегда, только очень усилился аппетит, но теперь она страшилась будущего. Все остальное оставалось для нее тайной, раскрыть которую придется ей самой, и идти к этому она будет четыре месяца. От этого ее никто не мог избавить.

273

— А потом придется отдать ребенка на усыновление, другого пути нет, если ты не хочешь испортить себе всю жизнь. В семнадцать лет слишком рано становиться матерью-одиночкой. Осенью ты поступишь в ЛАКУ. — К Блэр вернулась ее обычная деловитость, она уже просчитывала в уме различные варианты. — Когда должен родиться ребенок?

— В августе.

— Значит, ты успеешь родить, отказаться от родительских прав и вовремя успеть к началу занятий. Только, боюсь, тебе придется бросить школу и, конечно, не может быть и речи о выпускном вечере.

Против этого Сэм возражать не стала, она думала о своем.

— Мама, когда родится ребенок, мне будет уже восемнадцать. — День рождения у нее был в июле. — В этом возрасте многие женщины становятся матерями.

— Только большинство из них сначала выходят замуж, — уточнила Блэр. — Для тебя сейчас материнство равносильно катастрофе. Ты даже не знаешь толком, кто отец ребенка. Что это будет за ребенок, на кого он будет похож? Кем вырастет?

Глаза Сэм снова наполнились слезами.

— Мама, в этом младенце будет частичка меня, и тебя, и папы, и даже Скотта с Аллегрой. Мы не можем отдать его просто так, как старые ботинки в магазин подержанных вещей. — Саманте вдруг стало больно думать об этом. Аллегра испытала острую жалость к сестре, но ничем не могла ей помочь.

— Все верно, но мы можем отдать его людям, которые очень хотят иметь ребенка. Существует множество пар, которым не удалось завести своих собственных детей, для такой пары твой ребенок будет благословением, а не катастрофой, как для тебя, им он не испортит жизнь, а, наоборот, сделает счастливыми.

— А как же мы? Может, нам тоже нужен этот ребенок? — Древний, как мир, инстинкт побуждал Сэм бороться за жизнь своего будущего младенца. Она даже не сознавала, что действует под его влиянием, но Блэр, давшая в свое время жизнь четырем детям, все поняла.

— Ты хочешь сказать, что намерена оставить ребенка у себя? — спросила она почти с ужасом. — Сэм, ты практически не знаешь, кто его отец, и собираешься воспитывать этого ребенка? Это даже не дитя любви, а так, ничто.

274

— Не «ничто», а ребенок! — всхлипывая, воскликнула Саманта. Обстановка накалялась, но Блэр была настроена решительно и не собиралась уступать младшей дочери.

— Сэм, тебе придется от него отказаться. Мы знаем, что так будет лучше для тебя, поверь. Если ты сейчас поддашься слабости, то потом будешь всю жизнь об этом жалеть. Тебе пока не время становиться матерью, — сказала она спокойно, пытаясь оставаться хладнокровной. Сейчас важно было убедить Сэм, что если она в своем юном возрасте обзаведется ребенком, это разрушит всю ее жизнь.

— Нельзя из-за этого отдавать ребенка чужим людям, — возразила Сэм.

В разговор вступила Аллегра. Она старалась быть до конца честной и с сестрой, и с самой собой.

— Это правда, Сэм, — тихо сказала Аллегра, — ты должна сама отказаться от ребенка. Тебе предстоит решить все самой, потому что с этим решением ты должна будешь жить всю жизнь. Для нас, конечно, тоже важно, что ты решишь, но для тебя важнее.

— Сэм, твоя сестра права, — поддержал Саймон. — Но при всем при том я согласен и с мамой. Ты слишком молода, чтобы брать на себя ответственность за ребенка. А мы слишком стары: если ребенка усыновим мы, это будет несправедливо по отношению к нему. От этого не станет лучше ни тебе, ни малышу. Для ребенка будет лучше всего, если ты отдашь его на усыновление хорошим людям.

Блэр посмотрела на мужа с благодарностью. Как всегда, он сказал именно то, что она сама хотела сказать, но у него получилось мягче и убедительнее.

— Откуда мы можем знать, что ему достанутся хорошие родители? — Сэм жалобно всхлипнула. — А вдруг они не будут его любить?

— Сэм, существуют адвокаты, которые специализируются как раз на усыновлении, — снова вмешалась Аллегра. — Тебе не придется обращаться в какую-то государственную структуру. Хорошо обеспеченные бездетные пары сами обращаются к адвокатам и платят им огромные гонорары, чтобы те находили девушек, оказавшихся в таком положении, как ты. Из нескольких потенциальных родителей ты сможешь выбрать ту пару, которая тебе больше понравится. Думаю, в этом смысле ты можешь быть спокойна. Конечно, отдавать ребенка чужим людям не самое радостное занятие, но, как верно заметил папа, есть люди, которым твой ребенок очень нужен и которые будут любить его как родного. У меня как раз есть знакомый адвокат, которая занимается исключительно делами об усыновлении, если хочешь, я могу позвонить ей хоть завтра. — Аллегра не стала уточнять, что сегодня утром уже позвонила знакомой и оставила сообщение на автоответчике.

Возникшая пауза показалась всем бесконечной. Наконец Сэм кивнула. У нее не было выхода, ей было некуда больше деваться, и она доверилась мнению родных. По их словам, она должна отказаться от ребенка ради его же блага, и она им поверила. Самое трудное заключалось в том, что ей было больше не с кем посоветоваться, не на кого больше положиться, некому поплакаться в жилетку. Своим школьным подругам она рассказывать не хотела, в данный момент у нее даже не было мальчика. У нее были только родители и Аллегра, а они в один голос твердили, что следует отказаться от малыша. Сэм понимала, что родные желают добра и ей, и будущему ребенку.

Аллегра пообещала завтра позвонить адвокату, и Сэм, усталая и разбитая, поднялась в свою комнату, чтобы прилечь. Когда младшая дочь ушла, Блэр перестала сдерживаться и разрыдалась. Аллегра села рядом, утешая мать. Саймон выглядел совершенно подавленным, на дом как будто спустились сумерки, даже свадьба была забыта.

— Бедняжка. — Саймон печально покачал головой. — Как ее угораздило совершить такую глупость?

— Убила бы мерзавца, который с ней это сделал! — в сердцах воскликнула Блэр. — Ему-то хорошо, улетел в Японию, небось морочит голову очередной дурочке, а у Сэм вся жизнь испорчена.

— Мама, это вовсе не обязательно, — возразила Аллегра, но ее мать была безутешна.

— Она никогда не забудет эту историю. Сэм всегда будет помнить, как вынашивала ребенка, произвела его на свет, держала на руках, а потом навсегда отдала другой женщине. — Блэр снова думала о Пэдди. Со дня его смерти прошло двадцать пять лет, но она все еще тосковала по сыну. Блэр знала, что так же, как она сама будет всю жизнь помнить о Пэдди, Сэм никогда не забудет своего первенца, которого отдала чужим людям. — У нее просто нет другого выхода.

— Мама, а ты не думаешь, что Сэм могла бы оставить ребенка? — осторожно спросила Аллегра. Она сама

276

в глубине души до конца не верила, что отказ от родительских прав — лучший выход из положения. Как верно заметила Сэм, многие молодые люди обзаводятся детьми в восемнадцать лет, и ничего, живут. Из некоторых даже получаются вполне приличные родители.

— Нет, не думаю, — грустно сказала Блэр. — По-моему, оставить ребенка у себя означало бы только осложнить положение. А в наши дни, когда так часто встречается бесплодие, когда так много достойных людей страстно желают иметь ребенка, по-моему, было бы неразумно губить свою жизнь, одновременно лишая кого-то возможности стать родителями. Скажи на милость, как она будет о нем заботиться? Возьмет младенца с собой в студенческое общежитие? Оставит его со мной? И что мне прикажете делать с грудным ребенком, особенно сейчас? Мы слишком стары, чтобы растить ребенка, а Сэм слишком молода.

Аллегра печально улыбнулась:

— Видно, что ты не читаешь таблоиды. В твоем возрасте многие женщины становятся матерями при помощи донорской яйцеклетки, донорской спермы, оплодотворения в пробирке и еще бог знает какими способами. Ты вовсе не стара для ребенка.

Блэр даже передернулась.

— Может, некоторые женщины и проделывают все эти вещи, но только не я. Мне посчастливилось стать матерью четыре раза, но в моем теперешнем возрасте я не собираюсь выращивать еще одного младенца. Когда мне будет за семьдесят, он как раз дорастет до подросткового возраста — одного этого достаточно, чтобы свести меня в могилу.

Все трое грустно улыбнулись и сошлись во мнении, что отдать ребенка на усыновление будет лучше для всех, особенно для Саманты. Ей нужно поступать осенью в университет и продолжать жить дальше. Жаль только, что она не сможет присутствовать на торжественном вручении аттестатов. Блэр сказала, что ей придется пойти в школу, где учится Сэм, и в частной беседе обсудить сложившееся положение с директором. Это наверняка не первый подобный случай в школе, им должны пойти навстречу. Сэм — хорошая ученица, а учебный год почти закончился, по крайней мере в этом ей повезло.

— Я завтра позвоню Сьюзен Перлман — тому самому адвокату, о котором я говорила. Мы вместе учились   **277** на юридическом факультете, и я с ней время от времени встречаюсь. Она большой специалист в своем деле и очень придирчива к кандидатам на роль родителей. Вот уж не думала, что придется обращаться к ней по такому вопросу! Сегодня утром я уже оставила сообщение на автоответчике и завтра утром позвоню снова.

— Спасибо, Элли, — благодарно сказал Саймон. — Чем скорее мы решим эту проблему, тем лучше. Может, оно и к лучшему, что у Сэм такой большой срок. Еще четыре месяца — и все будет кончено, она сможет обо всем забыть.

«Если вообще когда-нибудь забудет», — с грустью подумала Аллегра, но промолчала.

Только в начале десятого Аллегра попрощалась с родителями и вернулась в Малибу. Джефф ждал ее с нетерпением. Он очень жалел Саманту, и когда Аллегра пересказывала ему события сегодняшнего вечера, слушал ее с искренним сочувствием.

— Бедняжке, наверное, кажется, что жизнь кончена. Да, начало не слишком хорошее. — Он покачал головой и вдруг признался: — Знаешь, однажды, когда я учился в колледже, одна девушка забеременела от меня. — Вспоминая случай пятнадцатилетней давности, он снова пережил давнее ощущение растерянности и отчаяния. — Это было ужасно. Она сделала аборт, но сколько было переживаний! Она была католичкой из Бостона, родители, конечно, ни о чем не узнали, но у нее чуть не случился нервный срыв. Нам обоим пришлось иметь дело с психологом, нашим отношениям пришел конец, но мы и сами едва не отдали концы. Может, у Саманты все будет лучше. Думаю, девушка из Бостона никогда не простила себя за тот шаг.

— Не знаю, по-моему, тут нет лучшего варианта, оба худшие.

Аллегра не могла не думать о том, что отказаться от ребенка — еще хуже, чем сделать аборт; и то и другое — слишком дорогая плата за ошибку. Как бы там ни было, Сэм всю жизнь предстоит расплачиваться за свое решение.

— Мне ее ужасно жаль, — сказала она, и Джефф сочувственно кивнул.

Позже Аллегра позвонила сестре. Настроение Сэм ей не понравилось. Младшая сестра сказала, что ее весь вечер тошнило, в кои-то веки она даже не ужинала. Аллегра велела ей беречь себя и постараться успокоиться. Блэр уже пообещала Саманте сходить с ней завтра к врачу, чтобы удостовериться, что беременность протекает нормально. Сэм уже не могла игнорировать свое состояние, теперь, когда правда открылась, ей больше не удастся забыть, что она носит ребенка. Она должна его выносить и отдать, сделать то, что все остальные считают для нее самым правильным. Ей казалось, будто она отдает им всем свою жизнь. Но им незачем об этом знать, ведь они желают ей только добра. Как-никак родители и старшая сестра проявили удивительное понимание, но от этого Саманте было не легче.

На следующее утро Аллегра позвонила Сьюзен. Адвокат согласилась встретиться с ней в девять, еще до начала рабочего дня Аллегры.

Когда Аллегра вошла в кабинет Сьюзен, та встретила ее словами удивления:

— Только не говори, что решила усыновить ребенка.

Аллегра не носила обручального кольца, и Сьюзен знала, что она не замужем, но в жизни всякое бывает.

— Видишь ли, в некотором роде я представляю интересы противоположной стороны.

Аллегра посмотрела на старую знакомую, не зная, как начать. Миниатюрная брюнетка с короткой стрижкой и дружелюбной улыбкой на миловидном лице, Сьюзен располагала к себе, все клиенты ее обожали. К тому же она очень умело защищала их интересы и достигала отличных результатов. Младенцы же, казалось, сами ее находили через врачей, других адвокатов или какими-то иными путями. Аллегра без предисловий перешла к делу:

— Моя семнадцатилетняя сестра беременна.

— О Господи... мне очень жаль. Ей предстоит принять нелегкое решение. А сделать аборт поздно?

— Очень поздно. Она на шестом месяце, а узнала о своей беременности только неделю назад.

Сьюзен усадила Аллегру на диван.

— Знаешь, это не такая уж редкость, как ты, наверное, думаешь, — сказала она. — Сейчас у девушек ее возраста часто бывают нерегулярные месячные, и они догадываются о своей беременности, увы, слишком поздно. А поскольку молодежь сейчас много занимается спортом, тело в хорошей форме, довольно долго ничего не заметно. Я встречала девочек, которые и на седьмом месяце не догадывались о своей беременности. Ну и конечно, каждая уверена, что с ней-то ничего такого случиться не может или что от одного раза ничего не будет, и не желает видеть правду. — Сьюзен вздохнула. Ее работа была сопряжена с человеческим горем и счастьем, а секрет успеха заключался в умении поддерживать правильный баланс между одним и другим. Адвокат спросила напрямик: — Она хочет отказаться от родительских прав?

— Вряд ли она ясно понимает, чего хочет, но вынуждена согласиться с нашими доводами, что в ее возрасте это самое правильное решение.

— Необязательно. Мне доводилось наблюдать, как семнадцатилетние девчонки превращаются в прекрасных матерей, и я встречала женщин нашего возраста, которые отказывались от детей только потому, что не могли или не хотели ни о ком заботиться. Чего она сама хочет? Это очень важно.

— Думаю, ей хочется оставить ребенка, и в то же время она понимает, что не сможет о нем заботиться. Она готова отдать его на усыновление.

— Готова, но хочет ли?

— А разве есть такие, кто хочет?

Сьюзен кивнула. Она хорошо знала свое дело, и Аллегра уважала ее профессиональное мастерство. Сьюзен ей всегда была симпатична.

— Есть и такие. У некоторых девушек и даже женщин напрочь отсутствует материнский инстинкт. У других инстинкт есть, но они принимают решение из практических соображений. Это трудный момент. Я хочу сама поговорить с твоей сестрой, убедиться, что она твердо решила отказаться от ребенка. Мне тут не нужны разбитые сердца и несбывшиеся надежды. Нельзя допустить, чтобы я пообещала ребенка какой-нибудь паре, которая лет десять безуспешно пытается завести своего собственного, отчаялась и решилась на усыновление, обнадежила бы их, а в последнюю минуту твоя сестра бы передумала. Порой и такое случается: никогда нельзя быть на сто процентов уверенным, как поведет себя женщина при виде собственного младенца, но в большинстве случаев удается заранее понять, насколько серьезно ее намерение отказаться от родительских прав.

— Я думаю, Сэм решила отдать ребенка. — Аллегра говорила искренне, ей казалось, что это единственно возможный выход.

280

— Тогда приведи ее ко мне.

Они договорились о встрече на следующей неделе, и Аллегра позвонила на работу матери. Блэр, поблагодарив Аллегру за помощь, напомнила, что ей нужно начинать готовиться к свадьбе, подумать о подвенечном платье и подружках невесты.

— Ах, мама, как ты можешь говорить сейчас о таких вещах?

— Мы должны о них говорить. Слава Богу, вопрос с ребенком решится до твоей свадьбы, но эти несколько месяцев будут похожи на кошмарный сон.

«Особенно для Сэм», — подумала Аллегра.

Блэр даже не сердилась на младшую дочь, она ее только очень жалела. Затем Аллегра сообщила матери о своем решении: она не желает видеть имя Чарлза Стэнтона на свадебных приглашениях. Если он захочет присутствовать на свадьбе, придется согласиться, но при оглашении его имя не будет упомянуто. Обеим женщинам такое решение показалось разумным компромиссом. Аллегра пообещала матери, что как только познакомит Сэм с адвокатом и этот вопрос будет улажен, она займется поисками свадебного платья.

Через несколько дней Аллегра и Сэм вместе отправились к адвокату. Блэр не смогла пойти с ними, у нее была назначена встреча на студии. Сьюзен очень понравилась Саманте. Представив женщин друг другу, Аллегра вышла в приемную, оставив сестру наедине с адвокатом. Сама она в это время сделала несколько деловых звонков по мобильнику. Через некоторое время Сьюзен пригласила Аллегру в кабинет и объявила, что Сэм решила отдать ребенка на усыновление. Она стала объяснять сестрам условия процедуры, их обязанности и чего от них могут ожидать потенциальные приемные родители. По словам адвоката, Сэм имела право сама выбрать семью для будущего ребенка. В данный момент среди клиентов Сьюзен ребенка для усыновления ожидали семь местных пар, одна пара из Флориды и одна — из Нью-Йорка. Адвокат была уверена в своих клиентах и не сомневалась, что Стейнберги их одобрят. Но будущая мать совсем растерялась, слишком велика оказалась нагрузка на ее еще не окрепшую психику. Однако, как бы Сэм к этому ни относилась, у нее не было выбора. Казалось, она приняла для себя решение отказаться от ребенка и перестала задаваться вопросом о том, что будет, если она оставит его себе.

Попрощавшись со Сьюзен, сестры ушли. На обратном пути в машине Аллегры Сэм включила музыку на

281

полную громкость, по-видимому, она сделала это специально, чтобы ничего больше не слышать, отрешиться от действительности. Она получила свою дозу реальности, и вынести больше ей было уже не по силам. Сэм перестала ходить на занятия в школу, теперь она самостоятельно изучала программу дома. Ей нужно было только представить документы и сдать экзамены в индивидуальном порядке. Однако рано или поздно все равно поймут, почему она бросила школу. О своем положении Саманта рассказала только двум самым близким подругам, взяв с них обещание хранить ее тайну. Но с тех пор никто не зашел ее навестить, никто даже не позвонил — за исключением Джимми Маццолери. С Джимми Сэм познакомилась еще в третьем классе, какое-то время они встречались, но сейчас были просто друзьями. Джимми звонил несколько раз, но Сэм не хотелось ни с кем разговаривать. И вот сейчас, подъезжая к дому после встречи с адвокатом, сестры удивились, заметив на подъездной дорожке Джимми. Юноша уже собрался уходить. Аллегра затормозила, чтобы высадить Саманту.

— Я тебе целую неделю названивал, — пожаловался Джимми, осторожно разглядывая Сэм, — у тебя осталась моя тетрадь с конспектами, а в школе сказали, что ты больше не придешь на занятия.

Аллегра наблюдала за ними со стороны. Оба казались одинаково юными и невинными. Ужасно несправедливо, что на долю Сэм выпало так много всего совершенно неподходящего для молоденькой девочки. Аллегра помахала им рукой и поехала к дому. Ей вдруг подумалось, что Сэм и Джим напоминают ее саму и Алана в таком же возрасте. По-видимому, между молодыми людьми существуют примерно такие же дружеские отношения, которые у нее начинались шестнадцать лет назад.

Однако Сэм держалась с холодком.

— Я собиралась передать тебе тетрадь, — стала оправдываться она и вдруг смутилась, подумав, что Джимми может знать, почему она бросила школу. Он был милым парнишкой и нравился ей, но не рассказывать же ему о своей беременности.

— И что же случилось?

— Да ничего, просто я еще не собралась.

Сэм медленно двинулась к дому, Джимми последовал за ней.

— Я говорю не про тетрадь, а спрашиваю, почему ты больше не будешь ходить на занятия.

— По семейным обстоятельствам. — Удобный ответ и, главное, очень подходящий. — Мои родители разводятся, я по этому поводу очень переживала, у меня даже началась депрессия, мне стали давать успокоительное... ну знаешь, всякую дрянь вроде прозака. Мама испугалась, что я что-нибудь натворю, может, даже убью кого-нибудь в школе; она считает, что из-за лекарств я стала неуправляемой, и...

Джимми улыбнулся, и Сэм поняла, что слишком увлеклась своей выдумкой.

— Да брось, Сэм, не хочешь рассказывать — не надо, ты ведь не обязана.

Впрочем, все и так знали истинное положение вещей или по крайней мере догадывались. Беременность — чуть ли не единственная причина, по которой девушки бросали школу. Правда, случалось, что они попадали в реабилитационный центр, но Сэм никогда не была наркоманкой. Однако Джимми не стал высказывать свои подозрения вслух: по фигуре Сэм ничего не было заметно. Может, ребята в школе ошибаются. Джимми только хотел убедиться, что с ней не случилось ничего действительно страшного, например, она не заболела лейкемией. В прошлом году они потеряли одноклассницу, и когда Сэм вдруг перестала ходить на занятия, Джимми забеспокоился. У Марии все именно так и начиналось.

— Я только хотел узнать, как ты, — мягко сказал юноша. Он некоторое время встречался с другой девочкой, но всегда питал слабость к Сэм, и она это знала.

— Я в порядке, — бодро ответила Сэм, но Джимми заметил, что глаза у нее грустные.

— Ладно, держись, не вешай носа. Надеюсь, ты осенью пойдешь учиться в ЛАКУ?

Сэм кивнула. Джимми обрадовался, они собирались поступать в университет вместе, и ему было бы жаль, если бы Сэм передумала.

— Пойдем в дом, я верну тебе тетрадь.

Джимми прошел за ней и остался подождать на кухне, пока Сэм сходит за тетрадью в свою комнату. Кухню пока не сломали, Саймон все еще уговаривал Блэр отказаться от затеи с ремонтом, и теперь в нем затеплилась надежда, что она передумает.

Сэм вернулась через несколько минут. Когда она протягивала Джимми тетрадку, он взял ее за руку. Сэм **283** взглянула на него и залилась краской. В последнее время она стала очень чувствительной, сама не зная почему. Ей и в голову не приходило, что это из-за беременности.

— Сэм... если тебе что-нибудь понадобится, все равно что, просто позвони мне, ладно? Может, мы как-нибудь прогуляемся или посидим в кафе. Знаешь, иногда становится легче, если просто с кем-то поболтать.

Сэм кивнула. Джимми скоро должно было исполниться восемнадцать, и он был довольно взрослым для своего возраста. Два года назад у него умер отец, и Джимми, как старший ребенок в семье, помогал матери растить трех сестер. Он был очень заботливый и на редкость ответственный для семнадцатилетнего мальчишки.

— Говорить особенно не о чем, — пробормотала Саманта, уставившись в пол. Потом снова посмотрела на Джимми и пожала плечами. Ей было трудно что-то добавить, и Джимми это понимал. Ни слова не говоря, он похлопал ее по плечу и вышел. Сэм смотрела в окно, как он идет по дорожке к своему «вольво». Джимми жил в Беверли-Хиллз, он был из приличной, но небогатой семьи. Маццолери до сих пор жили на деньги, выплаченные по страховке, и на то, что им оставил покойный глава семейства. Джимми подрабатывал по выходным, в ЛАКУ ему назначили стипендию. В будущем он хотел стать юристом, как покойный отец, и Сэм верила, что он осуществит свою мечту. Помимо прочих достоинств, Джимми обладал решительным и целеустремленным характером.

Когда он уехал, Сэм села на стул в кухне и уставилась в пространство. Ей нужно было еще об очень многом подумать, очень многое решить. Сьюзен Перлман подробно рассказала, в чем заключается процедура усыновления, и теперь ей предстояло выбрать новых родителей для своего будущего ребенка. Казалось бы, простое дело — но только не для Саманты.

Глава 15

На протяжении следующих двух недель все устроилось — насколько это вообще было возможно в сложившихся обстоятельствах. Сэм обратилась к врачу, который наблюдал Блэр, и тот остался доволен ее состоянием. Ультразвук показал, что плод хорошего размера и, судя по всему, развивается нормально. Сэм по-прежнему самостоятельно занималась по школьной программе и по-прежнему была необычно тихой и замкнутой. У нее состоялись еще две встречи со Сьюзен, вместе с адвокатом Сэм сузила круг потенциальных будущих родителей до четырех пар. В ближайшие один-два месяца ей предстояло ограничить его еще больше, и Сьюзен обещала предоставить ей как можно больше сведений о кандидатах. Адвокат не торопила Сэм с выбором, ей хотелось, чтобы будущая мать приняла правильное решение и приняла его продуманно, сознательно.

Аллегра пыталась как можно быстрее разгрести навалившуюся на нее кучу работы, чтобы на выходные выбраться с Джеффом в Нью-Йорк, на встречу с его матерью. Нельзя сказать, чтобы она с нетерпением ждала этой встречи. Аллегра один раз поговорила с матерью Джеффа по телефону, и миссис Гамильтон задала ей множество вопросов, в том числе и довольно резких. Казалось, она проводит с Аллегрой собеседование по поводу приема на работу и не слишком довольна соискательницей. Аллегру это отчасти позабавило, отчасти обидело, но Джеффу она ничего не сказала. На работе она занималась в основном подготовкой турне Брэма. Турне начиналось в понедельник с концертов в Сан-Франциско, и Аллегра обязательно хотела присутствовать хотя бы на первом концерте. Брэму предстояло в течение нескольких месяцев гастролировать по всей стране, а четвертого июля, в День независимости, выступить на стадионе «Большой западный Форум» в Инглсайде под Лос-Анджелесом. Затем начиналась зарубежная часть турне, первым пунктом шла Япония, далее другие страны и в заключение — Европа. Аллегра обещала по возможности навещать его в разных пунктах маршрута. Ожидалось, что предстоящее турне принесет Брэму не меньше ста миллионов долларов. Хороший куш, как в шутку заметил Джефф, когда Аллегра ему рассказала. Она бы никогда не назвала заранее сумму гонорара своего клиента, но эта информация каким-то образом уже просочилась в газеты, а Брэм необдуманно ее подтвердил, чем только подогрел шумиху в прессе.

Еще за день до того, как Аллегра и Джефф должны были лететь в Нью-Йорк, казалось, что все под контролем. Команда собрана, маршрут разработан, рекламные агенты провели соответствующую подготовку. И вдруг накануне их вылета около полуночи Аллегре позвонили. Умер барабанщик из группы Брэма — пока неизвестно, было ли это самоубийство или он умер в результате передозировки наркотика. Поднялась страшная суматоха, журналисты как с цепи сорвались, полиция задержала подружку покойного, все турне оказалось под угрозой срыва — если не удастся срочно найти другого ударника.

В два часа ночи Аллегра все еще не ложилась спать. На этот раз она разговаривала по телефону с Брэмом. Он только что вернулся из морга, куда его вызывали для опознания умершего друга. Расстроенный Брэм находился на грани депрессии, и у его агентов настроение было немногим лучше. Один из них позвонил Аллегре за десять минут до звонка Брэма. Едва Аллегра закончила разговор с Брэмом, телефон сразу же стал трезвонить снова и почти не смолкал до шести утра. За завтраком Джефф чувствовал себя не лучше Брэма: на предстоящий рабочий день у него было назначено несколько важных встреч, а из-за постоянных звонков он всю ночь не сомкнул глаз.

— Извини, что так получилось, — тихо сказала Аллегра, наливая ему кофе. Ночью она даже успела сделать заявление для прессы, и его уже напечатали на первых полосах лос-анджелесских утренних газет. — Это была трудная ночь для всех нас.

Джефф невесело улыбнулся:

— Тебе бы нужно работать полицейским, или водителем машины «скорой помощи», или еще кем-нибудь в этом роде. Твой организм как раз приспособлен к такому ритму жизни, а мой нет. Мне, знаешь ли, иногда нужно немного поспать в промежутках между телефонными звонками.

— Да, я знаю, мне очень жаль, но я ничего не могла поделать. Турне Брэма висит на волоске, сегодня я должна посмотреть, что можно для него сделать.

С самого утра Аллегра лихорадочно пыталась спасти положение. У Брэма, конечно, есть знакомые ударники, которых можно было бы включить в оркестр, но на это нужно время, к тому же большинство из них наверняка связаны какими-то обязательствами и контрактами.

— Не забудь, в шесть часов у нас самолет, — напомнил Джефф.

— Не забуду.

Через полчаса Аллегра уехала на работу и весь день крутилась как белка в колесе. Ей пришлось вместе с Брэмом вносить изменения в график турне. Взглянув на часы и увидев, что уже четыре, Аллегра пришла в ужас. Она никак не могла бросить Брэма в такой момент, но чтобы успеть на самолет, ей нужно было уходить прямо сейчас. Они с Джеффом договорились встретиться в аэропорту.

Она позвонила домой, но Джефф уже выехал, а в машине у него телефона не было: Джефф их не признавал, называя калифорнийскими штучками. Значит, у нее не остается другой возможности, кроме как позвонить в аэропорт и передать для него сообщение. Все-таки иногда и такая роскошь, как телефон в автомобиле, может оказаться весьма полезной.

Аллегра перехватила Джеффа около пяти часов, когда они должны были проходить регистрацию. Джефф сразу же позвонил ей в офис. Услышав от Элис, что он на проводе, Аллегра поспешно схватила трубку. Судя по голосу, Джеффа ничуть не обрадовало то обстоятельство, что она до сих пор на работе.

— Ты где? Впрочем, это глупый вопрос, ведь я сам набрал твой рабочий номер. Что происходит?

— Промоутеры грозят отказаться от тура, говорят, что мы нарушили контракт, а в данный момент мы с Брэмом заняты поисками ударника. Пока не нашли. Джефф, я даже не знаю, как сказать тебе об этом, но я не могу сейчас бросить Брэма. Турне начинается в понедельник.

В понедельник Аллегра планировала полететь в Сан-Франциско, чтобы присутствовать на его концерте на стадионе «Оклендский колизей», но сейчас об этом не могло быть и речи. Без ударника они никуда не поедут.

— Разве решать такие проблемы не задача его агента?

— Вообще-то да, если он с ней справится, но я нужна, чтобы оформлять новые контракты.

— А ты не можешь консультировать их из Нью-Йорка по телефону и факсу?

Аллегре очень хотелось сказать «да», но нельзя было так просто встать и уйти, все бросив. Конечно, его мать будет разочарована, но как бы Джефф ни рассердился по этому поводу, она не может поступить иначе.

— Нет, Джефф, я нужна им здесь.

— О'кей, я все понял, — тихо сказал Джефф, но голос у него был ледяной.

— Что ты теперь собираешься делать? — Аллегра вдруг испугалась, что Джефф разорвет помолвку и она потеряет его навсегда. — Ты полетишь один? — Ее голос выдавал волнение.

— Аллегра, — холодно сказал Джефф, — если ты не забыла, я собирался познакомить тебя со своей матерью. Я с ней уже знаком.

— Прости. Извини, что так получилось, мне очень жаль. — Аллегра вконец расстроилась. Самое неприятное, что Джефф узнал о срыве поездки только в аэропорту. — Я пыталась позвонить тебе домой, но не застала. Может, мне позвонить твоей матери?

— Не надо, я сам. Она не поймет, если ты начнешь рассказывать про турне рок-певца, для нее это понятия из другого мира. Мне придется соврать, придумать нечто из ряда вон выходящее, например, что у тебя пищевое отравление или кто-то из родственников умер.

— Ох, Джефф, мне так жаль.

— Я знаю, ты ничего не могла поделать. А как насчет обеда? Может, встретимся или ты и для этого слишком занята?

— О, я с удовольствием.

Аллегра с облегчением подумала, что, кажется, она будет прощена. Во всяком случае, то, что Джефф намерен ее покормить, — хороший признак. Все-таки он очень благородный человек.

— Я понимаю, что ты не нарочно. Просто обидно, что нам постоянно приходится ломать свои планы ради чьего-то удобства. Может, когда мы поженимся, ты сможешь работать чуточку поменьше? На этот раз, правда, причина уважительная даже на мой взгляд, но в большинстве случаев твои клиенты, по-моему, просто рассчитывают, что ты станешь подтирать им задницы, водить их повсюду за ручку, принимать за них решения по всем вопросам.

— За это они мне и платят.

— Вот как? А я думал, тебе платят за юридическую помощь.

— Ха! В юридической школе нам говорили то же самое, но как и большинство из того, что они говорят, это вранье. На самом деле моя работа как раз и состоит в подтирании задниц.

Аллегра тихонько рассмеялась, и Джефф тоже улыбнулся.

— Ты сумасшедшая женщина, но я тебя люблю. Договоримся так: я еду за тобой в офис, зайдем куда-нибудь выпить. А если Моррисон заявит, что не может уступить тебя даже на пару часов, то я сверну ему шею, так и передай.

— Обязательно. Передам дословно.

— Все в порядке? — спросил Брэм Моррисон, когда Аллегра вернулась в комнату, поговорив с Джеффом.

— Да. — Аллегра улыбнулась. Она действительно испытала огромное облегчение, поняв, что Джефф не собирается разорвать помолвку из-за срыва встречи с его матерью — этого она боялась больше всего. — Сегодня я должна была лететь в Нью-Йорк на встречу с будущей свекровью, но поездку пришлось отменить. Джефф узнал об этом только в аэропорту.

— Мне очень жаль, что так получилось.

Брэм был по характеру добрый, разговаривал негромко и при этом отличался редкостной трудоспособностью и трудолюбием. Как большинство музыкантов, с которыми Аллегре приходилось иметь дело, он в юности баловался наркотиками, но в отличие от многих вовремя остановился и не употреблял их уже много лет. Он был хорошим семьянином и по-настоящему талантливым музыкантом. В отличие от других клиентов Брэм редко беспокоил Аллегру в неурочное время без крайней необходимости, как, например, сейчас. Однако, как у всякой звезды такого уровня, у него часто возникали внезапные и весьма серьезные проблемы. Так было, когда кто-то вдруг стал угрожать его ребенку, а сейчас вот неожиданно умер ударник.

Брэм носил длинные волосы, вечно растрепанные, бороду и небольшие очки в тонкой металлической оправе. Изучая новые контракты, Брэм склонился над бумагами, волосы упали на лицо, и Аллегре подумалось, что он сейчас похож на представителя какого-то дикого племени. Брэму только что посоветовали ещё одного барабанщика, причем очень неплохого, которого, возможно, удастся заполучить. Кажется, забрезжила надежда.

Около семи заехал Джефф, и Аллегра с Брэмом решили сделать перерыв на несколько часов. Брэму нужно было найти и уговорить этого барабанщика, и он отпустил Аллегру до утра. Они договорились встретиться на следующий день ровно в девять.

Аллегра и Джефф отправились перекусить в «Паневино». Аллегра выглядела усталой и какой-то загнанной, да и у Джеффа был несколько взъерошенный вид. Когда он позвонил сообщить, что встреча отменяется, мать пришла в ярость. Во-первых, у нее был заказан на субботу столик в ресторане «Двадцать один», а во-вторых, она вообще терпеть не могла, когда ее заставляли менять планы, особенно по вине какой-то девицы из Калифорнии.

— Что сказала твоя мать? — осторожно поинтересовалась Аллегра. Она всерьез опасалась, что обрела себе врага в лице миссис Гамильтон.

Джефф сделал каменное лицо.

— Она посоветовала мне отменить свадьбу.

Аллегра в ужасе ахнула, он рассмеялся.

— Мама сказала, что наше поколение вообще ненадежное, ни на кого нельзя положиться, и что хотя она очень сожалеет о смерти твоего двоюродного дедушки, ты все равно могла бы приехать хотя бы на один день, чтобы встретиться с ней. Я объяснил, что в воскресенье состоятся похороны и что ты очень расстроена. Подозреваю, что она не поверила ни одному моему слову, но что она могла сказать? «Предъявите мне тело покойного»? «Пришлите мне выписку из церковной книги»? Я успел позвонить в Нью-Йорк в цветочный магазин перед самым закрытием и попросил завтра утром доставить ей огромный букет от нас обоих.

— Ах, Джефф, ты такой хороший, я тебя недостойна, — серьезно сказала Аллегра.

— Мать говорила то же самое, но я заявил, что мы друг другу подходим. Между прочим, я пообещал, что мы приедем на уик-энд после Дня поминовения. Это для нее очень важный день, потому что она открывает дом в Саутгемптоне. Понимаешь, мы должны приехать во что бы то ни стало.

— А как же твой фильм?

— В праздничный уик-энд мы все равно не будем снимать. — У Джеффа через три дня начинались съемки, именно поэтому им нужно было побывать в Нью-Йорке в ближайшие выходные.

Однако в конце концов все устроилось наилучшим образом. Три дня подряд Аллегра работала с Брэмом, и к воскресному вечеру все было улажено и устроено по-новому, промоутеры были удовлетворены. Как обычно, Аллегра отлично справилась со своей работой, и Брэм был доволен.

Вечером в воскресенье Джефф во время обеда преподнес Аллегре сюрприз — вручил ей небольшую коробочку, обтянутую черной замшей. Он собирался сделать это в Нью-Йорке, но теперь они попадут туда только в следующем месяце, и ему не хотелось ждать так долго. В тот вечер над морем алел восхитительный закат, и это был их последний свободный вечер — с понедельника у Джеффа начинались съемки.

Аллегра дрожащими руками развернула упаковку и открыла коробочку. Трудно было не догадаться, что внутри, но когда она увидела это воочию, то невольно ахнула. На бархатной подушечке лежало очень красивое и явно старинное кольцо с изумрудом в оправе из бриллиантов.

— Ах, Джефф, какая прелесть!

У нее даже выступили слезы. Это было не обычное обручальное кольцо и даже не просто красивое кольцо, у него была своя неповторимая индивидуальность. Они никогда не говорили о кольцах, Аллегра и думать не думала об обручальном кольце.

— Сначала я собирался пойти в ювелирный магазин вместе с тобой, но потом наткнулся у Дэвида Уэбба на это кольцо. Оно выглядит точь-в-точь как кольцо моей бабушки. Но если тебе не нравится, можно вернуть его в магазин и купить другое.

Джефф улыбнулся. Аллегра обняла его за шею и поцеловала.

— Ах, Джефф, как же я тебя люблю! Кольцо потрясающее! Я его не заслуживаю.

— Тебе правда нравится?

— Конечно.

Джефф надел кольцо ей на палец, и оно оказалось как раз впору. Аллегра просияла. На ее руке кольцо выглядело еще лучше, чем когда лежало в футляре, и она просто не могла оторвать от него глаз. Благодаря старинной работе кольцо с крупным камнем не выглядело кричащим, напротив, поражало своей изысканностью.

В тот вечер они долго сидели и говорили обо всем — о своей жизни, о родственниках, о предстоящей свадьбе, строили общие планы на будущее. Казалось, время летело незаметно. Было уже первое мая, значит, до свадьбы оставалось всего четыре месяца. Аллегре еще предстояло переделать тысячу дел, мать постоянно звонила ей и напоминала то об одном, то о другом. Блэр даже предлагала дочери нанять консультанта по свадьбам, чтобы он позаботился обо всех деталях, но Аллегре эта идея показалась нелепой. Однако, к сожалению, ни у нее самой, ни у ее матери не было времени как следует заняться подготовкой к свадьбе. Блэр с головой ушла в работу на телевидении, а Аллегре клиенты буквально не давали передохнуть.

В этот вечер Аллегра и Джефф легли спать раньше обычного. Джефф хотел в четыре часа утра быть уже на студии и в последний раз проверить, все ли готово к съемкам. Аллегра ему напомнила, что ответственность за фильм лежит не на нем одном: кроме него, есть еще Тони Якобсон и режиссер. Но поскольку фильм снимался по книге Джеффа, к тому же это был его первый фильм, он хотел непременно быть на месте на случай, если возникнут какие-то непредвиденные проблемы.

— И кто же из нас после этого трудоголик? — поддразнила Аллегра.

Она не удержалась, подняла руку и в который раз полюбовалась кольцом. Аллегра не сняла его, даже когда ложилась спать — непривычно рано, потому что Джефф собирался вставать в половине третьего.

В десять они уже крепко спали, и когда в полночь вдруг зазвонил телефон, Аллегра не сразу сообразила, что происходит. Она спросонья нащупала трубку и только через несколько секунд сообразила, что кто-то говорит с ней на чужом языке:

—Mademoiselle Steinberg, on vous appelle de la Suisse, de la part de Madame Alain Carr.

Если не считать имени Алана, прозвучавшего в конце фразы, Аллегра не поняла ни слова. «По коллекту* он звонит, что ли?» — подумала Аллегра.

— Я принимаю звонок! — крикнула она наугад. От ее крика проснулся Джефф и лег рядом с ней на спину. — Алло, алло!

В трубке послышался треск, связь прервалась, затем снова послышались голоса, прерываемые помехами, и наконец Аллегра услышала знакомый голос, но не Алана, а Кармен.

— Кармен? Что случилось?

Между Лос-Анджелесом и Швейцарией разница во времени составляла девять часов, и на другом конце провода сейчас было девять утра. Но Аллегра догадывалась, что у Кармен должна быть серьезная причина позвонить ей среди ночи. От не-

* Заказ на междугородный телефонный разговор за счет вызываемого лица.

приятного предчувствия у Аллегры даже пробежал холодок по спине, ей тут же представилось, что Алан пострадал во время съемок. Но на другом конце провода слышался только плач, и Аллегра стала терять терпение.

— Черт возьми, да скажи же ты хоть что-нибудь! — Раз уж ее напугали до полусмерти этим ночным звонком, то теперь она хотела хотя бы знать, в чем дело. Джефф окончательно проснулся, включил свет и тоже слушал. — Кармен, что стряслось?

В трубке послышалось всхлипывание, переходящее в жалобные вопли.

— Аллегра, я в больнице...

— О Господи... Почему?

— Я потеряла ребенка.

Кармен снова разразилась рыданиями, прошло, наверное, не меньше получаса, прежде Аллегре удалось ее немного успокоить. За это время она перебралась с телефоном в другую комнату, чтобы не мешать Джеффу, но он уже не мог уснуть.

Как Аллегра смогла понять из сбивчивого рассказа Кармен, та не падала, не попадала в катастрофу, но у нее произошел выкидыш. Это случилось рядом со съемочной площадкой: у Кармен началось сильное кровотечение, которое не сразу удалось остановить. Пришлось вызвать «скорую», Кармен отвезли в больницу. По ее словам, Алан тоже очень расстроился, а потом она вдруг заявила, что не хочет возвращаться в Америку без него. Аллегру это испугало: и у Алана, и у Кармен подписаны контракты.

— Послушай, дорогая. — Аллегра постаралась говорить спокойно. — Я знаю, потерять ребенка — это ужасно, но ты снова забеременеешь, и у вас еще будут дети. А Алан должен, именно должен закончить фильм. Если ты уговоришь его уехать с тобой, ему никогда больше никто не даст главной роли. Не забывай об этом. Кстати, к пятнадцатому ты должна быть дома, начнутся репетиции.

— Я помню, но я так несчастна... Я не хочу уезжать от Алана. — Кармен снова заплакала.

Когда Аллегра повесила трубку, был час ночи. Она подумала о том, как несправедлива бывает жизнь. Кармен очень хотела ребенка и потеряла его, а с Самантой, которой рождение ребенка грозит испортить всю жизнь, ничего такого не произошло. «Может, Сэм стоит отдать ребенка Кармен?» — мелькнула мысль.

293

Аллегра вернулась в спальню и увидела, что Джефф все еще не спит и вряд ли этим доволен.

— Кармен потеряла ребенка, — пояснила Аллегра виноватым тоном, забираясь под одеяло.

— Это я уже понял, но как бы мне самому не потерять рассудок. Я не могу жить как в больнице «скорой помощи», с вечными полуночными звонками, самоубийствами, выкидышами, передозировками, разводами, гастролями... ради Бога, Элли, кто ты такая? Адвокат или дежурный врач в сумасшедшем доме?

— Хороший вопрос, Джефф. Я понимаю, что тебе мешают эти звонки, извини. Кармен, наверное, неправильно рассчитала разницу во времени.

— Ерунда, ничего она не рассчитывала, ей просто плевать. Никого из них не волнует, что его звонок может оказаться не вовремя, они не задумываясь звонят тебе в любое время дня и ночи. Но мне-то нужно иногда и спать! У меня тоже есть работа, завтра, вернее, уже сегодня, я должен быть на съемках. Тебе придется запретить своим клиентам названивать по ночам.

— Да, Джефф, конечно. Извини. Обещаю, это больше не повторится.

— Лгунишка, — сказал Джефф, с нежностью прижимая ее, обнаженную, к себе. — Но если ты не положишь конец этому безобразию, я состарюсь раньше времени.

— Я им скажу, обещаю.

Но оба понимали, что Аллегра никогда этого не сделает. Такая уж она есть, всегда готова прийти на помощь.

Два часа спустя Джефф, сонный и недовольный, уехал на работу. Перед отъездом Аллегра сварила ему кофе, а когда он уехал, вернулась в спальню и позвонила Кармен по номеру, который та ей оставила. Трубку снял Алан. У него был перерыв в съемках, чувствовалось, что он очень расстроен.

Аллегра, как могла, попыталась подбодрить Алана. Перейдя с телефоном в ванную, тот рассказал Аллегре, что Кармен в плачевном состоянии, после потери ребенка на нее навалилась тяжелая депрессия.

— Ты уж о ней позаботься, когда она вернется домой, — взмолился он.

— Обязательно позабочусь. Но тебе придется остаться и закончить съемки.

— Знаю, — подавленно произнес Алан. — Я ей сто раз говорил, что мне нужно сниматься, но она без меня не желает возвращаться.

— Имей в виду, если ты вернешься, я тебя убью. Ты просто не имеешь права все бросить.

— Я понимаю и никуда не еду. Только пообещай, что позаботишься о Кармен. Она должна завтра вернуться.

— Обязательно, я все сделаю, ни о чем не беспокойся.

Повесив трубку, Аллегра думала о том, насколько порой сложно складывается жизнь у них у всех — у Кармен, Алана, Брэма, Джеффа и у нее самой. Все пятеро избрали себе нелегкие профессии, однако каждому по-своему нравилась его работа. Особенно отчетливо Аллегра осознала это сегодня вечером, когда сидела, дрожа от холода, за кулисами «Оклендского колизея». Брэм прислал за ней свой личный самолет, и она прилетела на открытие турне. Билеты на огромный стадион были распроданы все до последнего. Как только Брэм появился на сцене, зрители пришли в неистовство. Он представил залу нового ударника, и публика шумно его приветствовала. После минуты молчания, посвященной умершему музыканту, Брэм открыл концерт песней, написанной специально в память о нем. Концерт прошел с огромным успехом, в заключение весь стадион, вся двадцатитысячная аудитория устроила Брэму настоящую овацию. Аллегра никогда в жизни не видела ничего подобного, даже на прошлых концертах того же Брэма. Правда, службе безопасности пришлось немало потрудиться, ограждая певца от обезумевших поклонников. Он спел семь песен на «бис», и когда наконец сошел со сцены, с него пот лил градом. Вытерев лицо, он бросился обнимать Аллегру.

— Ты был фантастичен! — прокричала Аллегра, пытаясь перекрыть грохот.

Брэм благодарно кивнул, обнял жену и поцеловал ее. Зрители не желали расходиться, скандируя имя Брэма и снова требуя его на сцену.

— Спасибо тебе, ты нас спасла! — прокричал в ответ Брэм.

Аллегра улыбнулась. За это ей и платят, но они спасли гастрольное турне все вместе.

После концерта Брэм устраивал прием, но Аллегра собиралась возвращаться в Лос-Анджелес.

В дверь дома Джеффа в Малибу она вошла в три часа утра и успела как раз вовремя, чтобы сварить Джеффу кофе. Когда зазвонил будильник и Джефф открыл глаза, она встретила его чашкой дымящегося кофе. Джефф сонно улыбнулся:

— Всегда бы меня так будили. Как прошел концерт?

— Потрясающе. — Аллегра наклонилась к нему и поцеловала. — Брэм превзошел самого себя. Я рада, что удалось организовать это турне, Брэм действительно созрел для больших гастролей.

Поставив чашку на тумбочку, безмерно усталая Аллегра прилегла на кровать рядом с Джеффом. Джефф снова улыбнулся, в который раз восхищаясь ее красотой.

— Представляю, как он, наверное, доволен.

Аллегра подавила зевок.

— А как у тебя прошел день? Как съемки?

— Интересно, хотя было немного страшновато, — признался Джефф. — Снимать первый в жизни фильм по своей книге — это что-то невероятное. Слава Богу, Тони в этом деле не новичок. Я-то совершенно не представляю, что и как делается. — Джефф усмехнулся. Тони проработал продюсером больше десяти лет, начав сразу после университета. За эти годы четыре его короткометражных фильма получили премии, а два полнометражных имели большой успех в прокате. — Если у тебя выпадет свободная минутка, заезжай к нам, посмотришь, как мы снимаем. Хотя что я говорю? Когда это у тебя бывало свободное время?

Джефф не видел Аллегру целые сутки, а сейчас у нее оставалось время лишь немного поспать перед тем, как ехать в аэропорт за Кармен.

Из разговоров с Аланом и самой Кармен Аллегра знала о ее угнетенном настроении, но даже она не ожидала увидеть актрису в таком состоянии. Убитая горем Кармен почему-то была уверена, что никогда больше не забеременеет, и, оставшись без Алана, находилась чуть ли не на грани самоубийства.

Аллегре пришлось собрать всю свою выдержку и остатки сил, чтобы довезти ее до дома и уговорить приступать к репетициям. Дело явно шло к тому, что всю следующую неделю Аллегре придется стать нянькой при Кармен, так оно и вышло. Она каждый день хотя бы по одному разу заглядывала к Джеффу на съемочную площадку, но выкроить для этого несколько минут удавалось с огромным трудом. Съемки, судя по всему, продвигались успешно, зато с репетициями, которые через несколько дней начались у Кармен, дело обстояло далеко не так гладко. Но по крайней мере одной заботой у Аллегры стало меньше: концерты Брэма Моррисона проходили с огромным успехом, новый ударник тоже оказался на высоте.

У Аллегры временами возникало ощущение, что она одна руководит этим хороводом. Джефф всю первую неделю съемок пребывал во взвинченном состоянии. Аллегра несколько раз навещала его на съемочной площадке. Казалось, дела шли хорошо, но у нее совершенно не было времени задержаться подольше и понаблюдать за съемками. Вскоре после начала съемок Джеффу пришлось немного переделать сценарий: оказалось, двум актерам плохо удаются диалоги. Джефф то и дело встречался с Тони и днем, и ночью; Аллегра его почти не видела.

К счастью, на этот раз поездку в Нью-Йорк пришлось отложить уже из-за Джеффа. Теперь они лишь могли обещать его матери приехать к ней как можно скорее. Миссис Гамильтон явно не понравилось, что фильм оттеснил ее на второй план в жизни сына.

Первого июня у Кармен начались съемки. На Аллегру навалилось столько дел, что она всерьез опасалась, как бы у нее не случился нервный срыв. Кармен звонила ей чуть ли не каждые пять минут, жалуясь на все и вся, и каждый раз плакала и клялась, что никогда больше не согласится сниматься в фильме без участия Алана. Она стала почти невменяемой. За первую неделю ее съемок Аллегра похудела на пять фунтов. Брэм тоже не давал Аллегре соскучиться, время от времени по ходу турне посылая сообщения, а всякий раз, когда у группы возникали какие-то проблемы, без Аллегры уже никто не мог обойтись. Они с Джеффом никогда не бывали дома одновременно, а если такое чудо вдруг случалось, то один из них спал.

Сэм была уже на восьмом месяце беременности, но по сравнению с маем настроение у нее немного поднялось. Вместе со Сьюзен Перлман они занимались подготовкой к усыновлению будущего ребенка. В последнее время к Стейнбергам зачастил Джимми Маццолери. Всякий раз, когда Аллегра заезжала навестить сестру, она заставала Джимми у нее. Юноша или помогал Саманте делать домашнее задание, или просто околачивался рядом. Сэм наконец открыла ему свою тайну. Узнав о ее беременности, Джимми, как ни странно, стал еще более заботливым. Между ними не было романа в общепринятом смысле, но парень был очень ей предан. Сэм стала носить одежду для беременных, живот, почти незаметный в первые месяцы, как-то сразу вырос. Иногда Джимми нравилось положить на него руку и чувствовать, как внутри брыкается ребенок, но чаще всего он просто гулял с Сэм по пляжу, или ходил с ней в кафе, или помогал по дому. Ему было искренне жаль девушку, Сэм ему всегда нравилась, и он считал, что она ничем не заслужила такого удара судьбы. Иногда Сэм с Джимми говорили о людях, которые собираются усыновить ее ребенка. Сэм все больше склонялась в пользу пары из Санта-Барбары, Кэтрин и Джона Уитмен. Обоим супругам было немного за тридцать, и оба говорили, что любят детей. Кэтрин чем-то напоминала Сэм Аллегру, отчасти потому, что тоже работала адвокатом. Джон был врачом. Каждый из них достиг успеха в своем деле и неплохо зарабатывал. Сэм не хотелось, чтобы ее ребенок жил в нужде и не смог получить хорошего образования. Супруги из Санта-Барбары даже сказали, что не собираются остановиться на одном ребенке и планируют усыновить еще одного или двоих, когда первый немного подрастет.

Помимо всего прочего, Аллегре то и дело звонила Блэр, чтобы лишний раз напомнить о приготовлениях к свадьбе. Нельзя сказать, чтобы Аллегра к ней совсем не готовилась. Она заказала у Картье карточки приглашений на свадьбу, примерила несколько подвенечных платьев — у Сакса, Манэ и Неймана, но ни одно не поразило ее воображение. Однако больше всего ее потрясло, когда мать вдруг сообщила, что наняла Делию Уильямс.

— Господи, это еще кто такая?

Аллегра улыбнулась, гадая, что затеяла мать.

— Она консультант по свадьбам, у нее прекрасные рекомендации. Она будет все за нас делать. Она позвонит тебе на работу.

Вечером того же дня Аллегра поделилась новостью с Джеффом.

— У мамы столько энергии, что просто уму непостижимо.

Но когда через три дня к ней в офис пришла сама Делия Уильямс, Аллегра поразилась еще больше. Консультант по свадьбам явилась во всеоружии: с альбомами, фотографиями, списками, какими-то папками и не умолкала ни на секунду. В Делии Уильямс было росту больше шести футов, и когда Аллегра попыталась описать ее Джеффу, то смогла сказать только, что консультант по свадьбам похожа на трансвестита.

На Делии было платье цвета лаванды, шляпка такого же цвета и всюду, где только можно, — аметисты. У нее были светлые волосы, явно крашеные, и такие длинные руки, что Аллегра невольно мысленно сравнила ее с большой птицей, готовой взлететь с дивана в ее офисе. Офис самой Делии находился где-то в долине.

— Вот что, дорогуша, давайте-ка повторим все еще раз.

Делия покровительственно похлопала Аллегру по руке. Та уставилась на нее, не веря своим глазам. «Удивительно, как мама могла нанять эту особу! — думала она. — Не иначе как от безысходности».

— Вам нужно выбрать подружек невесты, решить вопрос с платьями для подружек невесты — и со своим, разумеется. Что у нас дальше... туфли, да-да, не забудьте про туфли... фотографии, видеозапись, длинная фата или короткая... — Делия говорила обо всем сразу, нескончаемый поток слов ошеломил Аллегру, и она слушала в полном оцепенении. — Нам нужно обсудить свадебный торт... цветы... Я сказала вашей матери, что придется натянуть в саду навес... меню... оркестр...

Чем дольше Делия говорила, тем громче звучали в мозгу Аллегры слова: «Лас-Вегас... Лас-Вегас». Сейчас она уже сама не могла понять, как они с Джеффом решили сыграть свадьбу дома с приглашением всех мыслимых гостей.

— Встретимся через неделю, — подытожила Делия. Она встала с дивана, поставив свои ноги, как у цапли, под неестественным углом. Аллегре приходилось следить за собой, чтобы не пялиться на нее самым неподобающим образом.

— И пообещайте мне, что выполните домашнюю работу.

— Непременно, — серьезно сказала Аллегра, принимая у нее из рук кипу альбомов, книг и папок с эскизами. В этой куче имелась даже видеокассета с образцами свадебных тортов.

— Молодчина. И не откладывайте поход по магазинам, у вас впереди очень много дел.

Делия помахала на прощание и удалилась — как комический персонаж из бродвейской пьесы. Некоторое время Аллегра так и стояла на месте, ошеломленно глядя ей вслед. Потом очнулась, вернулась в кабинет, сняла трубку и стала набирать номер матери. Блэр, как обычно, была на совещании, но на этот раз Аллегра — редкий случай — попросила вызвать ее к телефону.

— Аллегра? Что случилось?

— Ты еще спрашиваешь! Это что, шутка, мама? — Аллегра села на стол. Она все еще не могла оправиться от недавнего нашествия.

— Что именно, дорогая?

— Ты действительно наняла эту женщину? Это же надо — подстроить мне такую гадость!

— Ты о Делии? Но все, на кого она работала, говорят, что она просто чудо. Я думала, ты обрадуешься.

— Нет, ты определенно шутишь. Мама, я не могу иметь дело с этой женщиной!

Аллегра улыбнулась абсурдности происходящего и мысленно порадовалась, что еще сохранила способность улыбаться. Предстоящая свадьба с каждым днем казалась все нелепее. У нее даже мелькнула мысль: а что, если им с Джеффом вообще не жениться, а пожить вместе просто так?

— Дорогая, имей терпение. Делия тебе поможет, вот увидишь, она тебе еще понравится.

«Господи, да что с ней такое? В своем ли она уме?» — неуважительно подумала Аллегра.

— В жизни не видела ничего подобного! — Аллегра вдруг начала хохотать и никак не могла остановиться. Она все смеялась и смеялась, от смеха у нее даже слезы брызнули, и Блэр тоже стала смеяться. — Мне все еще не верится, что ты в самом деле наняла ее, — проговорила Аллегра в перерывах между приступами смеха.

— Но ты хотя бы согласна, что она очень деловитая?

— Подожди, пока ее увидит папа. И вот еще что, мама... — Аллегра помедлила, думая, что к этой ситуации именно так и надо относиться, с юмором. — Я тебя люблю.

— Я тоже тебя люблю, дорогая, у тебя будет прекрасная свадьба.

По сравнению со всем остальным собственная свадьба вдруг показалась Аллегре чем-то незначительным. Для нее главным был Джефф, а вовсе не торжество по случаю бракосочетания. Кроме того, им нужно было сейчас думать о Сэм и ее ребенке. Какой у них будет свадебный торт, какого цвета будут платья у подружек невесты, не говоря уже о туфлях, — все это казалось совершенно не важным.

Аллегра еще не совсем перестала смеяться, когда на столе зазвонил телефон. Она сняла трубку. Звонил Джефф. Его первые слова были:

— Хорошая новость.

— Это очень кстати. У меня было такое сумасшедшее утро, что хорошая новость — это именно то, что мне сейчас нужно, — с улыбкой откликнулась Аллегра.

— В эти выходные я свободен. Том пообещал справиться без меня, и я только что позвонил маме и сказал, что мы прилетим в эту субботу. Мы можем прилететь в аэропорт Кеннеди и оттуда поехать сразу в Саутгемптон.

Сердце Аллегры пропустило несколько ударов. В последнее время Джефф был по горло занят съемками фильма, и она решила, что надолго снята с крючка.

— Мама была очень рада. Мы так давно обещаем ей приехать и все откладываем, думаю, она мне даже не поверила. Ты ведь сможешь вырваться?

Наконец ее долгое молчание показалось Джеффу подозрительным. Аллегра в это время пыталась заново свыкнуться с мыслью о встрече с его матерью. Неизвестно почему, ее по-прежнему не покидало предчувствие, что она не понравится миссис Гамильтон.

— Представь себе, в кои-то веки не вижу никаких препятствий, — сказала Аллегра, ощущая какое-то странное разочарование. Но ни у кого из ее клиентов в данный момент нет кризиса, даже у Кармен.

— Постучи по дереву, а то сглазишь. Значит, в пятницу мы вылетаем, — решительно подвел итог обрадованный Джефф.

— Да, в пятницу.

Аллегра мысленно помолилась о том, чтобы на этот раз им ничто не помешало, иначе мать Джеффа никогда ее не простит. Со слов Джеффа она знала, как рассердилась миссис Гамильтон в прошлый раз. Теперь оставалось только молиться, чтобы ничего не стряслось. Как бы Аллегру ни пугала предстоящая поездка в Нью-Йорк, в ней было и одно несомненное достоинство: они проведут выходные вместе и вне дома. Видит Бог, им обоим это совершенно необходимо. Но еще задолго до прибытия в Нью-Йорк Аллегра предчувствовала, что расслабиться им никак не удастся. Ей вспомнилось суровое лицо женщины с фотографии, которую Джефф показал ей в Нью-Йорке. Это лицо до сих пор пугало ее.

Глава 16

Всю неделю перед поездкой Аллегру не покидало ощущение, что она ходит по лезвию бритвы. Если и на этот раз она не сможет поехать к матери Джеффа, он будет в ярости. Однако до четверга ничего страшного не случилось. В четверг вечером они уложили чемоданы, и Аллегра тайком вздохнула с облегчением. Может быть, она напрасно волновалась, ни у кого никакого кризиса не произошло и, кажется, не намечается, так что оснований для тревоги нет. Да и из-за самой встречи с матерью Джеффа она, наверное, напрасно так нервничает.

Неделя у обоих выдалась тяжелая, оба устали, но до сих пор у них все складывалось благополучно, и у клиентов Аллегры тоже дела шли своим чередом. За последние несколько дней даже Кармен стала понемногу приходить в себя. Теперь, когда начались съемки, у нее было меньше времени на то, чтобы горевать о своей потере, да и мысли были заняты другим. Алан все еще снимался в Швейцарии, и Кармен по-прежнему чувствовала себя ужасно одинокой, но она чуть ли не ежеминутно разговаривала с ним по телефону — в основном по мобильному, который постоянно носила с собой в кармане. Казалось, она звонила ему каждый час днем и ночью, даже чаще, чем Аллегре. И Аллегра наконец выполнила требование Джеффа — попросила Кармен не звонить ей так часто хотя бы по ночам. Как ни странно, Кармен пообещала звонить пореже. Теперь она все время названивала Алану.

— Неужели мы действительно едем? До сих пор не верится, — сказал Джефф вечером, ставя их чемоданы в прихожей. На утро у обоих были назначены встречи, но сразу после этого они собирались ехать в аэропорт. — В Саутгемптоне в это время года очень красиво.

Но о Саутгемптоне Аллегра не думала. Несмотря на все заверения Джеффа, она по-прежнему нервничала из-за встречи с его матерью.

Готовясь к поездке в Нью-Йорк, Аллегра побывала у парикмахера и сделала маникюр. В дорогу она решила надеть темно-синий костюм от Живанши. Ей хотелось выглядеть респектабельной при первой встрече с миссис Гамильтон. Для большей солидности Аллегра даже собиралась уложить волосы в пучок. Вечером, когда они ложились спать,

Джефф с улыбкой стал рассказывать Аллегре, как в детстве любил ездить летом в Саутгемптон и как они, бывало, гостили в Вермонте у бабушки. Они тихо переговаривались в постели, и Аллегра чувствовала себя как школьница, оставшаяся переночевать у подруги.

Когда раздался звонок, в первый момент Аллегре показалось, что это продолжение сна. Где-то что-то звенело, но она спросонья не поняла, что и где. «Может, это звон церковных колоколов в Вермонте?» — мелькнула мысль. Звон продолжался, она окончательно проснулась и вдруг поняла, что звон ей не снился, это звонит телефон. Она проворно вскочила и бросилась к телефону, торопясь снять трубку, пока не проснулся Джефф. Но он, как обычно, проснулся раньше ее. Снимая трубку, Аллегра покосилась на стоящий на тумбочке будильник: было половина пятого.

— Если это Кармен, передай ей, что я ее убью, — пробурчал Джефф, поворачиваясь на бок. — Нет, когда ты здесь, в этом доме положительно невозможно спать.

Джеффу было явно не до шуток, и Аллегра ответила по телефону шепотом:

— Алло! Кто это? — Как и Джефф, она почти не сомневалась, что звонит Кармен. Она испытывала противоречивые чувства: негодовала на ночной звонок и одновременно панически боялась, что снова стряслось нечто такое, что сорвет ее поездку в Нью-Йорк.

— Это Мэлахи О'Донован, дорогуша, — со своим ирландским акцентом прорычал пьяный в стельку Мэл и громко рыгнул.

— Мэл, не смей звонить мне в такое время! Сейчас пятый час утра!

— Раз так, с добрым утром тебя, дорогуша. И между прочим, я не просто так звоню. Если хочешь знать, я в участке, и мне велели позвонить своему адвокату. Так что будь хорошей девочкой, приезжай и вытащи меня отсюда.

— Господи, что на этот раз? Опять вел машину в нетрезвом виде?

Мэл мог бы коллекционировать штрафные талоны за вождение в нетрезвом виде, как некоторые коллекционируют автобусные билеты. Аллегра не раз предупреждала его, что в один прекрасный день он может оказаться в тюрьме и заодно лишиться водительских прав, однако до сих пор Мэл **303** пускал в ход все свои связи и ему все сходило с рук. Из-за того, что он много раз проходил курс лечения от пьянства, на многочисленные записи в его деле смотрели сквозь пальцы, но Аллегра почти не сомневалась, что на этот раз ему не выкрутиться, у него таки отберут права.

— Черт побери, это паршиво, — проворчала Аллегра.

— Да знаю я, знаю, ну извини. — Мэл заговорил покаянным тоном, тем не менее рассчитывая, что она примчится немедленно и вызволит его из тюрьмы. А как же, она ведь его адвокат.

— Послушай, Мэл, а не может за тобой приехать кто-нибудь другой? Сейчас ночь, а я в Малибу.

Джефф оказался прав: если бы она не сняла трубку, Мэлу волей-неволей пришлось бы потерпеть и перезвонить ей утром. Но она ответила на звонок, и теперь он ждет, что она приедет за ним ночью и выручит. Отвертеться было трудно, Мэл взывал о помощи.

— Ну хорошо, — наконец сдалась Аллегра. — Где ты?

Оказалось, что Мэл в Беверли-Хиллз. Его задержали на Беверли за то, что он вел машину не по той стороне улицы. Мало того, когда его остановила дорожная полиция, у него между ног стояла открытая бутылка виски «Джек Дэниелз», а в бардачке лежал пакетик с травкой. Мэлу просто повезло, что травку не нашли, но, с другой стороны, полицейские не слишком усердно искали: офицеры, которые остановили машину, узнали известного музыканта.

— Я буду через полчаса.

Аллегра повесила трубку и посмотрела на неподвижную фигуру Джеффа. Казалось, он снова уснул, но Аллегра знала, что он не спит. Как только она, ступая на цыпочках, направилась к двери, ее догадка получила подтверждение.

— Предупреждаю, Аллегра, если ты сегодня опоздаешь на самолет, свадьбы не будет, — спокойно произнес Джефф из-под одеяла.

Аллегра остановилась и с тревогой оглянулась на него.

— Джефф, не надо мне угрожать. Я сделаю все, что смогу, и постараюсь не опоздать.

— Уж постарайся.

Джефф больше ничего не добавил. Аллегра натянула джинсы и белую рубашку и вышла из дома. Ведя машину по автостраде, она злилась на весь белый свет. На Мэлахи, который думает, что может делать все, что пожелает, а она потом мчится вызволять его из каталажки. На Кармен, которая использует ее в качестве жилетки, в которую можно поплакаться в любое время дня и ночи. На Алана, который каждый день звонил из Швейцарии и напоминал, чтобы она позаботилась о его жене. Даже на Джеффа, которого иногда страшно раздражали ее клиенты, хотя он и сам был небезгрешен. Взять хотя бы его привычку вставать в три часа ночи, чтобы являться на съемочную площадку раньше всех, или эти бесконечные переработки сценария, чем он обычно занимался по ночам. Все вокруг рассчитывают, что она будет делать именно то, что им хочется, и при этом еще проявлять бесконечное терпение и понимание. Такой порядок начинал Аллегру раздражать, и почему-то больше всего она злилась на Джеффа. Разумеется, она будет в аэропорту вовремя... во всяком случае, рассчитывает... если только Мэл не натворил чтонибудь похлеще. И даже сейчас, ночью, ей наверняка придется отбиваться от репортеров. Господи, как же она от всего этого устала! Каждый рассчитывает, что она выручит его из любой беды, как будто она только для этого и родилась на свет.

Остановившись перед зданием полицейского участка Беверли-Хиллз, Аллегра вышла из машины и в сердцах хлопнула дверцей. Войдя внутрь, она увидела знакомого офицера. Услышав от Аллегры о цели визита, офицер кивнул, вышел в соседнюю комнату просмотреть сведения о задержанных и через несколько минут вернулся с Мэлом. Аллегра поручилась за своего клиента, что было несложно, но на этот раз Мэлу пришлось оставить свои водительские права в полиции. Ему сообщили день, когда он должен явиться в суд, и Аллегра с облегчением узнала, что это будет в следующем месяце. Затем она со строгим выражением лица вывела его из здания участка и повезла домой. От Мэла немилосердно несло перегаром, но он все время пытался поцеловать свою спасительницу. Она строго приказала ему вести себя прилично. Когда они вошли в дом, жена Мэла спала. Аллегра удивилась, почему он ей не позвонил, но удивлялась недолго. Узнав, в чем дело, Рэйнбоу подняла такой крик, что Аллегре сразу стало ясно, почему Мэл предпочел позвонить своему адвокату.

Рэйнбоу О'Донован чуть ли не швырнула Мэла в спальню, крича при этом так громко, что наверняка перебудила всех соседей. Но это Аллегру уже не касалось, она отправилась домой. Вернулась она около семи. Джефф в это время принимал душ, горячий кофейник стоял на плите. Аллегра, налив кофе, с чашкой в руке прошла в спальню и без сил опустилась на кровать. Она совершенно вымоталась, но это была далеко не первая подобная ночь в ее жизни. Именно этим возмущался Джефф, и он был прав. Однако Аллегра все равно не могла ничего изменить.

Высушив волосы, Джефф вышел из ванной и, увидев Аллегру, вздрогнул от неожиданности. Из-за шума фена он не слышал, как она вошла. Взглянув на сгорбившуюся Аллегру, Джефф понял все без слов.

— Как все прошло?

— Лучше некуда. У Мэла отобрали права. — Аллегра поставила чашку и со стоном вытянулась на кровати. Джефф подошел и присел рядом.

— Извини, что я ночью погорячился. Просто я очень устал от всех этих людей, которые постоянно тебя дергают, просто покоя не дают. Разве это справедливо?

— По отношению к тебе это тоже несправедливо. Тебе-то с какой стати терпеть ночные звонки? Мне придется выставить им свои требования. Сегодня, когда я везла Мэла домой, поняла, что он мог с таким же успехом позвонить своей жене. Кажется, он побоялся.

— Сделай так, чтобы они и тебя боялись, — посоветовал Джефф. Он наклонился к Аллегре и поцеловал ее. Через час ему нужно было быть на студии, а в два часа они вылетали в Нью-Йорк. — Ну как ты, справишься? — спросил он, вставая.

— Со мной все будет в порядке.

— Я заеду за тобой в двенадцать.

— Хорошо, к этому времени я буду готова, — пообещала Аллегра.

К девяти она поехала на работу, чемоданы уже лежали у нее в багажнике. Элис протянула ей пачку факсов и разные документы. Аллегра просмотрела бумаги, рассортировала по папкам и стала убирать папки в стол. Тут в ее кабинет вошла Элис с последним номером «Чаттера» в руках. Аллегра поморщилась:

— Только не говори, что здесь написано что-нибудь, имеющее отношение ко мне! — Впрочем, все было и так ясно: если Элис принесла эту бульварную газетенку, значит, там напечатан материал, задевающий интересы кого-то из ее клиентов. Возможно, все-таки придется остаться в городе.

Элис, осторожно держа газету двумя пальцами, как будто боялась обжечься или испачкаться, положила ее на край письменного стола. И Аллегра поняла почему, едва взглянула на первую страницу. Фотографии были просто отвратительны, да и заголовки не лучше. Можно себе представить лицо Кармен, когда она их увидит!

— О черт! — Аллегра поколебалась и посмотрела на секретаршу. — Пожалуй, мне лучше самой ей позвонить.

Аллегра взяла трубку и стала набирать номер, но в это время зазвонил внутренний телефон, и оператор сказала, что на линии мисс Коннорс. Оператор, правда, забыла уточнить, что мисс Коннорс в истерике, но Аллегра скоро поняла это и без ее слов.

— Я только что видела статью, — спокойно сказала Аллегра.

— Нужно подать на них в суд!

— Вряд ли это будет разумно.

Аллегра вполне разделяла чувства Кармен и догадывалась о реакции Алана, когда он увидел эту писанину. В газетной статье говорилось, что Кармен Коннорс, жена Алана Карра, летала в Европу делать аборт. Тут же было помещено несколько фотографий, на которых Кармен была снята выходящей из больницы. Один снимок создавал у читателя впечатление, что Кармен крадется тайком, хотя в действительности она просто скорчилась.

— Это клевета! Как они могли так поступить со мной!

Кармен всхлипнула. Аллегра не знала, как ее утешить, но считала, что если подать на газету в суд, будет еще хуже. У этих мерзавцев опытные адвокаты, которые не раз вызволяли их из подобных историй и, как правило, выигрывали дело.

— Ну почему, почему про меня пишут гадости? — снова запричитала Кармен.

Аллегра чувствовала себя беспомощной: гнусная статья уже напечатана, и она ничего не могла изменить.

— Не почему, а зачем. Они пишут всякую дрянь, чтобы продать больше экземпляров своей паршивой газетенки. Выброси ее и забудь.

— А вдруг статья попадет на глаза моей бабушке?

— Не волнуйся, Кармен, она же тебя знает, значит, не поверит этой ерунде.

— Моя бабушка поверит. — Кармен рассмеялась сквозь слезы. — Она же как-то раз поверила, что восьмидесятисемилетняя женщина родила пятерых близнецов.

— Ну что ж, если она поверит, ты ей объяснишь, что это вранье. Мне очень жаль, Кармен, правда, но мы ничего не можем изменить.

Аллегра действительно искренне жалела Кармен: нелегко постоянно читать о себе нелепейшие выдумки, иногда далеко не безобидные. Кармен Коннорс была не единственной клиенткой Аллегры, кто оказался в центре внимания местной прессы. В другой газете появилась статья об аресте Мэлахи О'Донована.

— Позвони-ка лучше Алану, пока он не узнал о статье от кого-нибудь другого, — предложила Аллегра. — Представь себе, в Европе тоже иногда читают эту макулатуру.

Однако едва Аллегра успела повесить трубку, как последовал звонок из Швейцарии. Звонил Алан. О статье он узнал от своего агента по связям с общественностью. Как и следовало ожидать, Алан пришел в ярость.

— Я подам на этих ублюдков в суд! — бушевал он. — Моя жена чуть не умерла от потери крови по дороге в больницу, а потом полтора месяца оплакивала ребенка, а они пишут, что она сделала аборт! Кармен видела статью?

— Да, я с ней только что говорила. — Аллегра почувствовала, как на нее наваливается смертельная усталость. Ночью она спала всего четыре часа, а утро выдалось хуже некуда. — Она тоже хочет подать на газетчиков в суд. Я повторю тебе то же самое, что сказала ей. Дело того не стоит: затеяв судебное разбирательство, ты только поможешь газете увеличить тиражи. Пошли их к... — Аллегра редко употребляла непечатные выражения, но в данном случае писаки из таблоида вполне их заслуживали. — Забудь, не трать на них время и деньги.

Алан, казалось, немного остыл.

— Ладно, черт с ними, — сказал он уже спокойнее. Аллегра всегда рассуждала очень здраво, потому он ей и звонил. — Кстати, как у тебя дела?

— А бог его знает. Тут такой сумасшедший дом... Через два часа лечу в Нью-Йорк на встречу с будущей свекровью.

— Желаю удачи. Расскажи старухе, как ей повезло заполучить в невестки именно тебя.

Аллегра рассмеялась, несмотря на усталость. Алану всегда удавалось поднять ей настроение.

— Между прочим, когда ты будешь дома?

— Не раньше августа. Но фильм обещает быть классным. — В голосе Алана снова послышалась тревога. — Как там Кармен? Что-то по телефону ее голос звучит не очень-то бодро. Я ей все время твержу, что у нас еще будут дети, но она мне не верит.

— Знаю, я ей говорю то же самое. Но она пока держится. Думаю, работа над фильмом пошла ей на пользу — по крайней мере постоянно занята делом. А как она по тебе скучает — не передать словами.

Аллегра пустила в ход все свое красноречие и способность убеждать, чтобы отговорить Кармен бежать в Швейцарию к мужу. Сегодняшняя статья только подольет масла в огонь, и Аллегра жалела, что в выходные ее не будет в Лос-Анджелесе, чтобы вразумлять Кармен и оберегать от необдуманных поступков.

— Я тоже по ней скучаю. — Алан грустно вздохнул.

— Как продвигается работа?

— Очень хорошо. Мне позволяют самому сниматься во многих трюках.

— Смотри только не рассказывай об этом своей жене, а то она вылетит к тебе ближайшим рейсом.

Оба рассмеялись. Прощаясь, Алан сказал: «До встречи через два месяца, когда я вернусь», но Аллегра знала, что до тех пор они еще много раз поговорят по телефону.

Едва она успела повесить трубку, как в кабинет вошел Джефф.

— Ну что, едем? — Джефф спешил, но у Аллегры все было готово к отъезду. Уж на этот раз ей ничто не помешает.

— Да.

Она встала, и Джефф заметил лежащую на столе газету и заголовок.

— Веселенькое дело. — Джефф покачал головой. Некоторые люди в погоне за наживой ни перед чем не остановятся. Медсестры в больнице, наверное, получили немалые деньги за то, что продали тайну Кармен, да еще и исказили действительность. — Кармен и Алан это видели?

— Да, я уже говорила с ними обоими по очереди. Они хотели подать на газету в суд, но я их отговорила. К сожалению, тем самым они лишь увеличат тиражи газеты.

— Могу им только посочувствовать, представляю, если бы такое случилось с нами...

— Существуют и другие способы получить компенсацию, — сказала Аллегра со знанием дела. Однако она и сама сомневалась, что моральный ущерб можно как-то компенсировать. Такова цена, которую приходится платить за славу.

Свои машины и Аллегра, и Джефф оставили в гараже адвокатской фирмы и взяли такси до аэропорта. Джеффу все еще не верилось, что на этот раз им ничто не помешало. Ни у кого из них не возникло неотложных дел, никому не пришлось срочно ехать на какое-то важное совещание. Похоже, на этот раз встреча не сорвется, и у матери не будет повода на него сердиться.

И действительно, они приехали в аэропорт без опоздания, заняли свои места в самолете. Самолет стал набирать высоту. Джефф посмотрел на Аллегру и усмехнулся:

— Мне до сих пор не верится, что мы наконец летим. А тебе?

Аллегра молча покачала головой. Моторы гудели, казалось, прямо у них над головами. Они решили лететь первым классом и сейчас, держась за руки, откинулись на спинки сидений с видом победителей. Подошла стюардесса, они заказали шампанское и апельсиновый сок.

— Все-таки мы сумели это сделать! — Джефф поцеловал Аллегру. — Мама будет очень довольна.

Аллегра же была счастлива уже тем, что они с Джеффом летят куда-то вместе. Они еще не решили, где провести медовый месяц. Каждый собирался взять трехнедельный отпуск. Обсуждался вариант поездки в Европу, например, можно было бы побывать в Италии, где осенью очень красиво, особенно в Венеции, потом заехать в Париж и, может, в Лондон, повидаться с друзьями. Джефф был бы не прочь и просто поваляться на пляже, например, где-нибудь на Багамах или на Бора-Бора, как сделали Кармен и Алан. Однако Аллегре не хотелось забираться так далеко. Они могли долго говорить на эту тему, но даже просто сидеть рядом, никуда не спешить, строить планы на медовый месяц, и то казалось Аллегре давно забытой роскошью. Затем они заговорили о свадьбе. Джефф все еще не решил, кому предложить быть шафером — Алану или Скотту, брату Аллегры, и кого сделать распорядителем — Тони Якобсона или режиссера своего фильма. Перед Аллегрой стояла такая же проблема. Она хотела, чтобы Кармен и Сэм были подружками невесты, но еще раздумывала, не лучше ли, чтобы подружек невесты было побольше, и не пригласить ли для этого своих университетских подруг.

Аллегра давно думала, что если будет выходить замуж, то обязательно пригласит на свадьбу Нэнси Тауэрс, с которой они когда-то жили в одной комнате студенческого общежития. Но теперь Нэнси жила в Лондоне, и Аллегра не видела ее уже пять лет.

— Может, она еще приедет, — заметил Джефф, — по крайней мере ничто не мешает ее пригласить.

У Аллегры была и еще одна давняя подруга, Джессика Фарнсуорт, с ней они дружили в школе. Но Джессика несколько лет назад переехала на восток, и с тех пор они не виделись, хотя в детстве были близки как сестры. Аллегра решила пригласить обеих, но только после того, как обсудит этот вопрос с Джеффом и когда определится точная дата свадьбы. Они обязательно хотели пригласить Вейсманов, а также многих, с кем им доводилось работать. По мнению Аллегры, Джеффу следовало пригласить и кое-кого из своих нью-йоркских друзей, но он сомневался, что они приедут: кому-то перелет через всю страну в Лос-Анджелес был просто не по средствам, а другие, кто мог себе это позволить, очень много работали и не могли выкроить время. Однако пригласить их все-таки стоило.

Вдоволь наговорившись, Аллегра и Джефф занялись каждый своим делом. Джефф стал вносить очередные правки в сценарий, а у Аллегры был с собой портфель с деловыми бумагами. Она взяла в дорогу и новый роман. Роман, судя по всему, был интересный, и Джефф одобрил ее выбор, но едва Аллегра начала читать, как через минуту заснула, положив голову на плечо Джеффа. Он с нежностью посмотрел на нее и заботливо укрыл пледом.

— Я тебя люблю, — прошептал он, целуя ее в висок.

— Я тебя тоже, — пробормотала Аллегра и снова заснула.

Она проспала до самой посадки. Джеффу пришлось трясти ее за плечо, чтобы разбудить. После почти бессонной ночи, когда ей пришлось забирать Мэла из полиции, а потом, почти не отдохнув, ехать на работу, Аллегра так устала, что, закрыв глаза, сразу провалилась в сон. Когда Джефф разбудил ее, она не сразу сообразила, где находится.

— Ты слишком много работаешь, — «сделал открытие» Джефф.

Они сошли с трапа самолета и направились к «карусели» за багажом. Джефф заранее заказал лимузин, который должен был встретить их в аэропорту и отвезти в Саут- **311** гемптон. Он старался сделать их путешествие как можно более удобным и приятным. Ему хотелось, чтобы оно стало одним из их первых общих счастливых воспоминаний, связанных с их браком. Лимузин уже ждал их. Увидев до нелепого длинный автомобиль, Аллегра рассмеялась:

— Оказывается, и на востоке тоже ездят в таких лимузинах? А я думала, их арендуют только рок-звезды.

В частности, Брэм Моррисон, во всех остальных отношениях человек совершенно непритязательный, обожал лимузины и считал, что чем они длиннее — тем лучше.

Джефф усмехнулся:

— А здесь на таких ездит наркомафия.

Джефф подумал о том, как удивительно все складывается. Пять месяцев назад они познакомились в Нью-Йорке, и вот они снова здесь, а всего через два с половиной месяца станут мужем и женой. Он поделился своими мыслями с Аллегрой. Обоим до сих пор не верилось, что все произошло так быстро.

В лимузине их ждала бутылка шампанского в ведерке со льдом. Стояла жаркая июньская ночь, от аэропорта Кеннеди до Саутгемптона было два часа езды, но в машине работал кондиционер, и жара им не мешала. Джефф снял пиджак, развязал галстук и закатал рукава накрахмаленной белой рубашки. Всегда опрятный, собранный, в идеально отглаженном костюме, он выглядел безукоризненно даже после долгого перелета на самолете. Пожалуй, он был другим только в Малибу, когда переодевался в линялые джинсы и свой любимый свитер. Но даже тогда казалось, будто он специально оделся «в непринужденном стиле». Аллегра не раз его поддразнивала, что даже джинсы и те у него всегда безукоризненно отглажены. Отглаженная одежда была одним из его немногочисленных «пунктиков».

— По сравнению с тобой я выгляжу жуткой неряхой, — заволновалась Аллегра. Она расчесала волосы и заново уложила их в пучок. Но если прическу еще можно было привести в порядок, то с льняным костюмом, который пострадал от перелета больше всего, она ничего не могла поделать. Особенно сильно помялся пиджак, когда она спала на плече у Джеффа. — Нужно было мне раздеться в самолете, — пошутила она.

— А что, ты бы произвела фурор. — Джек разлил по бокалам шампанское и поцеловал Аллегру. — Не тревожься, давай выпьем.

— Здорово придумано, этак я предстану перед твоей матерью не только помятая, но и пьяная. Хорошее же я произведу на нее впечатление.

— Да не волнуйся ты так, ты ей обязательно понравишься, — уверенно сказал Джефф, глядя на свою невесту с нескрываемым восхищением.

Аллегра подняла руку и еще раз полюбовалась обручальным кольцом. Их губы слились в долгом поцелуе. В это время лимузин стал сворачивать со скоростной автострады, до дома оставалось еще полчаса езды. Было уже около полуночи, когда машина миновала последний поворот дороги и впереди показался внушительный старинный особняк, опоясанный верандой. Даже в темноте Аллегра различала старинную плетеную мебель. Дом со всех сторон окружали вековые деревья, которые днем, наверное, отбрасывали на него густую тень, защищая от палящего солнца. Усадьба была огорожена белым забором из штакетника. Водитель подвез их прямо к парадному входу и помог выгрузить из машины багаж. Было уже поздно, и Аллегра с Джеффом старались как можно меньше шуметь. Джефф предполагал, что мать не станет их дожидаться. Как-никак ему и Аллегре нужно было поработать хотя бы полдня, да и о разнице во времени между Лос-Анджелесом и Нью-Йорком нельзя забывать: они при всем желании не могли бы добраться раньше полуночи.

Джефф знал потайное место, где хранились ключи. Расплатившись с водителем и дав ему щедрые чаевые, он отпустил лимузин, отпер дверь, и молодые люди тихо вошли в дом. В холле на очень изящном старинном английском столике их ждала записка с указаниями: Джеффу предлагалось занять его собственную комнату, а Аллегре — поселиться в большой комнате для гостей с видом на океан. Подтекст записки не оставлял сомнений. Джефф снисходительно улыбнулся.

— Надеюсь, ты не против, — прошептал он. — Моя мать придает огромное значение приличиям. Мы можем поставить чемоданы в разные комнаты, а потом ты придешь ночевать ко мне — или я к тебе. Главное, до утра разбежаться по разным комнатам.

Хотя эти предосторожности немного забавляли Аллегру, она была готова выполнить указания миссис Гамильтон.

— Прямо как в колледже, — сказала она улыбаясь.

Джефф притворно удивился:

313

— Так вот, значит, чем ты занималась в колледже! А я и не знал.

Они пошли по лестнице на второй этаж, Джефф нес чемоданы, Аллегра на цыпочках следовала за ним. Пробираться по дому на цыпочках, разговаривать шепотом, пытаться найти в темноте свои комнаты — во всем этом было что-то от забавного приключения. Когда они проходили мимо комнаты миссис Гамильтон, Аллегру вдруг разобрал смех, она захихикала, зажимая рот рукой. Ей представилась большая спальня с высоким потолком, стены, обитые бело-голубым ситцем, огромная старинная кровать с тяжелым бархатным пологом. Глядя на плотно закрытую дверь в комнату хозяйки дома, Аллегра удивилась, что мать Джеффа не дождалась их приезда, но жениху ничего не сказала. В конце концов, они приехали не так уж поздно, Блэр на ее месте обязательно дождалась бы сына с невестой. Впрочем, мать Джеффа гораздо старше Блэр, ей семьдесят один и, по его словам, она всегда ложится спать рано.

Джефф проводил Аллегру в гостевую комнату, про которую говорила мать. Окно комнаты выходило на Атлантический океан, и Аллегре был слышен шорох волн, набегающих на песок. На столике возле кровати стоял кувшин с холодной водой и вазочка с круглым тонким печеньем. Джефф предложил Аллегре попробовать. Печенье оказалось удивительно вкусным, так и таяло во рту. Она искренне удивилась:

— Неужели твоя мать готовит такую вкуснятину?

Джефф рассмеялся.

— Нет, это готовит кухарка.

Комната для гостей была оформлена в духе, типичном для Новой Англии: стены обиты розовым ситцем в мелкий цветочек, тюлевые занавески на окне, посреди комнаты — широкая металлическая кровать, выкрашенная в белый цвет. Перед кроватью лежал вязанный крючком коврик.

— А твоя комната где? — шепотом спросила Аллегра, съев еще одно печенье. Она вдруг поняла, что проголодалась.

— Дальше по коридору, — ответил Джефф так же шепотом. Его мать спала очень чутко.

Джеффу вспомнилось, как подростком он тайком приводил к себе по ночам друзей, и они потихоньку таскали из холодильника пиво. Отец Джеффа смотрел на шалости подростков сквозь пальцы, а мать по утрам обычно строго выговаривала ему за это.

314

Они вышли в коридор, и Джефф проводил Аллегру в свою комнату. В его комнате стояла односпальная кровать с красивым резным изголовьем, явно старинной работы. Покрывало на кровати и занавески на окнах были из одинаковой темно-зеленой ткани. На тумбочке возле кровати и на письменном столе стояло несколько фотографий отца Джеффа, на стенах висели морские пейзажи, которые тот когда-то коллекционировал. Комната была типично мужская и чем-то напомнила Аллегре дом, в котором Джефф жил в Малибу, — вероятно, потому, что здесь так же был слышен шум океана и чувствовался дух Новой Англии. Однако эта комната была куда более строгой, аскетичной, чем дом в Малибу. А еще, несмотря на красивые драпировки и антикварную мебель, от комнаты веяло каким-то холодом, как от фотографий миссис Гамильтон, которые Аллегра видела в нью-йоркской квартире.

Сложив багаж в своей комнате, Джефф закрыл дверь и вернулся в комнату для гостей. Осторожно, стараясь не шуметь, притворил дверь и приложил палец к губам. Аллегра догадалась, что он не хочет, чтобы мать услышала его голос в этой части дома. Они ходили по комнате исключительно на цыпочках и разговаривали только шепотом. Аллегра выглянула в окно. Берег океана в лунном свете выглядел так заманчиво, что ей захотелось выйти на пляж, но она понимала, что пока это невозможно.

— Раньше я любил купаться здесь по ночам, — едва слышно прошептал Джефф. — Может, завтра и мы искупаемся. — Сегодня оба слишком устали, к тому же ему не хотелось, чтобы их услышала мать.

Джефф сел вместе с Аллегрой на кровать, они поцеловались, потом Аллегра пошла в ванную, почистила зубы и переоделась в ночную рубашку. Специально на случай, если ее увидит мать Джеффа, она привезла с собой очень скромную ночную рубашку — длинную, почти до пят, украшенную оборочками. Она вообще не очень хорошо представляла, какую взять одежду, и в результате положила белые брюки и яркую шелковую рубашку для субботы, черное льняное платье для субботнего вечера и еще одно — белое — на случай, если с черным что-то случится, а также купальник, шорты, пару футболок и брючный костюм из марлевки, который собиралась надеть в дорогу. В этом костюме она немного походила на выпускницу частного колледжа с восточного побережья. Не зная, что представляет собой мать Джеффа, Аллегра постаралась выбрать нейтральную одежду, как самый безопасный вариант. Другие матери порой казались Аллегре похожими на ее собственную, но только не миссис Гамильтон. Фотографии, которые Аллегра видела, говорили о многом. Она не собиралась признаваться в этом Джеффу, но заранее побаивалась его матери.

Джефф лег в кровать рядом с Аллегрой. Простыни были слегка влажноваты, как всегда бывает на берегу моря. Аллегра не могла не отметить, что они сделаны из тончайшего полотна и по краям вышиты крошечные белые цветочки. Джефф боялся, что они поднимут слишком много шума, если займутся любовью в спящем доме, поэтому удовольствовался тем, что просто лег рядом и обнял Аллегру. Так они и лежали, обнимая друг друга, пока не заснули. В окно дул легкий ветерок, доносивший солоноватый запах океана. Они спали крепко, как дети, одна беда — не смогли проснуться до утра. Засыпая, Джефф мысленно приказал себе встать с рассветом, но, по-видимому, его внутренние часы были настроены на калифорнийское время, потому что он очнулся в половине десятого. Аллегра все еще спала, тихонько посапывая во сне. К сожалению, у Джеффа почти не было шансов вернуться в свою комнату незамеченным, не рискуя при этом столкнуться в коридоре с матерью. Однако он решил попытаться. Чувствуя себя нашкодившим подростком, выглянул в коридор, убедился, что путь свободен, пулей выскочил из комнаты, промчался по коридору и влетел в свою дверь. Однако, выполняя этот маневр, Джефф произвел столько шума, что весь дом понял, что происходит. Буквально через несколько секунд после того, как он влетел в дверь, на пороге появилась мать. Джефф только что набросил на себя халат и взялся за молнию на дорожной сумке.

— Хорошо поспал, дорогой?

Вздрогнув от неожиданности, Джефф повернулся к двери. На матери было голубое платье в цветочек и широкополая соломенная шляпа. Для женщины ее лет она выглядела прекрасно. Когда-то, правда недолго, она была красивой, но в ее глазах не было теплоты и сейчас, при взгляде на сына. Миссис Гамильтон всегда держалась на расстоянии даже от близких родственников.

— Здравствуй, мама. — Джефф подошел и обнял ее. Свою теплоту и душевность, обаяние Джефф унаследовал от отца: он вообще больше походил на отца, чем на мать, она была типичная янки. — Извини, что мы вчера приехали так поздно, но раньше никак не получалось, тем более что вчера утром нам обоим пришлось выйти на работу.

— Ничего страшного, я не слышала, как вы приехали. — Мать улыбнулась и посмотрела на кровать. Джефф только сейчас спохватился, что забыл откинуть покрывало и придать кровати такой вид, будто на ней спали. Конечно, мать это заметила. — Спасибо, что убрал постель. Очень удобно иметь в доме такого гостя.

Джефф понял, что мать его раскусила.

— Где твоя невеста?

Джефф чуть было не ляпнул, что минуту назад, когда он от нее уходил, она еще спала, но на этот раз спохватился вовремя. Он вдруг понял, что вернуться домой в некотором отношении не так уж приятно. Он давно не жил в доме матери и успел забыть, какой она порой бывает суровой и прямолинейной. Раньше, когда он был моложе, это меньше бросалось ему в глаза.

— Не знаю, я с ней еще не виделся, — чинно ответил он. — Если хочешь, пойду ее разбужу. — Джефф знал, что мать не одобряет гостей, которые валяются все утро в постели, а было уже десять.

Под пристальным взглядом матери Джефф подошел к двери комнаты для гостей и постучал. Аллегра выглянула в коридор в халате поверх ночной рубашки. В этом домашнем наряде, босая, но уже причесанная, она была очень хороша и казалась совсем юной. Увидев Джеффа, она улыбнулась и тут же подошла к его матери, чтобы пожать ей руку.

— Здравствуйте, миссис Гамильтон. Я Аллегра Стейнберг.

Мать Джеффа довольно долго молчала. Наконец кивнула. Она не скрывала, что внимательно разглядывает гостью, и под ее взглядом Аллегра почувствовала себя крайне неуютно, однако постаралась не терять присутствия духа и продолжала улыбаться.

— Очень мило, что на этот раз вы смогли приехать, — холодно сказала миссис Гамильтон. Она не обняла будущую невестку, не поцеловала ее в щеку, не пожелала счастья со своим сыном и даже не упомянула о предстоящей свадьбе.

— Мы с Джеффом очень сожалели в прошлый раз, что пришлось отменить поездку, — сказала Аллегра, под-   **317** ражая холодно-вежливому тону миссис Гамильтон. Если нужно, она тоже может играть в эту игру. — Но к несчастью, ничего не могли изменить.

— Джефф мне так и сказал. Сегодня прекрасная погода, не правда ли? — Миссис Гамильтон посмотрела мимо Аллегры в окно. Было ясно, солнечно и даже в этот утренний час очень тепло. — Вы не хотите поиграть в теннис в клубе, пока не стало слишком жарко?

Джефф не проявил энтузиазма.

— Мама, в теннис мы можем играть и в Калифорнии. Мы приехали к тебе в гости. Может, у тебя есть к нам какие-то поручения на сегодняшнее утро?

— Нет, благодарю, ничего не нужно, — чопорно ответила миссис Гамильтон. — Ленч будет подан в полдень. Не представляю, как можно завтракать в такой поздний час, мисс... э-э... Аллегра, — интонации и паузы миссис Гамильтон были красноречивее всяких слов, — но когда оденетесь, можете попить чаю или кофе в кухне. — Иными словами, «не вздумайте шляться по моему дому в ночной рубашке и халате», поняла Аллегра. Все, что хотела сказать миссис Гамильтон, было ясно и без слов. «Не валяйтесь в постели все утро», «не спите с моим сыном под моей крышей», «не фамильярничайте», «не подходите ко мне слишком близко».

Через полчаса, когда Аллегра и Джефф оделись и вместе спускались вниз, Джефф попытался сгладить неловкость:

— Моя мама поначалу бывает несколько холодновата с незнакомыми людьми. То ли это от застенчивости, то ли от природной сдержанности, ей нужно время, чтобы привыкнуть к новому человеку.

— Я понимаю. — Аллегра с любовью улыбнулась ему. Она была в розовых шортах, футболке в тон и кроссовках. — Ты ее единственный ребенок, ей, наверное, тяжело сознавать, что ты женишься, думаю, ей кажется, что она тебя «теряет».

Джефф рассмеялся:

— А я думаю, что она скорее испытывает облегчение. Уж как она меня пилила, чтобы я заводил семью! Слава Богу, несколько лет назад наконец перестала — наверное, махнула на меня рукой.

Аллегре хотелось спросить, не тогда ли она перестала смеяться и улыбаться. По виду матери Джеффа можно было подумать, что улыбка не появлялась на ее лице со времен испанской инквизиции.

В кухне они застали миссис Гамильтон, отдающую распоряжения кухарке. Старая ирландка Лиззи проработала в доме больше сорока лет и любила повторять всем и каждому, что исполняет все в точности так, как желает хозяйка. Особенно строго выполнялись указания, касающиеся меню.

Когда Аллегра и Джефф вошли, женщины обсуждали меню ленча. Миссис Гамильтон велела приготовить салат из креветок, заливное из помидоров, горячие булочки и «плавающее суфле» на десерт. Даже от самих названий блюд веяло духом восточного побережья.

— Мы будем есть на веранде, — сообщила миссис Гамильтон светским тоном.

— Мама, не хлопочи ты так ради нас, — заметил Джефф — в этом нет необходимости, мы же не гости, а члены семьи.

В ответ мать бросила на него ледяной недоумевающий взгляд.

Подкрепившись кофе с пончиками. Аллегра и Джефф отправились прогуляться по усадьбе, а затем вышли на пляж. Аллегра пыталась избавиться от тягостного внутреннего напряжения. Казалось, от миссис Гамильтон веяло холодом, а Джефф ничего не замечал, ледяная суровость матери, по-видимому, казалась ему вполне нормальной. Может, он вырос в такой атмосфере, привык и за годы перестал ее ощущать? Но Аллегра не могла себе представить, что значит испытывать любовь и нежность к матери, похожей на айсберг.

. Когда они вернулись в дом, миссис Гамильтон уже ждала их на веранде. На столе стояли два кувшина — в одном был лимонад, в другом — чай со льдом. О вине и речи не заходило. Не то чтобы Аллегра испытывала потребность в спиртном, но все же ей это показалось несколько странным. Она села в одно из старых плетеных кресел и стала расспрашивать о доме, сколько ему лет, давно ли он принадлежит их семье. Оказалось, что дом принадлежал двоюродной бабушке Джеффа по линии отца и перешел к ним по наследству после ее смерти тридцать девять лет назад, еще до рождения Джеффа. Как объяснила миссис Гамильтон, Джефф приезжал сюда с самого рождения, вернее, в детстве его привозили, а повзрослев, он стал ездить сам, и когда-нибудь этот дом будет принадлежать ему. Тут ее лицо вдруг ожесточилось, и она вынесла вердикт:

— Думаю, он его продаст.

— Почему это ты так думаешь? — изумился Джефф. Его немного задело, что мать считает его настолько бесчувственным.

— Что-то я не представляю, как ты сможешь и дальше жить на востоке, или я не права? — все так же холодно спросила мать. — Ты же собрался жениться на калифорнийке. — Последние слова прозвучали как обвинение, какие уж тут добрые пожелания по случаю свадьбы!

— Я еще не задумывался, где мы будем жить, — дипломатично ответил Джефф, не желая ранить чувства матери. Впрочем, Аллегре такая предосторожность показалась совершенно напрасной: миссис Гамильтон, казалось, была прочно закована в пуленепробиваемую броню. Мать Джеффа совершенно не походила на ее собственных родителей, более того, она не походила вообще ни на кого из знакомых Аллегры. — Я должен закончить работу над фильмом до сентября, до нашей свадьбы, а потом планирую приступить к новому фильму. Кто знает, сколько это продлится. — Он робко улыбнулся.

Аллегра не верила своим глазам. Что он такое говорит? У нее адвокатская практика в Калифорнии. Более того, она работает в такой области юриспруденции, которой можно заниматься только в Голливуде, и Джефф это прекрасно знает. Впрочем, что бы он ни говорил, на его мать это, похоже, все равно не произвело впечатления, а через несколько минут их позвали к столу, и разговор прервался. Ленч проходил в натянутой обстановке. Лиззи прислуживала за столом, а Аллегра и Джефф безуспешно пытались поддержать светскую беседу.

После ленча Аллегра и Джефф снова вышли прогуляться по пляжу. Когда они остались одни, Аллегра спросила Джеффа, что значат его слова за ленчем.

— Ты же знаешь, что при моей работе я не могу себе позволить переезжать с места на место. Я адвокат в очень специфической области.

Джефф и сам понимал, что его слова сильно встревожили Аллегру, но так он пытался ублажить мать.

— Я сказал это, только чтобы успокоить маму. Она не должна считать, что единственный сын покидает ее навсегда. Но независимо от этого ты при желании вполне могла бы работать в Нью-Йорке. Не забывай, в Нью-Йорке есть Бродвей, музыканты, телевидение.

— Ну да, телевизионная служба новостей. Джефф, спустись на землю, то, чем я занимаюсь, существует только в Лос-Анджелесе! Я адвокат в шоу-бизнесе.

— Но при желании ты ведь можешь и расширить горизонты.

— Боюсь, это будет не расширение, а сужение, я лишусь больше половины клиентов.

— А заодно и полуночных звонков. В Нью-Йорке так себя вести не принято, там люди деловые.

Аллегра не узнавала Джеффа: что с ним происходит, почему он стал не похож на самого себя, как только попал в Саутгемптон?

— Может, я поняла тебя неправильно, но хочу, чтобы ты знал: я люблю свою работу и не намерена ее бросать и переезжать в Нью-Йорк. Мы с тобой никогда такого не планировали, не понимаю, почему ты вдруг об этом заговорил?

Они надолго замолчали. Потом Джефф посмотрел Аллегре в глаза и осторожно заметил:

— Я знаю, ты любишь свою работу и неплохо в ней преуспела. Но я вырос на востоке, и мне было бы приятно сознавать, что когда-нибудь, если нам этого захочется, мы можем сюда вернуться.

— Ты этого хочешь? — Джефф раньше никогда напрямую не говорил ей, что хочет вернуться в Нью-Йорк. — А мне казалось, что ты пытаешься привыкнуть к Лос-Анджелесу. Я думала, ты понимаешь, что если мы поженимся, то будем жить именно там. Значит, тебя такой вариант больше не устраивает? Подумай как следует, потому что если это так, нам лучше обсудить все это сейчас, пока один из нас не совершил большую ошибку.

Аллегра была близка к отчаянию. Что и говорить, веселый получился уик-энд.

— Я знаю, что Лос-Анджелес стал для тебя родным городом, — медленно произнес Джефф.

Аллегра взорвалась:

— Черт побери, хватит успокаивать меня, как несмышленого ребенка! Я не маленькая! Я все поняла. Но учти, я не собираюсь переезжать в Нью-Йорк, и если для тебя это новость, то, возможно, нам стоит задуматься, какой будет следующий шаг. Может, нам не стоит вступать в брак? Поживем какое-то время вместе просто так, пока ты не разберешься для себя, нравится ли тебе Калифорния.

— Калифорния мне очень нравится, — натянуто произнес Джефф. Он чувствовал себя неуютно, понимая,

321

что перегнул палку. Но этот уик-энд оказался тяжким испытанием не только для Аллегры, но и для него. У его матери трудный характер, и иногда она бывает очень негостеприимной. — Послушай, должен же у нас быть выбор. Я не хочу, чтобы мама думала, что как только она, не приведи Господи, умрет, я тут же побегу продавать дом. Этот дом очень много для нее значит, и кто знает, может, наши дети когда-нибудь будут приезжать сюда на лето. А что, пожалуй, мне нравится эта мысль!

Он посмотрел на Аллегру с виноватым видом, и она смягчилась, хотя всего минуту назад была готова к бою.

— Мне тоже нравится. Я просто испугалась, что как только мы поженимся, сразу переедем на восток.

— Ну нет, не сразу, давай подождем месяц-другой, к примеру, до ноября, — пошутил Джефф. — Извини, малышка, я и не думал тебя пугать, это вышло не нарочно. Я знаю, ты очень много работаешь и многого добилась в своей области, скоро ты станешь старшим партнером, а может, откроешь свою собственную фирму. Видишь ли, мы, коренные жители востока, тяжелы на подъем. Я никогда не думал, что уезжаю на запад навсегда, я просто ехал поработать над сценарием — над одним или двумя... а потом, если получится, написать там книгу. Может, в один прекрасный день я с удивлением обнаружу, что прожил в Лос-Анджелесе двадцать лет, но это должно происходить как-то постепенно, я не могу за пять минут сбросить с себя старую кожу и обрасти новой.

— Ты ее никогда не сбросишь. — Аллегра поцеловала Джеффа, и они повернули к дому, шагая через песчаные дюны. Аллегре действительно понравилась мысль, что когда-нибудь в этом старом доме будут жить ее дети, особенно если здесь не будет матери Джеффа. — Ты по-прежнему выглядишь как выпускник частного колледжа.

— А как я, по-твоему, должен выглядеть?

— Именно так, как сейчас. — Аллегра снова поцеловала его и тут увидела, что его мать неодобрительно наблюдает за ними с веранды. Похоже, она всегда пребывает в одном настроении, и далеко не благодушном. В присутствии миссис Гамильтон они оба начинали чувствовать себя скованно, Джефф — потому что считал своим долгом быть за старшего, а Аллегра — потому что старалась заслужить одобрение его матери.

Аллегра и Джефф поднялись на веранду и налили себе по стакану лимонада.

— Будьте осторожны с солнцем, с вашей светлой кожей легко обгореть, — предостерегла миссис Гамильтон.

— Спасибо за заботу, — вежливо ответила Аллегра. — Я намазалась защитным кремом.

Аллегра села в кресло-качалку и стала потягивать холодный лимонад. Миссис Гамильтон наблюдала за невестой сына.

— Я слышала, вся ваша семья имеет отношение к шоу-бизнесу, — наконец сказала она таким тоном, как будто это казалось ей невероятным.

— Почти вся — кроме брата. — Аллегра любезно улыбнулась будущей свекрови. — Он учится на медицинском факультете в Стэнфорде.

Аллегра впервые за все время увидела на губах миссис Гамильтон искреннюю улыбку.

— Мой отец был врачом. По правде говоря, почти все мои родственники были врачами, кроме матери, конечно. Они были хирургами.

— А Скотт собирается стать ортопедом. Но все остальные, похоже, навсегда повязаны с шоу-бизнесом, как вы выразились. Моя мать — сценарист, режиссер и постановщик в одном лице, она очень талантлива. Отец — кинопродюсер. А я — адвокат, представляю интересы актеров, музыкантов и других творческих личностей.

— Чем конкретно вы занимаетесь? — Мать Джеффа уставилась на Аллегру с таким видом, будто та была инопланетянкой и только внешне походила на человека.

— Конкретно я пожимаю бесконечное множество рук и отвечаю на бесконечное множество телефонных звонков, в том числе и по ночам.

Казалось, слова Аллегры неприятно удивили миссис Гамильтон. Она продолжила допрос:

— Правда, что в шоу-бизнесе все страшно грубы?

— Только когда их арестовывают, — как ни в чем не бывало сказала Аллегра, наслаждаясь тем, что ее слова повергли собеседницу в замешательство. Но миссис Гамильтон сама напросилась, чтобы ее как следует встряхнули. За всю свою жизнь Аллегра еще не встречала такой негостеприимной, недружелюбной, лишенной всякой теплоты женщины. Ей стало жаль Джеффа. По-видимому, тот унаследовал только отцовские гены и ни одного материнского.

— И многие из ваших клиентов попадают за решетку?

Миссис Гамильтон в ужасе расширила глаза, Джефф искренне забавлялся их разговором, но Аллегре было не до смеха.

— Некоторые. Потому-то я им и нужна. Я вызволяю их из тюрьмы, составляю за них завещания, пишу для них контракты, перестраиваю их жизни, помогаю им решать все их проблемы. Это очень интересное занятие, и мне оно нравится.

— Мама, большинство клиентов Аллегры — прославленные звезды, ты бы удивилась, если бы узнала, с какими знаменитостями она запросто общается. — Однако он не стал уточнять имена.

— Я не сомневаюсь, что у вас очень интересная работа. Кажется, у вас есть сестра?

Аллегра кивнула, думая о бедняжке Сэм с ее огромным животом.

— Да, ей семнадцать лет, она еще учится в школе. — «И иногда снимается для журналов; кстати, она беременна». Аллегра чуть громко не расхохоталась, представив лицо миссис Гамильтон, если бы она произнесла это вслух. — Осенью она поступает в ЛАКУ на специальность «драма».

— Похоже, у вас очень интересная семья. — После короткого молчания, когда слышалось только негромкое поскрипывание кресла-качалки, миссис Гамильтон задала вопрос, который сразил Аллегру наповал. Она никак не ожидала от матери Джеффа такой бесцеремонности. — Скажите, Аллегра, вы еврейка?

Джефф чуть не свалился со стула. В ожидании ответа он посмотрел на Аллегру.

— По правде говоря, нет, — бесстрастно ответила та. — Я принадлежу к епископальной церкви, но мой отец — еврей, и я довольно много знаю об иудаизме. Вы хотите что-нибудь узнать? — спросила она с подчеркнутой вежливостью, но миссис Гамильтон не клюнула на наживку. Она была достаточно стара и проницательна, и ее ничуть не волновало, понравится ли она своей будущей невестке. Джефф слушал мать с ужасом.

— Я так и думала, — безапелляционно продолжала миссис Гамильтон. — Вы не похожи на еврейку.

— Вы тоже, — спокойно заметила Аллегра. — А вы еврейка?

Джефф чуть не подавился лимонадом. Он закашлялся и поспешно отвернулся, пряча от матери смеющиеся глаза.

Никто никогда не задавал миссис Гамильтон такого вопроса.

— Конечно, нет! С фамилией Гамильтон? Вы что, с ума сошли?

— Не думаю, — как ни в чем не бывало ответила Аллегра. — А что? — Аллегра говорила так спокойно, словно они беседовали о погоде. Миссис Гамильтон еще не поняла, в чем дело, но Джеффу стало стыдно.

— Значит, насколько я понимаю, ваша мать не еврейка, — продолжала миссис Гамильтон, довольная уже тем, что на ее будущих внуках не будет этого клейма. Но раз отец Аллегры еврей, то она все равно наполовину еврейка.

Тут Джефф не выдержал и вмешался в разговор. Он решил, что пора избавить мать от страданий, а себя и Аллегру — от необходимости ее выслушивать.

— Ее мать не еврейка, и отец тоже. — У него возникло неприятное ощущение, будто он предает Аллегру, но в своих собственных интересах он был вынужден продолжать: — Родного отца Аллегры зовут Чарлз Стэнтон, он врач, живет в Бостоне.

Миссис Гамильтон снова посмотрела на Аллегру с неодобрением:

— Ради всего святого, почему вы не носите его фамилию?

— Потому что я его ненавижу и мы с ним не виделись уже много лет. — Четыре года общения с психоаналитиком не прошли для Аллегры впустую, это был самый отвратительный разговор, в котором ей когда-либо приходилось принимать участие, и она чуть было не сказала об этом открыто. — Честно говоря, после того, что я видела в своей семье, я бы не стала возражать, если бы мои дети воспитывались как иудеи. Мои брат и сестра — евреи, и я не вижу в этом ничего плохого. Я могу всем пожелать такого детства, какое было у них.

Джефф начал всерьез опасаться, что ему придется приводить мать в чувство. Он бросил на Аллегру предостерегающий взгляд, однако та не вняла предостережению. Чтобы успокоить мать, он выдал тайну Аллегры и сам это сознавал. Но его глаза безмолвно говорили: «Виноват, каюсь, но ты же знаешь, что я ничего такого не имел в виду».

— Полагаю, вы пошутили, — холодно заключила миссис Гамильтон.

После этого она заговорила о другом, и ни Аллегра, ни Джефф не стали возражать. Через некоторое время они пошли наверх переодеваться к обеду. Каждый отправился в свою комнату, но Джефф переоделся и, как только у него появилась возможность проскользнуть незамеченным, примчался к Аллегре в комнату для гостей.

— Прежде чем ты запустишь мне в голову чем-нибудь тяжелым, я хочу извиниться. Я знаю, тебе кажется, что я тебя предал, но я пытался заставить ее замолчать. Я все время забываю, что она в некоторых вопросах очень ограниченна. Представь себе, она состоит членом клуба, куда евреи не допускаются уже двести лет. Для нее это важно.

— Для фашистов это тоже было важно.

— Аллегра, тут совсем другое дело. Это не расизм, а глупые предрассудки. Мама видит в том, чтобы презирать всех, кто от тебя отличается, некий аристократизм. Она рассуждает так не со зла, а от ограниченности. Ты же знаешь, я не разделяю ее взгляды, мне все равно, вырастишь ты наших детей иудеями, или буддистами, или еще кем. Я тебя люблю, какую бы фамилию ты ни носила, кстати, ты все равно скоро станешь миссис Гамильтон, так из-за чего волноваться?

Джеффу было ужасно неловко за мать, и Аллегре стало его жаль, поэтому она злилась далеко не так сильно, как ей следовало бы — за Саймона. Как все это мелочно и жалко!

— Джефф, и ты все это выносил? С твоей матерью так тяжело общаться, в ней нет ни теплоты, ни душевности...

— Когда-то она была другой, — Джефф попытался вступиться за мать, — во всяком случае, не такой холодной. Но после смерти отца она очень горевала и со временем совсем замкнулась в себе.

Однако Аллегра никак не могла представить мать Джеффа более открытой и дружелюбной.

— А тебе не было рядом с ней одиноко? — На месте Джеффа она, наверное, не выдержала бы.

— Иногда бывало, но человек ко всему привыкает. У нее все родственники такие, только сейчас никого из них уже нет в живых.

— Интересно, чем они занимались, когда собирались вместе? Складывали ледяные кубики?

— Это ты напрасно, не такая уж она плохая.

Джефф застегнул молнию на спине черного льняного платья Аллегры. В дверь постучали. Джефф догадался, что это мать. Ему не полагалось находиться в комнате Аллегры, и он поспешно ретировался в ванную, по дороге делая Аллегре знаки, чтобы та его не выдавала. Как только Джефф спрятался, Аллегра открыла дверь. Миссис Гамильтон пришла сообщить, что стол накрыт к обеду. Она даже похвалила платье Аллегры — по-видимому, таким образом пытаясь искупить вину за свои недавние высказывания. В действительности же мать Джеффа стала относиться к ней куда лучше, когда узнала, что ее настоящая фамилия не Стейнберг, а Стэнтон.

Аллегра последовала за хозяйкой дома в столовую. Чуть позже, выждав положенное время, появился Джефф. Как ни странно, обед даже прошел в более или менее спокойной обстановке: за столом беседовали о живописи, об опере, о поездках миссис Гамильтон в Европу. Это был, пожалуй, самый скучный обед в жизни Аллегры. К счастью, встав из-за стола, миссис Гамильтон почти сразу ушла к себе, чтобы лечь спать.

Когда совсем стемнело, Джефф с Аллегрой вышли на берег океана. Они долго купались, потом легли на песок обнявшись.

— Тебе было скучно, правда? — спросил Джефф.

Аллегра перевернулась на спину и вздохнула, глядя на звезды. Интересно, какой ответ он хочет услышать, правдивый или вежливый? Она помолчала.

— Все получилось не так, как я представляла, — сказала она наконец, стараясь быть дипломатичной.

— И совсем не похоже на знакомство с твоей семьей, — согласился Джефф. Он немного чувствовал себя виноватым, что привез Аллегру сюда, но должна же она была когда-то познакомиться с его матерью. — В твоей семье все такие дружелюбные, ласковые, общительные, все смеются, рассказывают всякие забавные истории, с ними я почувствовал себя легко с первой же минуты.

Джеффу стало стыдно за мать. Как отвратительно она вела себя с Аллегрой! Но сама Аллегра, глядя на расстроенного и пристыженного Джеффа, вдруг поняла, что ее обида прошла.

— Твоя мать во многом напоминает моего родного отца. Не хочу сказать, что она такая же злобная, но в ней есть то же восточное высокомерие, упрямство, черствость. Отец почти всегда был мной недоволен, за всю жизнь он меня ни разу ни за что не похвалил. Помню, в детстве я страшно из-за этого переживала, но сейчас мне все равно. По-моему, твоя мать такая же. Если бы я хотела заслужить ее одобрение, мне пришлось бы из кожи вон лезть, на животе ползать, но я бы его так и не получила. Суметь сдержаться, ни в коем случае не похвалить, не дать слабину — вот что для таких людей главное. Это особое искусство, и твоя мать достигла в нем вершин. Как и мой отец.

— Да, бывало, мне тоже доставалось, но не так, как тебе сегодня. Такой я ее еще не видел, — признался Джефф, все так же испытывая неловкость из-за поведения матери.

— Еще бы, ведь я представляю большую угрозу, — напомнила Аллегра. — Сначала я похитила тебя из Нью-Йорка, а потом украла сына у матери. Кроме тебя, у нее никого нет. — Аллегра могла объяснить и в какой-то степени понять поведение миссис Гамильтон, но легче от этого не становилось. — Может, позже она оттает, — сказала она лишь для того, чтобы подбодрить Джеффа.

Этой ночью они снова спали в розовой комнате для гостей, но на этот раз Джефф поставил будильник на половину восьмого и вовремя вернулся в свою комнату. Там он принял душ, оделся и уложил вещи. Затем вернулся и разбудил Аллегру. Хорошего понемножку. Они сделали то, ради чего приезжали, и теперь могут возвращаться обратно. Джефф заранее заказал билеты на ранний рейс. Когда Аллегра в брючном костюме из марлевки спустилась к завтраку, Джефф объявил матери, что они уезжают.

— Самолет вылетает в час, — сказал он, — а это значит, что в десять мы с Аллегрой должны выехать из Саутгемптона.

Он объяснил, что утром разговаривал по телефону с режиссером. На съемках возникли какие-то затруднения, поэтому ему нужно вернуться в Лос-Анджелес пораньше.

Аллегра расстроилась за Джеффа.

— Что случилось? — В эту ночь она спала сном младенца, и проснулась отдохнувшая, полная сил и готовая выдержать еще одну порцию оскорблений со стороны его матери. Однако как только миссис Гамильтон вышла из комнаты, Джефф шепотом объяснил Аллегре, что с фильмом все в порядке, а уезжают они потому, что выполнили свой долг и провели в Саутгемптоне достаточно времени. Даже он не мог выдержать здесь дольше.

— Ты правда этого хочешь? — так же шепотом спросила Аллегра, наклонившись к нему через стол. Джефф кивнул, и она не стала настаивать. Ей не хотелось отры-

328

вать сына от матери, но, похоже, ему самому даже больше, чем ей, не терпелось уехать.

Перед отъездом Джефф напомнил матери дату предстоящей свадьбы и еще раз повторил, что они с Аллегрой рассчитывают на ее приезд. Он обнял мать, и она почти ответила — но только почти; вручил Лиззи небольшую премию. Вскоре за ними пришла машина. Аллегра чуть не покатилась со смеху, увидев длиннющий белый лимузин. Джефф, заказывая автомобиль, наверное, выбрал самый длинный, какой только смог найти. В лимузине имелся бар, телевизор и еще бог знает что. У миссис Гамильтон был такой вид, словно она скорее умерла бы, чем позволила такому чудищу заехать на ее подъездную дорожку. Но Джефф выглядел очень довольным.

— У себя в Калифорнии мы, мамочка, все время на таких ездим, — заметил он небрежно. — И тебе для поездки на нашу свадьбу тоже постараемся достать лимузин.

Еще раз поцеловав мать на прощание, Джефф передал водителю чемоданы, и они сели в машину. На повороте Аллегра в последний раз оглянулась на дом. Мать Джеффа стояла на крыльце — одинокая трагическая фигура. Наверное, миссис Гамильтон и впрямь одинока, но при этом она еще и очень злобная. И по мнению Аллегры, эта женщина не стоит тех гигантских усилий, которые пришлось бы приложить, чтобы наладить с ней отношения.

Джеффа объединяло с ней прошлое, но у Аллегры с этой женщиной нет и не будет ничего общего. И после этого уикэнда Джефф никогда не станет настаивать, чтобы она наладила отношения с его матерью. Они сделали все, что смогли, выразили свое почтение, но все останется по-прежнему.

— Я тут подумал, — тихо сказал Джефф, когда лимузин повез их по направлению к скоростной автостраде, — может, нам надеть на свадьбу фески?

Аллегра рассмеялась и ткнула его локтем в бок:

— Какой же ты несносный! Ты когда-нибудь прекратишь? Скажи на милость, где ты раздобыл этот лимузин? — Она изобразила возмущение. — Ни к чему-то у тебя нет никакого почтения!

Оба расхохотались, Джефф привлек Аллегру к себе и стал целовать. Ему до смерти хотелось поскорее оказаться дома и заняться с ней любовью. Только простое понятие о приличиях помешало им любить друг друга прямо в помпезном белом лимузине. Но даже по тому, как они всю дорогу обнимались и льнули друг к другу, обоим было ясно, что уик-энд прошел отвратительно.

— Извини, Аллегра, это моя вина. Не знаю, как я раньше не догадался, что выйдет из этой поездки. Наверное, я оказался слишком упрям. Может, мне в наказание стоит самому походить на сеансы к доктору Грин?

— А мне кажется, ты просто герой, если выдержал с ней столько лет и не сломался, — сказала Аллегра с восхищением. Миссис Гамильтон оказалась самой холодной, черствой женщиной из всех, кого ей доводилось встречать, но Джефф совсем другой.

— Я никогда не обращал на нее особого внимания, а отец был другим, немного похожим на Саймона.

— Наверное, это тебя и спасло, — заключила Аллегра.

Когда наконец они вернулись в Калифорнию, обоим хотелось преклонить колени и поцеловать землю. А уж как они были рады, что вернулись в Малибу, и говорить нечего! Первое, что они сделали, войдя в дом, это стали срывать друг с друга одежду. До спальни они так и не дошли — остались на диване в гостиной. Никогда еще Джефф не занимался с Аллегрой любовью с таким яростным самозабвением; подавляющая обстановка, в которой они провели два дня, чуть не свела его с ума. А Аллегра никогда еще не была так счастлива вернуться домой. И как было хорошо, что встреча с матерью Джеффа осталась позади.

Глава 17

В понедельник утром Джефф, как обычно, уехал на съемочную площадку в три часа утра. Проводив его, Аллегра стала просматривать пришедшие в ее отсутствие факсы и письма. Оба были рады, что вернулись, и пребывали в приподнятом настроении — особенно после вчерашнего вечера. Увидев факс от продюсера Кармен с пометкой «срочно», Аллегра нахмурилась. Продюсер уже жаловался, что Кармен настолько подавлена, что почти не в состоянии работать на съемочной площадке. А в пятницу, после выхода газеты со статьей о ее «аборте», она и вовсе стала невменяемой. Когда Аллегре попался на глаза злополучный факс, было шесть часов, в это время Кармен полагалось быть уже на съемочной площадке, и Аллегра решила поехать прямо туда и встретиться с ней.

На всякий случай, чтобы не терять времени, Аллегра захватила с собой бумаги. В половине седьмого она выехала из дома. В семь они уже разговаривали с Кармен. Все оказалось именно так, как и предупреждал продюсер. Все выходные Кармен проплакала дома над статьей в желтой газетенке. К тому же она до сих пор не оправилась от тяжелой депрессии.

— Тебе нужно сходить к психоаналитику, — спокойно сказала Аллегра, когда Кармен в сотый раз высморкалась и вытерла глаза.

— Никакие врачи не помогут, мой малыш умер, а эти мерзавцы пишут про меня всякие гадости.

— Они врут обо всех, не только о тебе, но ты не должна допустить, чтобы их писанина отравляла жизнь тебе и Алану. Ты должна им показать, что тебе все равно — и не только им, покажи Алану, что ты способна с этим справиться. Думаешь, он хочет прожить всю оставшуюся жизнь с вечно хныкающей особой, которая трясется от страха всякий раз, когда кто-то пытается ее сфотографировать? Кармен, в конце концов это просто жалко!

«Накачав» Кармен на ближайшие несколько часов, Аллегра сочла свой долг выполненным, но на всякий случай ненадолго осталась на площадке. Кармен была все еще в подавленном настроении, но, надо отдать ей должное, перед камерой делала свое дело профессионально и очень неплохо.

В десять утра Аллегра находилась еще на студии, на территории, закрытой для посторонних. В это время ей сообщили о срочном звонке из офиса. Аллегра прошла в звуконепроницаемую кабину. Говорила Элис. По словам секретарши, ей звонила Делия Уильямс, консультант по свадьбам.

— Как, она звонит мне сюда? — изумилась Аллегра.

— Нет, это я позвонила на студию, — уточнила Элис, — прошу прощения, если помешала, но у нее к вам крайне срочное дело.

— Она что, совсем рехнулась?

— Судя по голосу, такой вариант не исключается. Соединить ее с вами?

— Ну хорошо, раз уж я здесь, соединяйте. Но на будущее, Элис, попрошу ради этой женщины меня не разыскивать. Если она будет звонить, просто спрашивайте, что передать.

— Аллегра? — В тоне похожей одновременно на жирафа и на цаплю консультантки по свадьбам Аллегре послышалось что-то зловещее. — Вы не ответили ни на один мой телефонный звонок! — с ходу накинулась на нее Делия. Аллегра подумала, что великанша ведет себя как разгневанный любовник. — Я до сих пор не знаю, какой будет свадебный торт, сделают ли в саду навес, какая музыка будет звучать в церкви, мне ничего не известно о банкете. Если уж на то пошло, я даже не знаю, какого цвета платья будут на подружках невесты!

Делия Уильямс была крайне недовольна — но далеко не так, как Аллегра. Она пришла в ярость:

— Вы хоть соображаете, что позвонили мне на съемочную площадку? Вы можете себе представить, насколько это неудобно, просто неприлично, наконец?! А не звонила я потому, что была слишком занята, вытаскивая своих клиентов из тюрьмы, отправляя в гастрольные турне и приводя их в чувство для работы. Не хватало мне еще ваших вопросов о подружках невесты!

Делию ее отпор нисколько не смутил.

— Но вы хотя бы составили список? — не унималась она.

Однако Аллегра не уступала ей в упрямстве. У нее полным-полно дел и клиентов, требующих внимания, и она не может позволить себе тратить время на ерунду.

— Подружек невесты я уже выбрала. — У Аллегры до сих пор в голове не укладывалось, как можно было назвать этот разговор «очень срочным делом». К чему же относится «срочность» — к свадебному пирогу, к музыке? — Можете взять список у моего секретаря, — отрывисто сказала Аллегра, все еще недовольная тем, что ей помешали.

— Нам нужно знать размеры их одежды, — заявила Делия Уильямс с не меньшей решимостью. Она привыкла иметь дело с людьми вроде Аллегры, врачами, адвокатами, психиатрами, актрисами, разными знаменитостями, — никто из них не был способен организовать собственную свадьбу, все считали себя слишком занятыми и важными особами, чтобы заниматься «ерундой». Вот она и делает эту работу за них, а если потребуется, заставит их вести себя как подобает.

— Так вы знаете их размеры или нет? — спросила Делия таким голосом, который, как до этой минуты считала Аллегра, может издавать только электронное голосовое устройство.

— Обратитесь к моему секретарю.

— Непременно обращусь, — подтвердила Делия, такой разговор ей нравился куда больше. — Кстати, неужели вы до сих пор не выбрали подвенечное платье? Советую вам поторопиться.

— Мне некогда, я возвращаюсь на работу! — рявкнула Аллегра в трубку. Эта женщина порядком действовала ей на нервы, Аллегра не хотела быть грубой, но иногда иначе просто невозможно.

Повесив трубку после разговора с Делией, Аллегра принялась звонить матери на телестудию. Пока она набирала номер, у нее дрожали руки.

— Мама, если ты не избавишь меня от этой женщины, я ее убью!

— От какой женщины, дорогая? — Блэр приходила на ум только одна особа, заслуживающая, по ее мнению, смерти, — Элизабет Коулсон, но вряд ли Аллегра имела в виду именно ее.

— Как это «какой»? Я говорю об этой цапле, которую ты мне навязала, о так называемом специалисте по организации свадеб. Если она и дальше собирается названивать мне в съемочный павильон, чтобы обсудить рецепт свадебного торта, музыку в церкви или цвет платьев подружек невесты, то не надо мне никакого банкета, лучше мы отпразднуем свадьбу пивом и хот-догами в городском парке. Мама, я не понимаю, как ты можешь так поступать со мной?

— Дорогая, доверься мне. Делия Уильямс сделает все в лучшем виде, ты будешь довольна.

Аллегра при всем желании не могла представить, что она останется довольна бурной деятельностью этой цапли в лиловом платье. Ничего не добившись, она попрощалась с матерью и вернулась к Кармен.

— Что-нибудь случилось? — Редкий случай, когда Кармен казалась озабоченной чем-то еще, помимо собственных проблем.

— Ты не поверишь, если услышишь. — Аллегра все еще дрожала от негодования.

— А ты попробуй рассказать.

— Звонила организатор свадеб, которую мать наняла якобы мне в помощь.

— Кто-кто? — переспросила Кармен, снимая грим. — Организатор свадеб? Что это такое?

— Это человек, который занимается примерно тем же, что я делала для вас с Аланом, когда вы собирались в Лас-Вегас: доставала полиэстровые костюмы, парики, нанимала трейлер.

— И она делает то же самое? — Мысль показалась Кармен забавной, она улыбнулась, и Аллегра тоже улыбнулась в ответ, радуясь, что к Кармен возвращается чувство юмора.

— Надеюсь, нет, но никогда не знаешь, чего ждать от этих организаторов. Вы с Аланом поступили мудро, что удрали в Лас-Вегас.

— Но вы тоже можете удрать.

Свадьба Алана и Кармен понравилась всем четверым, и Аллегра все больше склонялась к мысли, что им с Джеффом действительно стоило последовать их примеру и избежать всей этой суеты со свадебным банкетом.

— Я бы рада, но если я лишу маму своей свадьбы, это будет жестоко. — Зато бегство в Лас-Вегас имело и еще одну положительную сторону: им бы не пришлось вновь встречаться с миссис Гамильтон.

Аллегра оставалась с Кармен до обеденного перерыва, затем поехала к себе в офис, чтобы заняться делами других клиентов. В половине третьего ей нужно было быть в кабинете Сьюзен Перлман, где была назначена встреча с очередными кандидатами на роль приемных родителей — супружеской парой, прилетевшей из Чикаго. Аллегру удивило, как много людей летают по всей стране в поисках младенцев для усыновления, беседуют с беременными женщинами, изъявившими желание отказаться от ребенка. Это было похоже на массовую озабоченность. Впрочем, если вспомнить, какой одержимой стала Кармен — а ведь она потеряла даже не ребенка, а плод, который носила около двух месяцев, — то Аллегре многое становилось понятным. Это была одержимость идеей завести и сохранить ребенка.

Путь Аллегры к офису Сьюзен Перлман лежал через Бель-Эйр, и она договорилась с Сэм, что заедет за ней по дороге. За последние недели и даже, казалось, дни Сэм очень сильно раздалась. Она была на восьмом месяце беременности и выглядела совершенно необъятной. Но при этом она каким-то непостижимым образом стала казаться еще более юной.

334

— Как дела? — спросила Аллегра, когда сестра садилась в машину. На Сэм было короткое розовое платьице для беременных и босоножки на плоской подошве. Эти босоножки, длинные светлые волосы, заплетенные в косички, и огромные солнечные очки придавали Сэм сходство с набоковской Лолитой.

— Нормально.

Сэм поцеловала сестру. Она была благодарна Аллегре за участие. Сэм уже встречалась с несколькими супружескими парами и терпеть не могла эту процедуру. Все это было как-то неловко, к тому же ни одна из пар ей не понравилась. Разве что Уитмены, но и те не идеальны.

— А ты как съездила в Нью-Йорк?

— Как тебе сказать... занятная была поездка.

Сэм рассмеялась, она хорошо изучила свою сестру.

— Насколько понимаю, это значит не слишком приятно.

— Вот именно.

— Что, мать Джеффа оказалась стервой?

— Жуткой. Не человек, а айсберг. Представь себе, она очень испугалась, что я могу быть еврейкой.

— Ничего, подожди, скоро она познакомится с папой. Думаю, ему это понравится.

— Не могу себе представить, как встречусь с ней еще раз, хотя и понимаю, что придется. Просто удивительно, что у такой мамаши вырос вполне нормальный сын. — После встречи с матерью Джеффа Аллегре это казалось чудом.

— Может, он приемный ребенок? — грустно предположила Сэм. Несмотря на непринужденную болтовню, она ни на секунду не забывала, куда они едут и зачем. У нее портилось настроение от одной мысли о цели их поездки. О предыдущей встрече она рассказала Джимми, и он предложил в следующий раз поехать вместе с ней. Но Сэм не хотела этим смущать и вводить в заблуждение будущих родителей, они могут принять Джимми за отца ребенка. Она не скрывала, что мало знает о Жан-Люке, хотя это представляло ее саму в не очень выгодном свете. По ее описанию, это был француз лет тридцати, высокий, светловолосый, очень красивый. Работал фотографом. Иными словами, он иностранец, привлекателен и, возможно, талантлив. Но помимо этого, Сэм практически ничего не знала ни о его местонахождении, ни о происхождении.

Дорога от дома до офиса Сьюзен Перлман заняла всего десять минут. Аллегра и Сэм молча вышли из машины, молча поднялись на лифте.

Перед кабинетом Сьюзен имелась очень уютная приемная, где на стенах висели эстампы в ярких жизнерадостных тонах, на столике лежала стопка журналов. Все журналы можно было подразделить на две группы: для будущих родителей — «Мир интерьера», «Журнал для родителей», «Вог» «Дом и сад», «Архитектурный дайджест» и для юных матерей — «Семнадцать», «Роллинг стоун», «Эль», «Юная и современная» и даже «Мэд». Но ни у Аллегры, ни у Сэм не было настроения листать журналы, они просто сели рядом и стали ждать. Минут через пять секретарша пригласила их войти. Супруги из Чикаго уже сидели у мисс Перлман.

Очередные кандидаты в родители не понравились Сэм с первого взгляда. Оба слишком нервничали, суетились вокруг нее, оба взахлеб рассказывали о своей любви к путешествиям, о том, как катались на лыжах, о последней поездке в Европу. Муж занимался страхованием и охватил своей деятельностью изрядную территорию на Среднем Западе, жена работала стюардессой. Детей у них не было, они даже пытались прибегнуть к оплодотворению в пробирке, но этот метод оказался слишком дорогим, и они уже отчаялись в безуспешных попытках завести ребенка. Таких рассказов Сэм наслушалась уже немало.

— А что вы собираетесь делать с ребенком, когда отправитесь в очередное путешествие? — полюбопытствовала Сэм.

— Оставим с няней, — ответил муж.

— Наймем гувернантку, — предположила жена.

— Тогда зачем вам усыновлять ребенка? — Своей манерой не ходить вокруг да около Сэм напоминала старшую сестру. Наблюдая за ней, Аллегра улыбнулась.

— Мне тридцать девять лет, — ответил муж, — Джанет — тридцать пять, мы оба считаем, что сейчас самое время обзавестись ребенком.

«Он говорит так, словно речь идет о покупке машины», — подумала Сэм.

— Мы живем в пригороде, у всех наших друзей есть дети.

Супруги жили в Нейпервилле, но ни один из их доводов не показался Сэм достаточным поводом для того, чтобы отдать им своего ребенка. Пара показалась ей совершенно непривлекательной.

336

— А вы уверены, что действительно хотите ребенка? — настаивала Сэм. По-видимому, ее вопрос поставил их в неловкое положение.

— Если бы мы не хотели, нас бы здесь не было, — ответила Джанет. Она пыталась как-то растопить лед, но без особого успеха. Сэм им тоже не понравилась: во-первых, слишком донимала их своими настойчивыми расспросами, а во-вторых, показалась провинциальной.

— Мы прилетели сюда бесплатно, — похвастался Пол, — авиакомпания предоставила нам бесплатные билеты.

Сэм и Аллегра переглянулись.

— У вас есть еще какие-нибудь вопросы? — спросила Саманту Сьюзен. Адвокат чувствовала, что беседа не клеится и супруги не понравились будущей матери.

— Нет, думаю, этого достаточно, — вежливо ответила Сэм. Сестры вышли в соседний кабинет. Через несколько минут появилась Сьюзен.

— Они мне страшно не понравились! — с ходу заявила Сэм.

— Вы шутите! — Сьюзен рассмеялась, разряжая атмосферу. — Я и сама это почувствовала. Но почему, если не секрет? — О причинах Сьюзен тоже догадывалась, но хотела на всякий случай проверить.

— Ребенок им не нужен, лучше бы купили собаку. Они обожают путешествовать и не собираются отказывать себе в этом удовольствии, получают бесплатные билеты от авиакомпаний, а ребенка собираются спихнуть нянькам. Ребенок им понадобился только потому, что в их пригороде у всех есть дети. — Сэм негодующе фыркнула: — Переехали бы в город, и дело с концом.

Саманта высказалась резко, но, оказывается, на свете существует немало людей, которые думают, что хотят иметь ребенка, хотя на самом деле он им не нужен. Тут возможны разные варианты: либо им нужен не сам ребенок, а некое чувство завершенности, полноты, которое они рассчитывают ощутить с его появлением; либо они хотят с помощью ребенка укрепить брак; либо хотят снова почувствовать себя молодыми. Люди могут хотеть многого, но только не ребенка ради него самого. В действительности ребенок — свой ли, приемный ли — не удовлетворит их запросов.

— Не отдам им своего малыша, — решительно заявила Сэм.

Слушая сестру, Аллегра вздрогнула. Если раньше речь шла только о нежелательной беременности Сэм, то теперь в разговоре вдруг прозвучало «ее малыш». Как бы Сэм ни пыталась убедить себя и других в обратном, но она глубоко привязалась к еще не родившемуся существу.

— Я вас понимаю, — спокойно сказала Сьюзен. — А как насчет Уитменов из Санта-Барбары? Вы им очень понравились, Сэм, они бы хотели продолжить наше общение.

— Пока они мне кажутся лучше других, — неохотно признала Сэм, — но я еще не решила окончательно.

Аллегра вдруг подумала, что это похоже на попытку снять полнометражный фильм с семнадцатилетним продюсером, причем семнадцатилетний — это еще не худший вариант, а бывают и пятнадцати-, а то и четырнадцатилетние. Она мысленно порадовалась, что проблемы усыновления не ее специализация.

— О чем вы думаете? — спросила Саманту Сьюзен.

— Пытаюсь понять, нравятся они мне или нет.

— А почему вы колеблетесь? — Знакомить друг с другом матерей, согласившихся отдать ребенка, и супругов, желающих его усыновить, помогать им найти общий язык было работой Сьюзен, и она прекрасно знала свое дело.

— Может, они слишком старые? — Обоим супругам было под сорок, и у них никогда не было детей. — Сама не пойму, что меня смущает, — честно призналась Сэм.

— Им не везло, — объяснила Сьюзен не столько для Сэм, сколько для Аллегры. Сэм уже знала историю супругов, в прошлый раз она приезжала к адвокату с матерью. Аллегра пыталась по возможности присутствовать на встречах Сэм и Сьюзен, но пару раз ей это не удавалось, и с Самантой ездила Блэр. Саймон же не ездил с дочерью ни разу — просто не мог себя заставить. Мысль о том, что его дочь произведет на свет малыша, а потом отдаст его в чужие руки, была для него невыносима, он не желал об этом слышать и не мог смотреть на Сэм в ее нынешнем положении. Она казалась разбухшей, круглой, как арбуз, и в то же время оставалась такой же хорошенькой, как и раньше, в каком-то смысле стала даже еще красивее. Лицо у нее немного пополнело, и в нем появилась какая-то мягкость, которой не было раньше.

— Уитмены — необычная пара, — продолжала Сьюзен, — в моей практике — это самые невезучие усыновители. Два раза пытались усыновить ребенка, и оба раза еще до официального оформления биологические родители меняли решение и оставляли детей у себя. Это было около десяти лет назад, и они решили больше не пробовать. За это время медицина шагнула вперед, они снова пытались зачать ребенка, но снова неудачно. У миссис Уитмен было четырнадцать выкидышей, один раз ребенок родился мертвым. Сейчас они снова решились на усыновление, и, по-моему, этим людям можно доверить ребенка. Конечно, Сэм, они не так молоды, как остальные кандидаты, но, может быть, это не такой уж большой недостаток. Лично мне они нравятся. По-моему, они обладают такой силой духа, которой можно только позавидовать.

Уитмены относились к числу тех людей, чувства которых Сьюзен не хотела бы ранить. Она боялась предлагать им ребенка, мать которого может потом раздумать отдавать его на усыновление. Именно поэтому Сьюзен с самого начала спросила Аллегру, насколько серьезно намерение ее сестры отказаться от младенца. Но Сэм сейчас уже не сомневалась. Другого выхода она не видела. Джимми по-прежнему крутился вокруг Сэм, и родители Сэм, учитывая ее положение, не возражали. Ей нужны друзья, а Джимми оказался хорошим, надежным парнем, который предложил ей свою дружбу и ничего не просил взамен. Когда Сэм спросила его мнение насчет усыновления, он сказал, что это очень грустно — отдавать своего ребенка.

— Так как же насчет Уитменов? — напомнила Сьюзен. — Вы хотите еще раз с ними встретиться?

— Возможно, — уклончиво ответила Сэм. Она подняла темные очки надо лбом и стала похожа на пухлощекую принцессу. Несмотря на большой, круглый как шар живот, ее ноги и руки остались по-прежнему худыми и, как ни странно, Сэм даже сохранила изящество.

— Если ты выберешь Уитменов, Кэтрин Уитмен хотела бы присутствовать при родах.

— Это еще зачем?

— Потому что она хочет видеть, как рождается ребенок, хочет, чтобы между ней и малышом сразу же возникла связь. Это желание высказывают многие пары. Ты не против, если Джон тоже будет присутствовать? Он хотел бы, но я ему ничего не обещала.

Аллегре было неловко слышать обсуждение всех этих деталей и условий. Все-таки усыновление — это самая настоящая сделка.

— Я не хочу, чтобы Джон присутствовал, а насчет Кэтрин еще подумаю.

— Джон может стоять в изголовье, где ему ничего не будет видно. — Сьюзен стала чуть настойчивее, и Сэм тут же ощетинилась:

— Нет! Я же сказала, не хочу, чтобы он присутствовал!

— Ну хорошо, нет так нет. Значит, мы сужаем круг возможных усыновителей?

Даже просто слушать разговор сестры с адвокатом и то было тяжело, Аллегра уже устала.

— Кажется, остаются одни Уитмены, — грустно сказала Сэм. Она очень не любила эти поездки к адвокату, но выбора у нее не было. Ей придется отдать ребенка на усыновление, вопрос решен, оставалось только обсудить детали.

Сьюзен продолжала задавать вопросы по списку:

— Ты регулярно ходишь к врачу? — Эту часть Сэм тоже ненавидела, но понимала, что таков порядок. — Принимаешь витамины? Не употребляешь наркотики? В последнее время у тебя были половые сношения?

Сэм уставилась на Сьюзен как на ненормальную, но ответила на все положенные вопросы. Она ходила к врачу, принимала витамины, никогда в жизни не употребляла наркотиков и не занималась сексом с тех пор, как забеременела. По этим пунктам Саманту можно было считать мечтой любого усыновителя. Сьюзен не говорила об этом Сэм, чтобы лишний раз не оказывать на нее давление, но Уитмены очень хотели ребенка. Сочувствуя этой паре, Сьюзен считала, что у нее будет больше шансов на успех, если она будет вести себя более сдержанно. Сэм не из тех девушек, на которых можно давить: так недолго все испортить. Сама Сьюзен никогда ни на чем не настаивала, предоставляя Сэм возможность самой принять решение. Адвокат посоветовала Уитменам запастись терпением. Она даже предложила им параллельно искать дополнительные варианты и поговорить с другими девушками на случай, если Сэм выберет иных усыновителей.

— Так ты не хочешь встретиться с ними еще раз? — снова спросила Сьюзен.

Сэм покачала головой:

— Пока нет.

Ей нужна была передышка. Когда они вышли из

офиса, Аллегра отвезла Сэм в «Джонни Рокет» выпить

молочный коктейль. Встреча с адвокатом очень утомила будущую мать. Ей предстояло принять трудное решение, о котором было невыносимо даже думать. А тут еще врач направил ее на занятия для беременных, где обучали, как себя вести, чтобы роды прошли легче. На прошлой неделе Сэм побывала на первом занятии, они ездили вместе с Блэр. Показывали фильм о родах, и Сэм чуть не упала в обморок. Ей предстоит пройти через все это ради кого-то другого, а потом отдать своего ребенка чужим людям! Это уж слишком. И она не могла даже представить себе, что усыновители могут присутствовать при рождении ребенка. Допивая свой коктейль, Сэм выглядела все такой же несчастной и жалкой, как после беседы с адвокатом.

— Лучше бы я умерла, — жалобно проговорила она.

Аллегре снова вспомнилась Кармен, которая тоже одно время хотела умереть, потому что не смогла родить ребенка. Воистину жизнь иногда шутит над людьми очень жестоко.

— А тебе не кажется, что это чересчур? — мягко сказала Аллегра. Она заказала себе содовой. Если не смотреть на фигуру Сэм, сестры, сидящие друг против друга, казались очень похожими. — Может, ты просто хочешь, чтобы все это поскорее закончилось?

— Да, наверное.

Только сейчас Аллегра вспомнила, что на этой неделе одноклассники Сэм получали аттестаты, а она не смогла даже присутствовать на торжестве. Разумеется, это ничуть не улучшило Сэм настроение. Аллегра спросила сестру об этом.

— Джимми мне все рассказал, ничего особенного. Говорит, было довольно скучно.

Сэм получила аттестат. Несмотря на то что она не ходила на занятия последние два месяца, Саманта окончила школу с отличием. Коль скоро зашла речь о Джимми, Аллегра полюбопытствовала:

— Скажи-ка, что у вас с ним за отношения?

Джимми чуть ли не круглые сутки околачивался в доме Стейнбергов, особенно в последнее время. Когда бы Аллегра ни заехала навестить сестру, она заставала его в доме или рядом. Симпатичный смышленый парнишка ей нравился. Казалось, из всех друзей у Сэм остался только он один, остальных — даже девочек — смущало ее положение, они не знали, как себя вести, что сказать, и поэтому постепенно перестали бывать у Сэм.

— Мы с ним друзья. — Джимми стал ей не просто другом, а лучшим другом. Она делилась с ним всеми своими бедами, надеждами и страхами.

— Когда нам с Аланом было столько же лет, сколько тебе сейчас, мы так же дружили. Поначалу он считался моим парнем, а я его девушкой, но потом мы стали друг другу как брат и сестра.

— Сто лет не видела Алана! — улыбнулась Сэм. Алан ей всегда нравился, бывало, он частенько над ней подшучивал, но сейчас он ничего не знал о ее беременности. Аллегра не стала ему говорить — у Алана по этой части достаточно своих проблем с Кармен.

— Он сейчас снимается в Швейцарии.

— А как Кармен?

— Не очень. Она тоже была в Швейцарии, там у нее случился выкидыш. Потом Алан остался сниматься, а ей пришлось вернуться домой, к началу съемок в Лос-Анджелесе. Алан вернется только в августе. Кармен очень по нему скучает и чувствует себя несчастной.

— А она не может слетать к Алану?

— Не может — если не хочет, чтобы я ее задушила. У нее здесь съемки.

— А... Наверное, им очень тяжело быть вдали друг от друга.

Аллегра кивнула, думая, что для Кармен самым тяжелым испытанием была все-таки не разлука с мужем, а потеря ребенка.

После кафе Аллегра отвезла сестру домой в Бель-Эйр, возвращаться в офис было уже поздно. Она пообещала Джеффу заехать за ним на студию. Садясь в автомобиль, Аллегра заметила приближающуюся машину Джимми. Невольно мелькнула мысль, не наклевывается ли у Сэм и Джимми что-то серьезное. Впрочем, вряд ли. Какие уж тут серьезные отношения на восьмом месяце беременности.

Всю дорогу до студии Аллегра думала о младшей сестре. Девочке предстояло нелегкое испытание, но Аллегру больше всего тревожило даже не это. Особенно неприятно было думать, что во время родов рядом с Сэм будут стоять посторонние люди, только и ждущие момента, чтобы забрать у нее младенца. Все это казалось каким-то гадким, вызывало у нее чувство брезгливости. Аллегра никак не могла избавиться от этого ощущения. На обратном пути в Малибу она поделилась с Джеффом своими мыслями.

Он покачал головой:

— Да, жаль девочку. Не нравится мне все это.

— Мне тоже, — призналась Аллегра. — Но надо отдать Сьюзен должное, она хорошо делает свою работу. Я бы так не смогла.

— Смогла бы, смогла.

Остановив машину у светофора, Джефф наклонился к Аллегре и поцеловал. Разговор постепенно перешел на Кармен. В последнее время Кармен стала немного спокойнее. А потом они заговорили о своем — о фильме Джеффа, о предстоящей свадьбе.

Глава 18

Первого июля Аллегра наконец порадовала Делию Уильямс: побывала вместе с матерью в бутике «Кристиан Диор» и заказала подвенечное платье. Правда, платье было еще не совсем готово — Ферре счел нужным немного подогнать его по фигуре Аллегры. Платье было сшито из белых кружев на чехле из белого пике, короткое спереди, сзади оно постепенно удлинялось. В комплекте с платьем продавался короткий кружевной жакет с длинными рукавами и глухим воротом, тоже белый. Завершала ансамбль белая кружевная широкополая шляпа. Платье было не просто элегантное, оно великолепно смотрелось на Аллегре, именно такое она хотела бы надеть на собственную свадьбу. Увидев платье на вешалке, Аллегра сразу поняла это. А Блэр, увидев дочь в подвенечном наряде, даже вскрикнула от восторга. Продавец бутика пообещал Аллегре предоставить сколько угодно белого тюля на фату и шлейф, хоть милю. Наряд обещал быть сногсшибательным. Собирались заказать также белые кружевные туфельки. Блэр обещала дать Аллегре жемчужное ожерелье, которое Саймон подарил ей на пятидесятилетие. Все-таки очень удобно, когда мать и дочь носят один и тот же размер — не только одежды, но и ювелирных украшений.

В тот же день Аллегра и Блэр нашли в одном из магазинов подходящую модель для подружек невесты — короткое платье из бежевого кружева с короткими рукавами и небольшой баской сзади на талии. Блэр пришла в голову идея заказать для подружек невесты маленькие кружевные шляпки такого же бежевого цвета, уменьшенные копии шляпы невесты.

— Ну вот, с платьями вопрос решен, — удовлетворенно заключила Блэр, ставя галочку против очередного пункта в списке Делии Уильямс.

— Ну теперь-то ты можешь ей сказать, чтобы она перестала звонить мне на работу? У меня нет времени на всякую ерунду.

— Дорогая, это не ерунда, это твоя свадьба.

Остальные пункты списка тоже постепенно выполнялись. Для свадебной церемонии был выбран классический свадебный марш. Во время приема в саду молодоженам предстояло торжественно пройти перед гостями под музыку Бетховена. Блэр согласовала за Аллегру меню свадебного банкета. Вопрос с цветами тоже решили. В руках у невесты будет букет из белых роз, ландышей и орхидей. Подружки невесты понесут миниатюрные букетики из орхидей. Рецепт свадебного торта тоже выбрали, кроме того, гостям подадут миниатюрные пирожные в маленьких белых коробочках с указанием имен и датой, выгравированной серебром, как принято в Европе. Навес был заказан уже месяц назад, но цветочные композиции на столики для гостей еще находились в стадии обсуждения. На банкет пригласили играть Питера Душена. Единственное серьезное дело, которое еще предстояло сделать, это привести в порядок сад. Архитектор по ландшафту клялся и божился, что работы в саду будут закончены к первому сентября, то есть за четыре дня до свадьбы.

Для гостей, прибывающих из других городов, были забронированы номера в отелях — «люкс» в отеле «Бель-Эйр» для миссис Гамильтон и номера поменьше для двух подружек невесты — одной из Лондона, другой из Нью-Йорка. Всех трех Блэр заранее записала к парикмахеру и визажисту на случай, если женщины пожелают воспользоваться их услугами. К первому июля все, кажется, было более или менее в порядке. Сделать оставалось совсем немного, если не считать того, что Делия называла «сопутствующими мероприятиями», то есть мальчишника и репетиции свадебного банкета. Последнее обычно организуют родители жениха, но поскольку миссис

Гамильтон прилетала из Нью-Йорка только перед самой свадьбой, она, конечно, не знала, где устроить репетицию, и не могла организовать это за несколько часов. Поэтому Стейнберги вместо нее зарезервировали для репетиции банкета верхний этаж в «Бистро», благо это было несложно сделать.

Аллегра наконец не выдержала — написала письмо отцу. В письме она сообщала, что выходит замуж и что он может приехать, если хочет, хотя она не ожидает его приезда. Письмо далось нелегко, прежде чем его написать, она долго беседовала с Джейн Грин, но написать было все же легче, чем позвонить. Она отправила письмо в первой половине июня, но Чарлз Стэнтон до сих пор не ответил. Решив, что он не приедет, Аллегра испытала огромное облегчение.

После покупки подвенечного платья Аллегра вернулась на работу в отличном настроении. Они с матерью только что обсудили подготовку к ежегодному семейному пикнику по случаю Дня независимости, который устраивали в ближайшие выходные. На такие пикники Блэр и Саймон обычно приглашали несколько супружеских пар, а их дети — своих друзей, правда, немного. В общей сложности набиралось человек двадцать, и пикник устраивали на заднем дворе. Из-за ремонта в этом году предстояло устроить барбекю на земле вместо газона, но все семейство решило, что это не так уж важно, самое главное — собраться всем вместе. В этом году в пикнике должен был участвовать и Джефф, впервые принимающий участие в семейном торжестве, поскольку на Рождество и День благодарения его с ними не было. Стейнберги любили праздники и чтили семейные традиции.

Вернувшись в офис, Аллегра стала описывать Элис свое подвенечное платье.

— Похоже, это нечто необыкновенное, — заключила секретарша, выслушав ее рассказ.

Разговор прервал звонок внутреннего телефона. Элис взяла трубку первой, выслушала сообщение, нахмурилась и передала трубку Аллегре. Сначала Аллегра долго молча слушала, потом, заметно волнуясь, сделала несколько размашистых пометок у себя в блокноте и повесила трубку. Когда она подняла голову, ее глаза горели.

По-прежнему не говоря ни слова, она быстро порылась в бумагах, выписала в блокнот номер и стала звонить в Женеву, в швейцарский отель, где остановился Алан. **345**

Попросила соединить ее с номером мистера Карра. Трубку сняли на четвертом гудке. Как и ожидала Аллегра, к телефону подошла Кармен.

— Скажи на милость, какого черта ты там делаешь? — взорвалась Аллегра. — Дура несчастная, чтобы побыть с мужем, который и так скоро к тебе вернется, ты пускаешь под откос всю свою будущую карьеру в кино! Не надейся, что на студии все простят и забудут.

— Ничего не могу поделать, — заскулила Кармен, — я по нему ужасно соскучилась. — Кармен не стала говорить Аллегре, что помчалась в Швейцарию именно сейчас, потому что у нее наступил период, благоприятный для зачатия, и она хотела забеременеть.

— На студии мне сказали, что ты исчезла еще вчера и что сегодня и завтра они могут обойтись без твоего участия. Но твои выходки обходятся им очень дорого. С сегодняшнего дня они начинают вычитать деньги из твоего гонорара, а если послезавтра ты не вернешься, тебя вышвырнут из картины. Другими словами, поднимай свою задницу, и чтобы завтра как миленькая была в Лос-Анджелесе, иначе я убью тебя даже раньше, чем до тебя доберутся боссы с киностудии. — Аллегра нарочно не церемонилась со своей клиенткой и подругой.

— Я не хочу возвращаться, — снова захныкала Кармен.

— Если ты не вернешься, можешь сразу выходить на пенсию, потому что начиная с послезавтрашнего дня тебе уже не получить ни одной роли. Актриса Кармен Коннорс просто перестанет существовать, ясно?

Потом Аллегра решила, что чем спорить с Кармен, лучше попросить к телефону Алана.

— Вот что, парень, отправляй-ка ее обратно, — заявила она не терпящим возражений тоном.

— Эл, я не виноват, клянусь тебе, я и понятия не имел, что она приезжает. Кармен меня не предупредила, просто заявилась неожиданно. Это было здорово, но я так и знал, что ты разозлишься. Обещаю, что завтра утром отправлю ее утренним рейсом. Осталось потерпеть недолго, через месяц я все равно вернусь, — напомнил он и себе, и Аллегре. — Ты только о ней позаботься, пока меня нет, ладно?

— Это, знаешь ли, не такое простое дело. — Аллегре уже изрядно наскучило нянчиться с Кармен. Та вела себя

как избалованный ребенок и постоянно ныла, что тоскует по Алану. — Может, она права и вам теперь действительно можно сниматься только вместе?

— Об этом мы поговорим, когда я вернусь.

— Ладно, только обязательно отправь ее завтра домой, иначе ей придется платить черт знает какую неустойку. За сегодняшний день ее оштрафовали на пятьдесят тысяч долларов, завтра будет то же самое, она сама виновата.

Алан присвистнул и погрозил Кармен пальцем.

— Срочно возвращаю ее тебе.

— Да уж постарайся.

Повесив трубку, Аллегра сразу стала звонить продюсерам фильма, где снималась Кармен. Рассыпаясь в извинениях от имени своей клиентки, объяснила, что Кармен страдала от нервного переутомления и ей было необходимо срочно повидаться с мужем. Аллегра заверила, что подобное больше не повторится и что ее клиентка готова заплатить штраф. Продюсеры согласились забыть об этом инциденте при условии, что штраф будет уплачен и Кармен, как было обещано, вернется и приступит к работе.

День начался явно не самым удачным образом. Ночью Аллегра так и не смогла заснуть, а на следующий день поехала в аэропорт встречать Кармен. Как только Кармен прошла таможенный контроль, Аллегра сделала ей строгое внушение. Звезда с виноватым видом извинялась и твердила, что ей необходимо было повидать Алана. Но из-за ее побега съемочной группе придется работать даже в праздник, Четвертого июля, только чтобы наверстать упущенное время, ни у кого не будет выходного. Аллегра была так зла на Кармен что даже не стала приглашать ее на пикник в Бель-Эйр по случаю Дня независимости.

Аллегра лично проследила за тем, чтобы на следующий день Кармен к четырем часа утра находилась на съемочной площадке. Мало того, она задержалась на студии до девяти часов и удостоверилась, что Кармен ведет себя как подобает. Только потом Аллегра поехала в Малибу и забралась в постель к Джеффу досыпать. Они проспали почти до полудня, потом поехали на пикник к ее родителям.

Вся семья была в сборе, даже Скотт приехал, причем не один, а с девушкой. Сэм пригласила Джимми Маццолери, который, как добродушно пошутил Саймон, стал частью мебели. На пикник пришли две супружеские пары, живущие по соседству, несколько друзей Скотта, но на этот раз не было ни одной подруги Сэм. Компания собралась не очень большая, но все собравшиеся действительно любили этот праздник и прекрасно провели время, не обращая внимания на разгром на заднем дворе, где раньше был сад.

Двое из гостей давно не встречались с Сэм, не догадывались о ее положении и были поражены, увидев ее на пикнике. Она выглядела именно так, как и должна выглядеть женщина со сроком беременности восемь месяцев. Самое печальное в этой ситуации то, что никто ни словом не упомянул о беременности Сэм. Ее живот был, наверное, самым заметным предметом на заднем дворе — после плавательного бассейна, разумеется, — но именно о нем никто не говорил. Эта тема была абсолютно запретной, отчего Сэм, вероятно, становилось еще тяжелее. Период, который мог бы быть счастливейшим в жизни, стал для нее самым печальным.

Блэр по-прежнему ездила с дочерью на занятия для беременных, Аллегра пару раз заменяла мать, но обычно у нее не было времени. Несколько раз с Самантой занятия посещал Джимми. Ему нравилось сидеть и наблюдать за движениями ребенка. Казалось, младенец в животе мечется из стороны в сторону, отчего весь живот перекашивается то на один бок, то на другой. Со стороны это выглядело так, будто под одеялом спрятали слоненка.

— Как ты себя чувствуешь? — спросила Аллегра, садясь рядом с сестрой в шезлонг.

— Нормально, — Сэм пожала плечами. Джимми пошел принести ей хот-дог. — Только иногда как-то не хочется двигаться.

— Ну ничего, осталось недолго. — Аллегра пыталась подбодрить сестру, но у той глаза неожиданно наполнились слезами. Аллегра удивилась, и тут Сэм поведала о принятом ею решении:

— Я выбрала Уитменов из Санта-Барбары. Сьюзен им вчера сказала. После всех своих несчастий они стали немного со странностями, но, кажется, это неплохие люди и действительно хотят ребенка.

«Наверное, хотеть ребенка сильнее, чем они хотят, просто невозможно», — подумала Аллегра.

— Сьюзен говорит, они очень обрадовались и теперь страшно боятся, чтобы я не передумала, особенно в течение официального периода ожидания, когда ребенок будет уже у них. С ними такое случалось дважды, по словам Сьюзен, третьего раза они не переживут.

— Но ты-то в этом не виновата, — напомнила Аллегра.

Сэм согласилась:

— Да, я не виновата, но все равно по отношению к ним это будет нехорошо. Два раза матери забирали своих детей обратно, и оба раза Кэтрин потом долго не могла оправиться от удара.

Сэм глубоко вздохнула, словно пытаясь свыкнуться со своим решением. Внезапно ей захотелось, чтобы со всей этой процедурой было покончено как можно скорее. Роды, оформление документов и самое трудное — ужасный момент, когда она должна будет навсегда передать своего ребенка чужим людям. Сэм не могла себе представить, как она будет жить дальше.

— Они уперлись, непременно хотят присутствовать при родах, — через силу проворчала Сэм.

— Поступай, как считаешь правильным для себя, — твердо сказала старшая сестра.

К ним подошел Саймон.

— Что это вы так серьезно обсуждаете, девочки? — спросил он, с любовью глядя на дочерей. В последнее время в их семье было достаточно серьезных тем для разговора. Конечно, свадьба Аллегры — событие радостное и одновременно очень волнующее и хлопотное, беременность Сэм, проблемы с сериалом Блэр — на этот раз рейтинг упал особенно резко. Блэр очень переживала из-за сериала, но почти не делилась своими тревогами с мужем. В последнее время Саймон и Блэр вообще мало разговаривали друг с другом.

— Мы говорили, что в этом году хот-доги у тебя получились особенно вкусные. — Аллегра улыбнулась, встала и поцеловала отца. Сэм чуть не свалилась в бассейн: когда Аллегра встала, шезлонг с ее стороны взлетел вверх, как конец деревянных качелей, и Сэм резко опустилась на землю всем своим весом. Она расхохоталась, Аллегра тоже засмеялась, глядя на сестру. В это время подошел Джимми с очередным хот-догом для Саманты. Он видел, что произошло.

— На, держи для балласта! — Он с улыбкой протянул ей хот-дог. — Да смотри будь поосторожнее, а то сестра катапультирует тебя через забор в сад к соседям.

Оба снова рассмеялись, и Джимми сел рядом с Сэм, на место Аллегры. Некоторое время все четверо непринужденно беседовали и смеялись, потом Аллегра и Саймон пошли играть с гостями в пинг-понг и «подковки». Оставшись с Джимми наедине, Саманта рассказала ему о своем окончательном решении. Конечно, формально она еще имела возможность передумать, по закону ей отводилось шесть месяцев со дня рождения ребенка, в течение которых она могла изменить решение, но Сьюзен, конечно, постарается, чтобы этого не произошло.

— Знаешь, Сэм, ты ведь не обязана это делать, я тебе говорил, — тихо сказал Джимми.

Он уже предлагал ей выйти за него замуж, но Сэм отказалась, не видя в этом выхода. Джимми исполнилось восемнадцать, ей самой исполнится через две недели, и что дальше? Малыш останется на попечении двух человек, которые сами не вполне вышли из детского возраста? Они и себя-то едва в состоянии содержать, не говоря уже о ребенке. К тому же Сэм очень хорошо относилась к Джимми и считала, что он заслуживает лучшей участи. Зачем взваливать на него такое бремя, как чужой ребенок? С тех пор как он стал постоянно бывать у них в гостях, они с Сэм очень сблизились. Он приносил ей книги, конспекты, помогал готовиться к экзаменам. Они стали неразлучны, и когда Джимми ее целовал, нетрудно было догадаться, что могло бы произойти дальше после рождения ребенка. Пока Сэм старалась об этом не думать, но целовались они часто, и в последнее время у нее даже начинались от их поцелуев схватки, что ее очень пугало. Ей и хотелось, чтобы все поскорее кончилось, и одновременно она боялась этого страшного момента.

К ним подсела Блэр. Сэм замечала, что с тех пор как рейтинг сериала стал падать, мать почти постоянно выглядела расстроенной. Сериал значил для нее очень много, она отдала ему девять лет упорного труда. Видеть, как он медленно, но верно разваливается, было все равно что наблюдать, как старый друг умирает от рака.

И конечно, не раз заходил разговор о свадьбе — сколько будет гостей, соорудят или нет навес в саду, кто приготовит угощение для свадебного банкета, под какую музыку будут танцевать. Казалось, это была единственная тема, которая занимала всех. Ближе к вечеру Саймон улучил момент поговорить с Джеффом наедине. Он уже несколько недель собирался позвонить жениху Аллегры, но все как-то не мог выкроить время. Наконец ему удалось перехватить Джеффа у стола с мороженым.

— Я хотел с вами поговорить, — сказал Саймон.

Весь день все только и делали, что ели. Сэм даже пожаловалась Джимми, что если проглотит еще хотя бы кусочек, то родит прямо здесь.

Джефф доедал эскимо и выглядел совершенно счастливым.

— Пикник удался на славу, — похвалил он. Дело было, конечно, не в мороженом. Джефф с удовольствием сознавал себя членом семьи Стейнбергов. К сожалению, Аллегра не могла сказать то же самое об их провалившейся поездке в Саутгемптон. — Вы отлично умеете готовить барбекю. Вам нужно обязательно как-нибудь приехать к нам в Малибу, только предупреждаю заранее, по части барбекю мне до вас далеко. Придется у вас поучиться.

Саймон улыбнулся. Ему очень нравился будущий муж Аллегры, он одобрял выбор дочери и считал, что повезло обоим.

— Полагаю, у вас немало других талантов, кроме приготовления барбекю, — заверил Саймон. — Кстати, как раз об этом я и хотел с вами поговорить. Я прочел вашу книгу, и она мне понравилась, по-настоящему понравилась.

— Спасибо, рад это слышать. — Джефф улыбнулся, полагая, что разговор о его книге на этом и кончится. Со стороны Саймона было очень любезно похвалить его работу.

— А как насчет экранизации?

— Пока никак, — честно признался Джефф. — Я разговаривал кое с кем, пытался продать роман киностудии, но пока не получил ни одного интересного предложения. Следующий фильм я бы не хотел снимать сам, это занятие отнимает слишком много времени, а я хочу вернуться к своему делу. Так что жду более интересных предложений, в крайнем случае сам напишу сценарий.

— Об этом я и хотел поговорить, — подхватил Саймон в своей обычной манере. — У меня как раз к вам предложение. Может, если вы выкроите время на этой неделе, встретимся и обсудим этот вопрос?

Джефф просиял, не смея поверить своим ушам. Саймон Стейнберг, один из самых знаменитых продюсеров Голливуда сам предлагает снять фильм по его книге! И его нисколько не волнует, что Джефф собирается жениться

351

на его дочери и об этом обязательно пойдут разговоры. Впрочем, будущий зять к этому времени достаточно хорошо узнал Саймона и понимал, что если бы книга ему не понравилась, он не предложил бы снять по ней фильм, кем бы ему ни приходился автор и на ком бы он ни собирался жениться.

— Это лучшая новость за последние сто лет! — с восторгом заявил Джефф.

— Какая новость? Расскажите мне, — вмешалась Аллегра, подходя к отцу и жениху.

— Твоему отцу понравилась моя новая книга, и, возможно, он предпримет по этому поводу кое-какие шаги, — скромно ответил Джефф. Он повернулся к своей будущей жене и вдруг широко улыбнулся: — У меня идея, Элли, может, ты, как адвокат, проведешь за меня переговоры? Почему бы нам не сделать это по-семейному?

Аллегра громко рассмеялась:

— Вот и говорите после этого о столкновении интересов!

Шутки шутками, но она была очень рада за Джеффа. Лучшего сочетания для делового сотрудничества, чем ее отец и Джефф, и придумать было нельзя, они идеально подходили друг другу. Вскоре Аллегра с сожалением посмотрела на часы. Пора было собираться. Они с Джеффом шли на концерт Брэма Моррисона, посвященный Дню независимости. Сегодняшний концерт был кульминацией американской части его турне, после этого Брэм собирался лететь в Японию. Хотя Джефф не был большим поклонником рок-концертов, Аллегра обещала Брэму прийти. Концерт обещал стать грандиозным мероприятием, все билеты на огромный стадион разошлись в мгновение ока. Только для того чтобы ограждать Брэма от буйного восторга фанатов, его агенты наняли восемь телохранителей. Все концерты начавшегося турне проходили с огромным успехом. Похоже, Брэм превращался в культовую фигуру всех поколений.

— Куда это вы двое так торопитесь? — спросила Сэм, увидев, что Аллегра и Джефф собираются уходить.

— На концерт Брэма Моррисона в «Большом западном форуме».

— Везет же некоторым! — с завистью сказала Сэм. Джимми, судя по всему, тоже был не прочь побывать на концерте. Они с Сэм обсуждали этот вопрос, но решили, что в ее положении лучше держаться подальше от таких толп, которые собираются на рок-концертах, это слишком опасно.

— Не переживай, я достану тебе билет в следующий раз.

Через несколько минут они поехали переодеваться в дом Аллегры на Беверли-Хиллз. Аллегра собиралась после свадьбы выставить свой дом на продажу, они с Джеффом планировали купить в Малибу новый дом побольше.

В шесть часов оба были готовы ехать на концерт. Аллегра заказала для них лимузин, импресарио Брэма предлагал ей прислать телохранителя, но Аллегра отказалась: толпа ожидалась хотя и большая, но вполне доброжелательная. Поклонники обожали Брэма, порой пытались подойти к нему слишком близко или слишком навязчиво старались коснуться своего кумира, но, как правило, были безобидны.

Аллегру и Джеффа ждали за кулисами до начала концерта, однако когда они приехали, собралась такая огромная толпа, что они с трудом пробились к служебному входу. Даже за кулисами народу скопилось больше, чем обычно. Многих, казалось, того и гляди вытолкнут на сцену, и во время концерта они едва не теснили со сцены музыкантов, но деваться было некуда. У Брэма было баснословное количество поклонников. Никогда еще Аллегра не видела столько зрителей на концерте.

Ее и Джеффа то и дело толкали из стороны в сторону, не раз Аллегра ожидала какого-нибудь недоразумения, но все обошлось. Концерт длился несколько часов, ближе к концу большинство зрителей были под кайфом — одни от спиртного, другие от наркотиков. В одиннадцать часов должен был начаться фейерверк. Минут за пять до его начала какой-то длинноволосый тип в кожаной жилетке на голое тело взобрался на сцену и выхватил у ударника микрофон. Он стал кричать в зал что-то бессвязное о своей любви к Брэму Моррисону, якобы они когда-то вместе воевали во Вьетнаме, их убили и с тех пор они стали единым целым. Он все не умолкал, его бессвязный бред чем-то походил на текст песни. Охрана пыталась добраться до него, чтобы увести со сцены, но на сцене и вокруг нее собралось так много зевак, что к нему было просто не пробиться. Тип в жилетке стал визжать во все горло: «Я тебя люблю! Я тебя люблю!». В это время начался фейерверк, это отвлекло внимание зрителей, толпа немного поредела, и телохранители Брэма наконец смогли отобрать у него микрофон. Когда они схватили орущего фаната и стащили со сцены, он все еще выкрикивал «Я тебя люблю», но теперь почему-то плакал и у него в руках был пистолет. Оружие

353

выглядело игрушечным. Над головой раскрывались огненные цветы фейерверка, раздавались хлопки ракет, заглушая все остальные звуки. Аллегра посмотрела прямо перед собой, ее взгляд наткнулся на Брэма, и она остолбенела: Брэм стоял на коленях, обливаясь кровью. Кровь была повсюду — на голове, на груди, стекала по рукам. Аллегра бросилась к телохранителю, схватила его за руку и закричала что есть сил, пытаясь перекрыть шум:

— Брэм ранен!

Тут и остальные поняли, что произошло. Внезапно вокруг собралась тесная толпа, через которую не смог бы пробиться никто. Брэма подняли на руки, из динамиков неслась его музыка, кровь Брэма капала на столпившихся вокруг него людей, жена Брэма держала его за руку, дети плакали. Брэм умер, так и не дождавшись врачей «скорой помощи». Аллегра пробилась к Брэму вместе с медиками. Брэма положили на пол, Аллегра стояла перед ним на коленях, Джинни Моррисон обнимала мужа и умоляла не покидать их. Но Брэма уже не было с ними, его душа отлетела на небеса и витала где-то между облаками и разноцветными огненными фонтанами. Песни Брэма звучали изо всех динамиков еще громче, чем раньше, музыка не смолкала, и многие зрители даже не знали, что произошло. Им сообщили только в полночь. Толпа пришла в неистовство, одни бесновались в гневе, другие плакали, третьи причитали, а голос Брэма все еще звучал над стадионом. Это был последний концерт Брэма Моррисона.

Человек, убивший Брэма, не был с ним знаком, никогда с ним не встречался и вообще видел Брэма впервые в жизни. Как он сообщил, Бог послал его, чтобы спасти Брэма от людей, которые могут причинить ему вред, и вернуть его Богу. Он гордо заявил полицейским, что выполнил свою миссию и теперь Брэм счастлив. Но почему-то никто не разделял его радость.

Психопат-одиночка убил Брэма Моррисона, одного из величайших рок-музыкантов. Пятьдесят тысяч поклонников его таланта бесновались, визжали, плакали, рыдали. Это скорбное неистовство продолжалось всю ночь, только к утру полиции наконец удалось очистить «Форум» от публики. Аллегра пробыла на ногах всю ночь, ее джинсы и белая рубашка были в крови Брэма, но она выполняла свою работу и не отходила от Джинни Моррисон. Говорили о похоронах. Джинни хотела устроить скромную церемонию, но публика бы этого не допустила. В конце концов был найден компромиссный вариант: закрытые похороны, а потом поминальная служба в «Колизее» на сто тысяч человек. Организацию заупокойной службы взяли на себя антрепренеры Брэма, об остальном предстояло позаботиться Аллегре. Похороны, надгробная речь, решение множества юридических вопросов, в том числе и возникших в связи с отменой турне, — она не только занималась всем этим, но еще и поддерживала Джинни и утешала детей. Именно этого ждал бы от нее Брэм. Она по-человечески любила его. В отличие от Мэла О'Донована, который порой нередко вел себя как фигляр, Брэм был одним из немногих действительно великих людей в мире рок-музыки.

Утром Аллегра и Джефф возвращались в Малибу.

— Просто не верится, что Брэма больше нет, — вздохнула Аллегра.

До дома они добрались почти к полудню, но, несмотря на бессонную ночь, Аллегра не могла просто лечь спать, ей хотелось посидеть у океана и подумать. Она вышла на пляж, села на песок и, глядя на воду, плакала, думая о Брэме, о трагедии, разыгравшейся ночью. Джефф сел рядом и обнял ее.

— Мы живем в безумном мире, полном безумных людей, — сказал он. — На свете есть люди, которым непременно хочется отобрать у тебя деньги, или репутацию, или душу, или саму жизнь — все, что удастся. — Джефф тоже плакал, его глубоко потрясла бессмысленная гибель Брэма и горе вдовы и детей.

Сумасшедший, выстреливший в Брэма, отнял у него жизнь, но не душу. Его душа навеки свободна. Со слезами на глазах Аллегра сидела на берегу и вспоминала Брэма, их первую встречу, их негромкие неторопливые беседы. Брэм был на редкость скромным, непритязательным человеком, совершенно неприхотливым. И все-таки нашлись такие, кто ему угрожал; Брэм почти постоянно получал угрозы в той или иной форме. Этот простой, добродушный человек как магнитом притягивал к себе всяких сумасшедших.

Через несколько дней тело Брэма было предано земле. Видя скорбь его жены, прижимающей к себе плачущих детей, Аллегра вдруг испытала чувство, которого никогда не испытывала раньше. Она поняла, что хочет ребенка. Пока судьба не успела нанести им какой-нибудь удар, пока Джефф ее не оставил, когда бы и по какой причине это ни произошло, она хочет, чтобы у нее осталась живая частичка любимого человека. Аллегра собиралась со временем стать матерью, но никогда еще не осознавала эту потребность так ясно. Но прежде всего она должна была, как ей казалось, исполнить своего рода нравственный долг. Смерть Брэма напомнила, что жизнь слишком коротка и слишком дорога, ее очень легко отнять, поэтому от нее нельзя отмахиваться, ее следует беречь и лелеять. Брэму она помочь уже не может, но она еще может спасти другую жизнь — жизнь еще не родившегося маленького человечка, ребенка Саманты. И она обязана это сделать.

Джефф еще ничего не знал, и она поделилась с ним своими мыслями только на обратном пути, в машине. Сначала он был немного ошеломлен, но, немного подумав, понял, что даже не слишком удивился. Странно, как это они не додумались до такого решения раньше. Через месяц они поженятся, и если Сэм слишком рано заводить ребенка, то о них этого не скажешь. И было бы неправильно отдавать ребенка в чужую семью, когда они могут усыновить его сами.

— По-моему, это замечательная мысль. — Джефф разволновался.

— Ты серьезно? — удивилась Аллегра. «Все-таки Джефф — необыкновенный человек», — в который раз подумала она.

— Конечно, серьезно. Давай поскорее скажем Саманте.

Смерть Брэма потрясла их, от похорон остался тяжелый осадок, но у обоих возникло странное ощущение, будто это Брэм подсказал им мысль усыновить ребенка Сэм, и теперь они готовы были сделать то, о чем раньше не догадывались или не смели попросить. Словно этот ребенок был для них последним подарком от Брэма. Теперь это их ребенок.

— Поверить не могу, — Аллегра рассмеялась, — у нас будет ребенок...

Джефф тоже улыбался. Аллегра волновалась только о том, чтобы Сэм поддержала их предложение. От такого варианта выигрывали все, единственной проигравшей стороной становились Уитмены. Но как Аллегра сама не раз напоминала Сэм, пока документы не подписаны, формально им никто ничего не должен. Ребенок пока даже не родился на свет.

Вечером того же дня Аллегра и Джефф поговорили с Сэм, и она согласилась, что это будет идеальным решением. Аллегра обняла сестру, и та заплакала. Хотя Сэм по-прежнему отказывается от родительских прав, по крайней мере ребенок будет рядом с ней. Казалось, небо откликнулось на ее молитвы.

356

Глава 19

Но Кэтрин и Джон Уитмен отнюдь не пришли в восторг от решения Сэм и не желали признавать, что Аллегра и Джефф будут идеальными родителями для будущего ребенка. Сказать, что они пришли в ярость, значит ничего не сказать. На сей раз они не желали прислушиваться ни к каким логическим доводам. Сьюзен Перлман пыталась их образумить, объясняла, что, пока контракт не подписан, Сэм не имеет перед ними никаких обязательств, но они не желали ничего слышать. Уитмены считали, что жизнь перед ними в долгу, судьба дважды сыграла с ними жестокую шутку, когда матери потребовали своих младенцев обратно, и терпеть в третий раз не собирались. Полагая, что с ними обошлись несправедливо, они стали искать, на ком бы выместить обиду и боль — все равно на ком, до кого удастся добраться. Сама Сэм, ее родители, Аллегра, Джефф — все, кому они могли навредить, должны были заплатить за их страдания. Уитмены готовы были на любые средства, коль скоро их нельзя было привлечь к уголовной ответственности. Особую неприязнь у них вызвала Саманта.

Сведения о ее жизни, которые они узнали от Сьюзен Перлман и услышали от самой Сэм, они продали таблоидам* за сто пятьдесят тысяч долларов, еще семьдесят пять тысяч получили за ту же самую информацию от редакции журнала «Что новенького?», три телестудии заплатили им за интервью по двадцать пять тысяч долларов каждая. В общем, довольно неплохая плата за испорченную репутацию молоденькой девушки и нарушенный мир в семье. Словно в качестве «подарка» к восемнадцатилетию Сэм, ее имя появилось на первых полосах всех бульварных газет, и ни в одной не было сказано о ней ни одного доброго слова. Статьи были полны грязных намеков: говорилось, что она переспала чуть ли не с половиной Голливуда, что она даже не знает, кто отец ребенка. Не утаив от репортеров ни одной мелочи, Уитмены еще добавили от себя. По их словам, Сэм принимала наркотики, пила, занималась сексом чуть ли не со всеми подряд и, даже будучи на восьмом месяце беременности, пыталась соблазнить Джона Уитмена.

---

* Таблоид — газета в половину обычного формата, печатает сообщения о сенсационных новостях и много фотографий.

Если для любой знаменитости это было бы воплощением кошмарных снов в реальности, то для молоденькой девушки вроде Сэм последствия могли быть еще более страшными. Причем Стейнберги даже не могли рассчитывать на поддержку со стороны закона: если бы Сэм подала в суд на журналистов, их защитники могли выдвинуть аргумент, что поскольку родители Сэм — люди известные, из-за них она всегда на виду. Журналисты желтой прессы играют наверняка, а то, что в погоне за прибылью и тиражами будут уничтожены одна-две жизни, для них не имеет значения.

Однако, к удивлению родных, Сэм держалась с достоинством и мужественно переносила шумиху, поднявшуюся вокруг ее имени. После всех переживаний статьи в газетах ее почти не волновали. Она стала реже появляться в общественных местах, перестала подходить к телефону, но казалась до странного умиротворенной. Как всегда в трудной ситуации, семья сплотилась еще теснее, чтобы поддержать и защитить одного из своих членов. Джимми тоже не оставил Сэм. Он почти не отходил от нее ни днем ни ночью, они подолгу гуляли вдвоем, иногда ездили куда-нибудь на его машине. Они стали еще более неразлучны, чем раньше, и Джимми оказался таким же сильным, как Сэм. Разгоревшийся скандал не замалчивали. Уязвленная Сэм чувствовала себя униженной, ее чувства были задеты, журналисты старались раздуть донельзя любую мелочь, но она-то знала правду о себе, своей жизни и своем ребенке, и это было для нее главным. Она сама прекрасно понимала, что совершила глупость с Жан-Люком, но никогда не вытворяла всего того, что приписывали ей таблоиды. И какую бы грязную ложь ни продавали о ней Уитмены, это не поможет им получить ребенка. В отместку за свое разочарование они как могли ранили и унижали Сэм, однако у нее по-прежнему оставались ее жизнь, ее душа, ее порядочность, ее ребенок, наконец. Ей было жаль бездетную пару, но теперь она была рада, что не отдала ребенка людям, оказавшимся на поверку злобными, мстительными, непорядочными.

Шумиха, поднятая газетами, не утихала уже три недели. Дата родов приближалась. Тем временем Уитмены дали еще одно интервью, но Сэм по-прежнему казалась спокойной и все так же была неразлучна с Джимми. За все время скандала она не сделала ни одного заявления для прессы; Саймон убедил ее, что молчание — самая мудрая тактика в данном случае, хотя и самая трудная.

В начале августа Алан вернулся из Швейцарии. По возвращении домой он сразу же позвонил Аллегре и накинулся на нее с упреками, что она не рассказала ему о Сэм раньше. О ее беременности он узнал от Кармен, которая позвонила ему после появления статей в газетах.

— Боже правый, что у вас тут происходило? Я сто раз разговаривал с тобой по телефону, но ты ни словом не обмолвилась обо всей этой истории.

— Я не хотела говорить, потому что сама не знала, как Сэм поступит. У нас тут была непростая ситуация, и я вообще никому ничего не говорила. Но сейчас другое дело, все и так все знают. — Сказать «все знают» означало ничего не сказать. Через газеты и телепередачи история Сэм — вернее, версия Уитменов — стала известна миллионам людей.

— И что твоя сестра намерена делать? — Алану было жаль Сэм, он привык считать ее очаровательным ребенком, которому, конечно, слишком рано становиться матерью.

— Мы с Джеффом решили усыновить ее ребенка, — гордо сообщила Аллегра.

— Ничего себе! Вы же еще не поженились. Кстати, когда должен родиться ребенок?

— Дня через три.

Аллегра радостно рассмеялась. Они с Джеффом в последние дни бегали по магазинам, покупая детские вещи — пеленки, распашонки, подгузники, бутылочки, одеяла. Оказалось, что маленькому ребенку требуется страшно много всяких вещей, и подготовиться к его появлению куда сложнее, чем к свадьбе, но в каком-то смысле и гораздо интереснее.

Одновременно Джефф продолжал снимать фильм, а Аллегра каждый день ходила на работу, улаживала вопросы с наследством и недвижимостью Брэма, вела дела других клиентов. Она уже подыскивала няню для ребенка на время свадьбы и медового месяца, а после свадьбы собиралась взять отпуск, если удастся.

К рождению ребенка предстояло устроить еще очень многое. Колыбельку пока поставили прямо посреди спальни, Джефф уже приладил на ней музыкальную игрушку-мобиль с кудрявыми овечками и такими же кудрявыми облаками. Они накупили крошечных башмачков, кофточек, целую гору всякого оборудования, ребенок еще не родился, а у него, кажется, было все, о чем только можно мечтать. Слушая их разговоры о подготовке к встрече ребенка, Алан усмехнулся и признался, что Кармен снова беременна, но они собираются держать это в секрете как можно дольше на случай, если она снова потеряет ребенка. Кроме всего прочего, Кармен предстояло еще целый месяц сниматься. Словом, у обоих было дел по горло.

Этот разговор состоялся в первый вечер после возвращения Алана домой. И у Джеффа, и у Аллегры день был особенно трудный, оба легли спать поздно, когда уже еле держались на ногах. Но в два часа ночи зазвонил телефон. Джефф, конечно, тут же предположил, что Кармен опять взялась за свое — наверное, поссорилась с Аланом и, как всегда в таких случаях, звонит Аллегре.

— Не бери трубку! — простонал он, и у Аллегры даже возникло искушение на этот раз послушаться Джеффа.

— А вдруг это Сэм?

— Не может быть, — не слишком убежденно возразил Джефф. — Я слишком устал, чтобы становиться отцом прямо сейчас.

Некоторое время в душе Аллегры усталость и жалость к Джеффу боролись с чувством долга. В конце концов она все-таки сняла трубку. Звонила Блэр. Оказалось, у Сэм час назад отошли воды, какое-то время больше ничего не происходило, но сейчас начались регулярные сильные схватки.

— Ты уверена, что схватки не ложные? — спросила Аллегра, нервничая.

Джефф снова застонал:

— Господи, как же я устал! Ни о чем не хочу слышать!

Аллегра рассмеялась и легонько ткнула его локтем в бок:

— Нет, ты не устал, у нас скоро появится ребенок.

Когда-нибудь она вот так же разбудит Джеффа, чтобы сказать, что их первый собственный ребенок собирается появиться на свет, но сейчас пока ребенок родится у Сэм — их будущий ребенок, — и это почти такое же волнующее событие.

— Если не хочешь пропустить рождение малыша, тебе лучше поторопиться, — сказала Блэр. Сэм была уже в больнице, в родовой палате, и, по словам врачей, ждать осталось недолго.

— Как Сэм себя чувствует? — взволнованно спросила Аллегра.

— Не так уж плохо. — Блэр все еще держала в руке часы, по которым засекала интервалы между схватками. И добавила, повергнув Аллегру в изумление: — Мы только что позвонили Джимми. — В голосе Блэр послышалась нежность.

— Ты уверена, что это стоило делать?

— Так хочет Сэм, Джимми тоже ходил с ней на занятия.

Блэр не добавила, что, по ее мнению, Сэм имеет полное право позвать того, кого считает нужным. Она с самого начала не хотела, чтобы при родах присутствовал Джон Уитмен, и это понятно, но почему она хочет видеть рядом Джимми?

Перед тем как ехать с Джеффом в больницу, Аллегра ненадолго остановилась перед колыбелькой с подвешенным над ней мобилем. Завтра в этой колыбельке будет лежать маленький человек. От этой мысли Аллегра улыбнулась. Она никогда раньше не сознавала, что ей так хочется иметь ребенка. Пожалуй, материнство — самое удивительное, что когда-либо с ней случалось.

— Ну как, волнуешься? И рада небось? — спросил Джефф, думая о том же самом. Он обнял Аллегру за плечи. — Я рад, что мы это делаем. — Решение взять ребенка значило для обоих очень много, хотя момент был не самый подходящий.

— Я тоже рада.

Оба в джинсах, футболках и кроссовках, они поспешили к машине. Аллегра, как и Блэр, собиралась находиться в родовой палате, но когда они приехали в больницу, Блэр сидела в коридоре вместе с Саймоном.

— В чем дело? Почему ты тут сидишь? — Вопрос Аллегры прозвучал так, словно она спрашивала у матери, почему та еще не в самолете, который вот-вот должен взлететь. В каком-то смысле она оказалась менее подготовленной к тому, что происходит, чем Сэм.

Джефф зевнул и сел рядом с Саймоном. Оба засыпали на ходу, и обоим отводилась пассивная роль. От них требовалось только одно: когда все кончится, не забыть говорить всем, какую огромную работу они проделали.

— Сэм осматривает врач, — пояснила Блэр. — У нее все идет хорошо, акушерка сказала, что, если схватки будут продолжаться и дальше в таком темпе, ребенок скоро родится.

— А разве нам не полагается быть с ней? — встревожилась Аллегра. Она не хотела, чтобы сестра чувствовала себя одинокой, и боялась пропустить появление на свет малыша.

— По-моему, Сэм нужно немного побыть наедине с Джимми. Они хорошо справляются вместе, Джимми **361** ей помогает, как учили на занятиях. Мне кажется, слишком большая толпа вокруг только заставит ее волноваться еще сильнее.

Посидев некоторое время в коридоре, Аллегра и Блэр в конце концов не выдержали, тихо приоткрыли дверь палаты и заглянули внутрь. Сэм с испуганным видом сидела на кровати, пытаясь дышать во время схватки, как ее учили, а Джимми стоял рядом и что-то говорил ей. Для восемнадцатилетнего паренька он держался на удивление спокойно. Когда схватка кончилась и Сэм откинулась на подушки, Джимми дал ей кубик льда и обтер влажной салфеткой лоб.

— Как дела, Сэм? — осторожно поинтересовалась Аллегра.

— Не знаю. — Сэм испуганно цеплялась за руку Джимми. Монитор показал, что начинается очередная схватка, и все повторилось сначала. Аллегра, в душе содрогаясь от ужаса, стояла в сторонке, но Блэр считала, что Сэм отлично справляется. То же самое сказал и врач, когда подошел к ней через несколько минут. Он похвалил Сэм за усердие и похлопал ее по коленке.

— Осталось недолго, — сказал он, подбадривая Сэм. Он собирался принять ребенка прямо здесь, в этой кровати, когда Сэм будет готова. — Полдела уже сделано — добавил он радостно, а Сэм, услышав это, застонала:

— Половина? Я больше не выдержу! — Она со слезами на глазах посмотрела на Джимми.

— Ты молодчина, Сэм, — прошептал он. Сейчас Джимми выглядел не мальчиком, а мужчиной. Он спокойно стоял рядом, держал Сэм за руку и вместе с ней ждал следующей схватки. Блэр и Аллегра почувствовали себя совершенно лишними и потихоньку вышли из палаты в коридор. Мужчины представляли собой довольно занятное зрелище. Джефф безмятежно похрапывал в кресле. Саймон клевал носом над газетой, которую тщетно пытался читать.

Аллегра с матерью прошлись по коридору и остановились у окна детской палаты, чтобы посмотреть на младенцев. Некоторые спали, но большинство плакали. Одни из них родились совсем недавно, не больше часа назад, другие с одинаковым нетерпением ждали своих мамочек.

— Что ты думаешь о Джимми? — спросила Аллегра мать.

Блэр пожала плечами:

362   — Поживем — увидим.

Аллегра снова заглянула в палату к Сэм. Сестра сидела на краю кровати, Джимми сидел у нее за спиной и растирал ей поясницу. Следуя указаниям акушерки, Джимми даже помог Сэм походить по комнате. Но тут началась новая схватка, и Сэм закричала. Тогда Джимми осторожно приподнял ее и снова уложил на кровать, однако боль усиливалась и Сэм продолжала кричать. Аллегра была глубоко тронута тем, как Джимми заботится о ее сестре, парень проявлял чудеса терпения и выдержки. Схватки продолжались всю ночь, встало солнце, а ребенок, казалось, все еще не собирался появляться на свет. Врач и акушерка говорили, что все идет как положено, хвалили Сэм, но она жаловалась, что больше не выдержит. С каждой схваткой она вцеплялась в руку Джимми и кричала. Аллегра уже думала, что больше этого не вынесет и ей придется уйти, но тут врач наконец разрешил Сэм тужиться. Теперь начиналась настоящая работа, однако Сэм только смотрела на своих родных, на Джимми, на врача и кричала. У нее не осталось сил.

— Я не могу, — все время повторяла она.

— Можешь, Сэм, можешь, — твердо сказал Джимми. — Ну давай же, прошу тебя, ты должна это сделать.

Со стороны они были похожи на двух подростков, поощряющих один другого, но, наблюдая за ними, Блэр видела то, чего не замечала Аллегра: эти двое больше не были детьми, за одну ночь они повзрослели. Теперь это были уже не мальчик и девочка, а мужчина и женщина. Блэр помнила, как рождались ее собственные дети — Пэдди, Аллегра, Скотт, Сэм. С рождением ребенка жизнь женщины необратимо меняется, меняются и отношения с его отцом, между женщиной и мужчиной как бы образуется новая связь. Джимми вел себя так, как будто был отцом ребенка. Он неотлучно находился рядом, поддерживал Саманту как мог. А она не замечала вокруг никого, кроме Джимми, только он один был ей нужен в эти трудные часы.

Роженице приподняли ноги, она испытывала страшную боль, умоляла не трогать ее и все время хваталась за Джимми. Акушерка велела ей тужиться, но Сэм ее не слушалась. Джимми помог приподнять ей голову и плечи, и тогда Сэм наконец начала делать то, что от нее требовалось. Опять же с помощью Джимми акушерке и врачу удалось уговорить Сэм, и ребенок начал медленно продвигаться. Блэр и Аллегра время от времени выходили из палаты, когда им становилось уж совсем невмоготу видеть страдания Сэм, но Джимми не покидал ее всю ночь. Около девяти утра — Блэр тогда только что в очередной раз вернулась в комнату — все засуетились. В палату вкатили кроватку для новорожденного. Пришли еще две акушерки, врач помогал Сэм, держа ее ноги в приподнятом положении, а Джимми обнимал ее за плечи, помогая вытолкнуть ребенка. Вдруг Сэм издала звук, похожий на хрюканье, и, совершенно обессиленная, повисла на руках у Джимми, но тут же завизжала — началась новая схватка. На этот раз ей не дали увильнуть, акушерки помогали тужиться, и вдруг в комнате раздался совершенно новый звук. Это была музыка жизни — тоненький писк новорожденного, потом громкий крик. Сэм засмеялась со слезами на глазах, Джимми вел себя точно так же.

— О Господи... Господи... Он такой красивый! С ним все в порядке? — От волнения у Сэм прерывалось дыхание.

— Отличный малыш, — сказал врач.

Джимми не мог говорить, но за него все сказал взгляд, обращенный к Сэм. Он постоял рядом, потом поднес к губам руку Сэм и тихо прошептал:

— Я люблю тебя. Ты молодчина.

— Без тебя я бы не справилась.

Сэм устало откинулась на подушки, Джимми склонился над ней и положил младенца рядом с матерью. Сэм подняла глаза на Аллегру, потом посмотрела на Джимми, и они обменялись какими-то странными взглядами. Аллегра и Блэр находились в палате, и Сэм повернула голову так, чтобы видеть обеих одновременно. Саймон и Джефф тоже были в палате и с радостью взирали на здорового мальчугана, который в это время орал во всю мощь своих маленьких легких. Никто не мог смотреть на малыша без улыбки, но Сэм вдруг загрустила. Она с сожалением взглянула на Аллегру и Джеффа. Ей не хотелось причинять им боль, но как бы она ни любила обоих, у нее не было выбора.

— Эл, Джефф, мы с Джимми должны вам что-то сказать. — Она набрала в грудь побольше воздуха и сжала руку Джимми. — На прошлой неделе мы поженились. Нам обоим уже исполнилось восемнадцать, и даже если нам придется самим содержать ребенка, мы хотим оставить его у себя. Аллегра, мне жаль тебя разочаровывать. — Сэм дотронулась до руки сестры и заплакала. Она разочаровала многих, сначала родителей, потом Уитменов, которые хотели усыновить ее ребенка, теперь вот Аллегру и Джеффа. Однако ни Аллегра, ни Джефф, похоже, не обиделись, оба смотрели на нее с удивлением.

— Вы хотите оставить ребенка? — переспросил Джефф свою будущую свояченицу. — Сэм только кивнула. — Ну что ж, это правильно, вы здорово потрудились, чтобы он появился на свет. — Джефф ласково похлопал Сэм по руке, в его глазах блеснули слезы. — Мы хотели его усыновить, чтобы он остался в семье, но ты его мать, ему с тобой будет лучше.

Джефф повернулся к Джимми и улыбнулся ему, как мужчина мужчине:

— Мои поздравления.

Потом обнял Аллегру за плечи.

— Ты как, Эл, не возражаешь?

Сэм с тревогой посмотрела на старшую сестру, ожидая ее ответа.

— Все нормально, — немного грустно сказала Аллегра. — Кажется, я слегка ошеломлена всем этим и еще не пришла в себя. — Роды подействовали на нее гораздо сильнее, чем она могла предположить. — Я рада за тебя. Конечно, я хотела ребенка, но, правду сказать, немножко и побаивалась. Наверное, мы еще не готовы быть родителями.

Но они все равно хотели ребенка, и ей требовалось некоторое время, чтобы привыкнуть к мысли, что Сэм оставляет его себе. Однако Джефф прав: малышу лучше быть с матерью, если есть такая возможность.

— Мы перевезем к вам вещи, которые накупили для малыша, они вам пригодятся. — Аллегра улыбнулась сестре и Джимми. Все вдруг прослезились. Как и Джефф, она пришла в замешательство. Они оба старались поступить так, как было бы лучше для всех.

Блэр посмотрела на дочерей, все еще пытаясь осмыслить происшедшее.

— Вот это да, кухня не готова, свадьбы не было, зато есть младенец! — шутливо возмутилась она. — Да еще и зять. — Она улыбнулась Джимми. — Судя по всему, в ближайшее время у нас дома дел всем хватит. — Блэр и Саймон никогда бы не отвернулись от собственной дочери и внука, да и Джимми оказался настоящим парнем.

365

— Да, мама, боюсь, что так. — Сэм улыбнулась и посмотрела на своего малыша, думая, что он красавчик и она немало потрудилась, чтобы произвести его на свет.

— Вы можете жить у нас, — сказал Саймон молодой паре. С осени и Сэм, и Джимми собирались учиться в университете. Сэм подумывала о том, чтобы взять малыша с собой хотя бы на первые несколько месяцев: тогда она смогла бы кормить его грудью. В последнее время они с Джимми много говорили о том, как устроить свою совместную жизнь.

— Означает ли это, что я могу наконец идти спать? — спросил Джефф, зевая. Вся семья расхохоталась. Он посмотрел на часы и понял, что их рассмешило. — Ясно, время сна я пропустил, сейчас уже пора на работу.

— Какой же ты глупенький, — с нежностью сказала Аллегра, — но я тебя все равно люблю.

Пора было уходить. Блэр и Саймон поцеловали дочь и малыша, у которого пока не было имени. Имя они еще только обсуждали; Сэм считала, что с фамилией Маццолери хорошо сочетается имя Мэттью. Теперь, когда родные узнали, что Сэм и Джимми поженились, Блэр решила встретиться и поговорить с матерью Джимми. Молодые люди проявили недюжинную храбрость, заодно успели натворить и глупостей, но может, у них получится что-нибудь путное. С людьми порой случаются самые удивительные вещи, например, ее бабушка вышла замуж в пятнадцать лет и прожила с одним мужем семьдесят два года. Может, Сэм так же повезет.

По дороге на студию Джефф и Аллегра делились друг с другом своими чувствами по поводу того, что приемного ребенка у них в конце концов не будет.

— Ты очень разочарована? — спросил Джефф. Сам он все еще пытался разобраться в собственных чувствах. Прошедшая ночь была нелегкой, и он беспокоился за Аллегру.

— Да, немного, — призналась она, — но, кажется, какая-то часть меня испытывает облегчение. Сама не пойму до конца, что я чувствую, но я уважаю решение Сэм. — Оба понимали, что сестра Аллегры приняла правильное решение.

— Я тоже не понимаю, — смущенно признался Джефф. — То есть я не сомневаюсь, что мы бы любили этого младенца, стань он нашим, но, честно говоря, я бы предпочел начать с нашего собственного, родного ребенка. Хотя ради Сэм я готов был усыновить ее малыша: мне с самого начала было не по душе, что она отдаст своего ребенка совершенно посторонним людям. Мне казалось, что это было бы жестоко и по отношению к ней, и по отношению к малышу. — Он действительно согласился на усыновление ради Аллегры и ее сестры.

Аллегра молча кивнула. Неожиданно на лице Джеффа появилась широкая улыбка.

— Теперь нам придется сделать ребенка самим. Думаю, это будет интересное занятие.

Аллегра улыбнулась в ответ. Пожалуй, все обернулось к лучшему для них. В последнее время жизнь делала странные повороты.

Тем временем в Бель-Эйр Саймон и Блэр только что вошли в дом и прошли на недавно разгромленную в результате ремонта кухню. Кое-чем из кухонного оборудования еще можно было пользоваться, и они приготовили себе по чашке кофе и сели за кухонный стол. Прошедшая ночь оказалась долгой и напряженной. Оба пребывали в радостно-приподнятом настроении и одновременно чувствовали некоторую опустошенность. В больнице Блэр было тяжело видеть, как Сэм мучается от боли, а ребенок вызывал у них двойственные чувства. И все же когда Блэр и Саймон увидели Сэм с младенцем, они поняли: так и должно быть. А сейчас они не знали, грустить им или радоваться, считать ли случившееся трагедией или благословением Божьим.

— И что ты обо всем этом думаешь? — спросил Саймон со вздохом. — Пусть это останется между нами, но давай начистоту, мы одобряем этот брак или нет? — Они уже обещали поддержать Сэм и Джимми во всех их начинаниях, но Саймон хотел знать, как Блэр в душе относится ко всему этому.

Блэр устало потерла глаза рукой, потом снова посмотрела на мужа.

— Конечно, они оба очень молоды, но я почему-то надеюсь, что у них все получится. Не важно, каким образом этот ребенок вошел в наши жизни, но он такой славный, он ни в чем не виноват. Да и Джимми мне нравится, он хороший мальчик и вел себя с Сэм просто замечательно. Конечно, не о таком муже для своей дочери я мечтала, но в конечном счете, может, все еще сложится хорошо.

Об этом молча мечтал каждый. Джимми действительно держался молодцом, постоянно поддерживал Сэм **367** и во время беременности, и во время родов; даже будь он отцом ребенка, нельзя было бы желать большего. Если уж на то пошло, на месте Джимми большинство куда более зрелых мужчин не смогли бы оказать Сэм и половины той поддержки, какую оказывал он.

Саймон отпил из чашки и нахмурился.

— Конечно, это глупо и очень по-детски — пожениться тайком ото всех, но надо отдать им должное, они хотя бы попытались привести свои дела в порядок. Джимми — славный паренек, а малыш — просто прелесть, правда? — Взгляд Саймона затуманился: он вспомнил, какими малышами были когда-то их собственные дети.

— Да, он миленький, — согласилась Блэр с печальной улыбкой. — А ты помнишь, каким славным был Скотт, когда родился?

— И Сэм тоже, — растроганно произнес Саймон, вспоминая огромные темно-голубые глазищи и торчащие во все стороны светлые волосики. Он снова с нежностью посмотрел на жену. За этот год они очень далеко отошли от тех воспоминаний, и не по вине Блэр.

Их союз дал трещину, но сейчас оба уже осознали, что надорвана сама ткань, из которой соткан их брак. Саймон легкомысленно надеялся, что Блэр не заметит, если он возьмет себе небольшой отпуск от брака, ведь формально он по-прежнему оставался с ней, только сердце его уже несколько месяцев было далеко. И только сейчас Саймон понял, как дорого обошлась им обоим его ошибка.

— Прости меня, Блэр, я знаю, что этот год был для тебя очень тяжелым.

Блэр не ответила, она задумалась о не столь отдаленном прошлом. Когда она ходила по дому и ей на глаза попадались семейные фотографии, напоминающие о лучших временах, то от одного их вида у нее начинало болеть сердце. Она помнила времена, когда Саймон смотрел на нее с нежностью, когда их объятия были крепкими, когда в их взглядах еще горела страсть друг к другу. Теперь у нее в душе как будто все умерло. Блэр никак не ожидала, не могла себе даже представить, что он способен ранить ее так больно.

— Каким же я был глупцом, — прошептал Саймон со слезами на глазах. Он взял жену за руку. Сейчас он отчетливо сознавал, что он с ней сделал, и от этого чувствовал себя последним мерзавцем. Элизабет его возбуждала, она вдохнула в него новую жизнь, но он никогда не любил ее по-настоящему, так, как любил только Блэр. И он ни за что бы не хотел причинять жене боль, чтобы она узнала о его измене, но вышло иначе. А теперь слишком поздно. По поникшим плечам Блэр, по ее потухшему взгляду Саймон понял: то волшебное и прекрасное, что было когда-то между ними, ушло. Поначалу это пугало Блэр, потом она злилась, чувствовала горечь, но сейчас она ощущала только грусть и невероятную усталость — Саймон это чувствовал, и для него это было гораздо страшнее, чем ее гнев.

— В жизни всякое бывает, — философски заметила Блэр. Ни один из них ни разу не упомянул имени Элизабет, но оба понимали, о ком идет речь. — Я только не ожидала, что такое может произойти с нами. Это было тяжелее всего. Поначалу я просто не верила, но со временем, кажется, поняла, что мы такие же, как все — надломленные, потрепанные жизнью, озлобленные. Это было все равно что потерять наше волшебство.

— Блэр, ты никогда не теряла свою магию.

— Нет, я ее потеряла... когда мы потеряли нашу.

— Может, мы ее еще не совсем потеряли и нам удастся найти ее снова, — с надеждой сказал Саймон.

Блэр улыбнулась, но ей было трудно представить, что у них все опять может стать как раньше, слишком многое изменилось за последнее время. И ни одно из изменений не было чисто внешним, поверхностным. Внешне как раз все выглядело по-прежнему, окружающим они, как и раньше, казались интеллигентными, творческими, счастливыми людьми, у которых великолепная семья и жизнь, полная тепла и любви. Но внутри все изменилось. На протяжении последнего года Блэр была очень одинока, она во второй раз в жизни чувствовала себя брошенной.

— По-моему, это замечательно, что в доме появится ребенок, — мягко сказал Саймон.

Блэр снова поникла.

— Саймон, если тебе этого хочется, ты еще можешь иметь детей. Я не могу.

— Это для тебя так важно? — спросил Саймон, явно удивленный. Он даже не задумывался о детях, когда был с Элизабет Коулсон; брак, дети — все это оставалось за рамками их отношений, с его стороны было только сексуальное влечение, возбуждение. Но Блэр в ответ на его вопрос серьезно кивнула:

— Иногда это имеет значение, для меня всегда было важно, что я могу иметь детей, и сейчас, когда я лишилась этой способности, я чувствую себя очень старой.

В этом году она перешагнула определенный рубеж в жизни, и по иронии судьбы это случилось в тот же год, когда Саймон решил изменить ей с женщиной, почти вдвое моложе, чуть ли не с ровесницей старшей дочери. Мягко говоря, он выбрал не самое удачное время, но она ничего не могла изменить или предотвратить.

— Мне не нужны другие дети, — твердо сказал Саймон. — За всю жизнь мне никогда не хотелось быть женатым на ком-то другом, кроме тебя. Блэр, я и не думал от тебя уходить. Я знаю, то, что я сделал, — это непростительно, неправильно, недопустимо, просто мне нужна была небольшая передышка. Не знаю, что на меня нашло, наверное, я просто старый дурак. Она молода, мне льстило ее внимание, и, наверное, так совпало, что в это же время наша семейная жизнь стала казаться мне обыденной. Но я никогда ни о чем так сильно не жалел, как об этой своей ошибке. — За его развлечение они оба заплатили очень высокую цену. — Она не выдерживает никакого сравнения с тобой, Блэр, — тихо признался Саймон. Такая честность с женой давалась ему нелегко, но он знал, что пришло время быть честным. — Во всем мире с тобой никто не сравнится.

Саймон наклонился к жене и поцеловал ее. На какую-то долю секунды Блэр ощутила проблеск чувства, которого не испытывала целый год. Она неуверенно ответила на поцелуй, потом улыбнулась и скромно заметила:

— Я, знаешь ли, теперь бабушка.

Слышать это было так странно и непривычно, что оба рассмеялись.

— А я тогда кто? Я чувствую себя еще старше, чем есть на самом деле.

Элизабет Коулсон поначалу словно возродила его, он почувствовал себя вдвое моложе, но когда понял, что может потерять Блэр, будто разом постарел на тысячу лет. Саймон медленно встал и обнял жену за плечи.

— Пойдем, помоги дряхлому старику подняться наверх. Ночь была трудная, мне нужно лечь.

Но когда он посмотрел на жену, в глазах его заблестели совсем не стариковские огоньки. Ночь действительно была трудная, оба устали, но у Саймона на уме было кое-что, о чем он до сегодняшнего утра и помыслить не смел.

— Если ты когда-нибудь еще раз... — В глазах Блэр сверкнули искры, которых Саймон не видел в них почти год.

Блэр легкой походкой, соблазнительно покачивая бедрами, быстро поднялась по лестнице. Саймон смотрел на жену, любовался ею, и сердце его пело. На верхней площадке она обернулась и снова посмотрела на него. На этот раз ее взгляд метал громы и молнии.

— Вот что, Саймон Стейнберг: дважды тебе это с рук не сойдет! В этом доме старики, которые не умеют себя вести, милости не дождутся.

Саймон молчал, ему можно было ничего не говорить, Блэр и так читала в его глазах глубочайшее раскаяние и любовь. Несмотря ни на что, он все-таки к ней вернулся. Блэр до сих пор бросало в дрожь от мысли, что она его чуть было не потеряла.

— Тебе не обязательно это говорить. — Саймон обнял жену и поцеловал. — Это никогда не повторится.

— Я знаю, что не повторится. — Они вошли в спальню. В окна бил яркий солнечный свет, денек обещал быть отличным. — Потому что в следующий раз я тебя просто убью. — Блэр произнесла это очень тихо, мягко, но она прекрасно понимала, что если потеряет Саймона, то это убьет ее саму.

— Иди сюда, — хрипло прорычал Саймон. Как давно он этого не говорил! В последний раз они занимались любовью чуть ли не год назад, и сейчас Саймону не терпелось поскорее уложить жену в постель. Они прыгнули на кровать, как два расшалившихся подростка, Блэр рассмеялась, а затем Саймон вдруг стал ее целовать, и она вмиг вспомнила все, что так старательно пыталась забыть, — как она его любила, какой он сексуальный, как хорошо им было вместе. Блэр никогда не думала, что сможет снова доверять ему, тем более полюбить его снова, но сейчас, когда они лежали на залитой солнцем кровати в день рождения их первого внука, оба вдруг с громадным облегчением поняли: ничто не потеряно. Их любовь друг к другу стала еще сильнее, если такое возможно. Им повезло — это крошечный новорожденный сын Сэм благословил их на новую жизнь.

Глава 20

Когда август вступил в свои права, стало наконец казаться, что все важные события развиваются так, как им и положено. Джефф благополучно снимал свой фильм. Кармен продолжала съемки, ее беременность пока не создавала никаких сложностей. Правда, стал мешать Алан, который объявлялся на площадке всякий раз, когда снималась любовная сцена. Режиссер даже позвонил Аллегре и пожаловался на него. Однако оба фильма продвигались успешно. Аллегра помогала Джинни Моррисон продать дом на Беверли-Хиллз и перебраться на их ранчо в Колорадо. Вдова Брэма хотела поселиться как можно дальше от Лос-Анджелеса и завершить переезд еще до сентября, когда детям нужно будет идти в школу. При их семье по-прежнему круглые сутки дежурили телохранители, но выяснилось, что выстрел, унесший жизнь Брэма и разрушивший их жизни, был случайной выходкой какого-то свихнувшегося одиночки. Среди живущих в Лос-Анджелесе знаменитостей это событие вызвало взрыв негодования, лишний раз напомнив всем, какие опасности их подстерегают и насколько малы и ограниченны средства защиты в рамках существующих законов. Однако Джинни сейчас была далека от того, чтобы выступать с речами в поддержку принятия новых законов. Она хотела только одного: исчезнуть из поля зрения публики вместе с детьми.

На сентябрь был запланирован концерт, посвященный памяти Брэма. Он должен был состояться буквально через несколько дней после свадьбы Аллегры и Джеффа. Некоторое время они даже обсуждали вопрос о переносе медового месяца. Однако при том, что Аллегра очень сочувствовала вдове и детям Брэма и всей душой старалась помочь, настал момент, когда она поняла, что пора провести грань между работой и личной жизнью. Она позвонила Джинни и сказала, что во время концерта ее и Джеффа не будет в городе, они уедут в свадебное путешествие. И Джинни ее поняла — Аллегра и так уже очень много для них сделала и всегда хорошо относилась к Брэму.

Сынишка Сэм, Мэттью Саймон Маццолери, был предметом всеобщей радости и гордости. Сэм кормила его грудью, и малыш рос и креп с каждым днем. Джимми чуть ли не ежеминутно фотографировал их обоих или снимал видеокамерой: Мэттью принимает ванну, Мэттью спит, Мэттью купается в бассейне, Мэттью на руках у мамы, Мэттью на лужайке. Джимми и Сэм повсюду носили малыша с собой. Сэм очень быстро восстановила прежнюю форму и вскоре стала такой же стройной, как раньше.

Уитмены продолжали продавать в газеты выдуманные истории про Сэм, выступили с очередным интервью по телевидению. Интервью показали после того, как было объявлено, что четвертого августа у миссис Джеймс Маццолери (урожденной Саманты Стейнберг) в больнице Сидарз-Синай родился сын Мэттью весом восемь фунтов и одна унция. Газеты, публиковавшие это объявление, в следующих строчках обычно уточняли, что миссис Маццолери является дочерью Саймона Стейнберга и Блэр Скотт. В одной лос-анджелесской газете под объявлением была помещена фотография Сэм, Джимми и их очаровательного младенца. О молодой семье также упомянул Джордж Кристи в своей колонке «Хорошая жизнь» в газете «Голливуд рипортер».

Стейнберги встретились с матерью Джимми и имели с ней долгую беседу. Поступок сына, тайком женившегося на Сэм, потряс его мать, но она сказала, что пытаться решать проблемы самостоятельно — вполне в характере Джимми. С тех пор как умер ее муж, Джимми стал для нее незаменимым помощником, правда, мать Джимми немного беспокоило, чего ждут от ее сына Стейнберги и оправдает ли он их ожидания. Она хотела, чтобы юноша, как было запланировано раньше, поступил на учебу в ЛАКУ, но и Стейнберги хотели того же. Блэр и Саймон выделили молодым коттедж для гостей, который оказался идеальным жилищем для молодой семьи. Молодожены оба собирались приступить осенью к учебе, и Саймон уже пообещал поддерживать их материально до окончания университета. После этого они, как и другие дети, начнут жить самостоятельно. Блэр договорилась со своей экономкой, что та будет помогать им с ребенком в дневное время, когда Сэм и Джимми будут в университете, но в остальное время молодым предстоит управляться самим. Миссис Маццолери не знала, как благодарить Стейнбергов за помощь. В свою очередь, Саймон сказал, что ее сын очень помог Сэм и вел себя как образцовый папаша. Он надеялся, что, несмотря на молодость супругов, у них в конце концов все получится.

Отношения между Саймоном и Блэр неизмеримо улучшились. Теперь, когда Сэм переселилась с Джимми и маленьким Мэттом в гостевой коттедж, ее родители остались в доме одни, у них началось нечто вроде второго медового месяца, и это оказалось настолько приятно, что оба были удивлены и даже немного смущены. Они успели забыть, что такое жить отдельно от детей. В новых условиях Саймон и Блэр быстро установили и новое правило: прежде чем приходить в большой дом, дети сначала звонят. С появлением ребенка в доме с поразительной быстротой воцарился хаос: многочисленные принадлежности, необходимые Мэтту, — детские сиденья, высокие стульчики, переносные колыбельки, памперсы и прочее — казалось, заполонили все комнаты. Сэм могла кормить ребенка где угодно и в любое время, а Джимми, похожий на неуклюжего долговязого подростка, носился по всему дому. Саймон повесил для него на заднем дворе новую баскетбольную корзину, и иногда они вдвоем выходили поразмяться с мячом, сделать небольшую передышку и поговорить. Саймон был приятно удивлен, обнаружив, что Джимми обладает живым умом, во что бы то ни стало стремится окончить университет и чего-то достичь в жизни. Ему очень хотелось пойти по стопам отца и учиться на юридическом факультете, и он пытался уговорить Сэм последовать его примеру. Джимми с первых шагов своей супружеской жизни показал себя преданным мужем, и Стейнберги были не просто им довольны, они были от него в восторге.

Единственным крупным неудобством в доме был все еще продолжающийся ремонт. Задний двор каждый день подвергался нашествию десятков садовников, в кухне при желании можно было изловчиться что-то приготовить, однако работы шли полным ходом: строители отдирали старую кафельную плитку и заменяли проводку на потолке. Самое ужасное было то, что день свадьбы неумолимо приближался. Работы в саду были далеки от завершения, платья подружек невесты еще не подогнали по фигурам, а платье Аллегры до сих пор не доставили. Аллегра страшно нервничала, что может остаться вообще без подвенечного платья, кроме того, ей хватало и других поводов для беспокойства. Она несколько раз перед сном пыталась поговорить об этом с Джеффом, но он слишком сильно уставал к вечеру. Он пытался закончить съемки в ближайшие десять дней, обстановка на съемочной площадке все больше накалялась, и от усталости и нервотрепки он стал раздражительным, часто срывался.

— Послушай, Аллегра, я все понимаю, но давай поговорим об этом в другое время, ладно? — говорил он обычно.

Аллегре даже казалось, что он постоянно цедит слова сквозь зубы. Но еще больше, чем спешка с фильмом, его нервировали постоянные звонки Делии Уильямс. Она звонила им домой в любое время дня и ночи. Аллегре лишь через полгода удалось приучить к порядку Алана и Кармен, однако ночные звонки не прекратились: теперь Делия могла позвонить им в одиннадцать вечера только для того, чтобы обсудить новый «штрих» в оформлении свадебного пирога или поделиться очередной «гениальной идеей» насчет цветов на столах или букетов в руках подружек невесты. В такие моменты и Аллегра, и Джефф готовы были ее убить.

Для каждого из них эти две адские недели, оставшиеся до свадьбы, превратились в сплошной стресс. Как-то ночью опять зазвонил телефон. Аллегра решила, что это, как обычно, Делия Уильямс с очередной своей «блестящей идеей» или, к примеру, с жалобой на Кармен, которая все еще не удосужилась примерить платье. Она уже приготовила в ответ фразу, что Кармен приедет на примерку, как только закончатся съемки, но, сняв трубку, услышала мужской голос. Голос был знакомый, но Аллегра не сразу вспомнила, чей именно. Это был Чарлз Стэнтон, ее отец. Он позвонил в ответ на письмо с приглашением на свадьбу, которое Аллегра послала ему давным-давно и на которое он так и не ответил. С тех пор как они виделись и разговаривали в последний раз, прошло семь лет. После сухого приветствия Чарлз поинтересовался, как дела, и осторожно спросил:

— Ты по-прежнему собираешься замуж?

— Конечно.

Аллегра вся сжалась от одного лишь звука его голоса. Джефф только что вошел в комнату и, увидев выражение ее лица, не мог не задаться вопросом, с кем она разговаривает. На какое-то мгновение у него мелькнула мысль, что позвонил Брэндон. Несколько недель назад он прислал ей коротенькую записку, в которой сообщал, что наконец развелся с Джоанной, и намекал, что если бы она набралась терпения, он бы в конце концов на ней женился. У него хватило наглости даже предложить ей как-нибудь встретиться в обеденный перерыв и вместе посидеть в кафе. Аллегра показала записку Джеффу и выбросила в мусорное ведро.

— Что-то случилось? — спросил он участливо.

Аллегра замотала головой, и Джефф вернулся к себе в кабинет доделывать какую-то работу.

— Ты все еще хочешь, чтобы я приехал на свадьбу? — спросил отец.

Аллегра не писала, что хочет его видеть, она просто сообщила о дне своей свадьбы.

— Разве это имеет для тебя какое-то значение? — удивилась она. — Мы ведь практически не общаемся друг с другом. — Это был отчасти упрек, отчасти просто констатация факта.

— Ты по-прежнему моя дочь, Аллегра. Я беру небольшой отпуск, и если ты хочешь, я бы мог приехать на твою свадьбу.

Аллегра, безусловно, не хотела и не видела смысла в его приезде. Сейчас она жалела о письме, которое отправила три месяца назад. А еще ей хотелось спросить, с какой стати он вдруг пожелал присутствовать на ее свадьбе. После всех этих лет, после всех упреков и обвинений, которые он обрушивал на их головы, после того как он от нее отказался — неужели ему не безразлично, что она выходит замуж?

— А тебя это не затруднит? — неловко спросила Аллегра. У нее возникло странное ощущение, будто годы слетают с нее, как шелуха, и она снова становится девочкой, отвергнутой собственным отцом.

— Вовсе нет. Не каждый день представляется возможность повести свою дочь по церковному проходу к жениху. В конце концов, ты мой единственный ребенок.

Аллегра слушала отца, и у нее чуть не отвисла челюсть. Что она ему написала? Чем дала ему повод истолковать ее слова таким образом? У нее и в мыслях не было идти по церковному проходу под руку с ним. Он никогда не был ей настоящим отцом, Саймон во всем заменил ей отца.

— Я... э-э...

Аллегра замахала руками. У нее и в мыслях не было идти с ним, но сказать об этом напрямик она не могла. Не дожидаясь ее ответа, отец сообщил, что прилетает из Бостона в пятницу — в день репетиции свадьбы. Грандиозное мероприятие, в которое превращалась их свадьба, давно страшило Аллегру, а теперь она просто не знала, что делать. На свадьбе у нее будут два отца, одного из которых она ненавидит, и оба собираются вести ее по церковному проходу.

Повесив трубку, она сразу стала звонить родителям. Саймон ответил на втором гудке. Его голос звучал подчеркнуто спокойно, Аллегра уже знала, что так бывает при серьезных неприятностях, но сейчас она, слишком озабоченная собственными проблемами, даже не обратила на это внимания. Аллегра поспешно попросила его позвать к телефону мать.

— Она занята, — глухо сказал Саймон, — может, я попрошу ее перезвонить позже?

— Нет, мне нужно поговорить с ней сию же минуту.

— Элли, мама сейчас не может. — В голосе Саймона прозвучала непривычная твердость, и только тут Аллегра почувствовала неладное. Она испугалась.

— Что-то случилось? Папа, она заболела?

Не хватало еще, чтобы перед этой кошмарной свадьбой, которую ей навязали, мама серьезно заболела. Тогда вместо матери вокруг нее будет суетиться Делия.

— Где мама?

— Она здесь, рядом. — Саймон погладил жену по руке и мягко добавил: — Немного расстроена.

В действительности Блэр плакала уже целый час Саймон молча вопросительно взглянул на жену, как бы спрашивая разрешения рассказать Аллегре все как есть. Та кивнула.

— Час назад нам позвонил Тони Гарсия со студии. Мамин сериал собираются закрыть. Устроят грандиозный финал недели через три, а потом уберут их из эфира.

Блэр отдала сериалу почти десять лет, и известие о закрытии стало для нее большим ударом. Она чувствовала себя так, будто потеряла старого друга, и непрерывно плакала.

— Бедная мама. Как она восприняла новость?

— Тяжело, — прямо сказал Саймон.

— Можно мне с ней поговорить? — неуверенно спросила она.

Саймон посоветовался с женой и сказал, что она сама перезвонит позже.

Аллегра повесила трубку и задумалась о матери. Она очень много работала, шоу принесло ей много наград, долгое время оно было ее главным достижением, и вот все кончилось. Можно представить, каково ей сейчас. Аллегра всем сердцем сочувствовала матери.

В это время подошел Джефф. Увидев выражение ее лица, он встревожился:

— Что-нибудь случилось?

— Студия только что объявила о закрытии маминого шоу.

Вряд ли они до конца осмыслили, что означает это решение. Для Блэр «Друзья-приятели» стали частью ее жизни, она буквально приросла к сериалу и не могла представить себе жизни без этой работы. Теперь ей придется в спешке готовить заключительную серию. Трудно было придумать более неподходящее время.

— Мне очень жаль. В последнее время Блэр была чем-то озабочена, наверное, предчувствовала, что это случится.

— Странно, а мне как раз показалось, что мама в последние несколько недель стала выглядеть лучше, чем раньше.

Так оно и было, после примирения с Саймоном Блэр снова почувствовала себя счастливой, стала меньше думать о трудностях сериала.

— Может, она себя плохо чувствовала? По словам папы, ее просто убили. Не знаю, может, мне лучше к ней съездить?

Аллегра рассказала Джеффу о звонке отца и о том, что он пожелал присутствовать на свадьбе. Его решение приехать было как гром среди ясного неба.

— Представляешь, ему взбрело в голову вести меня по церковному проходу. И это после всего, что он нам сделал! Кажется, он считает меня полной идиоткой.

— Наверное, он просто думает, что именно этого ты от него ожидаешь, а может, уже не знает, как ему себя вести с тобой. Вполне возможно, что он изменился. По-моему, ты должна дать ему шанс, по крайней мере поговори с ним, когда он приедет.

Как и Саймон, Джефф всегда старался поступать по справедливости, но Аллегру его предложение возмутило.

— Ты шутишь? Неужели ты думаешь, что у меня будет время вести с ним душеспасительные беседы за два дня до свадьбы?

— А тебе не кажется, что ради разговора с отцом стоит постараться выкроить время? Он очень сильно повлиял на твою жизнь. — «И в какой-то степени на наш будущий брак», — добавил Джефф мысленно.

— Джефф, он не стоит даже того, чтобы вообще с ним встречаться. Я жалею, что написала ему о нашей свадьбе.

Аллегра не знала, на кого больше сердилась — на отца за самонадеянность или на Джеффа за то, что он предложил дать Стэнтону шанс.

— По-моему, ты к нему слишком сурова, — тихо сказал Джефф. — Ты его пригласила, и он приезжает. Мне кажется, он пытается исправиться.

— Исправиться? Слишком поздно! Мне уже тридцать лет, я не нуждаюсь в папочке.

— Наверное, все-таки он тебе нужен, иначе бы ты ему не написала. Тебе не кажется, что вам пора разобраться в ваших отношениях? По-моему, это подходящий случай, в твоей жизни наступил переломный момент: одно кончается, другое начинается.

— Ты ничего не знаешь о наших отношениях! — взорвалась Аллегра, начиная мерить шагами комнату. Ей не верилось, что Джефф практически встал на сторону ее отца — и это после того, как тот обращался с ней все эти годы! — Ты не представляешь, что у нас была за жизнь, когда Пэдди умер. Отец пил, бил маму... а как он себя вел, когда мы от него уехали и перебрались в Калифорнию! Он не мог простить маме, что она его бросила, и вымещал свою злость на мне. Он меня ненавидел. Вероятно, ему было жалко, что я не умерла вместо Патрика. Если бы Пэдди остался жив, он, наверное, стал бы врачом, как отец.

Джефф подошел к Аллегре, и тут на нее разом нахлынули все неприятные воспоминания, ожили все страхи, и она всхлипнула.

— Наверное, тебе нужно поговорить обо всем этом с ним, — мягко проговорил Джефф. — А ты не помнишь, каким он был до смерти твоего брата?

— Ну ладно, может, он не вел себя так отвратительно, но всегда был черствым и у него вечно не было на меня времени. Чарлз Стэнтон во многом напоминает твою мать — он так же не способен подойти к человеку с открытой душой, проявить теплоту — словом, он не очень человечный. — Уже сказав это, Аллегра смутилась и виновато посмотрела на Джеффа. Хотя они сошлись во мнении, что поездка в Саутгемптон была ужасной, раньше Аллегра никогда открыто не критиковала мать Джеффа.

— Как прикажешь тебя понимать? — В голосе Джеффа послышался холод. — Моя мать слишком сдержанная, согласен, но в человечности ей не откажешь.

— Конечно, конечно. — Аллегра уже не могла остановиться. Ее по-прежнему возмущало, что Джефф вдруг принял сторону ее отца и даже готов проявить к нему сочувствие, поэтому она тут же добавила: — Она очень человечная — только не по отношению к евреям.

Джефф вдруг отшатнулся от Аллегры, как будто она была радиоактивной.

— Как ты можешь говорить о ней такие вещи в таком тоне! Ее остается только пожалеть, ей семьдесят один год, она человек совершенно другой эпохи.

— Да, она из того же поколения, при котором евреев сжигали в Освенциме. Когда мы были у нее в гостях, она не показалась мне таким уж душевным и ласковым человеком. А что бы она сказала, если бы ты не вмешался и не уточнил, что моя «настоящая», как ты выразился, фамилия не Стейнберг, а Стэнтон? Знаешь, это был дрянной поступок, я бы даже сказала, трусливый.

Аллегра издали смотрела на Джеффа. Его просто трясло от негодования.

— Твой отказ поговорить с отцом — такая же трусость. Тебе не приходило в голову, что бедняга заплатил за свои грехи двадцатью годами одиночества? Он ведь тоже потерял сына, не только твоя мать, но у Блэр есть другая семья, другие дети, другая жизнь, а что есть у него? Если судить по твоим рассказам — ровным счетом ничего.

— Господи Боже, с какой стати ты вдруг так расчувствовался? Может, он ничего другого и не заслуживает? Может, он сам виноват, что Пэдди умер? Мы же не знаем, возможно, он бы выздоровел, если бы отец не лечил его сам, или он и сам мог его спасти, если бы поменьше пил?

— Ты правда так думаешь? — ужаснулся Джефф. Казалось, все демоны, которые преследовали Аллегру двадцать лет, вырвались на свободу и носились сейчас по гостиной его дома. Аллегра даже испугалась. — Ты всерьез думаешь, что он убил твоего брата?

Джефф был потрясен. Страшно говорить такое о любом человеке, а о родном отце — тем более.

— Я не знаю, что я думаю! — отрезала Аллегра.

Джефф все еще не мог прийти в себя, он не узнавал Аллегру. Этой ночью она была не похожа сама на себя. Она говорила вещи, которых он раньше никогда от нее не слышал. За все время, что они знакомы, это была их первая ссора, но какая! Они почти уподобились Кармен и Алану.

— Думаю, ты должна передо мной извиниться за все, что наговорила о моей матери, она не сделала тебе ничего плохого. Тебе не приходило в голову, что, увидев тебя, она просто застеснялась?

— Застеснялась? — чуть не срываясь на визг, переспросила Аллегра. — По-твоему, это стеснительность? А я называю это злобой.

— Она никогда не была по отношению к тебе злобной! — Теперь и Джефф перешел на крик.

— Она ненавидит евреев! — Единственный довод, который пришел на ум Аллегре.

— Какая тебе разница, ты же не еврейка? — не слишком удачно возразил Джефф.

В ответ на это Аллегра выскочила из дома, громко хлопнув дверью, и бросилась к своей машине. Она еще не знала, куда поедет, но твердо знала одно: ей нужно как можно скорее уехать из этого дома, от него, и пусть он подавится своей свадьбой. Кто устраивает свадьбу, кто собирается вести ее по церковному проходу, не имеет значения, она не выйдет замуж за Джеффа, даже если он останется единственным мужчиной на земле. Не нужна ей никакая свадьба!

Аллегра села за руль и погнала машину со скоростью восемьдесят пять миль в час по Тихоокеанской автостраде. Через сорок минут она была уже возле дома родителей. Забыв о новом правиле, что сначала нужно позвонить, открыла дверь своим ключом, влетела в дом и хлопнула дверью так, что чуть не разбила витражи над входом. Родители сидели в гостиной. Услышав грохот, Блэр вскочила.

— Боже мой, что с тобой случилось? — Блэр посмотрела на дочь. Босая, в шортах и футболке, Аллегра была вся какая-то помятая, всклокоченная. Волосы были кое-как собраны в пучок на макушке и вместо шпилек скреплены карандашом. И взгляд у нее был тоже какой-то безумный. — Ты в порядке?

— Нет, не в порядке. Я отменяю свадьбу.

— Как, сейчас? — в ужасе переспросила мать. — Но осталось меньше двух недель. Что стряслось?

— Я его ненавижу!

Саймон отвернулся, чтобы скрыть улыбку, а Блэр уставилась на дочь, не веря своим ушам. В эту минуту она думала только о приготовлениях к свадьбе — столько хлопот, и все впустую!

— Вы поссорились?

— Дело не в этом. Его мамаша — настоящее чудовище, а он сам всерьез считает, что я, видите ли, должна дать Чарлзу Стэнтону шанс. И это после всего, что он совершил, через столько лет, когда ему абсолютно не было до меня дела!

Лицо Аллегры пылало от гнева.

— Не понимаю, при чем тут Чарлз?

Блэр совсем растерялась. Она не видела первого мужа семь лет и вообще не вспоминала о его существовании, с тех пор как посоветовала дочери пригласить его на свадьбу.

— Он позвонил сегодня поздно вечером и сказал, что хочет приехать на свадьбу. Представляешь, вообразил, что это его дело — вести меня по проходу в церкви!

— Ничего страшного, дорогая, — успокоила дочь Блэр. Забыв о собственных неприятностях и разочарованиях, она всецело сосредоточилась на проблемах Аллегры. — Возможно, Джефф прав и нам действительно пора с ним помириться.

Однако Аллегра, услышав слова матери, разозлилась еще больше.

— Да вы все с ума посходили, что ли? Двадцать пять лет назад этот человек вышвырнул меня из своей жизни, а теперь вы предлагаете мне с ним подружиться? По-моему, вы рехнулись.

— Нет, но ты сама сказала, что с тех пор прошло двадцать пять лет, стоит ли так долго хранить в душе ненависть? — мудро рассудила Блэр. — Тогда ты была мала и многого не понимала. Чарлз очень горевал из-за сына, он просто не смог смириться с мыслью, что потерял Пэдди. Думаю, он тогда действительно на время потерял рассудок, он стал душевным инвалидом и вряд ли с тех пор окончательно пришел в себя. То есть в сугубо медицинском смысле он нормален, во всяком случае, мне так кажется, но после смерти сына его мир рассыпался и он так и не смог снова собрать его воедино, не смог устроить свою личную жизнь. Ты должна хотя бы выслушать отца.

Последние слова Блэр говорила под настойчивый звон дверного колокольчика. Удивленный Саймон пошел к двери посмотреть, кто там. Ему стало казаться, что он живет в аэропорту или участвует в комедии положений. Ко всеобщему изумлению, за дверью оказался Джефф. Он выглядел почти таким же всклокоченным и рассерженным, как Аллегра. Едва переступив порог и увидев Аллегру, он заорал:

382

— Не смей уходить и хлопать дверью у меня перед носом!

Саймон и Блэр переглянулись и тихонько стали подниматься наверх. И Аллегра, и Джефф были так возбуждены, что даже не заметили их ухода. Почти час они стояли посреди гостиной и кричали друг на друга. В это время на втором этаже Блэр, стараясь ступать неслышно, ходила по комнате и гадала, состоится ли свадьба.

— Что ж, по крайней мере они явно друг друга стоят, — заметил Саймон с улыбкой.

Давно уже в их доме так не кипели страсти — а может, такого и вовсе никогда не было. Ночь была теплая, окна в доме были открыты, и шум ссоры было слышно даже в коттедже для гостей. Сэм никогда в жизни не слышала такого крика и не на шутку встревожилась. Она только что покормила грудью Мэтта и положила его в кроватку. Джимми посоветовал ей позвонить и узнать, как дела у родителей. Сэм так и сделала.

— Ты что, ссоришься с мамой? — спросила Сэм встревоженным голосом.

Саймон рассмеялся:

— Нет, это твоя сестра.

— С мамой? — изумилась Сэм. Насколько она помнила, Аллегра никогда не кричала на мать, да и вообще на кого бы то ни было.

— Нет, с твоим будущим зятем — если, конечно, свадьба все-таки состоится. — Саймон не выдержал и снова рассмеялся. То, что происходило в его доме, здорово напоминало первоклассную мыльную оперу. — Когда это кончится, мы у них спросим насчет свадьбы.

— Как они здесь оказались?

Сэм хотелось узнать, в чем дело, но судя по тому, что они все поневоле слышали, ссора еще бушевала вовсю. Плотины рухнули. Много месяцев и Аллегра, и Джефф жили в постоянном напряжении. Клиенты, фильмы, сценарии, угрозы клиентам, выкидыши — с этим Аллегра жила постоянно. А тут еще добавилось убийство одного из самых любимых ее клиентов, беременность сестры, переживания из-за будущего ребенка. Сначала его собирались отдать на усыновление, потом Аллегра с Джеффом чуть сами его не усыновили, затем их ждало разочарование — Сэм передумала отдавать ребенка. Сыграли свою роль и подготовка к свадьбе, связанные **383** с ней надежды и ожидания, встреча с будущей свекровью. От такой жизни с кем угодно может случиться истерика, и, судя по голосам Аллегры и Джеффа, эта участь не миновала их обоих.

— Они приехали уже довольно давно и, думаю, скоро уедут — если, конечно, не поубивают друг друга.

Через некоторое время Саймон и Блэр спустились посмотреть, не могут ли они чем-то помочь и прекратить войну до того, как спасать станет некого. К тому времени крики прекратились, Аллегра тихо плакала в гостиной, а Джефф стоял посреди комнаты с таким видом, будто ему хочется кого-нибудь убить или умереть самому, смотря что раньше получится. Момент для того, чтобы спрашивать, состоится ли свадьба, был явно неподходящий. С первого взгляда становилось ясно, что эти двое готовы послать свадьбу ко всем чертям.

— Ну, как вы тут? — спокойно спросил Саймон.

Он достал бутылку вина, наполнил четыре стакана и протянул первый Джеффу — судя по его виду, ему явно больше всех было необходимо выпить. Джефф взял стакан, кивнул в знак благодарности и сел в кресло как можно дальше от Аллегры.

— Нормально, — всхлипывая, ответила Аллегра.

Саймон покачал головой:

— Что-то мне так не кажется.

Блэр подошла и села рядом с дочерью. У нее было наготове предложение, лучше которого им давно никто не делал.

— Вот что, дорогие мои, по-моему, вам следует уехать куда-нибудь на уик-энд вдвоем, до свадьбы другой такой возможности больше не представится. — Она повернулась к Джеффу: — Думаю, если на съемочной площадке смогут пару дней обойтись без вас, то стоит попробовать.

Джефф кивнул, даже он не мог отрицать, что предложение очень мудрое.

— Я слышал, что сериал закрывают, мне очень жаль, — сказал он с искренним сочувствием и бросил взгляд на Аллегру.

— Мне тоже, мам.

Она снова шмыгнула носом. Никто еще не упрекал ее так несправедливо, как Джефф. Он заявил, что она грубо говорит о его матери, а своему отцу не дает шанса проявить себя с хорошей стороны. Слышать такое из его уст... Казалось, наступил конец света. А она-то старалась разобраться со всеми бумагами, накопившимися на рабочем столе, и закончить все ко дню свадьбы! Выходит, зря надрывалась. Это просто бесчеловечно.

Блэр тихо поблагодарила Джеффа за сочувствие. Этой ночью она тоже пролила свою долю слез, но сейчас тревожилась еще больше. Конечно, не стоило воспринимать ссору между женихом и невестой слишком серьезно, но речь шла об их судьбах, а не о какой-то выдуманной чепухе, которую показывают по телевизору. К счастью, Блэр понимала разницу между тем и другим.

Джефф допил вино и повернулся к Аллегре:

— По-моему, твоя мама права, наверное, нам действительно стоит уехать на уик-энд.

Аллегра хотела было возразить, что после его обидных слов никуда с ним не поедет, но в присутствии родителей не посмела и согласилась поехать с Джеффом на два дня в Санта-Барбару. По предложению Саймона, они решили остановиться в Сан-Исидро. К соглашению пришли не сразу — на это ушло еще два часа. Наконец Аллегра и Джефф уехали от Стейнбергов — в разных машинах, увозя с собой каждый свои мысли, страхи и сожаления. Аллегра всю дорогу до дома думала о Джеффе и вспоминала, как холодна была его мать. Думала она и о своем отце. Чарлз Стэнтон причинил ей боль, которая не утихала годами, но, к счастью, Саймон совсем другой, и Джефф тоже. Вернувшись в Малибу, жених и невеста выглядели далеко не лучшим образом. Джефф извинился за свои резкие слова, многого из сказанного он на самом деле не имел в виду, но был очень расстроен ее упреками, к тому же сказывалась накопившаяся за несколько месяцев усталость. В эту ночь, после возвращения от родителей, они говорили о многом, но большей частью просто лежали рядом в кровати и смеялись над тем, какими они были глупыми, и извинялись за все, что наговорили друг другу в пылу ссоры. Когда все было сказано, они заснули в объятиях друг друга.

В Бель-Эйр Саймон и Блэр тоже легли, но не спали, разговаривая об Аллегре и ее женихе.

— Знаешь, пожалуй, мне бы не хотелось снова стать такой молодой, как Аллегра, — прошептала Блэр.

Блэр и Саймон еще долго говорили о дочери и будущем зяте, поражаясь тому, как те оба раскипятились. Просто смотреть на них и слушать — и то было тяжело.

— А что, может, это даже интересно вот так взвинчиваться, топать ногами и кричать друг на друга? Ты на меня никогда так не кричала.

Блэр рассмеялась:

— Никак, ты жалуешься? Что ж, наверное, я могу научиться, теперь у меня будет полно свободного времени.

Блэр все еще очень переживала из-за закрытия сериала. У нее словно выбили почву из-под ног. Что же дальше? Просто сидеть дома и воспитывать внука? Ей пятьдесят пять, впереди оставался еще довольно большой отрезок жизни. Однако, не считая заключительной серии, никакой другой работы у нее не было и не предвиделось. Трудно было с этим смириться.

— Сегодня вечером мне пришла в голову одна мысль, только я не знаю, как ты к ней отнесешься, — задумчиво произнес Саймон. Они лежали рядом в темноте, и им снова было легко друг с другом. Призрак Элизабет Коулсон наконец перестал маячить между ними. Через открытое окно в комнату лился лунный свет. Саймон перевернулся на бок и приподнялся на локте, чтобы видеть лицо жены. — Я давно подумываю о том, чтобы ввести в штат должность сопродюсера. Мне надоело делать все самому, да и времени не хватает. Конечно, пока вся слава достается мне одному, но иногда столько всего нужно сделать одновременно, что голова идет кругом. А что касается отработки деталей, то здесь тебе нет равных, мне же больше удаются широкие мазки. Что ты скажешь, если я предложу тебе поработать над следующим фильмом вместе со мной? Возможно, это будет фильм по книге Джеффа. Как тебе такое предложение?

Блэр немного подумала и улыбнулась. Она решила, что Саймон шутит или, жалея ее, решил заняться благотворительностью.

— Как это называется — семейное предприятие?

— Я серьезно. Мне давным-давно хотелось сделать что-нибудь вместе, но у тебя вечно не хватало времени. В любом случае для телевидения ты слишком хороша. Может, все-таки попробуешь?

Саймону действительно нравилась мысль поработать над фильмом вместе. Они с женой во многих отношениях представляли собой слаженную команду, и их профессиональные навыки вполне совместимы. Чем больше Блэр думала о предложении мужа, тем больше оно ей нравилось. Она улыбнулась и в знак благодарности поцеловала Саймона.

— Да, пожалуй, нам стоит попробовать. Все равно мне больше нечего делать, через две недели, сразу после свадьбы Аллегры, я буду совершенно свободна.

— Кстати, свадьба все еще стоит на повестке дня? — пошутил Саймон. — Пока Аллегра и Джефф были здесь, я побоялся у них спросить.

— Я надеюсь, что свадьба состоится.

Блэр вздохнула и снова легла на спину. Саймон ждал ответа.

— Итак, что ты думаешь о моем предложении?

— Ну, не знаю, — нарочито жеманно проговорила Блэр, — мне нужно посоветоваться с моим агентом.

Саймон засмеялся:

— Ох уж эта мне голливудская публика, все вы одинаковы! Ну, давай-давай, звони агенту. А я позвоню своему адвокату.

Саймон усмехнулся и поцеловал жену в шею. Она придвинулась к нему поближе. Для дня, который на какое-то время казался одним из самых ужасных в ее жизни, завершение было явно неплохим. Ее телесериал закрывается, в этом смысле ничего не изменилось, но перспектива партнерства с Саймоном казалась очень привлекательной. Утром она обязательно поделится новостью с Аллегрой. Повернувшись к Саймону, она увидела, что он спит. Глядя на мужа, Блэр улыбнулась, думая, какой же он все-таки замечательный человек. Сейчас, после всех страданий, которые он причинил ей за последний год, у нее возникло ощущение, что она обрела его заново. Наверное, она страдала не зря.

Глава 21

Аллегре очень понравилась мысль, что родители станут работать вместе, тем более над фильмом по книге Джеффа.

— Это называется — сохранить все в семье, — сказала она, смеясь, и пошутила: — Может, мне еще дадут главную роль в фильме?

Разговор происходил после их с Джеффом возвращения из Сан-Исидро. Они окончательно помирились, и все успокоилось — насколько это вообще возможно, когда до свадьбы остается шесть дней. Как выразилась Делия Уильямс, начался отсчет времени перед стартом.

Наконец-то было доставлено платье, присланы шляпки, сшита вуаль. Архитектор по ландшафту клялся и божился, что к концу недели сад будет готов. Те две подружки невесты, которые жили в других городах — одна в Лондоне, другая в Нью-Йорке, — должны были приехать в ближайшие два дня. Через день приезжала мать Джеффа. Но что самое неприятное, в пятницу приезжал Чарлз Стэнтон. Аллегру приводила в ужас одна мысль о его приезде.

— Боюсь, мы этого не переживем, — поделилась она своими тревогами с матерью.

Она пыталась срочно закончить все дела на работе, а Джефф спешно заканчивал работу над фильмом. Все было расписано буквально по минутам и от малейшего сбоя грозило рухнуть как карточный домик. Мало того, Аллегра успела продать дом, и теперь ей предстояло освободить его в течение двух дней, но куда бы она ни посмотрела, всюду ей попадались на глаза вещи, которые еще предстояло собрать.

Подружек невесты ждали во вторник вечером. В среду утром им нужно будет срочно примерить платья, чтобы в случае необходимости портнихи успели подогнать их по фигуре. К счастью, Нэнси и Джессика заранее выслали свои мерки, поэтому можно было надеяться, что подгонять платья не придется.

В понедельник вечером Джефф допоздна задержался на работе, и Аллегра заехала к родителям навестить Сэм и малыша.

— Я ужасно боюсь, — шепотом призналась она матери.

— По-моему, все хорошо. — Блэр попыталась ее успокоить. — Чего ты боишься, дорогая?

— Ох, да всего. Вдруг у нас ничего не получится, как у тебя с... с Чарлзом. — У Аллегры язык не поворачивался назвать его папой.

— Конечно, такое тоже случается, но, к счастью, редко. Когда мы поженились, мы были гораздо моложе, чем вы сейчас. Вы с Джеффом намного опытнее, у вас все будет хорошо, я уверена.

Доктор Грин тоже так считала. Ей понравилось, как Аллегра справилась со своими старыми страхами и комплексами. И Аллегра, и Джефф не только были молоды и умны, они подходили к браку серьезно, однако в жизни ни в чем нельзя быть уверенным заранее: мечты могут в любой

388

момент рассыпаться в прах, можно потерять работу, погибнуть в автокатастрофе, покалечиться, дети могут умереть — как первенец Блэр.

— Жизнь не дает гарантий, дорогая. — Блэр улыбнулась дочери. — Мы должны всеми силами беречь свое счастье и, несмотря ни на что, стараться быть рядом с теми, кому мы нужны.

Сэм добавила к мудрому совету матери личное практическое наблюдение замужней женщины:

— А еще нужно, чтобы в доме не кончались запасы замороженной пиццы и мороженого «Хааген-Даз».

Накормить Джимми было не легче, чем футбольную команду, но она была счастлива, как никогда раньше, и они оба обожали малыша. Сейчас маленький Мэтт спал на руках у матери, а когда он не спал, то почти все время ел и в результате рос не по дням, а по часам. Это был маленький богатырь. Глядя на Сэм, можно было подумать, что она создана для такой жизни. Ей нравилось все время быть рядом с Джимми, он помогал ей с ребенком, как самый образцовый папаша. В гости к Джимми часто приходили его младшие сестры, и Блэр стало казаться, что в доме постоянно полно детей. Как будто время повернулось вспять, все стало как много лет назад, но только лучше. У них с Саймоном своя жизнь, и впервые за многие годы они свободны — разве что сами захотят повидаться с Сэм или малышом, или Аллегра заедет их проведать, или Скотт приедет из Стэнфорда, что в последнее время случалось редко. У них появилось время, которое они могли посвятить друг другу, они стали строить планы совместной работы. Поговаривали даже о том, чтобы отправиться в Европу, когда Блэр выпустит заключительную серию и пока Саймон не начнет свой следующий фильм. Давно уже у них не было столько времени друг для друга. Саймону такая жизнь очень нравилась, он даже стал иногда приезжать домой в обеденный перерыв. К тому же они стали проводить в постели чуть ли не больше времени, чем в молодости.

— Может, стареть не так уж плохо, — поддразнила Блэр мужа не далее как утром, когда он, жалуясь, что она слишком рано встала, вытащил ее из-под душа и затащил в постель. С Блэр текла вода, сухими были только волосы, которые она предусмотрительно заколола на макушке. В конце концов Саймон уехал на работу, на полчаса опоздав на деловую встречу.

Но все же они если не достигли конца пути, то приближались к нему, тогда как Аллегра с Джеффом и Сэм с Джимми стояли в самом его начале: любовь еще молода, впереди еще не покоренные вершины, победы и поражения, рождение детей — словом, настоящая жизнь. Завидовала ли им Блэр? И да, и нет. Она уже побывала на этих вершинах, и сейчас ей нравились равнины. Горы оказались чересчур крутыми.

Она дала старшей дочери единственно мудрый совет, какой могла дать в данных обстоятельствах:

— Просто расслабься и закончи эту неделю. Вероятно, это самая трудная часть.

Сэм рассмеялась:

— Я так рада, что меня миновала чаша сия! — Она снова прижала Мэттью к груди и нежно погладила пальцем пухлую щечку.

Блэр до сих пор жалела, что у Сэм не было настоящей свадьбы, подвенечного платья. Джимми только подарил ей недорогое обручальное колечко. Но пока все выглядело так, будто она крепко стоит на ногах, а бедная Аллегра еще вертится на карусели и у нее голова идет кругом.

Во вторник вечером обе подружки невесты, приехав, позвонили Аллегре. Они остановились в отеле «Бель-Эйр». Аллегра поручила Элис послать им цветы, журналы и конфеты. Платья для подружек невесты висели в гардеробе, дожидаясь своего часа, там же стояли кружевные туфельки соответствующих размеров. Было продумано все до последней мелочи.

В среду Аллегра должна была встретиться с ними и портнихой в том же отеле. После ленча всем вместе, включая Сэм и Кармен, предстояло отправиться на примерку. Но прежде Аллегра собиралась еще побывать в агентстве недвижимости и подписать документы о продаже дома. Неделя действительно обещала быть суматошной. При одной только мысли о стольких неотложных делах у Аллегры голова шла кругом.

Самым приятным в предстоящей суете была возможность встретиться со старыми подругами. Нэнси Тауэрс она не видела пять лет, с тех пор как та переехала сначала в Нью-Йорк, а потом в Лондон. С Джессикой Фарнсуорт они не виделись со времен учебы на юридическом факультете. Когда-то эти две девушки были ее самыми близкими подругами.

Она приехала в отель вместе с Сэм, помогая сестре нести сумку с вещами Мэттью и складные качели. Их захватили с собой, чтобы малыш не скучал во время ленча взрослых и примерки. Аллегра заранее забронировала просторный двухкомнатный номер, чтобы подруги могли с комфортом и без помех привести себя в порядок. Парикмахер и визажист пожелали заранее встретиться со своими клиентками, и их тоже пригласили в отель. Аллегра с подругами собирались также сделать несколько фотографий на память.

Блэр решила не ходить с дочерьми, не желая мешать молодежи, и ее не удалось переубедить никакими силами, хотя даже Делия Уильямс заявила, что мать невесты обязана присутствовать на встрече. Блэр хотела встретиться не с одной-двумя подружками, а со всеми сразу и увидеть, как славно они выглядят в сшитых для свадьбы платьях. Аллегра очень удачно выбрала бежевое кружево, кроме того, у всех подружек хорошие фигуры, поэтому примерка не сулила никаких проблем.

Но по-видимому, боги в тот день напились. Когда Аллегра и Сэм приехали в отель, оказалось, что номер не готов, и это была лишь первая неприятность. Тут хлынул дождь. Перебегая от такси к парадному входу в отель, обвешанные вещами Мэттью и прочим багажом, Аллегра и Сэм промокли.

Кармен уже ждала их за столиком, потягивая кока-колу, заедая ее шоколадными конфетами из коробки и одновременно разговаривая по мобильному телефону с агентом. Актриса сидела в своей знаменитой позе, покачивая одной длинной ногой, закинутой на другую, но как только она встала, Аллегра глазам своим не поверила. Она не видела Кармен недели четыре, и срок беременности у той был всего два с половиной месяца, но выглядела она так, будто ждала двойню.

— Что с тобой случилось? — спросила Аллегра, понизив голос и в ужасе глядя на непомерно раздавшиеся бедра и талию Кармен. Та давно превратилась для нее из просто клиентки в близкую подругу. — Сколько ты прибавила в весе?

— Двадцать фунтов, — глазом не моргнув заявила Кармен. — Слава Богу, съемки закончились.

— Как ты ухитрилась так быстро набрать вес? — набросилась на нее Аллегра. — Сэм прибавила двадцать пять фунтов за весь срок.

С такими габаритами ей ни за что не влезть в платье, застежку сзади застегнуть не удастся, весь зад — а это, судя по всему, очень много — будет торчать наружу. Конечно, Кармен еще пожалеет о своей испорченной фигуре, **391** причем довольно скоро, но сейчас она была безумно счастлива своей новой беременностью и занималась тем, что ела и спала, целыми днями отсиживаясь дома.

— Твоей сестре всего восемнадцать лет, — возмущенно прошептала в ответ Кармен, — неудивительно, что она весит восемьдесят фунтов.

— Нет, просто у нее есть немножко выдержки, — парировала Аллегра.

На этом перепалка шепотом закончилась, все сели и стали громко восхищаться Мэттью. После ленча приступили к примерке. Сначала платье надела Сэм. В последнее время она стала весить даже меньше, чем до беременности — всего сто двенадцать фунтов, — и вернулась к размеру восемь с половиной, но язычок молнии, быстро добежавший до середины спины, вдруг застопорился, не желая двигаться выше. Почему — вскоре стало ясно: оказывается, никто не учел того обстоятельства, что Сэм — кормящая мать.

— Какой же у тебя сейчас размер бюстгальтера? — в панике спросила Аллегра.

— Тридцать восемь Д, — гордо ответила Сэм.

— О Господи, неужели такие размеры выпускают?

Кармен округлила глаза:

— Скорее бы и у меня стал такой же!

Но Аллегре было не до смеха.

— А тебе не приходило в голову, что нужно было меня предупредить? Ты перешла с размера тридцать два А на тридцать восемь Д, и, по-твоему, это не имеет значения?

— Извини, я просто забыла, — покаянно пробормотала Сэм.

К счастью, портниха пообещала расставить платье за счет прибавки на швы. Другое дело Кармен, тут уж небольшой переделкой не обойдешься. Они стали в панике звонить Валентино. Оказалось, что есть еще одно такое же платье, но четырнадцатого размера.

— Это слишком много?

— Наверное, нет.

Аллегра вздохнула с облегчением. Минуту назад она готова была убить Кармен. С двумя платьями покончено, осталось еще два. Тут появилась Нэнси Тауэрс, радостно возбужденная, предвкушающая встречу с подругой. За то время, что они с Аллегрой не виделись, Нэнси вышла замуж и развелась, некоторое время подумывала вернуться в Нью-Йорк, пыталась выпускать журнал, покрасила волосы в рыжий цвет, затем в черный, завела роман с неким «потрясающим мужчиной из Мюнхена», как она выразилась. Нэнси вела космополитичный образ жизни, настолько активный, что Аллегра устала от одного только рассказа обо всех ее приключениях, причем Нэнси, кажется, еще не все успела рассказать. Самой Нэнси тоже стало гораздо больше, чем было когда-то. В письме она утверждала, что носит четвертый размер, но реально приближалась к десятому. Она превратилась в этакую пышечку. К счастью, после небольшой переделки ей должно было прийтись впору то платье, из которого Кармен «выросла», что спасло подруг от очередной катастрофы.

Аллегра села, едва переводя дух.

— Боюсь, Сэм, мои нервы этого не выдержат.

— Успокойся, все будет хорошо, — невозмутимо проговорила сестра с видом умудренной опытом зрелой женщины. Она держала на руках Мэттью.

— Ты говоришь прямо как мама. — Аллегра улыбнулась, думая о том, что Сэм и внешне стала гораздо больше походить на Блэр. — Я когда-нибудь тебе говорила, что ты хорошая девчонка? — Она поцеловала сестру. С тех пор как родился Мэттью, сестры очень сблизились.

— В последнее время — нет, но я сама догадалась. А ты — самая лучшая старшая сестра на свете. — Сэм понизила голос и добавила: — Но вот твои подружки немного раздались.

Сестры в один голос рассмеялись. Тем временем прибыла Джессика. Никто не предупредил Аллегру, как сильно изменилась жизнь ее подруги за последние пять-шесть лет. Джессика приехала в великолепном костюме от Армани, купленном в Милане, без макияжа, с короткой стрижкой. Джессика работала в сфере издательского бизнеса, но у нее было много друзей и в мире моды. В ее облике чувствовались одновременно свобода и строгость, что так модно в Европе и на восточном побережье, но не только. В Джессике появились новые черты, и Аллегра не могла не заметить, как она с особенным интересом поглядывает на Кармен. Аллегра присмотрелась к школьной подруге повнимательнее, и вдруг ее осенило: та перестала скрывать свои гомосексуальные наклонности, которые раньше не афишировала.

393

За ленчем Джессика — теперь она именовалась Джесс — рассказывала о своей любовнице, о своей жизни вообще, о развитии лесбийского движения, которое уже набрало силу на западе, но на востоке, по ее мнению, еще недостаточно развито. Кармен сначала только оторопело смотрела на нее, потом заявила, что в Портленде никаких лесбиянок и в помине нет.

— Ну, в Лондоне-то их достаточно, — смеясь, заметила Нэнси. Она то и дело смеялась над чем-то или кем-то. Где бы Нэнси ни появлялась, она становилась душой компании, даже если при этом пила несколько больше, чем следовало.

— А у тебя когда-нибудь был опыт лесбийской любви? — непринужденно поинтересовалась у Нэнси Джессика. Нэнси замолчала, как будто задумалась над ответом. Сэм многозначительно посмотрела на старшую сестру, изо всех сил старающуюся сохранять спокойствие. Аллегра теперь уже всерьез опасалась, что не доживет до конца собственной свадьбы.

— Честно говоря, не припоминаю, — наконец ответила Нэнси небрежно.

— О, значит, не было, иначе ты бы не забыла.

Затем Джессика стала примерять платье. Она сняла костюм от Армани, под которым на ней были только шелковые шортики. Аллегра не могла не признать, что у Джессики при всех ее возможных недостатках великолепная фигура, но ее лично это нисколько не привлекало, более того, она чувствовала себя немного неловко, поскольку знала о специфических наклонностях подруги. Позже, когда официант принес шампанское, Джессика провозгласила тост за Аллегру и заявила, что та совершает большую ошибку, выходя замуж за мужчину, — нужно было вступить в брак с женщиной. Джессика носила золотое кольцо в виде тонкого ободка и объяснила это тем, что вот уже два года живет с одной и той же женщиной. Ее партнерша — модельер из Японии, они много путешествуют вместе по Европе и Дальнему Востоку. По-видимому, Джесс вела интересную жизнь, но совсем непохожую на жизнь Аллегры.

Джессике платье, к счастью, оказалось как раз, и к приезду Делии все более или менее уладили. Туфли пришлись почти впору, шляпки подошли совсем хорошо, фотограф сделал несколько снимков в узком кругу. Но к тому времени Нэнси слишком много выпила, а Джесс принялась играть в свои игры и скорее для забавы, чем всерьез, стала изображать, что пылко ухаживает за Кармен. Та не оценила юмора.

— Господи, я же беременна! — возмущенно воскликнула она, когда Джесс в шутку провела пальцем по ее ключице.

— Ничего страшного, я не против, — усмехнулась Джесс.

Чуть позже она заговорила с Сэм, коснулась в разговоре самых разных тем, подержала на руках ребенка. Она была в сущности неплохим человеком, вот только за последние годы перестала стыдиться своей сексуальной ориентации, так что временами вела себя несколько вызывающе. Аллегре эта ее дерзость даже немного нравилась, но она не могла так быстро привыкнуть к новому облику бывшей подруги.

— Почему ты мне раньше не говорила? — спросила она позже.

— Не знаю, наверное, потому, что я уже не так хорошо тебя знаю, как в детстве. Такие вещи трудно объяснять, не уверена, что ты бы меня поняла.

— Да, наверное, я бы не поняла, — честно согласилась Аллегра.

Они заговорили о СПИДе, о его влиянии на культуру, об общих знакомых из мира искусства — в основном из Голливуда, но также из Лондона и Парижа, — которые умерли от этой болезни. Наконец около пяти часов вечера женщины освободили номер и ушли. Джессика и Нэнси собирались встретиться каждая со своими друзьями, живущими в Лос-Анджелесе, а на следующий вечер они снова должны были собраться у Аллегры на девичнике. Репетиция обеда была назначена на послезавтра, а на следующий день наконец состоится свадьба.

— Если я до нее доживу, — в который раз сказала Аллегра, высаживая Сэм и малыша в Бель-Эйр. Вечер был непростой, но интересный. Аллегра теперь стала сомневаться, нравятся ли ей старые подруги, но они были частью ее жизни, ее прошлого, и они приехали, чтобы участвовать в свадебной церемонии. Она все еще не до конца оправилась от потрясения, узнав, что Джесс — лесбиянка, и на обратном пути в машине думала о переменах, произошедших со школьной подругой. Заглянув в офис и захватив новые факсы, Аллегра поехала на съемочную площадку за Джеффом. Сегодня у него был большой день: час настал, он закончил свой первый фильм.

Аллегра вышла из машины и тихонько прошла на съемочную площадку, где снимались последние кадры финальной сцены. Прозвучал победный клич, и режиссер произнес волшебные слова:

— Все, ребята, конец.

Джефф и Тони пожали друг другу руки и обнялись. И для них обоих, и для всей съемочной группы это был волнующий момент. Джефф повернулся, заметил Аллегру и радостно улыбнулся. Тони тоже подошел поздороваться с Аллегрой. Невысокий, жилистый, светловолосый, внешне он был полной противоположностью Джеффу. Но работали они слаженно, оба сознавали, что сделали свое дело отлично, и гордились этим. Снимать кино — тяжелый, но благодарный труд, полный маленьких творческих побед и озарений. Аллегра осталась на вечеринку, которую устраивали по случаю окончания фильма. Вечеринка затянулась, и к тому времени, когда Аллегра и Джефф вернулись домой в Малибу, она валилась с ног от усталости. Джеффу придавало сил сознание важности свершившегося события. Правда, работа над фильмом еще не закончена, но самое трудное уже позади. Актеры, операторы, члены съемочной группы разъедутся по домам или по другим съемкам, останутся только режиссер, Тони и он сам.

Дома Джефф снова вернулся мыслями к проблемам Аллегры:

— Как у тебя прошел день?

— Я бы сказала, необычно, — ответила Аллегра улыбаясь. Она рассказала ему о Нэнси и Джесс. Самое удивительное, что у нее, как оказалось, нет больше ничего общего ни с той, ни с другой. Когда-то они были ее близкими подругами, но стали чужими людьми.

— Вот почему я не хотел приглашать на свадьбу школьных приятелей из Нью-Йорка. Проходит время, и между вами не остается ничего общего. Только с Тони мы дружим по-прежнему.

— Ты оказался умнее меня.

Они еще некоторое время поговорили о школьных друзьях и наконец легли спать. На следующий день Джеффу предстояло закончить еще кое-какие дела, а в середине дня он должен был встречать мать в аэропорту. Аллегра бы тоже поехала, но ей нужно было вместе с Блэр и Делией Уильямс окончательно проработать некоторые детали, Блэр также хотела обсудить с ней распределение мест на репетиции обеда. Все так и норовило вырваться из-под контроля. Аллегра не раз вспомнила Кармен: похоже, она оказалась гораздо умнее, сбежав в Лас-Вегас. Не говоря уже о Сэм, которая вообще никуда не сбегала, но это другое дело.

Аллегра договорилась днем встретиться с Джеффом и его матерью в Бель-Эйр, чтобы вместе выпить чаю. Но на этот раз Аллегра прихватила с собой подкрепление — собственную мать. Блэр пообещала прийти, несмотря на занятость. Аллегра уже рассказывала ей о матери Джеффа, но тем не менее действительность застала Блэр врасплох.

Миссис Гамильтон пришла в темном костюме и белой шелковой блузке. Когда Аллегра ее заметила, пожилая дама деревянной походкой прогуливалась по саду.

— Добрый день, миссис Гамильтон. Как долетели?

— Благодарю вас, Аллегра, хорошо, — официально ответила мать Джеффа. Она не предложила называть ее Мэри и уж тем более мамой.

Аллегра с гостьей прошли в гостиную, сели, к ним присоединилась Блэр, и дамы завели между собой беседу. Блэр потихоньку обрабатывала гостью, и через час они хотя и не стали лучшими подругами, но прониклись друг к другу взаимным уважением. Как две матери, они довольно легко нашли общий язык. Джефф был очень благодарен своей будущей теще за усилия. Блэр умело обращалась с миссис Гамильтон, и хотя задача оказалась не из легких, она позже убедила Аллегру, что с матерью Джеффа вполне можно поладить. В свою очередь, миссис Гамильтон, оставшись наедине с сыном, когда тот пошел провожать ее в номер, вынесла вердикт, что для женщины из шоу-бизнеса миссис Стейнберг очень умна и вообще на удивление достойный человек. Проводив мать, Джефф спустился в вестибюль и передал эти слова Аллегре, правда, в переводе на язык обычных людей.

— Твоя мама ей понравилась, — сказал он.

— Она маме тоже.

— А как ты? Держишься?

Джефф не забыл, как две недели назад они приняли друг друга в штыки, швырялись оскорблениями по адресу семьи, последнее, впрочем, скорее относилось к его матери. Джефф чувствовал себя обязанным вступиться за мать, но в то же время понимал, что многое из того, в чем ее обвиняет Аллегра, правда. С Мэри Гамильтон нелегко общаться. Однако отчасти ее оправдывал возраст: она родилась и выросла в другом мире, с годами утратила гибкость, закоснела в своих взглядах и суждениях. Для Джеффа, как для единственного сына, она хотела самого, по ее представлениям, лучшего. Но душой Джефф сочувствовал Аллегре.

— Со мной все нормально, я только нервничаю, — ответила Аллегра.

Джефф усмехнулся:

— А кто не нервничает?

Вечером обоим предстоял холостяцкий ужин, ей — девичник, ему — мальчишник. Аллегра воспринимала большую часть вещей, которыми ей приходилось заниматься, как терпимые — не интересные, не приятные, не забавные, а именно терпимые, не более того. Даже свадебные подарки оказались не такими интересными, как она представляла. За первым подарком — парой хрустальных подсвечников от Картье — последовало еще десять пар примерно таких же. Мало того, все, что они получали, нужно было внести в список, каталогизировать, занести в компьютер, послать благодарность подарившему. Это была работа, и довольно нудная, но никак не развлечение. Какие-то мелочи, накапливаясь, превращались в головную боль. Аллегре так и хотелось попросить людей повременить с подарками, но, конечно, она не могла этого сделать.

— Что у тебя намечено на сегодняшний девичник? — спросил Джефф по дороге. На этот раз они для разнообразия решили переночевать у Аллегры. В офисе она практически ничего не закончила, но всерьез на это и не рассчитывала. Элис помогала ей всем, чем могла.

— Мы ужинаем в «Спаго».

Аллегра откинулась на спинку сиденья и зевнула.

— А мы идем в «Трой».

— Что ж, звучит вполне прилично, надеюсь, никто из твоих приятелей не притащит с собой десяток проституток.

Аллегра никогда не находила забавными рассказы о холостяцких вечеринках перед свадьбой. Ей казалось, что это не слишком хорошее начало семейной жизни, она рассердилась бы на любого, кто привел бы на мальчишник девиц, а еще больше на Джеффа — если бы он этим воспользовался. Однако вышло так, что благодаря некоторым коллегам Аллегры, которых пригласила к ней Кармен, холостяцкая вечеринка Джеффа оказалась куда приличнее, чем ее девичник. На мальчишнике у Джеффа, как полагается, присутствовала стриптизерша, но она пришла, выступила и ушла без всяких инцидентов, было спето несколько непристойных песенок, рассказано несколько скабрезных историй, и все. Единственного «незваного гостя» притащил с собой Алан

Карр, притащил в буквальном смысле, потому что это был пьяный аллигатор на поводке (на всякий случай с ним пришел дрессировщик), на шее у аллигатора висела табличка с надписью «Аллегра». Друзья Джеффа решили, что это страшно остроумная шутка, но Аллегра только порадовалась, что никому не пришло в голову пошутить таким образом на ее девичнике. Мужчины пришли в восторг, а она бы просто испугалась.

В «Спаго» выступал стриптизер, которого Джесс нашла «о-очень скучным». Надо отдать Джесс должное, чувство юмора у нее было, она подшучивала над другими гостьями, временами это было очень смешно, и благодаря этому никто не испытывал неловкости из-за ее сексуальной ориентации. Все гости до одной вручали Аллегре неприличные подарки: порнографические кассеты, вибраторы, прозрачное белье, трусики с разрезом между ног, пояса с подвязками для чулок, белье в виде крошечных лоскутков. Сначала Аллегру это забавляло, потом ей стало скучно и хотелось только одного — поскорее вернуться домой, забраться под одеяло, уснуть и забыть о свадьбе.

— Скорее бы все это кончилось, — пробурчала Аллегра, падая в кровать рядом с Джеффом.

Засыпая, она снова спрашивала себя, правильно ли они поступают. Почему все остальные так в этом уверены? Почему у Кармен, у Сэм со свадьбой все получилось легко, а ей дается с огромным трудом? Может, она подсознательно боится Джеффа или самой свадьбы? Аллегра уснула, так и не найдя ответов на все эти вопросы, но до самого утра ее мучили кошмары.

Глава 22

Самым трудным днем для Аллегры оказалась пятница. В этот последний рабочий день предстояло все закончить. Дом уже был продан, все документы на него оформлены, деньги перечислены, и это дело больше не требовало ее участия. Из крупных дел у Аллегры осталось только одно: в пятницу днем прилетал Чарлз Стэнтон, и Аллегра договорилась встретиться с ним за чашкой кофе. Наступил день, которого она давно ждала со страхом. Этот страх не имел никакого отношения ни к Джеффу, ни к свадьбе, только лично к ней, к ее жизни, к ее воспоминаниям, к ее свободе, и Аллегра отчетливо это сознавала. В действительности она ждала этой минуты не несколько недель, а двадцать пять лет.

Больше всего Аллегре не нравилось, что во всей этой суете, связанной с приготовлениями к свадьбе, она как будто теряла Джеффа. Все разговоры крутились только вокруг шляпок, туфель, фаты, фотографий, подружек невесты, свадебного торта... Словно для того, чтобы снова обрести друг друга, им нужно было пройти через все это, как сквозь густой туман. Аллегра с нетерпением ждала конца этим хлопотам.

Утром она отправилась на работу, когда Джефф еще спал, а когда позвонила, он уже куда-то уехал — бог знает куда, кажется, ему нужно было обсудить какие-то вопросы с шаферами. Они хотели сходить куда-нибудь вместе на ленч, но так и не смогли поймать друг друга, так как ей пришла пора ехать на встречу с Чарлзом Стэнтоном.

Позже в этот же день состоится репетиция обеда, и там она наконец увидит Джеффа, но там же они снова и расстанутся. Собственного дома у нее больше нет, и, чтобы по традиции не видеться с женихом до свадьбы, она проведет последнюю ночь в родительском доме. Отчасти Аллегра этому даже радовалась: ей хотелось побыть с родителями, она рассчитывала вдоволь наговориться с Сэм, если сестра придет в гости из коттеджа в большой дом. А пока у нее было другое дело: предстояла встреча с отцом. Она уже говорила с Сэм и родителями об этой встрече, отказывалась идти по церковному проходу с Чарлзом Стэнтоном.

Саймон тогда ее упрекнул:

— Ты говоришь так, словно он собирается тебя похитить.

— В данном случае так и есть, — возразила Аллегра.

По дороге в отель она все время думала о том, как сказать Чарлзу Стэнтону, что на свадьбе он будет присутствовать не как отец, а как гость. Роль отца завтра должен исполнять Саймон Стейнберг. Аллегра продолжала размышлять об этом, повторяя в уме заготовленные фразы, и когда вошла в вестибюль, так задумалась, что не заметила, как налетела на какого-то мужчину. Она извинилась, прошла к регистрационной стойке, и только там ее словно что-то кольнуло в сердце; она оглянулась на человека, с которым только что столкнулась, **400** и лицо которого показалось ей знакомым. Однако он был гораздо старше, чем ей помнилось. Мужчина тоже всматривался в ее лицо, затем медленно подошел.

— Аллегра? — осторожно спросил он. Она кивнула, затаив дыхание. Это был он, ее отец.

— Привет, — сказала она, внезапно не находя слов.

Чарлз предложил пройти в бар. Аллегра согласилась. Когда они сели за столик, он заказал кока-колу. Аллегра испытала облегчение: по крайней мере он не пьет. Самые худшие воспоминания детства об отце были связаны с тем, что он напивался и избивал Блэр. Некоторое время они говорили о всяких пустяках, о погоде, о его работе, о Калифорнии, о Бостоне. Чарлз ни разу не спросил о Блэр. Наверное, до сих пор держит на нее зло, предположила Аллегра. Видимо, он так и не простил ее. Аллегра рассказала, что Джефф из Нью-Йорка и что оба его деда были хирургами.

— Интересно, как он сумел избежать этой участи? — попытался пошутить Стэнтон. Он старался говорить с дочерью помягче, но у него не очень получалось. Между ними стояла стена.

Аллегру удивило, каким он выглядит старым и немощным. Она как-то не задумывалась, сколько ему лет, и только недавно узнала от Блэр, что ему исполнится семьдесят пять. Оказывается, у них с матерью большая разница в возрасте.

Аллегра рассказала о книгах, о фильме Джеффа.

— Он очень талантлив.

Но даже рассказывая о нем, Аллегра не могла сосредоточиться. Ее мысли занимало другое: ей очень хотелось понять, за что отец так сильно ее ненавидел, почему он никогда не стремился с ней встретиться, не звонил, не писал, никогда ее не любил. Ей хотелось спросить напрямик, что с ним произошло, когда умер ее брат, но она не могла — во всяком случае, сейчас, когда сидела с ним рядом. Ее гнев копился годами на дне души, как нефть в подземном озере, из которого ей некуда выйти, разве что кто-то поднесет спичку и она вспыхнет, изойдет пламенем. И в конце концов так и случилось. Искра вспыхнула, когда отец спросил, как поживает Блэр, и одного его тона оказалось достаточно, чтобы Аллегра взорвалась.

— Почему ты спрашиваешь о маме с такой враждебностью? — спросила она и сама удивилась, словно **401** сам вопрос и резкость, с которой он прозвучал, неожиданно вырвались наружу откуда-то из темных тайников ее сердца.

— Что ты имеешь в виду? — спросил в ответ отец, поднося ко рту стакан с кока-колой. Казалось, ему стало неловко. Аллегра с детства помнила, что он был мастером пассивной агрессии. — Я не питаю злобы к твоей матери.

Он лгал, его выдавали глаза. Он ненавидел Блэр еще сильнее, чем Аллегру. Если к дочери он был скорее равнодушен, то с Блэр у него были старые счеты.

— Не надо, я знаю, что ты до сих пор держишь на нее обиду. — Аллегра посмотрела ему прямо в глаза. — Но это понятно, ведь мама от тебя ушла.

— Что ты об этом знаешь? — Теперь в голосе Чарлза слышалось брюзгливое раздражение. — Это было давным-давно, ты тогда была еще маленькой.

— Но я до сих пор все помню. Я помню ваши ссоры, крики, ужасные вещи, которые вы друг другу говорили...

— Как ты можешь что-то помнить? — Чарлз уставился в свой стакан. Он-то уж точно ничего не забыл. — Ты была совсем крошкой.

— Мне было пять, а когда мы ушли, даже шесть. Это было отвратительно.

Чарлз кивнул. Отрицать не было смысла, и он боялся, что Аллегра действительно помнит случаи, когда он бил Блэр, и все остальное. Он и сам знал, что тогда просто обезумел.

Аллегра набралась смелости и решила шагнуть в самую глубину. Она понимала, что это единственный путь добраться до противоположного берега, и чувствовала, что на этот раз должна попытаться. Может статься, они больше никогда не увидятся, значит, это ее единственный шанс освободиться самой и освободить его.

— Самое страшное началось, когда умер Пэдди.

Чарлз вздрогнул как от удара.

— Пэдди нельзя было спасти. У него была форма лейкемии, которую тогда не умели лечить, ему никто не мог бы помочь. От этой формы и сейчас умирают, — печально сказал он.

— Я тебе верю.

Аллегра заговорила мягче; мать еще много лет назад объяснила ей, что болезнь Пэдди была неизлечимой. Однако она знала и другое: отец считал, что обязан был спасти сына, и так и не простил себе неудачи. Именно поэтому он начал пить, поэтому в конечном счете лишился жены и дочери.

— Я помню Пэдди, он был такой добрый, так хорошо ко мне относился... — Нежный, любящий, заботливый, в каком-то смысле Пэдди был таким же, как Джефф. — Я его очень любила.

Отец закрыл глаза и отвернулся.

— Сейчас не имеет смысла об этом говорить.

Аллегра вдруг вспомнила, что у него нет других детей, кроме нее, и на какое-то мгновение ей стало его жаль. Он старый, усталый, одинокий, вероятно, больной, и у него ничего нет. У нее есть Джефф, родители, Сэм, Скотт, даже Джимми и Мэттью. У Чарлза Стэнтона нет ничего и никого, одни сожаления и призраки прошлого. Одного ребенка, которого он любил, он потерял, от другого отказался.

— Скажи, почему ты не хотел со мной встречаться? — тихо спросила она. — Я имею в виду после того, как мы ушли. Почему ты не звонил, не отвечал на мои письма?

— Я был очень зол на твою мать.

Много лет назад ему было очень нелегко отвечать на вопросы о жене и дочери. Но Аллегру его объяснение не удовлетворило.

— Но ты же мой отец.

— Она меня бросила, и ты вместе с ней. Что мне оставалось делать — цепляться за вас? Это было слишком больно. Я знал, что мне никогда не вернуть ни ее, ни тебя, поэтому оставалось только отпустить вас и забыть.

«Неужели он так и сделал? — спрашивала себя Аллегра. — Постарался забыть меня, выкинуть из головы, похоронить, как Пэдди? Оборвать все связи между нами?» Она попыталась расставить все точки над i.

— Но почему? Почему ты не отвечал на мои письма, даже не звонил? А когда я сама тебе звонила, ты разговаривал со мной злобно.

Свершилось. Она высказала все напрямик.

И тут Чарлз Стэнтон произнес нечто очень странное:

— Аллегра, я не хотел, чтобы в моей жизни была ты, и не хотел, чтобы ты меня любила. Может, для тебя это прозвучит странно, но я вас обеих очень любил, и когда вы от меня ушли, я сдался. Это было все равно что второй раз **403** потерять Патрика. Вы уехали, у вас началась новая жизнь, и я знал, что не могу преодолеть пропасть между нами. Через год после того, как твоя мать меня бросила, у тебя появился отчим, через три года — другой брат, и я знал, что у Блэр будут еще дети. И у нее, и у тебя была новая жизнь; пытаться удержать вас, вернуть было бы слишком жестоко по отношению к вам обеим. Отпустить тебя, не мешать начать новую жизнь было великодушнее. Я думал, что так будет лучше, тогда тебе просто не на что будет оглядываться, у тебя не будет прошлого, только будущее.

— Но я унесла все прошлое с собой, — с грустью возразила Аллегра. — Ты и Пэдди были со мной повсюду. Я не могла понять, почему ты меня разлюбил. — Даже сейчас от этой мысли у нее выступили слезы на глазах. — Я всегда думала, что ты меня ненавидишь, и все пыталась понять причину. — Она заглянула в глаза отцу, ища в них подтверждения.

Чарлз грустно улыбнулся и робко дотронулся до ее руки самыми кончиками пальцев.

— Я никогда не испытывал к тебе ненависти, но мне тогда было нечего тебе дать, я был совершенно раздавлен, сломлен. Твою мать я какое-то время действительно ненавидел, но потом это прошло. У меня были свои демоны, с которыми мне предстояло жить дальше. — Он вздохнул и посмотрел на Аллегру. — Я испробовал на твоем брате экспериментальные методы лечения. Я знал, что он все равно умрет, но надеялся ему помочь, продлить ему жизнь. Ничего не вышло. Более того, меня терзала мысль, что я, возможно, сократил ему жизнь — пусть ненадолго, но все же сократил. Твоя мать обвиняла меня, что это я его убил.

Лицо Чарлза помрачнело еще больше.

— Когда мы говорили о тебе, мама никогда об этом не упоминала.

— Может быть, она в конце концов меня простила, — предположил Чарлз.

— Она простила тебя давным-давно, — тихо сказала Аллегра.

Ни на один из ее вопросов не нашлось легкого ответа. Может, она так никогда и не поймет до конца, что заставило Чарлза отказаться от дочери, но по крайней мере теперь она знала, что у него были свои демоны, комплексы, чувство вины, это из-за них он уверовал, что принял правильное решение. Ему было просто нечего дать дочери. Именно об этом ей когда-то давно говорила доктор Грин, только Аллегра не верила, и вот сейчас Чарлз подтвердил то же самое.

— Я тебя очень любил, — тихо сказал он. Это были слова, услышать которые Аллегра мечтала всю жизнь. — Наверное, тогда я сам этого не понимал. Я до сих пор тебя люблю, поэтому и приехал сейчас. Я начинаю понимать, что время — большая роскошь, и иногда его лучше потратить. Иногда я мысленно разговаривал с тобой, думал о том, что бы сказал тебе, если бы позвонил — например, в день рождения. Я всегда помню ваши дни рождения — и твой, и Пэдди, и ее, но ни разу вам не позвонил. Когда ты мне написала, я долго думал над твоим письмом. Я не собирался тебе отвечать, но потом вдруг понял, что не хочу пропустить твою свадьбу. — Когда он это сказал, в его глазах заблестели слезы. Свадьба дочери была для него гораздо важнее, чем он мог выразить словами.

— Спасибо, — сквозь слезы почти прошептала Аллегра. Она благодарила его не только за эти слова, но и за честность, за то, что он наконец освободил ее от груза вины. — Я рада, что ты приехал.

Аллегра взяла его руку и поцеловала. Чарлз улыбнулся, не смея проявить свои чувства еще более открыто. Как и раньше, его ограничивали собственные внутренние рамки, как, вероятно, и всех нас.

— Я тоже рад, что приехал, — сказал он растроганно, потрясенный разговором с дочерью.

Они выпили еще по стакану кока-колы, немного поговорили о свадьбе. Аллегра ни словом не упомянула о том, кто поведет ее по церковному проходу. Пока она решила поручить Делии уладить этот вопрос, но испытала огромное облегчение, узнав, что все это время не была безразлична родному отцу, он о ней думал, даже помнил день ее рождения. Внешне от этого, может, ничего и не менялось, он ведь все равно ей не звонил, но для Аллегры разница была огромна.

Они встали, Аллегра предложила подвезти его на своей машине до зала, где будет проходить репетиция свадьбы, а затем и сам обед. Посовещавшись с Делией, Аллегра и Блэр решили, что так будет проще, чем всем ехать в Бель-Эйр и устраивать репетицию непосредственно в саду, тем более что там еще кипела работа, садовники трудились не покладая рук. Для того чтобы закончить все до свадьбы, ко- **405** торая назначена на завтра на пять часов вечера, у них оставалось всего двадцать три часа.

На обратном пути отец еще раз удивил Аллегру, признавшись, что нервничает перед встречей с Блэр. Ей это показалось странным. Блэр вот уже двадцать три года замужем за Саймоном, Чарлзу давно нет места в ее жизни. Но прошлое не отбросишь, когда-то они с Блэр одиннадцать лет были мужем и женой, она родила ему двоих детей. Сейчас, глядя на седого старика, каким он стал, в это было трудно поверить. Сдержанный, даже скованный, консервативный, он разительно отличался от Блэр — подвижной, энергичной, красивой и все еще молодой женщины. Казалось, у нее нет ничего общего с Чарлзом Стэнтоном. Да так оно и было.

В «Бистро» они приехали ровно в шесть. Туда же прибывали остальные участники свадебной церемонии. Делия и священник о чем-то совещались в углу, в это время официанты разносили шампанское. Вся семья Аллегры уже собралась, тут же были ее друзья, подружки невесты, оба отца. Мать Джеффа стояла рядом с сыном. Она явилась в строгом черном платье, с такой же строгой прической, и вид у нее был очень серьезный. И все-таки, несмотря ни на что, миссис Гамильтон выглядела прекрасно.

Алан рассказывал Саймону о проходивших в Швейцарии съемках, Кармен щебетала с Самантой о детях. На этот раз Сэм оставила Мэтта дома с няней. Она покормила сына грудью перед самым уходом из дома и предупредила Джимми, что не хочет задерживаться надолго — это был первый случай, когда она оставила малыша дома, но ей было приятно снова выйти в свет после большого перерыва. Джимми поглядывал на жену с восхищением, любуясь ее великолепной фигурой.

Жених и невеста, их родные и гости составляли очень впечатляющую компанию, в которой набралось достаточно известных имен, чтобы удовлетворить любого корреспондента бульварной прессы. Священник стал объяснять, кому, что и в каком порядке надлежит завтра делать. Чарлз Стэнтон растерялся, не совсем понимая, какова его роль. Это заметил Саймон. Он тихо отвел Чарлза в сторону, представился, пожал руку и высказал необычное предложение. Аллегра слышала только начало разговора, затем мужчины отошли, ее тоже позвали, и о чем у них пошла речь, она не знала.

Аллегре вдруг стало казаться, что происходит нечто волшебное. Кусочки мозаики сложились в одно

406

целое, идеально подходя друг другу. Ее родные, старые подруги — все собрались вместе; родной отец признался, что любит ее. Да, он слаб, растерян, много раз ошибался, но он не бросил ее за какие-то ее грехи. В том, что случилось, она не виновата, может быть, даже и он не виноват. Аллегра не раз слышала это от других, но лишь сейчас смогла услышать то же самое из уст отца.

Когда они только входили, Аллегра представила Чарлза нескольким своим друзьям. Если бы кто-то присмотрелся повнимательнее, то мог бы заметить их семейное сходство. Конечно, Аллегра куда больше походила на Блэр и любила Саймона как отца, но Чарлз Стэнтон был ее биологическим отцом, частью ее жизни, ее самой, ее прошлого и будущего. В ней есть частица его, как, например, ее частица есть в Мэтью.

Аллегра познакомила отца и с миссис Гамильтон, однако после того, как священник все объяснил и собравшиеся продолжили прерванные разговоры, Чарлз стал медленно продвигаться по направлению к Аллегре и ее матери. Они стояли вместе, обсуждая последние детали предстоящей свадьбы.

— Здравствуй, Блэр.

Будь Чарлз моложе, он, наверное, покраснел бы, но сейчас он лишь уставился на бывшую жену. Она так мало изменилась, казалась такой молодой, что он пришел в полное замешательство. Как будто стрелки часов перевели назад. Чарлза захлестнули воспоминания, горькие и одновременно счастливые, он вспомнил времена, когда Пэдди был жив, а Аллегра была маленькой девочкой.

— Ты прекрасно выглядишь.

— Ты тоже. — Блэр не знала, что еще сказать. Их взгляды встретились: они вспоминали одно и то же. У них была в прошлом общая боль, общие разбитые надежды, иногда они вместе радовались и смеялись, но хорошее сейчас было трудно вспомнить, гораздо лучше сохранились в памяти трагедии — смерть Пэдди, их разрыв. Чарлз приехал сюда, чтобы добавить еще одну страничку в альбом их воспоминаний.

— Очень мило, что ты приехал, — сказала Блэр.

Аллегра подошла поздороваться с Тони Якобсоном и режиссером фильма Джеффа. Повернувшись, она заметила, что Нэнси Тауэрс активно обхаживает ее брата, а Скотт, похоже, не возражает. Нэнси уже успела перебрать лишнего, и сейчас ее рука непрерывно гладила бедро Скотта. Скотт встретился взглядом с Аллегрой, и она кивнула.

Глядя, как Аллегра пересекает комнату, Чарлз, обращаясь к Блэр, заметил:

— Она очень похожа на тебя. — Аллегра была такой же высокой и стройной, как мать в ее возрасте, у нее был такой же смех, ее волосы так же развевались при ходьбе. — Когда я ее увидел, сначала даже испугался, мне показалось, что это ты. Мы с Аллегрой хорошо поговорили сегодня днем в отеле.

— Да, она тоже так сказала. — Блэр вдруг стало жаль бывшего мужа, захотелось взять его за руку, как-то утешить, извиниться за все. — Как ты живешь, Чарлз? — спросила она, стараясь не вспоминать, что в молодости называла его Чарли.

— Очень тихо. — Казалось, Чарлз с этим вполне смирился. — А у тебя хорошая семья.

Он огляделся. Детей Блэр было легко выделить из толпы, они все походили на нее, и Саймон, с которым он недолго разговаривал, ему тоже понравился. Наверное, Блэр получила то, чего заслуживала. Она не заслужила ту боль, которую он ей причинил, но он ничего не мог изменить и надеялся, что когда-нибудь она его поймет. Он и хотел бы поговорить с Блэр откровенно, но не мог: одно дело — говорить с дочерью и совсем другое — с бывшей женой.

— Чарлз, я рада, что ты приехал.

Он все понял. В его глазах заблестели слезы, он дотронулся до руки Блэр и тихо отошел в сторону. Он просто не мог оставаться рядом с ней и дальше — это было слишком тяжело.

Чарлз остановился поговорить с Мэри Гамильтон. Оказалось, что у них не только есть общие знакомые в Бостоне, но он знал и ее отца, деда Джеффа,— тот был профессором на медицинском факультете, где учился Чарлз. Они разговорились. Вскоре Блэр пригласила всех к столу. Джефф и Аллегра сидели рядом, разговаривали и смеялись в окружении друзей. Завтра в это же время они будут на банкете в «Бель-Эйр», уже как муж и жена, а утром улетят в Европу. Аллегре все еще не верилось, что знаменательный день почти настал, до свадьбы осталось всего около двадцати часов.

За столом произносили тосты за жениха и невесту, Джефф тоже провозгласил тост за невесту, а Блэр предложила выпить за всех ее детей, которыми она очень гордилась. Аллегра не раз ловила взгляд Чарлза Стэнтона, обращенный на

Блэр, но большей частью он охотно беседовал о чем-то с матерью Джеффа. Мэри Гамильтон, отвечая ему, держалась очень дружелюбно, Аллегра впервые видела ее такой оживленной. К концу вечера Мэри Гамильтон и Чарлз Стэнтон стали чуть ли не закадычными друзьями. Когда Аллегра видела их в последний раз, Чарлз собирался провожать ее в отель.

— Кажется, мой бывший отец ухаживает за твоей матерью, — со смехом сказала Аллегра Джеффу, прощаясь с ним. Джефф собирался ехать домой в Малибу. Она посерьезнела. — Мне будет тебя не хватать сегодня ночью. — Старая традиция, требовавшая, чтобы жених и невеста не виделись перед свадьбой, вдруг стала казаться ей ужасно глупой. Может, в стародавние времена это имело особый смысл, но сейчас, когда жених и невеста живут вместе до свадьбы, пропускать одну ночь в угоду давнему обычаю казалось нелепостью, только портящей молодым настроение.

— Кстати, как прошел сегодняшний разговор с отцом? — осторожно поинтересовался Джефф. За обедом ему не представилось возможности спросить Аллегру о встрече с Чарлзом.

— Неплохо. — Аллегра улыбнулась. — Кажется, я поняла для себя кое-что важное. Я привыкла считать его злодеем, но на самом деле он скорее трагическая фигура и, наверное, очень одинок.

— Может, ему так удобнее. Не представляю твою мать его женой, они отличаются друг от друга как ночь и день.

— Да, верно. Слава Богу, что она встретила Саймона.

Джефф улыбнулся, ему очень не хотелось расставаться с Аллегрой, и он медлил.

— Ты выяснила, кто поведет тебя в церкви?

— Саймон сказал, чтобы я не волновалась, он сам все уладит. — Аллегра вздохнула с облегчением. Она впервые за двадцать лет обрела мир с родным отцом, но ей по-прежнему хотелось, чтобы к алтарю ее вел Саймон.

От «Бистро» Аллегра и Джефф уехали на разных машинах. Сэм уехала с Джимми около часа назад. Пора было кормить малыша, ее груди налились молоком и стали тяжелыми и круглыми, как шары для боулинга. Аллегра в десятый раз напомнила Джеффу, где стоят ее вещи, собранные для свадебного путешествия. Она боялась, что Джефф забудет их взять.

— Не забудь мои чемоданы, — крикнула она из окна машины, уже трогаясь с места.

— Попытаюсь! — ответил Джефф также из окна своего автомобиля. Он поехал следом за Аланом и Кармен, **409** тоже возвращавшимися в Малибу. В последнее время супруги жили большей частью в доме Алана.

Минут через десять Аллегра была уже дома, вернее, в родительском доме в Бель-Эйр. Саймон и Блэр были заняты какими-то делами. В коттедже ярко горел свет, Аллегре очень хотелось навестить сестру с малышом, но она не желала вторгаться непрошеной гостьей. Она с удовольствием поболтала бы и со Скоттом, но тот после обеда исчез вместе с Нэнси, и Аллегра догадывалась, что брат не появится до утра. В результате Аллегра слонялась по дому без дела.

— Ложилась бы ты спать, — посоветовала Блэр.

— Я не устала! — возразила Аллегра.

Это прозвучало так по-детски, что Блэр улыбнулась.

— Сейчас нет, но завтра устанешь, если не выспишься.

Однако делать все равно было нечего, и в конце концов Аллегра поднялась наверх, в свою старую комнату и, не раздеваясь, легла на кровать поверх покрывала. Немного погодя позвонила Джеффу, тот только что вернулся домой. Они обсудили приятный вечер, некоторых общих знакомых, поговорили о завтрашней свадьбе.

— Я тебя очень люблю! — с чувством произнес Джефф. Это было самое счастливое время в его жизни.

— Я тоже тебя люблю.

Повесив трубку, Аллегра разделась и легла под одеяло, но еще долго не засыпала, думая о Джеффе, о том, какой он хороший и как ей посчастливилось, что она его встретила. Она нашла именно такого человека, какого хотела, и главное, того, кто ей действительно нужен. Как она и мечтала, ее будущий муж во многом похож на Саймона.

Этой ночью Аллегра спала крепко и спокойно, без сновидений. Она решила все проблемы — с работой, с личной жизнью, с прошлым, с будущим, помирилась с отцом.

Глава 23

В субботу пятого сентября в Лос-Анджелесе ярко светило солнце, не было ни тумана, ни смога, обычных для этого города. С моря дул легкий ветерок. В пять часов вечера было все так же солнечно, на небе ни облачка.

Аллегра стояла в своей спальне перед зеркалом. Подвенечное платье сидело на ней идеально. В этом платье с кружевной юбкой, доходящей спереди до середины колена и спускающейся сзади почти до пола, в роскошной широкополой шляпе с длинной вуалью Аллегра походила на сказочную принцессу. Волосы, уложенные в пучок, были скрыты под шляпой. Блэр протянула дочери благоухающий букет, составленный Дэвидом Джонсом.

— Боже, Аллегра... — У Блэр захватило дух, на глаза навернулись слезы. Никогда в жизни она не видела такой красивой невесты, как ее дочь. В платье, созданном Джанфранко Ферре для фирмы «Кристиан Диор», она выглядела настоящей королевой. Когда Саймон увидел ее спускающейся по лестнице, он тоже не выдержал, промокнул глаза платком.

— Ох, девочка, какая же ты красавица!

Ни у кого из них троих не возникало ни малейших сомнений в том, что Аллегра — его дочь. Глядя на нее в свадебном платье, Саймон знал, что они запомнят эту минуту на всю жизнь.

Снаружи негромко играла музыка. Делия суетливо металась по дому, как наседка, собирающая своих цыплят, — или, учитывая ее размеры, правильнее было бы сказать, страусиха. Подружки невесты уже выстроились в линейку, все было готово к началу церемонии. Саймон пошел наверх за Аллегрой.

— Элли, я тут вчера кое-что сделал. Я поговорил с Чарлзом, и у меня возникла мысль... — Видя, что Аллегра начинает заметно нервничать, он поспешил добавить: — Нет, не сердись, пожалуйста, я нашел своего рода компромисс.

Он наклонился к самому ее уху и что-то прошептал. Некоторое время Аллегра молча обдумывала его слова, потом улыбнулась и кивнула. И почти одновременно с ее кивком в дверях возник Чарлз Стэнтон в визитке и брюках в тонкую полоску. Вид у него был очень благородный и почему-то несколько чопорный. Саймон же был неотразим, как кинозвезда.

— Ладно, дамы, давайте тихонько начнем. — Делия бесшумно сделала вид, будто хлопает в ладоши. Весь этот спектакль вдруг показался Аллегре ужасно глупым, она не удержалась и захихикала. Подумать только, они потратили на подготовку этого шоу несколько месяцев, отрабатывали сотни мельчайших деталей! — Медленно и бесшумно... медленно и бесшумно! — шепотом командовала Делия, демонстрируя подружкам невесты образец торжественной походки.

Первой шла Нэнси, она провела незабываемую ночь со Скоттом в его комнате в Бель-Эйр. За ней шла Джесс, в бежевом кружевном платье и бежевой же шляпке она выглядела настоящей леди. Проходя мимо Аллегры в сад, Джесс лукаво подмигнула. Невеста в ответ рассмеялась. Это был самый счастливый день ее жизни, через десять минут она станет женой Джеффа... навсегда.

Следующей в ряду шла Кармен. Ее нарочно поставили в середину процессии, чтобы она не отвлекла все внимание на себя, но даже с располневшей талией она притягивала взгляды. Кармен обладала такой внешностью, от которой у людей захватывает дух, и сейчас, когда она медленно двигалась по церковному проходу к убранному цветами алтарю, по рядам гостей прошел шепоток. Следом шла Сэм — прекрасная, юная, чистая, такая же высокая и гибкая, как ее старшая сестра и мать. Джимми был шафером, вместе с другими он ждал Сэм у алтаря.

Когда все подружки невесты и шаферы заняли свои места, возникла долгая пауза. Все ждали появления невесты. Наконец она вышла — прекрасная, такая, какой и должна быть невеста. Она шла размеренной походкой, опираясь на руку отца и опустив глаза, лицо закрывала длинная вуаль. Аллегра чувствовала, как отец, идущий рядом, чуть заметно дрожит. Он вернулся к ней в самый нужный момент ее жизни, когда ей самой предстояло уйти от него. Но на этот раз ни один из них не почувствует себя брошенным. Когда они достигли середины прохода, Чарлз Стэнтон остановился, повернулся к дочери и с улыбкой посмотрел на нее. Затем поднес ее руку к губам и поцеловал, давая ей свое благословение.

— Благослови тебя Бог, девочка моя... я люблю тебя, — прошептал он.

Аллегра посмотрела на него ошеломленно. Он сказал это.

Чарлз отступил в сторону, и его место занял Саймон. Он взял Аллегру под руку и повел дальше, к алтарю, как вел ее по жизни. Получилось как в жизни: в первые годы с ней был Чарлз, а потом — Саймон. Провожая Аллегру к алтарю, Саймон вспомнил, как много лет назад в его жизнь вместе с Блэр вошла маленькая девчушка, напуганная, изголодавшаяся по любви. В глазах снова защипало.

— Я люблю тебя, — прошептал Саймон сквозь слезы.

Аллегра приподнялась на цыпочки и поцеловала его в щеку. Затем она отошла от Саймона и подошла к Джеффу. Она уходила из семьи, чтобы принять на себя новую роль — жены Джеффа. Саймон вернулся обратно и сел рядом с Блэр. Аллегра повернулась и посмотрела на своего будущего мужа глазами, полными любви и доверия. Они так долго ждали друг друга.

— Ты сегодня прекрасна, — прошептал Джефф, сжимая ее руку.

— Я тебя очень люблю, — прошептала в ответ Аллегра.

Он посмотрел на невесту любящими глазами. Высокая, красивая, молодая, гордая, полная надежд. Люди, которые знали и любили Аллегру, не могли наблюдать за этой сценой без слез умиления. Жених и невеста произнесли брачные обеты, поклялись любить и беречь друг друга. Священник сказал Джеффу, что он может поцеловать невесту. Поцелуй длился так долго, что гости зааплодировали. Наконец священник провозгласил их мужем и женой. Взявшись за руки, Джефф и Аллегра — теперь уже муж и жена — поспешили обратно по церковному проходу. Гости вставали, приветствуя и поздравляя новобрачных, и осыпали их лепестками роз. Это был счастливейший, самый главный момент всей их жизни.

Все, кто видел Аллегру, утверждали, что никогда не видели более прекрасной невесты. Молодожены принимали поздравления, затем Питер Душен заиграл для них вальс «Очарование», и они медленно закружились по танцевальной площадке. Все гости замерли в молчаливом восхищении. Это была самая красивая пара из всех новобрачных, каких им доводилось видеть. После жениха Аллегра станцевала один танец с Чарлзом, затем с Саймоном. Саймон легко повел ее в танце по залу, развлекая разговором и заставляя смеяться над забавными условностями свадебной церемонии — он всегда умел ее рассмешить. У него был легкий характер и доброе сердце, покорившее ее давным-давно, в самом детстве. После Саймона Аллегра танцевала с Аланом, со Скоттом, с Джимми, затем с Тони, Артом, другими гостями и, наконец, снова с Джеффом. Она танцевала, наверное, больше часа. Затем последовал торжественный обед. После обеда снова были танцы. Аллегра подошла к Блэр и Саймону и поблагодарила их за замечательную свадьбу. Мать оказалась права. Они пригласили двести пятьдесят человек, и торжество удалось на славу. Даже Мэри Гамильтон, по-видимому, получила удовольствие: Чарлз Стэнтон весь вечер почти не отходил от нее.

Наконец Аллегра поднялась в свою старую комнату и переоделась в белый шелковый костюм от Валентино. Когда она вернулась, Саймон танцевал с Блэр, наслаждаясь последними минутами праздника. Неподалеку от них танцевали Сэм и Джимми. Посмотрев на младшую дочь, Блэр вдруг с горечью сказала мужу:

— Бедняжка, за последние полтора месяца она успела стать и женой, и матерью, а свадьбы у нее так и не было. Может, когда закончится перестройка кухни, устроить что-нибудь и для них? — Она размышляла вслух, глядя на мужа. Идея вдруг показалась ей такой простой и легко осуществимой, что оставалось только удивляться, как она раньше до нее не додумалась.

Но Саймон засмеялся, покачал головой и решительно возразил:

— Не вздумай! Лучше вручим им чек и отправим в свадебное путешествие. — Он посмотрел на младшую дочь, счастливо улыбающуюся в объятиях любимого мужа, и снова перевел взгляд на жену. Даже став матерью, Сэм по-прежнему выглядела невинной, доверчивой девочкой. — Разве что она сама этого захочет. Может, спросим у Сэм? — После всех испытаний было бы жестоко лишать бедную девочку настоящей свадьбы, если ей захочется.

— Мы можем устроить для них что-нибудь на Рождество... или весной. — Блэр уже строила в голове планы: рождественский прием для Сэм... Сэм и ее муж заново повторяют супружеские обеты... маленькие украшенные елочки по всему саду... навес... какой-нибудь современный оркестр, из тех, что любит нынешняя молодежь...

Саймон снова рассмеялся, догадавшись, что происходит в голове жены.

— Стоп, стоп! А может, нам самим еще раз пожениться? По-моему, это было бы забавно. — И возможно, не лишено смысла. После рождения Мэттью их брак как будто возродился. — Глупенькая ты моя, как же я тебя люблю... Прекрати на пять минут планировать свадьбу Сэм, послушай меня. Я хочу, чтобы ты знала: по-моему, ты потрясающая женщина.

— А ты потрясающий мужчина. Как ты ловко все **414** устроил с Чарлзом во время венчания! По-моему, тебе пришла в голову гениальная идея, каждый получил свой шанс, и в этом было что-то символическое...

— Не зря же я сорок лет работаю с актерами. Творческий подход и компромисс — вот главное, тогда все получится.

— Я вспомню об этом на следующей неделе, когда мы начнем работать вместе, — пошутила Блэр.

Оркестр заиграл «Нью-Йорк, Нью-Йорк», и они продолжили танец под новую музыку. В это время появилась Аллегра в белом костюме от Валентино. Она поднялась на эстраду, где играли музыканты, повернулась спиной к гостям и бросила букет назад и вверх. Он пролетел по воздуху и попал прямо в руки к Джесс, но та замотала головой и бросила его дальше с такой поспешностью, словно это были не цветы, а граната с выдернутой чекой. На этот раз букет поймала Саманта. Сестры дружно рассмеялись. Аллегра обняла Сэм, поцеловала на прощание и по секрету шепотом сообщила, что мама собирается устроить ей свадьбу на Рождество.

— О нет, только не это! — простонала Сэм, состроив гримасу, как ребенок, которому предложили шпинат. — Я не могу, Джимми меня убьет... да я сама умру...

И это было не кокетство, Сэм говорила искренне. Свадьба Аллегры ей понравилась, но для себя она бы этого не хотела, слишком уж много хлопот.

— Скажи об этом маме.

Аллегра помахала всем рукой.

Блэр и Саймон провожали дочь и зятя. Перед тем как сесть в машину и отправиться в отель, Аллегра подошла к родителям, поцеловала их и поблагодарила за все, что они для них сделали. Джефф присоединился к ее благодарности. Они отбывали в Европу на три недели. Свадьба удалась на славу.

Когда молодые уехали, Джимми снова потянул Сэм на площадку для танцев. Скотт сбежал в свою комнату с Нэнси. Саймон крепко обнял и поцеловал жену.

Уважаемые читатели!
Даниэла Стил готова ответить
на ваши вопросы.
Присылайте их по адресу:
129085, Москва, Звездный бульвар, 21
Издательство АСТ, отдел рекламы

По вопросам оптовой покупки книг
издательства АСТ обращаться по адресу:
Звездный бульвар, дом 21, 7-й этаж
Тел. 215-43-38, 215-01-01, 215-55-13

Книги издательства АСТ можно заказать по адресу:
107140, Москва, а/я 140, АСТ — “Книги по почте”

Литературно-художественное издание

Стил Даниэла
Свадьба

Художественный редактор О.Н. Аласкина
Компьютерный дизайн Е.Н. Волченко
Технический редактор О.В. Панкрашина
Младший редактор Н.К. Белова

Общероссийский классификатор продукции
ОК-005-93, том 2; 953000 — книги, брошюры

Гигиеническое заключение
№ 77.99.14.953.П.12850.7.00 от 14.07.2000 г.

ООО «Издательство АСТ»
Лицензия ИД № 02694 от 30.08.2000 г.
674460, Читинская область, Агинский район,
п. Агинское, ул. Базара Ринчино, д. 84.
Наши электронные адреса:
WWW.AST.RU
E-mail: astpub@aha.ru

При участии ООО «Харвест». Лицензия ЛВ № 32 от
10.01.2001. 220040, Минск, ул. М. Богдановича, 155-1204.

Налоговая льгота — Общегосударственный классификатор
Республики Беларусь ОКРБ 007-98, ч. 1; 22.11.20.300.

Республиканское унитарное предприятие
«Полиграфический комбинат имени Я. Коласа».
220600, Минск, ул. Красная, 23.